L'EMPREINTE DE TOUTE CHOSE

Née en 1969 dans le Connecticut, Elizabeth Gilbert vit aujourd'hui à Philadelphie et voyage régulièrement au Brésil et à Bali. Ancienne journaliste à *GQ*, à *Spin* et au *New York Times* entre autres, ses premiers écrits sont remarqués par la critique. Elle acquiert une notoriété internationale avec son roman autobiographique *Mange, prie, aime* (Calmann-Lévy, 2008), paru dans plus de trente pays et adapté au cinéma en 2010 avec Julia Roberts dans le rôle principal. Désignée par le magazine *Times* comme l'une des cent personnes les plus influentes de la planète en 2008, Elizabeth Gilbert a été finaliste du National Book Award pour *Le Dernier Américain* (Calmann-Lévy, 2009) et du PEN/Hemingway Award pour *Désirs de pèlerinages* (Calmann-Lévy, 2012). Elle est également l'auteur de *L'Empreinte de toute chose* (Calmann-Lévy, 2014).

Paru dans Le Livre de Poche :

LE DERNIER AMÉRICAIN

DÉSIRS DE PÈLERINAGES

MANGE, PRIE, AIME

MES ALLIANCES

LA TENTATION DU HOMARD

ELIZABETH GILBERT

L'Empreinte de toute chose

ROMAN TRADUIT DE L'ANGLAIS (ÉTATS-UNIS)
PAR PASCAL LOUBET

CALMANN-LÉVY

Titre original :

THE SIGNATURE OF ALL THINGS

ISBN : 978-2-253-19434-7 – 1re publication LGF

À ma grand-mère,
Maude Edna Morcomb Olson,
en l'honneur de son centième anniversaire

*Ce qu'*est *la vie, nous l'ignorons.*
Ce qu'elle fait, *nous le savons bien.*
Lord PERCEVAL

Prologue

Alma Whittaker, née avec le siècle, se faufila dans notre monde le 5 janvier 1800. Très vite, pour ne pas dire aussitôt, chacun eut une opinion sur elle.

La mère d'Alma, en voyant le nourrisson pour la première fois, s'estima plutôt satisfaite du résultat. Les tentatives de Beatrix Whittaker pour concevoir un héritier n'avaient jusque-là connu que l'échec. Les trois premières n'avaient même pas abouti. La plus récente était un fils parfaitement formé et parvenu à terme, qui avait changé d'avis le matin où il devait voir le jour et était arrivé mort-né. Après de tels deuils, tout enfant capable de survivre vous contente.

En prenant sa fille dans ses bras, Beatrix murmura une prière en néerlandais, sa langue natale. Elle pria pour qu'elle grandisse en pleine santé, soit sensée et intelligente, que jamais elle ne fréquente des filles trop poudrées, rie à des anecdotes vulgaires, prenne place à une table de jeu avec des hommes dévoyés, lise des romans français, se comporte d'une manière indigne même d'un sauvage ou déshonore sa famille : elle pria, au fond, pour qu'elle soit *een onnozel*, une simplette. Ainsi se conclut la bénédiction – ou ce qui en tenait lieu – d'une femme aussi austère que Beatrix Whittaker.

La sage-femme, une voisine d'origine allemande, estima que cela avait été une naissance convenable dans une maison convenable et qu'en conséquence, Alma Whittaker était un bébé convenable. La chambre était chauffée, soupe et bière avaient été offertes, et, en digne hollandaise, la mère s'était montrée stoïque. En outre, la sage-femme savait qu'elle serait payée, et généreusement. Tout bébé qui rapporte est un bébé acceptable. Dès lors, la sage-femme donna elle aussi sa bénédiction à Alma, bien que sans passion excessive.

Hanneke de Groot, la gouvernante en chef, fut moins impressionnée. L'enfant n'était ni un garçon ni jolie. Son visage évoquait un bol de porridge et était aussi blanc qu'un parquet cérusé. Comme tous les enfants, elle apporterait une charge de travail et comme toute charge, elle lui retomberait sur le dos. Mais elle la bénit tout de même, car bénir un nouveau-né est une responsabilité et que Hanneke de Groot ne fuyait jamais les siennes. Elle paya la sage-femme et changea les draps. Elle fut aidée en cela, quoique sans adresse, par une jeune bonne – une paysanne bavarde récemment engagée – plus intéressée par le nouveau-né que par le ménage. Le nom de la jeune fille ne mérite pas d'être retenu ici, car Hanneke de Groot la jugea inutile et la renvoya dès le lendemain sans références. Cependant, durant cette unique nuit, la bonne inutile en sursis fut aux petits soins pour le bébé, aspirant à en avoir un elle aussi, et formula à l'attention de la jeune Alma une bénédiction plutôt charmante et sincère.

Dick Yancey – un grand gaillard intimidant du Yorkshire, qui travaillait pour le maître de maison et veillait avec une main de fer sur son négoce international (et qui se trouvait être là en ce mois de janvier, en attendant que les ports de Philadelphie dégèlent afin de pouvoir poursuivre jusqu'aux Antilles néerlandaises) – eut quelques mots pour le nouveau-né. Soyons justes : il n'était pas enclin aux longs discours. Apprenant que Mrs Whittaker avait donné naissance à une petite fille en pleine santé, Mr Yancey se contenta de froncer les sourcils et de déclarer, avec la parcimonie qui lui était coutumière : « Dure affaire, la vie. » Était-ce une bénédiction ? Difficile à dire. Laissons-lui le bénéfice du doute et prenons-la comme telle. Il est certain qu'il n'entendait pas par là une malédiction.

Quant au père d'Alma – Henry Whittaker, le maître de maison –, il était proprement ravi. Enchanté. Peu lui importait que l'enfant ne soit pas un garçon et qu'elle ne soit pas jolie. Il ne donna pas sa bénédiction à Alma car il n'était pas le genre à bénir. (« Les affaires de Dieu, ce ne sont pas les miennes », disait-il fréquemment.) Cependant, sans réserve, Henry *admira* son enfant. Mais il faut dire aussi qu'il avait fait cette enfant et que Henry Whittaker avait tendance à admirer sans réserve tout ce qu'il faisait.

Pour marquer l'occasion, il alla cueillir un ananas dans sa plus grande serre et le coupa en parts égales pour chacun. Dehors, il neigeait, c'était un parfait hiver pennsylvanien, mais notre homme possédait plusieurs serres chauffées au charbon qu'il avait lui-même conçues – des constructions qui faisaient non seulement l'envie de tous les amateurs de plantes et botanistes des deux Amériques, mais également sa richesse – et s'il avait envie d'un ananas en janvier, par Dieu, il l'aurait. Et des cerises en mars, aussi.

Il se retira ensuite dans son bureau et ouvrit son registre où, comme il le faisait chaque soir, il consigna toutes sortes de transactions de la maisonnée, officielles comme intimes. Il commença : « Une nouvaile et intressante noble passagerre nous as rejoint », et continua avec les détails, chronologie et dépenses de la naissance d'Alma Whittaker. Son écriture était un gribouillage indéchiffrable, ses phrases une tribu de majuscules et de minuscules étroitement serrées les unes contre les autres qui se bousculaient dans leur malheur comme pour fuir la page. Son orthographe était au-delà de l'arbitraire et sa ponctuation atterrante.

Mais Henry rédigea tout de même son récit. Il lui importait de garder une trace de tout. Il savait que ce journal consternerait tout homme instruit mais que personne ne le verrait en dehors de son épouse. Quand Beatrix recouvrerait ses forces, elle transcrirait ses notes dans ses propres registres, comme à son habitude, et son élégante traduction des gribouillis de Henry deviendrait l'archive familiale officielle. L'associée de sa vie, voilà ce qu'elle était. Et avec un bon rapport qualité-prix, en plus. Beatrix s'acquitterait de cette tâche pour lui, ainsi que d'une centaine d'autres.

Si Dieu le voulait bien, elle s'y remettrait sous peu.

Les paperasses s'empilaient déjà.

I

L'arbre des fièvres

1

Durant les cinq premières années de son existence, Alma Whittaker ne fut guère plus qu'une passagère en ce monde – ainsi que nous le sommes tous à un si jeune âge. Son histoire n'était donc pas encore noble ni particulièrement intéressante au-delà du fait que cette petite plutôt laide n'avait connu ni maladie ni accident, baignant dans une aisance presque inimaginable en Amérique à l'époque, même dans l'élégante Philadelphie. La manière dont son père acquit une telle fortune vaut la peine d'être racontée ici, en attendant que la fillette n'éveille à nouveau notre intérêt. Car il n'était pas plus courant dans les années 1800 qu'à toute autre époque, pour un homme né pauvre et presque illettré, de devenir le citoyen le plus riche de sa ville, et les moyens par lesquels Henry Whittaker prospéra sont, quant à eux, véritablement intéressants – bien que peut-être guère nobles, comme il aurait été le premier à l'avouer.

Henry Whittaker naquit en 1760 dans le village de Richmond, en amont de Londres, sur les bordures de la Tamise. Il était le dernier-né d'une famille pauvre qui avait déjà bien trop d'enfants. Il grandit dans deux petites pièces au sol en terre battue, avec un toit presque convenable, un repas sur le feu presque chaque jour, une mère qui ne buvait pas et un père qui ne battait pas les siens : en d'autres termes, par rapport à bien des familles, il mena une existence presque bienheureuse. Sa mère possédait même un petit lopin de terre derrière la maison où elle faisait pousser lupins et pieds-d'alouette décoratifs, comme une dame. Mais Henry ne se faisait pas d'illusions : il dormait à côté de la porcherie et il n'y eut pas un seul instant de sa vie où il ne se sentit pas humilié par cette pauvreté.

Peut-être aurait-il moins souffert de son destin s'il n'avait pu comparer son infortune à quelque richesse, or il côtoyait non seulement la richesse, mais la royauté. Il y avait un palais à Richmond, et aussi les jardins d'agrément de Kew, cultivés avec compétence par la princesse Augusta, qui avait amené d'Allemagne une troupe de jardiniers avides de créer de toutes pièces un paysage royal à partir de véritables et modestes prairies anglaises. Son fils, le futur George III, passait l'été là dans son enfance. Devenu roi, il chercha à transformer Kew en un jardin botanique égalant ceux du continent. Les Anglais, sur leur île froide et humide, étaient devancés par le reste de l'Europe en matière de botanique, et George III tenait à rattraper son retard.

Le père de Henry était un pomiculteur de Kew – un homme ordinaire et respecté de ses maîtres, pour autant qu'on pût respecter un simple pomiculteur. Mr Whittaker avait un don pour s'occuper des arbres fruitiers et les révérait. (« Ils paient la terre pour sa peine, contrairement aux autres », avait-il coutume de dire.) Il avait un jour sauvé le pommier préféré du roi en greffant un scion du spécimen malade sur un porte-greffe plus solide et en le protégeant dans de l'argile. L'arbre avait porté des fruits sur le greffon la même année et avait rapidement produit à foison. Pour ce miracle, Mr Whittaker avait été surnommé « le Magicien des pommes » par Sa Majesté.

Malgré tout son talent, le Magicien des pommes était un homme simple doté d'une épouse timide. Ils donnèrent pourtant naissance à six petites brutes (dont une que l'on surnomma « la Terreur de Richmond » et deux autres qui trouvèrent la mort dans des bagarres d'ivrognes). Henry, le benjamin, était à certains égards le plus violent de tous, et peut-être lui était-ce nécessaire pour survivre. C'était un petit animal aussi entêté qu'endurant, une petite chose maigre et impétueuse qui encaissait stoïquement les coups de ses frères et dont l'intrépidité était souvent mise à l'épreuve par les autres, qui aimaient le défier de prendre des risques. Même en l'absence de ses frères, Henry avait un goût dangereux pour l'expérimentation, déclenchant des incendies, rôdant sur les toits et menaçant les plus jeunes. Nul n'aurait été surpris d'apprendre qu'il était tombé du clocher d'une église ou mort noyé dans la Tamise, même si le hasard fit que cela n'arriva jamais.

Mais, contrairement à ses frères, Henry avait une qualité qui le rachetait. Deux, pour être exacts : il était intelligent et il s'intéressait aux arbres. Il serait exagéré de prétendre que Henry les révérait comme son père, mais il s'y intéressait car les arbres étaient l'un des rares éléments, dans son univers démuni, dont il pouvait tirer un enseignement immédiat, et il tenait d'expérience qu'apprendre donnait un avantage sur les autres. Si l'on voulait continuer de vivre (et c'était son cas) et si l'on voulait prospérer un jour (et c'était son cas), il fallait apprendre tout ce qui pouvait s'apprendre. Latin, écriture, archerie, équitation, danse – tout cela était hors de sa portée. Mais il avait les arbres, et il avait son père, le Magicien des pommes, qui prit la peine de lui transmettre son savoir.

Henry apprit donc tout des outils du greffeur que sont l'argile, la cire et les greffoirs, et de l'art d'écussonner, de fendre, de planter et d'émonder d'une main judicieuse. Il apprit à replanter au printemps, si le sol était détrempé et dense, ou à l'automne, s'il était sec et meuble. Il apprit à tuteurer et à tailler les abricotiers afin de les protéger du vent, à cultiver les agrumes dans l'orangerie, à débarrasser les groseilles des moisissures en les enfumant, à couper les branches malades d'un figuier ou à les laisser. Il apprit à arracher l'écorce d'un vieil arbre et à la répandre à terre sans sentiment ni remords, afin de s'en servir comme engrais pour une dizaine de saisons de plus.

Henry apprit beaucoup de son père, mais il avait honte de cet homme qu'il trouvait faible. Si Mr Whittaker était vraiment le Magicien des pommes, comme il se disait, pourquoi l'admiration royale n'avait-elle pas débouché sur la richesse ? Nombreux étaient les sots riches. Pourquoi les Whittaker continuaient-ils d'habiter auprès des cochons, alors que non loin s'étendaient les vastes et vertes pelouses du palais, les agréables maisons de Maid of Honor Row, où les serviteurs de la reine dormaient dans du linge français ? Ayant un jour escaladé le mur d'un élégant jardin, Henry avait surpris une dame vêtue d'une robe ivoire se promener sur un cheval d'un blanc immaculé tandis qu'un domestique jouait du violon pour la distraire. C'est ainsi que vivaient certains, juste là, à Richmond, alors que les Whittaker n'avaient même pas de plancher.

Mais le père de Henry ne se battait pas pour obtenir davantage. Il gagnait le même salaire de misère depuis trente ans sans discuter, pas plus qu'il ne se plaignait de travailler dehors, dans les pires frimas, depuis si longtemps qu'il n'avait plus la santé. Il avait toujours manifesté la plus grande prudence dans sa vie, notamment à l'égard de ceux qui valaient mieux que lui – et, à son sens, tout le monde entrait dans cette catégorie. Mr Whittaker s'efforçait de n'offenser personne, de ne jamais profiter, même lorsqu'une occasion se présentait. « N'aie point trop d'audace, Henry, disait-il à son fils. On ne peut égorger le mouton qu'une fois. Mais, avec un peu de sagesse, on peut le tondre chaque année. »

Avec un père si faible et se contentant de si peu, que pouvait-il imaginer obtenir de la vie en dehors de ce qu'il pouvait prendre lui-même ? *Un homme doit profiter*, répéta Henry dès ses treize ans. *Un homme doit égorger un mouton chaque jour.*

Mais où trouver les moutons ?

C'est à cette époque que Henry Whittaker se mit à voler.

À la fin des années 1770, les jardins de Kew figuraient déjà une arche de Noé botanique, comptant des milliers de spécimens tandis que de nouveaux chargements arrivaient chaque semaine : hortensias d'Extrême-Orient, magnolias de Chine, fougères des Indes-Occidentales. En outre, Kew bénéficiait d'un nouveau régisseur ambitieux : Sir Joseph Banks, tout juste revenu de son triomphal périple autour du monde comme botaniste en chef sur l'*Endeavour* du capitaine Cook. Banks, qui travaillait gratis (seule l'intéressait la gloire de l'Empire britannique, disait-il, même si d'aucuns laissaient entendre qu'il s'intéressait surtout à la gloire de Sir Joseph Banks), collectionnait désormais les plantes avec une passion furieuse, bien décidé à créer un jardin national spectaculaire.

Oh, Sir Joseph Banks ! Cet aventurier débauché, magnifique et ambitieux, était tout ce que n'était pas le père de Henry. Dès ses vingt-trois ans, une rente de six mille livres l'an reçue en héritage avait fait de lui l'un des hommes les plus riches d'Angleterre. Il était aussi sans conteste le plus beau. Banks aurait aisément pu passer sa vie dans un luxe oisif, mais il avait voulu devenir le plus audacieux des explorateurs et des botanistes, vocation qu'il avait embrassée sans sacrifier une once de prestige et d'élégance. Banks avait financé de sa poche une bonne part de la première expédition de Cook, ce qui lui avait donné le droit de se faire accompagner, sur ce navire déjà bien encombré, par deux laquais noirs, deux laquais blancs, un confrère botaniste, un secrétaire scientifique, deux peintres, un dessinateur et deux lévriers italiens. Durant ce voyage, Banks avait séduit des reines tahitiennes, dansé nu avec des sauvages sur des plages et regardé de jeunes païennes se faire tatouer les fesses au clair de lune. Il avait ramené en Angleterre un Tahitien du nom d'Omai, en guise d'animal familier, ainsi que quatre milliers de spécimens de plantes – la moitié encore inconnue des scientifiques. Sir Joseph Banks était l'homme le plus célèbre et le plus éblouissant d'Angleterre, et Henry l'admirait énormément.

Mais cela ne l'empêcha pas de le voler.

C'est simplement que l'occasion se présenta, voyez-vous, et de manière si évidente. Banks était connu dans les cercles scientifiques non seulement comme un grand collectionneur botanique, mais aussi comme un grand égoïste. Les gentilshommes botanistes de cette courtoise époque se faisaient volontiers part de leurs découvertes, mais Banks ne partageait rien. Professeurs, dignitaires et collectionneurs venaient à Kew des quatre coins du monde dans l'espoir raisonnable d'obtenir des semences et des boutures, ainsi que des échantillons de l'immense herbier de Banks – mais celui-ci les éconduisait.

Le jeune Henry admirait l'égoïsme de Banks (car lui non plus n'aurait jamais partagé son trésor, en eût-il possédé un) mais il vit bientôt l'occasion se présenter sur les visages courroucés de ces visiteurs internationaux victimes de rebuffades. Il les attendait juste devant les grilles alors qu'ils quittaient les jardins, les surprenait même parfois en train de vouer Sir Joseph

Banks aux gémonies en français, allemand, néerlandais ou italien. Henry s'approchait, leur demandait quels échantillons ils convoitaient et leur promettait de les leur fournir avant la fin de la semaine. Il avait toujours sur lui un calepin et un crayon de menuisier : si ces messieurs ne parlaient pas anglais, Henry les faisait dessiner. En botanistes chevronnés, ils n'avaient nulle peine à exprimer leurs souhaits. Dans la nuit, Henry se faufilait dans les serres, sans se faire voir des serviteurs qui entretenaient les immenses poêles, et volait les plantes qu'il revendait.

Il était l'homme de la situation. Il savait identifier les plantes, était expert pour entretenir une bouture, assez connu dans les jardins pour ne pas éveiller les soupçons, et doué pour effacer ses traces. Mieux encore, il semblait n'avoir jamais besoin de sommeil. Tout le jour, il travaillait avec son père dans les vergers, puis la nuit il chapardait plantes rares, espèces précieuses, sabots de Vénus, orchidées tropicales, merveilles carnivores du Nouveau Monde. Il conservait également les croquis botaniques que ces distingués gentilshommes avaient réalisés et les étudiait afin de tout connaître des plantes les plus recherchées.

Comme tous les bons voleurs, Henry veillait à sa sécurité. Il ne confia à personne son secret et enfouit ses gains dans plusieurs cachettes sur les terrains de Kew. Il ne dépensait pas un sou. Il laissait son argent dormir dans le sol comme une graine. Il voulait que ces sommes grandissent et gonflent afin de lui permettre de devenir un homme riche.

Au bout d'un an, Henry avait plusieurs clients réguliers. L'un d'eux, un vieux cultivateur d'orchidées des jardins botaniques de Paris, lui fit peut-être le premier compliment de sa vie : « Tu es une petite peste bien utile. » Au bout de deux ans, Henry était à la tête d'un commerce florissant et vendait des plantes non seulement à des savants botanistes mais aussi à la bonne société londonienne qui convoitait les spécimens les plus exotiques. Peu de temps après, il expédiait illégalement en France et en Italie des boutures enveloppées soigneusement dans de la mousse et de la cire.

Et, au bout de trois ans d'activité frauduleuse, Henry Whittaker se fit prendre – et ce par son propre père.

Mr Whittaker, qui avait d'ordinaire le sommeil profond, avait remarqué un soir que son fils sortait de la maison bien après minuit et, le cœur lourd des soupçons éveillés par l'instinct paternel, l'avait suivi jusqu'à la serre et avait assisté aux larcins et à l'empaquetage. Il avait immédiatement reconnu là le soin typique du voleur.

Le père de Henry n'était pas homme à battre ses enfants, même quand ils le méritaient (ce qui était fréquent), et il ne battit pas Henry cette nuit-là. Pas plus qu'il ne l'affronta. Henry ne se rendit pas compte qu'il avait été vu. Non, Mr Whittaker fit bien pire. À la première heure le lendemain, il sollicita une audience privée avec Sir Joseph Banks. Ce n'était pas souvent qu'un pauvre homme comme Whittaker pouvait demander à se faire entendre d'un gentilhomme comme Banks, mais le père de Henry avait gagné juste assez de respect à Kew au bout de trente ans de labeur forcené pour pouvoir s'autoriser une telle audace, ne fût-ce que cette fois. C'était un vieil homme pauvre, certes, mais il était aussi le Magicien des pommes, le sauveur de l'arbre favori du roi, et ce titre lui ouvrait certaines portes.

Mr Whittaker se présenta devant Banks presque à genoux, tête baissée, tel un saint en pénitence. Il dénonça la scandaleuse conduite de son fils, qui, selon lui, n'en était pas à son premier forfait. Il proposa sa démission à condition que l'on épargne tout châtiment à son fils. Le Magicien des pommes promit de partir avec sa famille loin de Richmond et de faire en sorte que Kew et Banks n'aient plus jamais à pâtir du nom des Whittaker.

Banks, impressionné par l'extrême sens de l'honneur du pomiculteur, refusa sa démission et fit chercher le jeune Henry. Là encore, ce fut une circonstance peu ordinaire. Il était rare pour Sir Joseph Banks de recevoir des jardiniers illettrés dans son bureau, et plus encore le fils âgé de seize ans et doublé d'un voleur d'un jardinier illettré. Sans doute aurait-il dû simplement faire arrêter le jeune homme. Mais le vol était passible de pendaison et des enfants bien plus jeunes que Henry finissaient à la potence pour des délits bien moins graves. Quoique ulcéré par l'affront fait à sa collection, Banks avait assez de compassion pour le père pour enquêter lui-même sur le problème avant de faire appeler le bailli.

Le problème, quand il se présenta dans le bureau de Sir Joseph Banks, se révéla être un gamin dégingandé, rouquin, aux lèvres pincées et à l'œil laiteux, aux épaules larges et à la poitrine creuse, dont la peau pâle était déjà à vif à force de vent, de pluie et de soleil. Le garçon était mal nourri, mais grand, et avec de grosses mains ; Banks vit qu'il deviendrait un jour un solide gaillard à condition qu'il puisse manger à sa faim.

Henry ne savait pas vraiment pourquoi il avait été convoqué auprès de Banks, mais il avait assez de cervelle pour soupçonner le pire et il était fort alarmé. C'est seulement à force d'entêtement qu'il parvint à entrer dans le bureau de Banks sans trembler.

Pour l'amour du ciel, cependant, que ce bureau était splendide ! Et comme Joseph Banks était magnifiquement vêtu, avec sa perruque luisante et son habit de velours noir, ses souliers à boucle et ses bas blancs. Henry avait à peine passé la porte qu'il avait déjà estimé le prix du délicat bureau d'acajou, scruté avec convoitise la collection de boîtes sur les étagères et admiré le beau portrait du capitaine Cook accroché à un mur. Par tous les saints, le cadre de ce portrait devait bien valoir quatre-vingt-dix livres !

Contrairement à son père, Henry ne s'inclina pas devant Banks, mais resta bien droit devant le grand homme en le regardant dans les yeux sans mot dire. Banks, qui était assis, laissa faire Henry, attendant peut-être des aveux ou des supplications. Mais Henry n'avoua ni ne supplia, pas plus qu'il ne baissa la tête de honte, et si Sir Joseph Banks croyait Henry Whittaker assez sot pour parler le premier dans des circonstances aussi délicates, c'est qu'il le connaissait mal.

En conséquence, après un long silence, Banks demanda :

— Dites-moi donc pourquoi je ne devrais pas vous laisser pendre à Tyburn ?

C'est donc cela, songea Henry. *Je suis pris.*

Néanmoins, il chercha une échappatoire. Il fallait trouver une tactique et prestement. Il n'avait pas passé sa vie à se faire rouer de coups par ses frères aînés sans rien apprendre. Quand un adversaire plus grand et plus fort a porté le premier coup, vous n'avez qu'une seule et unique occasion de riposter avant d'être réduit en charpie, et mieux vaut trouver quelque chose d'inattendu.

— Parce que je suis une petite peste bien utile, répondit Henry.

Banks, qui appréciait ce qui sortait de l'ordinaire, éclata d'un rire surpris.

— J'avoue que je ne vois pas votre utilité, jeune homme. Tout ce que vous avez fait pour moi, c'est voler mes trésors durement gagnés.

Ce n'était pas une question, mais Henry y répondit cependant.

— Je me suis peut-être un peu servi.

— Vous ne le niez donc point ?

— On aura beau braire qu'on pourra rien y changer, hein ?

Banks rit de plus belle. Peut-être pensait-il que le jeune garçon fanfaronnait, mais le courage de Henry était bien réel. Tout comme sa terreur. Et son absence de repentir. Durant toute sa vie, Henry considérerait le repentir comme une faiblesse. Banks changea de tactique.

— Je dois dire, jeune homme, que vous êtes un suprême désespoir pour votre père.

— Et lui pour moi, monsieur, rétorqua Henry.

Banks eut le même rire étonné.

— Vraiment ? Quel mal ce brave homme vous a-t-il donc fait ?

— Il m'a fait pauvre, monsieur, dit Henry. (Puis, comprenant soudain tout, il ajouta :) C'est tout de même pas lui qui m'a dénoncé ?

— Pourtant si. C'est une âme honorable, que votre père.

— Pas pour moi, hein.

Banks hocha la tête, concédant généreusement là une certaine vérité.

— À qui avez-vous vendu mes plantes ? demanda-t-il.

— Mancini, Flood, Willink, LeFavour, Miles, Sather, Evashevski, Feuerle, Lord Lessig, Lord Garner… énuméra Henry sur ses doigts.

Banks l'arrêta d'un geste et le regarda fixement sans cacher son étonnement. Curieusement, si la liste avait été plus modeste, Banks aurait peut-être été plus fâché. Mais il s'agissait des noms les plus estimés de la botanique dont quelques-uns que Banks considérait comme des amis. Comment le gamin les avait-il trouvés ? Certains n'étaient pas venus en Angleterre depuis des années. C'est donc qu'il *exportait*. Quel genre de négoce cet être-là avait-il tramé sous son nez ?

— Comment savez-vous ne serait-ce que manier les plantes ? demanda Banks.

— J'ai toujours su, monsieur, depuis toujours. C'est comme qui dirait que je le savais déjà avant.

— Et ces hommes, ils vous paient ?

— Sinon, ils récupèrent point leurs plantes, répondit Henry.

— Vous devez gagner beaucoup d'argent. En vérité, vous avez dû amasser une belle somme depuis toutes ces années. (Henry était trop malin pour répondre.) Qu'avez-vous fait de ce que vous avez gagné, jeune homme ? continua Banks. Je ne peux dire que vous ayez investi dans votre garde-robe. Sans nul doute, vos gains sont à Kew. Où donc ?

— Partis, monsieur.

— Partis où cela ?

— Aux dés. J'ai un faible pour le jeu, voyez.

Rien n'indiquait que ce fût vrai, songea Banks. Mais ce gamin avait certainement bien plus de culot que quiconque. Banks était intrigué. Après tout, il avait un païen en guise d'animal de compagnie et – en toute honnêteté – il aimait laisser croire qu'il était lui-même à moitié païen. Son statut exigeait qu'il fasse au moins semblant d'admirer une conduite honorable mais, au fond, il préférait un peu de sauvagerie. Et quel jeune coq insolent que ce petit sauvage de Henry Whittaker ! Banks avait de moins en moins envie de confier ce curieux spécimen d'humanité à la justice.

Henry, à qui rien n'échappait, vit quelque chose passer sur le visage de Banks – un radoucissement, un début de curiosité, une mince chance de salut. Étourdi par ce besoin de sauver sa peau, le gamin se jeta sur ce dernier espoir.

— Ne me faites point pendre, monsieur, dit-il. Vous le regretteriez.

— Et que proposez-vous que je fasse de vous, alors ?

— Utilisez-moi.

— Pourquoi le ferais-je ?

— Parce que je suis meilleur que tous les autres.

2

Finalement, Henry ne se retrouva pas pendu au gibet de Tyburn et son père ne perdit pas son poste à Kew. Les Whittaker furent miraculeusement épargnés et Henry fut simplement exilé, envoyé par-delà les mers par Sir Joseph Banks afin de découvrir ce que le monde ferait de lui.

C'était l'année 1776 et le capitaine Cook s'apprêtait à s'embarquer pour son troisième voyage autour du monde. Banks ne participait pas à cette expédition. Pour dire les choses simplement, on ne l'avait pas invité. Pas plus que la deuxième fois, ce qui lui était d'ailleurs resté sur le cœur. Lassé de l'extravagance et du besoin d'attention de Banks, le capitaine Cook s'était passé de ses services – un scandale. Il l'avait remplacé par un botaniste plus humble, plus facile à manipuler : un certain David Nelson, un jardinier timide et compétent de Kew. Mais Banks avait voulu participer d'une manière ou d'une autre à ce voyage et il tenait à surveiller les récoltes de spécimens de Nelson. Il n'appréciait pas qu'on accomplisse derrière son dos la moindre tâche scientifique d'importance. Il avait donc fait en sorte que Henry participe à l'expédition en tant qu'assistant de Nelson, avec pour instruction de tout surveiller et enregistrer afin de le lui rapporter à son retour. Il n'aurait pu mieux employer Henry que comme son informateur.

En outre, l'exiler en mer était une bonne stratégie pour l'éloigner quelques années des jardins de Kew tout en se laissant une latitude suffisante pour pouvoir déterminer au juste quel genre d'individu ce Henry pourrait devenir. Trois années sur un navire permettraient largement au véritable tempérament du garçon d'émerger. S'il finissait pendu à la plus haute vergue pour larcin, meurtre ou mutinerie… eh bien, ce serait le problème de Cook, n'est-ce pas, et non de Banks. Si d'un autre côté, le garçon révélait des qualités, Banks le récupérerait une fois que l'expédition l'aurait dompté.

Banks présenta Henry à Mr Nelson comme tel :

— Nelson, je voudrais vous présenter votre nouveau bras droit, Mr Henry Whittaker, de la famille Whittaker de Richmond. C'est une petite peste utile et je ne doute pas que vous constaterez qu'en matière de plantes il s'y connaissait déjà avant.

Plus tard, en privé, Banks donna à Henry quelques derniers conseils avant son départ :

— Chaque jour où vous serez à bord, mon garçon, entretenez votre santé avec de vigoureux exercices. Écoutez Mr Nelson : il est ennuyeux, mais il en sait plus sur les plantes que vous ne le pourrez jamais. Vous serez à la merci des marins plus âgés, mais vous ne vous plaindrez jamais d'eux, sous peine que cela tourne mal pour vous. Gardez-vous des putains, pour éviter le mal français. Il y aura deux navires, mais vous serez sur le *Resolution*, avec Cook lui-même. Ne vous mettez jamais en travers de son chemin. Ne lui parlez jamais. Et si vous lui adressez la parole, ce que vous ne devez pas faire, que ce ne soit jamais sur le ton que vous avez employé avec moi. Il ne trouvera point cela aussi divertissant que moi. Nous sommes dissemblables, Cook et moi. Cet homme exige un respect total du protocole. Soyez invisible à ses yeux et vous n'en serez que plus heureux. Enfin, je dois vous prévenir qu'à bord du *Resolution*, comme de tous les vaisseaux de Sa Majesté, vous vous trouverez en compagnie d'un étrange mélange de voyous et de gentilshommes. Ayez l'astuce, Henry, de prendre modèle sur les gentilshommes.

Devant le visage impassible de Henry, Banks n'aurait pu deviner combien cette dernière phrase l'avait frappé. Pour Henry, Banks venait de laisser entendre quelque chose de tout à fait extraordinaire : la possibilité de devenir un jour un gentilhomme. Plus qu'une possibilité, même, cela semblait être un ordre, et tout à fait bienvenu : *Allez dans le monde, Henry, et devenez un gentilhomme.* Et durant les dures et solitaires années que Henry allait passer en mer, cette phrase anodine de Banks ne ferait que grandir dans sa mémoire. Peut-être serait-ce l'unique pensée qui l'occuperait. Peut-être qu'avec le temps, Henry Whittaker, ce garçon ambitieux et forcené, habité par le besoin d'avancer, s'en souviendrait comme d'une *promesse.*

Henry quitta l'Angleterre en juillet 1776. L'objectif déclaré de la troisième expédition de Cook était double. Le premier était de rallier Tahiti, pour ramener chez lui le petit animal familier de Sir Joseph Banks – le dénommé Omai. Le Tahitien s'était fatigué de la vie de cour et se languissait de son pays. Il était devenu boudeur, gras et difficile, et Banks s'était lassé de sa compagnie. Le deuxième était de mettre le cap au nord tout au long de la côte Pacifique des Amériques afin de trouver le passage nord-ouest.

Les épreuves de Henry commencèrent dès le début. Il fut logé dans la cale avec les poulaillers et les tonneaux. Volailles et chèvres se plaignaient tout autour de lui, mais lui ne se plaignit pas. Il fut houspillé, méprisé et maltraité par des hommes aux mains rongées par le sel et aux poignets gros comme des enclumes. Les vieux loups de mer le traitaient d'anguille d'eau douce qui ignorait tout des rigueurs des traversées en mer. À chaque expédition, des hommes mouraient, disaient-ils, et Henry serait le premier.

Ils le sous-estimaient.

Henry était le plus jeune, mais non, ainsi qu'il apparut rapidement, le plus faible. Cette vie n'était pas tellement moins confortable que celle qu'il avait toujours connue. Il apprit tout ce qu'il fallait apprendre. Comment sécher et préparer les plantes de Mr Nelson pour ses archives scientifiques et comment peindre des planches botaniques en plein air en chassant les mouches qui se collaient aux peintures qu'il venait de préparer, et aussi à se rendre utile sur le navire. On lui fit récurer jusqu'au moindre recoin du *Resolution* avec du vinaigre et on le força à épouiller les paillasses des vétérans. Il aida le boucher du bord à saler et à mettre en barils le porc, et s'initia au fonctionnement du distillateur d'eau. Il apprit à ravaler son vomi plutôt que d'exposer son mal de mer à la satisfaction de tous. Il subit les tempêtes sans montrer sa peur ni au ciel ni à âme qui vive. Il mangea du requin et les poissons à demi digérés qu'il y avait dans son estomac. Il ne manqua jamais de courage.

Il débarqua à Tenerife, dans la baie de Madère, à la baie de la Table. Au Cap, il rencontra pour la première fois les représentants de la Compagnie hollandaise des Indes orientales, qui l'impressionnèrent par leur sobriété, leur compétence et leur richesse. Il vit des marins perdre tous leurs gages aux tables de jeu. Il en vit emprunter de l'argent aux Hollandais, qui eux ne jouaient apparemment pas. Henry non plus. Il vit un de ses compagnons marins, faussaire en herbe, se faire pincer en train de tricher et perdre connaissance sous les coups de fouet, administrés sur l'ordre du capitaine Cook. Lui-même ne commit aucun crime. Doublant le cap de Bonne-Espérance sous le vent et la glace, il grelotta la nuit sous une mince couverture, claquant tant des dents qu'il s'en brisa une, mais il ne se plaignit pas. Il fêta Noël sur une île glaciale peuplée de lions de mer et de pingouins.

Il débarqua en Tasmanie et y vit des indigènes nus – ceux que les Anglais appelaient (ainsi que tout peuple à la peau cuivrée) « Indiens ». Il vit le capitaine Cook leur offrir des médailles frappées du portrait de George III et de la date de l'expédition pour commémorer cette rencontre historique. Il vit les

Indiens façonner dans ces médailles hameçons et pointes de flèches. Il perdit une autre dent. Il vit des marins anglais refuser de donner la moindre valeur à l'existence de ces sauvages indiens, alors que Cook tentait inutilement de les convaincre du contraire. Il vit des marins violer des femmes qu'ils ne pouvaient séduire, séduire des femmes dont ils n'étaient pas dignes, ou acheter des filles à leurs pères, lorsqu'ils avaient du fer à échanger contre de la chair. Il évita toutes les filles.

Il passa de longues journées à bord du navire à aider Mr Nelson à dessiner, à décrire, à monter et à classer ses collections botaniques. Il n'éprouvait aucune affection particulière pour lui, mais il désirait apprendre tout ce que cet homme savait.

Il débarqua en Nouvelle-Zélande, qui, trouva-t-il, ressemblait tout à fait à l'Angleterre, en dehors de ces filles tatouées que l'on pouvait acheter pour une poignée de clous. Il n'en acheta aucune. Il vit ses compagnons marins, en Nouvelle-Zélande, acheter à leur père deux frères pleins d'entrain et d'énergie âgés de dix et quinze ans. Les indigènes se joignirent à l'expédition comme manœuvres. Ils disaient venir de leur plein gré. Mais Henry savait qu'ils ignoraient ce que cela signifiait de quitter les leurs. Ils s'appelaient Tibura et Gowah. Ils essayèrent de se lier avec Henry, qui avait presque leur âge, mais il les ignora. C'étaient des esclaves et ils étaient condamnés. Il ne souhaitait pas s'associer avec des condamnés. Il vit les jeunes Néo-Zélandais manger de la viande de chien crue et se languir de leur pays. Il sut qu'ils finiraient par mourir.

Il navigua vers la terre verdoyante, parfumée et fleurie de Tahiti. Il vit le capitaine Cook s'y faire recevoir en grand souverain et ami. Le *Resolution* fut accueilli par une nuée d'Indiens qui nagèrent jusqu'au navire en criant le nom de Cook. Il vit Omai – l'indigène qui avait été présenté au roi George III – se faire recevoir comme un héros, puis comme un étranger malvenu. Il vit qu'Omai n'avait désormais sa place nulle part. Il vit les Tahitiens danser au son des cors et des cornemuses anglaises, tandis que Mr Nelson, son maître en botanique si sérieux, ôtait sa chemise, ivre, et dansait au rythme des tambours tahitiens. Henry ne dansa pas. Il vit le capitaine Cook ordonner qu'un indigène ait les oreilles coupées par le barbier du bord pour avoir volé par deux fois du fer à la forge du *Resolution*. Il vit l'un des chefs tahitiens tenter de voler un chat aux Anglais et recevoir un coup de cravache en plein visage pour la peine.

Il vit le capitaine Cook tirer un feu d'artifice au-dessus de la baie de Matavai, voulant impressionner les indigènes, mais ne parvenant qu'à les effrayer. Par une nuit plus calme, il vit les millions de luminaires célestes au-dessus de Tahiti. Il but de l'eau de noix de coco. Il mangea du chien et du rat. Il vit des temples de pierre jonchés de crânes humains. Il escalada des falaises traîtresses le long de cascades afin de recueillir des échantillons de fougères pour Mr Nelson, qui ne pouvait le faire. Il vit le mal qu'avait le capitaine Cook à maintenir l'ordre et la discipline parmi ses hommes où régnait la licence. Tous les marins et officiers étaient tombés amoureux de Tahitiennes, chacune réputée connaître un acte sexuel particulier et secret.

Les hommes ne voulaient plus quitter l'île. Henry garda ses distances avec les femmes. Elles étaient belles, leurs seins comme leurs cheveux étaient magnifiques, elles embaumaient et peuplaient ses rêves mais la plupart souffraient déjà du mal français. Il résista à une centaine de tentations parfumées. Il caressait des projets supérieurs. Il se concentra sur la botanique et recueillit gardénias, orchidées, jasmins et fruits de l'arbre à pain.

Ils poursuivirent leur voyage. Il vit un indigène des îles de l'Amitié se faire trancher le bras au coude sur ordre du capitaine Cook, pour avoir volé une hache sur le *Resolution*. Mr Nelson et lui étaient en train d'herboriser sur ces mêmes îles quand ils tombèrent dans une embuscade tendue par des indigènes qui leur volèrent leurs habits – et, bien plus grave, leurs échantillons et carnets. C'est brûlés par le soleil, nus et ébranlés qu'ils revinrent à bord, mais Henry ne se plaignait toujours pas.

Il observa attentivement les gentilshommes du navire et jaugea leur comportement. Il imita leur façon de s'exprimer. Il pratiqua leur diction. Il améliora ses manières. Il surprit un officier qui disait à un autre : « L'aristocratie a beau avoir toujours été une horreur, elle constitue encore le meilleur rempart contre les masses sans éducation ni esprit. » Il vit que les officiers honoraient immanquablement tout indigène qui ressemblait à un noble (ou du moins, à l'idée que l'on se faisait d'un noble en Angleterre). Sur chacune des îles qu'ils visitaient, les officiers du *Resolution* distinguaient le moindre indigène au teint mat qui portait une coiffure plus belle, plus de tatouages ou une plus longue lance que les autres, qui possédait le plus d'épouses, qui était porté sur un palanquin par d'autres hommes ou qui, faute de tels luxes, était tout simplement *plus grand* que les autres. Les Anglais le traitaient alors avec respect. C'était avec lui qu'ils négociaient, à lui qu'ils faisaient des cadeaux et lui que, parfois, ils proclamaient comme « le roi ». Henry conclut que partout dans le monde où les gentilshommes anglais allaient, ils cherchaient immanquablement un roi.

Henry pêcha des tortues et mangea du dauphin. Il fut dévoré par des fourmis noires. Il continua son voyage. Il vit de minuscules Indiens aux oreilles ornées d'immenses coquillages. Il vit sous les tropiques une tempête donner au ciel une couleur verte écœurante – la seule chose qui effraya visiblement ses compagnons plus âgés. Il vit ces montagnes en feu que l'on appelait volcans. Ils remontèrent vers le nord. Le froid reprit. Il mangea de nouveau du rat. Ils débarquèrent sur la côte ouest du continent nord-américain. Il mangea du gibier. Il vit des peuples vêtus de fourrures qui négociaient des peaux de castors. Il vit un marin se faire attraper la jambe par la chaîne de l'ancre, être précipité par-dessus bord et mourir.

Ils poursuivirent vers le nord. Il vit des maisons en côtes de baleine. Il acheta une peau de loup. Il cueillit des primevères, des violettes, des baies et du genévrier avec Mr Nelson. Il vit des Indiens qui habitaient dans des trous du sol et cachaient leurs épouses aux Anglais. Il mangea du porc salé rongé par les asticots. Il perdit une autre dent. Il arriva au détroit de Béring et entendit des fauves hurler dans la nuit arctique. Tout ce qu'il possédait fut trempé et gela. Il avait beau n'avoir que peu de barbe, elle se couvrait de glaçons. Son dîner se congelait dans son assiette avant qu'il ait le temps de le manger. Il ne se plaignait pas. Il ne voulait pas que l'on rapporte à Sir Joseph Banks qu'il s'était plaint une seule fois. Il troqua sa peau de loup contre une paire de bottes de neige. Il vit Mr Anderson, le chirurgien du bord, mourir et être jeté à la mer dans la plus sinistre sépulture que puisse imaginer un homme : un monde glacial plongé dans une nuit perpétuelle. Il vit des marins tirer des bordées sur des lions de mer, pour s'amuser, jusqu'à ce qu'il n'y ait plus une seule bête vivante sur le rivage.

Il vit la contrée que les Russes appelaient Elaskah. Il aida à préparer de la bière à base d'épicéa, que les marins abhorrèrent, mais c'était tout ce qu'ils avaient à boire. Il vit des Indiens habitant des antres à peine plus confortables que les demeures des animaux qu'ils chassaient et mangeaient, et il fit la connaissance de Russes isolés dans un port baleinier. Il entendit le capitaine Cook remarquer à propos de l'officier russe (un grand et bel homme blond) : « C'est d'évidence un gentilhomme de bonne famille. » Partout, semblait-il, même dans cette sinistre toundra, il importait d'être un gentilhomme de bonne famille. En août, le capitaine Cook renonça. Il ne pouvait trouver de passage nord-ouest et le *Resolution* était déjà bloqué par des cathédrales d'icebergs. Ils virèrent de bord et mirent cap au sud.

Ils s'arrêtèrent à peine quand ils parvinrent à Hawaii. Jamais ils n'auraient dû y aller. Ils auraient couru moins de dangers en mourant de faim dans les glaces. Les rois de Hawaii étaient fâchés et les indigènes voleurs et agressifs. Les Hawaiiens n'étaient pas les Tahitiens – ils n'étaient pas amicaux – et en outre, ils étaient des milliers. Mais le capitaine Cook avait besoin d'eau douce et dut garder l'ancre le temps que les cales soient remplies. Les larcins des indigènes furent nombreux et les châtiments des Anglais tout autant. Des coups de feu furent tirés, des Indiens blessés, des chefs consternés, des menaces échangées. Certains hommes déclarèrent que le capitaine Cook se laissait aller, qu'il devenait plus brutal, entrait dans des colères de plus en plus spectaculaires et s'indignait de plus en plus à chaque vol. Mais les Indiens continuaient de chaparder. Cela ne pouvait être toléré. Ils allaient jusqu'à arracher les clous du navire. Ils volèrent des chaloupes, et des armes. D'autres coups de feu furent tirés et des Indiens tués. Ni Henry ni personne ne dormit pendant des jours.

Le capitaine Cook se rendit à terre pour demander audience aux chefs et les apaiser, mais il fut accueilli par des centaines de Hawaiiens furieux. La foule se déchaîna. Henry vit le capitaine Cook se faire tuer, transpercé par un coup de lance en pleine poitrine et assommé d'un coup de massue, et son sang se mêler aux vagues. En un instant, le grand navigateur n'était plus. Son corps fut emporté par les indigènes. Plus tard dans la nuit, en guise d'insulte suprême, un Indien vint en pirogue jeter un morceau de la cuisse du capitaine Cook à bord du *Resolution*.

Henry vit les marins anglais brûler tout le village en représailles. Il s'en fallut de peu qu'ils assassinent jusqu'au dernier indigène, homme, femme ou enfant, sur l'île. Les têtes de deux Indiens décapités furent montées sur des piques – et ce ne seraient pas les dernières, promirent les marins, tant que la dépouille du capitaine Cook ne serait pas rendue pour avoir des obsèques décentes. Le lendemain, le reste du cadavre fut apporté sur le *Resolution*, sans ses vertèbres et ses pieds, qui ne furent jamais retrouvés. Henry assista à la cérémonie en mer. Le capitaine Cook ne lui avait jamais dit un seul mot et Henry – qui avait suivi le conseil de Banks – s'était toujours efforcé de passer inaperçu. Seulement, désormais, Henry Whittaker était en vie, et pas le capitaine Cook.

Ils crurent qu'ils allaient rentrer en Angleterre après cette tragédie, mais il n'en fut rien. Un certain Mr Clerke devint capitaine. Ils avaient toujours une mission : essayer de trouver le passage nord-ouest. L'été revenu, ils retournèrent dans le Nord, dans ce froid épouvantable. Henry fut recouvert des cendres et des scories d'un volcan. Tous les légumes frais avaient été mangés depuis longtemps et ils buvaient de l'eau croupie. Des requins suivaient le navire pour se repaître de ce qui coulait des latrines. Mr Nelson et lui dénombrèrent onze nouvelles espèces de canards polaires et en mangèrent neuf. Il vit un ours blanc géant nager auprès du navire d'un air aussi indolent que menaçant. Il vit des Indiens se harnacher dans de petits canoës couverts de fourrure et naviguer dans les eaux comme s'ils ne faisaient qu'un avec leur esquif. Il les vit glisser sur la glace, tirés par des chiens. Il vit le remplaçant du capitaine Cook – le capitaine

Clerke – mourir à l'âge de trente-huit ans et être enseveli en mer.

Désormais, Henry avait survécu à deux capitaines anglais.

Ils renoncèrent une fois de plus à trouver le passage nord-ouest. Ils firent voile vers Macao. Il vit des flottes de jonques chinoises, et croisa de nouveau des représentants de la Compagnie hollandaise des Indes orientales, qui semblaient être partout avec leurs simples vêtements noirs et leurs humbles sabots. Il lui sembla que dans chaque coin du monde, quelqu'un devait de l'argent à un Hollandais. En Chine, il apprit qu'il y avait une guerre avec la France et une révolution en Amérique. C'était la première fois qu'il en entendait parler. À Manille, il vit un galion espagnol, chargé, disait-on, d'objets en argent d'une valeur de deux millions de livres. Il troqua ses bottes de neige contre un manteau de marine espagnol. Il attrapa la grippe – comme tous les autres – mais il en réchappa. Il arriva à Sumatra, puis à Java, où, une fois de plus, il vit les Hollandais gagner de l'argent. Il en prit bonne note.

Ils doublèrent le cap de Bonne-Espérance une dernière fois et mirent le cap sur l'Angleterre. Le 6 octobre 1780, ils étaient revenus sains et saufs à Deptford. Henry était parti quatre ans, trois mois et deux jours. C'était à présent un jeune homme de vingt ans. Durant tout son voyage, il s'était comporté en gentilhomme. Il comptait bien que ce fût rapporté. Il avait également fait preuve du plus grand zèle tant pour tout observer que pour herboriser, ainsi qu'il lui avait été demandé, et il était à présent prêt à tout relater à Sir Joseph Banks.

Il quitta le navire, reçut ses gages et prit un coche pour Londres. La ville était une répugnante abomination. L'année 1780 avait été affreuse pour l'Angleterre – bandes armées, violences, émeutes antipapistes, la maison de Lord Mansfield réduite en cendres, les manches de l'habit de l'archevêque d'York arrachées et jetées à son visage dans la rue, prisons ouvertes, loi martiale –, mais Henry n'en savait rien et peu lui importait. Il alla directement au 32 Soho Square, la demeure privée de Banks. Il frappa, s'annonça et attendit de recevoir sa récompense.

Banks l'envoyait au Pérou.

Voilà la récompense de Henry.

Banks avait été assez déconcerté de trouver Henry Whittaker sur son seuil. Ces dernières années, il avait presque oublié le garçon, même s'il était trop intelligent et courtois pour le révéler. Banks transportait une effarante quantité d'informations dans sa tête et de nombreuses responsabilités. Non seulement il supervisait l'agrandissement des jardins de Kew, mais il dirigeait et finançait aussi d'innombrables expéditions botaniques de par le monde. Il n'y avait guère de navire qui arrivait à Londres dans les années 1780 sans transporter quelque plante, graine, bulbe ou bouture destinée à Sir Joseph Banks. En outre, il avait son rang dans la bonne société et se tenait informé de tous les progrès scientifiques en Europe, de la chimie et l'astronomie jusqu'à l'élevage des ovins. En d'autres termes, Sir Joseph Banks était un gentilhomme débordé, qui n'avait pas pensé à Henry Whittaker autant que Henry Whittaker avait pensé à lui.

Cependant, alors qu'il remettait le fils du pomiculteur, il le fit entrer dans son bureau privé et lui offrit un verre de porto que Henry refusa. Il pria le garçon de lui raconter tout son voyage. Bien sûr, Banks savait déjà que le *Resolution* était arrivé sans encombre en Angleterre et il avait reçu des lettres de Mr Nelson en chemin, mais Henry était la première personne vivante que Banks rencontrait à sa descente du navire et il l'accueillit donc avec la plus grande curiosité. Henry parla pendant presque deux heures, sans épargner aucun détail personnel ou botanique. Il parla avec plus de liberté que de délicatesse, il faut le dire, ce qui rendit son récit d'autant plus précieux. Quand il eut achevé, Banks fut ravi d'en savoir autant. Rien ne lui plaisait plus que de savoir des choses à l'insu des gens et là – longtemps avant que les journaux de bord officiels et expurgés du *Resolution* lui soient communiqués – il savait déjà tout ce qui s'était passé durant la troisième expédition de Cook.

À mesure que Henry parlait, Banks fut impressionné. Il vit qu'il avait passé moins de temps ces dernières années à étudier qu'à maîtriser la botanique et qu'à présent, il avait le potentiel pour devenir un pépiniériste chevronné. Banks se rendit compte qu'il lui faudrait garder ce garçon avant que quelqu'un le lui chipe. Banks était lui-même coutumier du fait. Il se servait souvent de sa fortune et de son charme pour enlever des jeunes gens prometteurs à d'autres institutions et expéditions, afin de les mettre au service de Kew. Naturellement, avec le temps il avait perdu lui aussi quelques jeunes recrues – parties occuper des postes de jardiniers bien payés dans de riches propriétés. Mais Banks décida qu'il ne perdrait pas celui-ci.

Henry était peut-être un homme mal élevé, mais Banks n'y trouvait rien à redire tant que l'homme était compétent. La Grande-Bretagne produisait des naturalistes à foison, mais la plupart étaient des lourdauds et des dilettantes. De son côté, Banks avait désespérément besoin de nouvelles plantes. Il serait joyeusement parti en expédition lui-même, mais il approchait la cinquantaine et souffrait horriblement de la goutte. Il était enflé et endolori, coincé presque toute la journée dans le fauteuil de son bureau. Il fallait donc qu'il envoie des herboristes à sa place. Les trouver n'était pas une tâche aussi simple qu'il pouvait y paraître. Il n'y avait pas autant de jeunes hommes valides qu'espéré – des jeunes hommes prêts, pour un maigre salaire, à mourir des fièvres à Madagascar, à faire naufrage aux Açores, à être attaqués par des bandits en Inde, faits prisonniers à Grenade ou à disparaître pour toujours à Ceylan.

L'astuce était de donner à Henry l'impression qu'il était *déjà* destiné à travailler éternellement pour Banks, et de ne lui laisser le temps ni de réfléchir, ni d'être mis en garde, ni de tomber amoureux de quelque fille court vêtue, ni de faire des projets d'avenir. Banks devait convaincre Henry que l'avenir était tout tracé et que le sien appartenait déjà à Kew. Henry était un jeune homme confiant, mais Banks savait que sa richesse, son pouvoir et sa gloire lui donnaient ici l'avantage, voire parfois l'apparence d'être la main de la divine providence. Le tout était d'user de cette main promptement et sans ciller.

— Beau travail, dit Banks quand Henry eut terminé son récit. Vous vous êtes bien acquitté de votre tâche. La semaine prochaine, je vais vous envoyer dans les Andes. (Henry dut réfléchir un instant. Qu'étaient les Andes ? Des îles ? Des montagnes ? Un pays ? Comme la Hollande ? Mais Banks continuait déjà comme si tout était décidé.) Je finance une expédition botanique au Pérou qui part mercredi prochain. Vous serez sous les ordres de Mr Ross Niven. C'est un vieil Écossais coriace, peut-être trop vieux, à vrai dire, mais plus courageux que quiconque. Il connaît sa botanique et sa géographie sud-américaine. Je préfère un Écossais à un Anglais pour cette sorte de tâche, voyez-vous. Ils ont plus de sang-froid et de constance et sont plus aptes à poursuivre leur objectif avec ardeur et sans relâche, ce que l'on exige d'un envoyé. Votre salaire, Henry, sera de quarante livres l'an et, bien que ce ne soit pas le genre de gages qui permettent à un jeune homme de faire fortune, le poste est honorable et vous vaudra la reconnaissance de l'Empire britannique. Comme vous êtes encore célibataire, je suis certain que cela vous conviendra. Plus vous vivrez frugalement aujourd'hui, Henry, plus vous deviendrez riche un jour. (Comme Henry semblait vouloir poser une question, Banks le devança :) Vous ne parlez point espagnol, j'imagine ? demanda-t-il d'un ton réprobateur. (Henry secoua la tête. Banks soupira d'un air exagérément déçu.) Eh bien, vous l'apprendrez, je suppose. Je vous permets de vous joindre tout de même à l'expédition. Niven le parle, bien qu'avec un accent comique. Vous vous débrouillerez avec le gouvernement espagnol là-bas. Ils couvent jalousement le Pérou, voyez-vous, et ils sont agaçants, mais après tout, le pays leur appartient. Dieu sait pourtant que j'aimerais piller toutes les jungles de la région si on me laissait faire. Je déteste vraiment les Espagnols, Henry. Je hais la mainmorte de la loi espagnole, qui entache et corrompt tout ce qu'elle touche. Et leur Église est ignoble. Pouvez-vous imaginer que les jésuites croient toujours que les quatre rivières des Andes sont les quatre fleuves du paradis dont il est fait mention dans la Genèse ? Songez-y, Henry ! Ils prennent l'Orénoque pour le Tigre !

Henry n'avait pas la moindre idée de ce dont il parlait, mais il resta coi. Il avait appris ces quatre dernières années à n'ouvrir la bouche que lorsqu'il savait de quoi il parlait. En outre, il avait appris que le silence peut parfois amener l'auditeur à s'imaginer que l'on est intelligent. Et puis il était distrait, car il entendait encore résonner ces derniers mots : *Plus vous deviendrez riche un jour...*

Banks sonna et un domestique pâle et sans expression entra, vint s'asseoir au secrétaire et sortit de quoi écrire. Banks commença à dicter :

— Sir Joseph Banks, ayant eu le plaisir de vous recommander aux lords commissaires des jardins de Sa Majesté à Kew, etc. J'ai reçu ordre de leurs seigneuries de vous faire savoir qu'ils ont le plaisir de vous nommer, Henry Whittaker, collecteur de plantes pour le jardin de Sa Majesté, etc. Pour votre récompense et rémunération et pour votre pension et vos frais, il vous sera accordé un salaire de quarante livres annuelles, etc.

Plus tard, Henry songea que cela faisait bien des *etc.* pour quarante livres l'an, mais quel autre avenir avait-il ? Il y eut d'amples grattements de plume, puis Banks agita paresseusement la lettre pour faire sécher l'encre tout en disant :

— Votre tâche, Henry, est le quinquina. Vous le connaissez peut-être sous le nom d'arbre des fièvres. C'est lui qui produit l'écorce des jésuites. Apprenez tout ce que vous pourrez sur lui. C'est un arbre fascinant et j'aimerais qu'il soit étudié plus en profondeur. Ne vous faites pas d'ennemis, Henry. Protégez-vous des voleurs, des idiots et des mécréants. Prenez des notes en abondance et assurez-vous de m'informer de quelle sorte est le sol où vous trouverez vos spécimens – sableux, argileux ou tourbeux – afin que nous puissions les cultiver ici à Kew. Ne dépensez pas trop. Pensez comme un Écossais, mon garçon ! Moins vous vous ferez plaisir aujourd'hui, plus vous pourrez le faire plus tard, quand vous aurez fait fortune. Résistez à l'ivrognerie, à l'oisiveté, aux femmes et à la mélancolie : vous pourrez jouir de tous ces plaisirs plus tard dans la vie, quand vous serez devenu un vieillard inutile comme moi. Soyez attentif. Mieux vaut que vous ne laissiez savoir à personne que vous êtes botaniste. Protégez vos plants des chèvres, chiens, chats, pigeons, volailles et insectes, moisissures, marins et eau de mer…

Henry n'écoutait que d'une oreille.

Il partait pour le Pérou.

Ce mercredi prochain.

Il était un botaniste en mission pour le roi d'Angleterre.

3

Henry arriva à Lima après presque quatre mois en mer. Il se trouva dans une ville d'une cinquantaine de milliers d'âmes – un avant-poste colonial à la peine, où des familles espagnoles de haut rang avaient souvent moins à manger que les mules qui tiraient leurs attelages.

Il y arriva seul. Ross Niven, le chef de l'expédition (laquelle, par ailleurs, se composait en tout et pour tout de Henry Whittaker et de Ross Niven), était mort en route, au large des côtes cubaines. Le vieil Écossais n'aurait jamais dû être autorisé à quitter l'Angleterre. Le teint pâle, il était atteint de consomption et crachait du sang dès qu'il toussait, mais, entêté, il avait caché à Banks sa maladie. Niven n'avait pas tenu un mois en mer. À Cuba, Henry avait gribouillé une lettre presque illisible à Banks pour l'informer du décès de Niven et exprimer sa détermination à poursuivre la mission seul. Il n'attendit pas de réponse. Il ne souhaitait pas être rappelé en Angleterre.

Cependant, avant de mourir, Niven avait utilement pris la peine d'apprendre à Henry quelques petites choses sur le quinquina. Vers 1630, lui avait-il raconté, des missionnaires jésuites des Andes péruviennes avaient d'abord remarqué que les Indiens Quechua buvaient une infusion chaude d'écorce réduite en poudre afin de soigner les fièvres et les refroidissements causés par le froid extrême en haute altitude. Un moine observateur s'était demandé si cette écorce amère pouvait également soigner les fièvres et tremblements provoqués par la malaria – maladie qui n'existait même pas au Pérou mais qui, en Europe, décimait depuis toujours les papes comme les plus démunis. Le moine expédia un peu de cette écorce à Rome (cette ville qui n'était qu'un ignoble marais pestilentiel) en demandant qu'on essaie cette poudre. Miraculeusement, il s'avéra que le quinquina faisait effectivement obstacle aux ravages de la malaria, pour des raisons que nul ne comprenait. Quelle qu'en fût la cause, l'écorce semblait guérir entièrement la malaria, sans effets secondaires autres qu'une surdité durable – un bien petit prix à payer pour vivre.

Dès le début du XVIIIe siècle, l'écorce du Pérou, ou écorce des jésuites, était la marchandise la plus précieuse que l'on exportait du Nouveau à l'Ancien Monde. Un gramme d'écorce des jésuites pure valait un gramme d'argent. C'était un remède pour les riches, mais ils étaient nombreux en Europe et aucun ne voulait mourir de la malaria. C'est alors que Louis XIV fut guéri par l'écorce des jésuites, ce qui ne fit qu'en accroître le prix. Tout comme Venise s'était enrichie avec le poivre et la Chine avec le thé, les jésuites s'enrichissaient avec l'écorce des arbres péruviens.

Seuls les Anglais avaient mis du temps à comprendre la valeur du quinquina – principalement à cause de leurs préjugés antiespagnols et antipapistes, mais aussi de leur tendance à saigner les patients plutôt qu'à leur administrer des poudres bizarres. En outre, l'extraction du principe actif du quinquina était une science compliquée. Il y avait quelque soixante-dix variétés de l'arbuste et personne ne savait exactement quelles écorces étaient les plus puissantes. Il fallait se reposer sur l'honneur de celui qui avait récolté l'écorce, généralement un Indien situé à des milliers de lieues. Les poudres que l'on trouvait souvent sous le nom d'« écorce des jésuites » dans les pharmacies londoniennes, introduites en contrebande par le biais de la Belgique, étaient en grande partie des contrefaçons inefficaces. Cependant, l'écorce avait fini par attirer l'attention de Sir Joseph Banks, qui désirait en savoir plus sur le sujet. Et à présent – devant une mince perspective d'enrichissement – celle de Henry aussi, qui était devenu le chef de sa propre expédition.

Bientôt, il sillonna le Pérou comme un homme poussé par la pointe d'une baïonnette – celle de sa furieuse ambition. Ross Niven, avant de mourir, lui avait donné trois précieux conseils sur les voyages en Amérique du Sud, et le jeune homme les suivit tous prudemment. Un : ne portez jamais de bottes. Endurcissez vos pieds jusqu'à ce qu'ils ressemblent à ceux d'un Indien, en renonçant une bonne fois pour toutes à l'étreinte putréfiante du cuir humide. Deux : abandonnez les vêtements lourds. Habillez-vous légèrement et apprenez à avoir froid, ainsi que le font les

Indiens. Vous vivrez plus sainement ainsi. Et trois : baignez-vous quotidiennement dans une rivière, ainsi que le font les Indiens.

Cela constituait la somme des connaissances de Henry, en dehors du fait que le commerce du quinquina était lucratif et qu'on ne pouvait le trouver que dans les hauteurs des Andes, dans une région lointaine du Pérou appelée Loxa. Comme il n'avait pas d'homme, de carte ou de livre pour en savoir davantage, il résolut l'énigme seul. Pour parvenir à Loxa, il dut braver rivières, épines, serpents, subir maladies, chaleur, froid, pluie, autorités espagnoles et – plus dangereux que tout le reste – endurer son équipe de mules maussades, anciens esclaves et Noirs aigris, dont il ne pouvait qu'à peine deviner la langue, les rancœurs et les secrets desseins.

Pieds nus et affamé, il poursuivit. Il mâcha des feuilles de coca, comme un Indien, pour garder ses forces. Il apprit l'espagnol, ou plus exactement, il décida qu'il savait déjà le parler et que tout le monde pouvait le comprendre. Et si on ne le comprenait pas, il criait de plus en plus jusqu'à ce qu'on le comprenne. Il finit par atteindre la région appelée Loxa. Il trouva et suborna des *cascarilleros*, des « coupeurs d'écorce », les Indiens du cru qui savaient où poussaient les bons arbres. Il continua de chercher et trouva d'autres bosquets de quinquina.

En bon fils de pomiculteur, Henry comprit rapidement que la plupart de ces arbres étaient en mauvais état, malades et surexploités. Certains avaient un tronc aussi gros que son ventre, mais aucun ne l'était davantage. Il commença à panser avec de la mousse les endroits où l'écorce avait été arrachée afin de soigner les arbres. Il apprit aux *cascarilleros* à couper l'écorce en lanières verticales, plutôt qu'horizontales, ce qui ne pouvait que tuer l'arbre. Il procéda à l'abattage d'arbres malades pour permettre de nouvelles pousses. Quand il tomba lui-même malade, il continua son travail. Quand il ne pouvait plus marcher à cause de la maladie ou d'infections, il se faisait attacher par ses Indiens à sa mule comme un captif, afin de pouvoir aller surveiller ses arbres quotidiennement. Il mangea des cochons d'Inde. Il abattit un jaguar.

Il resta à Loxa pendant quatre malheureuses années, pieds nus et frigorifié, dormant dans une cabane en compagnie d'Indiens pieds nus et frigorifiés, qui se chauffaient en brûlant du fumier. Il continua de soigner le bosquet de quinquina, qui appartenait légalement à la pharmacie royale espagnole, mais que Henry s'était tacitement approprié. Il était assez loin dans les montagnes pour qu'aucun Espagnol ne vienne le troubler et, au bout d'un certain temps, les Indiens ne se soucièrent plus de lui non plus. Il apprit que les quinquinas à l'écorce la plus sombre paraissaient produire un remède plus puissant que les autres variétés, et que les pousses les plus récentes produisaient l'écorce la plus riche en principe actif. Une taille sévère était donc conseillée. Il identifia et baptisa sept nouvelles espèces de quinquina, mais qu'il estima inutiles pour la plupart. Il se concentra sur ce qu'il appela le quinquina *roja*, l'arbre rouge, le plus riche. Il greffa le *roja* sur des variétés plus robustes et résistantes aux maladies afin d'obtenir un meilleur rendement.

Et puis il réfléchit beaucoup. Un jeune homme seul dans une lointaine forêt d'altitude a beaucoup de temps pour réfléchir, et Henry formula de grandioses théories. Il savait de feu Ross Niven que le commerce d'écorce des jésuites apportait dix millions de *reales* annuels à l'Espagne. Pourquoi Sir Joseph Banks voulait-il qu'il se contente d'étudier ce produit alors qu'ils pouvaient le vendre ? Et pourquoi la production d'écorce des jésuites devait-elle être cantonnée à cette région inaccessible ? Henry se rappela que son père lui avait enseigné que toutes les plantes précieuses de l'histoire humaine avaient été cueillies avant d'être cultivées et que chercher un arbre (comme gravir les Andes pour trouver ce maudit arbre) était beaucoup moins efficace que le cultiver (comme apprendre comment le faire pousser ailleurs, dans un environnement que l'on maîtrisait). Il savait que les Français avaient essayé d'acclimater le quinquina en Europe en 1730, mais qu'ils avaient échoué, et il pensait savoir pourquoi : ils n'avaient pas tenu compte de l'altitude. On ne pouvait faire pousser cet arbre dans le Val de Loire. Le quinquina avait besoin d'un air raréfié et d'une forêt humide – et la France n'avait pas de telle région. Ni l'Angleterre. Ni l'Espagne, d'ailleurs. C'était dommage. On ne pouvait exporter un climat.

Cependant, durant ses quatre années de réflexion, voici à quoi parvint Henry : l'Inde. Il était prêt à parier que le quinquina prospérerait dans les contreforts frais et humides de l'Himalaya – un endroit où Henry n'était jamais allé, mais dont il avait entendu parler par les officiers britanniques quand il était à Macao. En outre, pourquoi ne pas faire pousser cet utile arbuste médicinal près des régions où sévissait la malaria, là où on en avait le plus besoin ? On avait un cruel besoin d'écorce des jésuites en Inde, pour combattre les fièvres débilitantes des armées anglaises et des travailleurs indigènes. Pour le moment, le remède était bien trop coûteux pour qu'on l'administre à des soldats et à des ouvriers, mais il n'était pas forcé de le rester. Dans les années 1780, le prix de l'écorce des jésuites était multiplié près de deux cents fois entre sa récolte au Pérou et les marchés européens, mais la majeure partie de cette augmentation était due aux coûts de transport. Il était temps de cesser de glaner cet arbre et de commencer à le cultiver commercialement, plus près de son lieu d'utilisation. Henry Whittaker, qui avait désormais vingt-quatre ans, pensait être l'homme qui y parviendrait.

Il quitta le Pérou au début de 1785 en emportant non seulement des notes, un herbier considérable et des échantillons d'écorce enveloppés dans des linges, mais aussi des boutures de racines et environ dix mille graines de quinquina *roja*. Il rapporta aussi quelques variétés de piments, ainsi que des nasturtiums et quelques fuchsias rares. Mais le plus précieux était la provision de graines. Henry avait attendu deux ans pour qu'elles apparaissent, pour que ses meilleurs arbres sortent des boutons épargnés par le gel. Il avait laissé sécher les graines au soleil pendant un mois en les retournant toutes les deux heures pour éviter qu'elles moisissent et en les enveloppant dans un linge la nuit pour les protéger de la rosée. Comme il savait que les graines survivaient rarement aux traversées en mer (même Banks n'avait pas réussi à rapporter des graines lors de ses voyages avec le capitaine Cook), Henry décida d'expérimenter trois techniques d'emballage. Il glissa certaines graines dans du sable, d'autres furent scellées dans de la cire et le reste en vrac avec de la mousse séchée. Toutes furent rangées dans des vessies de bœuf pour rester au sec, puis dissimulées dans de la laine d'alpaga.

Les Espagnols détenant encore le monopole du quinquina, Henry était officiellement un contrebandier. Comme tel, il évita la côte Pacifique trop fréquentée et traversa par voie de terre l'Amérique du Sud avec un passeport français qui le présentait comme marchand de textile. En compagnie de ses mules, de ses anciens esclaves et de ses Indiens mécontents, il prit la route des voleurs – de Loxa au fleuve Zamora, puis à l'Amazone et à la côte Atlantique. De là, il fit voile pour La Havane, puis Cadix, et gagna enfin l'Angleterre. Le retour prit au total un an et demi. Il ne subit ni pirates ni tempête notable ni maladie débilitante. Il ne perdit aucun spécimen. Ce n'était pas si difficile.

Sir Joseph Banks, se dit-il, serait satisfait.

Mais Sir Joseph Banks ne le fut pas, quand Henry le retrouva dans le confort du 32 Soho Square. Banks n'était jamais que plus âgé, plus malade et plus distrait. Sa goutte le tourmentait affreusement et il se débattait avec des questions scientifiques de son cru qu'il considérait comme importantes pour l'avenir de l'Empire britannique.

Banks essayait de trouver le moyen de mettre un terme à la dépendance de l'Angleterre vis-à-vis du coton étranger, et avait pour cela dépêché dans les Indes-Occidentales anglaises des planteurs qui s'efforçaient – pour le moment sans succès – d'y faire pousser du coton. Il essayait également – et avec aussi peu de succès – de briser le monopole hollandais du commerce des épices en faisant pousser de la noix de muscade et des clous de girofle à Kew. Il avait soumis au roi la proposition de faire de l'Australie une colonie pénitentiaire (c'était l'une de ses idées fétiches) mais là non plus personne ne l'écoutait. Il travaillait à construire un télescope haut de douze mètres pour l'astronome William Herschel, qui désirait découvrir de nouvelles comètes et planètes. Mais surtout, Banks voulait des ballons. Les Français en avaient. Ils faisaient depuis longtemps des expériences avec les gaz plus légers que l'air et envoyaient des aéronefs habités au-dessus de Paris. Les Anglais étaient en retard ! Pour le bien de la science et de la sécurité nationale, par Dieu, *l'Empire britannique avait besoin de ballons*.

Banks n'était donc ce jour-là pas d'humeur à écouter Henry Whittaker lui dire que ce dont l'Empire britannique avait vraiment besoin, c'était de plantations de quinquina dans les contreforts de l'Himalaya indien – une idée qui ne faisait progresser en aucune façon les causes du coton, des épices, de la chasse aux comètes ou des ballons. Banks avait l'esprit occupé, son pied le faisait atrocement souffrir et il était assez irrité par la présence agressive de Henry pour accorder un quelconque intérêt à la conversation. Là, Sir

Joseph Banks fit une erreur tactique rare – une erreur qui allait un jour coûter cher à l'Angleterre.

Mais il faut dire que Henry lui aussi commit ce jour-là des erreurs tactiques avec Banks. Plusieurs à la suite, à dire vrai. Arriver sans prévenir fut la première. Oui, il l'avait déjà fait, mais Henry n'était plus le petit gars insolent chez qui une telle entorse à l'étiquette pouvait être excusée. C'était maintenant un adulte (et de bonne taille, pour le coup) dont les coups tambourinés sur la porte sous-entendaient à la fois impudence sociale et menace physique.

Qui plus est, Henry arriva sur le seuil de la propriété de Banks les mains vides, ce qu'un collecteur botanique ne doit jamais faire. La collection péruvienne de Henry était encore à bord du navire venu de Cadix, amarré en sécurité dans le port. La collection était impressionnante, mais comment Banks aurait-il pu le savoir alors que tous les spécimens étaient invisibles, cachés sur un lointain navire marchand, dans des vessies de bœuf, des barils, des sacs en toile et terrariums de verre ? Henry aurait dû apporter quelque chose et le déposer personnellement dans les mains de Banks – sinon une bouture de quinquina *roja*, au moins un joli fuchsia en fleur. Quelque chose qui attire l'attention du vieil homme, qui l'adoucisse afin qu'il estime que les quarante livres annuelles qu'il avait versées à Henry Whittaker et au Pérou n'avaient pas été gaspillées.

Mais Henry n'était pas de ceux qui adoucissent. Au lieu de cela, il accusa Banks sans prendre de gants :

— Vous faites fausse route, monsieur, en vous contentant d'étudier le quinquina alors que vous devriez le commercialiser !

Cette phrase lamentablement inconsidérée revenait à traiter Banks de sot, tout en souillant le 32 Soho Square d'un déplaisant relent de *commerce* – comme si Sir Joseph Banks, le gentilhomme le plus riche d'Angleterre, pût jamais être contraint un jour de se résoudre personnellement à commercer.

Rendons justice à Henry, il n'avait pas non plus toute sa tête. Il était resté seul pendant de nombreuses années dans une forêt lointaine, et un jeune homme seul en forêt peut devenir un penseur dangereusement libre. Henry avait tant de fois discuté avec Banks de ce sujet *dans sa tête* qu'il était impatient maintenant que la conversation avait réellement lieu. Dans son imagination, tout était déjà organisé et avait réussi. Dans son esprit, il n'y avait qu'une issue possible : Banks allait trouver l'idée brillante, présenter Henry aux administrateurs qu'il fallait au Bureau des Indes, obtenir toutes les autorisations et financements et entreprendre – idéalement dès le lendemain après-midi – cet ambitieux projet. Dans les rêves de Henry, la plantation de quinquinas poussait déjà dans l'Himalaya, il était déjà l'homme fortuné que Joseph Banks lui avait promis qu'il deviendrait un jour et il avait déjà été accueilli comme un gentilhomme au sein de la bonne société londonienne. Mais surtout, Henry s'était autorisé à croire que Joseph Banks et lui se considéraient déjà comme des amis aussi chers qu'intimes.

Cela dit, il aurait tout à fait été possible que Henry Whittaker et Sir Joseph Banks deviennent des amis aussi chers qu'intimes, à un détail près : Sir Joseph Banks n'avait jamais considéré Henry Whittaker comme autre chose qu'un petit employé mal élevé et voleur qui n'avait pour seule fonction dans l'existence que de s'épuiser à servir ceux qui valaient mieux que lui.

— Et puis, dit Henry alors que Banks se remettait encore de cet assaut à ses sens, à son honneur et à son salon, je crois que nous devrions discuter de ma nomination à la Royal Society.

— Pardonnez-moi, dit Banks. Qui donc vous a nommé à la Royal Society ?

— Je ne doute pas que vous allez le faire, dit Henry. Pour récompenser mon travail et mon ingéniosité.

Banks resta un long moment sans voix, sourcils perchés sous sa perruque. Il prit une profonde inspiration. Puis – et fort malheureusement pour l'avenir de l'Empire – il éclata de rire. Il rit avec tant d'entrain qu'il dut s'essuyer les yeux avec un mouchoir de dentelle belge qui coûtait très probablement bien plus que la maison où Henry avait grandi. C'était agréable de rire, après une journée aussi épuisante, et il céda de tout son être à l'hilarité. Il rit si fort que son laquais, posté devant la porte, passa la tête à l'intérieur, curieux de cette soudaine explosion de joie. Si fort qu'il ne put parler. Ce qui valut probablement mieux, car même sans ce rire, Banks aurait eu du mal à trouver les mots pour exprimer l'absurdité de cette idée – l'idée que Henry Whittaker, qui aurait dû se balancer au gibet de Tyburn neuf ans plus tôt, qui avait la face de furet d'un voleur à la tire, dont les lettres aux gribouillis consternants avaient été une véritable source de divertissement pour Banks pendant toutes ces années, dont le père (ce pauvre homme !) avait tenu compagnie aux cochons – que ce jeune *escroc* s'imaginât être invité au sein de l'association la plus estimée et la plus aristocratique de toute l'Angleterre ? Mon Dieu, mais que c'était amusant !

Bien sûr, Sir Joseph Banks était le très apprécié président de la Royal Society – ainsi que le savait fort bien Henry – et si Banks avait proposé à la Société qu'on nomme un blaireau éclopé, tout le monde aurait accueilli la créature à bras ouvert et aurait fait frapper une médaille en son honneur. Mais accueillir Henry Whittaker ? Permettre à cet impudent brigand, ce galopin sans foi ni loi, ce lourdaud d'ajouter les initiales « RSF » à son indéchiffrable signature ?

Pas question.

Quand Banks se mit à rire, l'estomac de Henry se noua et se réduisit à un petit cube durci. Sa gorge se serra comme s'il se retrouvait finalement la corde au cou. Il ferma les yeux et eut des envies de meurtre. Il en était capable. Il envisagea le meurtre et en pesa soigneusement les conséquences. Il eut tout le loisir d'y réfléchir pendant que Banks riait et riait.

Non, décida Henry. Pas un meurtre.

Quand il rouvrit les yeux, Banks riait toujours et Henry était un homme changé. Le peu de jeunesse qui restait en lui ce matin-là était désormais mort. Dorénavant, sa vie ne se tiendrait pas à ce qu'il pourrait *devenir*, mais à ce qu'il pourrait *obtenir*. Jamais il ne serait un gentilhomme. Tant pis. Au diable, les gentilshommes. Au diable, tous. Henry deviendrait plus riche qu'aucun gentilhomme qui avait jamais vécu et un jour, il les tiendrait tous dans sa main. Il attendit que Banks cessât de rire, puis il sortit de la pièce sans un autre mot.

Une fois dans la rue, il se trouva une prostituée. Il la plaqua contre un mur dans une ruelle et perdit avec force coups sa virginité, blessant ce faisant et lui-même et la fille, qui le traita de brute. Il trouva une taverne, but deux bouteilles de rhum, cribla de coups le ventre d'un inconnu, fut jeté à la rue et roué de coups de pied dans les reins. Voilà, c'était fait, à présent. Tout ce dont il s'était abstenu pendant ces neuf dernières années, dans l'intérêt de devenir un gentilhomme respectable, il venait de le faire. Voyez-vous comme c'était facile ? Sans y prendre le moindre plaisir, certes, mais c'était fait.

Il engagea un batelier pour le conduire en amont de la Tamise à Richmond. La nuit était tombée entre-temps. Il passa devant l'horrible demeure de ses parents sans s'arrêter. Il ne les reverrait jamais – il n'en avait pas envie de toute façon. Il se faufila à l'intérieur des jardins de Kew, prit une pelle et déterra tout l'argent qu'il avait enfoui là à ses seize ans. Une belle quantité l'attendait dans le sol, bien plus que dans son souvenir. « Bon gars », félicita-t-il le petit voleur prévoyant qu'il avait été jadis.

Il dormit au bord de la rivière, un sac humide de pièces en guise d'oreiller. Le lendemain, il retourna à Londres et s'acheta un bel habit. Il surveilla le déchargement de toute sa collection botanique péruvienne – graines, vessies et échantillons d'écorce – du bateau arrivé de Cadix et son chargement à bord d'un autre qui partait pour Amsterdam. Légalement, toute la collection appartenait à Kew. Au diable, Kew. Qu'on essaie de venir le chercher.

Trois jours plus tard, il fit voile pour la Hollande où il vendit sa collection et ses idées.

4

Six ans plus tard, Henry Whittaker était un riche personnage en voie de le devenir plus encore. Sa plantation de quinquinas prospérait dans l'avant-poste colonial hollandais de Java, poussant avec bonheur sur les champs en terrasse frais et humides d'une propriété d'altitude du nom de Pengalengan – un environnement presque identique, comme l'avait toujours su Henry, aux Andes péruviennes et aux contreforts de l'Himalaya. Henry habitait lui-même sur place et gardait l'œil sur son trésor botanique. Ses associés d'Amsterdam fixaient désormais le cours mondial de l'écorce des jésuites et engrangeaient soixante florins à chaque centaine de livres de quinquina. Ils n'arrivaient pas à en produire assez vite. Il y avait une fortune à faire et fortune fut faite. Henry avait continué à raffiner ses plantations, qui étaient protégées de tout croisement avec des espèces moindres, et il produisait une écorce à la fois plus puissante et d'une qualité plus régulière que tout ce qui provenait du Pérou. En outre, elle voyageait bien et – n'étant pas corrompue par des mains espagnoles ou indiennes – était jugée par le monde entier comme un produit fiable.

Les colons hollandais, désormais les plus gros producteurs et consommateurs d'écorce des jésuites, utilisaient la poudre pour épargner la malaria à leurs soldats, administrateurs et ouvriers dans toutes les Indes orientales. L'avantage que cela leur donnait sur leurs rivaux – notamment les Anglais – était littéralement incalculable. Dans un esprit de vengeance déterminée, Henry veillait à n'approvisionner aucun marché anglais, ou au moins à faire monter les prix dès que le produit atteignait l'Angleterre ou l'une de ses possessions.

Quant à Sir Joseph Banks, toujours à Kew et à présent fort dépassé, il finit par tenter de cultiver le quinquina dans l'Himalaya, mais, sans le savoir-faire de Henry, le projet prit du retard. Les Anglais gâchaient argent et énergie en plantant les mauvaises espèces de quinquina à une altitude mal choisie et Henry, avec une satisfaction glacée, en était informé. Vers la fin des années 1790, d'innombrables citoyens et sujets britanniques mouraient chaque semaine de la malaria en Inde, faute de pouvoir se procurer de l'écorce des jésuites de bonne qualité, alors que les Hollandais débordaient d'une santé insolente.

Henry les admirait et travaillait bien avec eux. Il comprenait sans peine ces gens – ce peuple industrieux, infatigable, qui creusait des fossés, buvait de la bière, parlait droit et comptait juste, ces calvinistes qui depuis le XVIe siècle faisaient naître l'ordre du négoce et qui s'endormaient paisiblement chaque soir de leur vie avec la certitude que Dieu désirait qu'ils soient riches. Peuple de banquiers, de marchands et de jardiniers, les Hollandais aimaient les promesses de ventes tout comme Henry aimait les siennes (c'est-à-dire saupoudrées de l'or des bénéfices) et en conséquence tenaient le monde captif avec des taux d'intérêt vertigineux. Ils ne le jugeaient pas pour ses manières grossières ou son agressivité. Très rapidement, Henry Whittaker et les Hollandais s'enrichirent mutuellement d'une manière stupéfiante. En Hollande, certains appelaient Henry « le Prince du Pérou ».

À présent, Henry était un homme riche de trente et un ans et il était temps pour lui d'orchestrer le reste de sa vie. Pour commencer, il avait désormais l'occasion de lancer sa propre affaire, entièrement séparée de ses associés hollandais, et il passa méticuleusement en revue les possibilités. Il n'éprouvait aucun intérêt pour les minéraux et pierres précieuses, car il n'avait aucune connaissance en la matière. Il en était de même avec la construction navale, l'édition ou les textiles. Ce serait donc la botanique. Mais quelle sorte de botanique ? Henry n'avait aucune envie d'entrer dans le négoce des épices, même s'il était connu pour engendrer des bénéfices retentissants. Trop de nations s'en mêlaient déjà et d'après ce que pouvait voir Henry, défendre sa production contre pirates et marines concurrentes coûtait plus cher que cela ne rapportait. Il n'avait aucun respect non plus pour le commerce du sucre ou du coton, qu'il trouvait aussi captieux que coûteux, et intrinsèquement lié à l'esclavage. Henry ne voulait rien avoir à faire avec l'esclavage – non pas parce qu'il le réprouvait moralement, mais parce qu'il le considérait comme financièrement inefficace, désordonné, cher et contrôlé par des individus parmi les plus déplaisants qui soient au monde. Ce qui l'intéressait, c'étaient les plantes médicinales – un marché que personne n'avait encore vraiment investi.

Ce seraient donc les plantes médicinales et la pharmacie.

Ensuite, il dut décider de l'endroit où habiter. Il possédait une belle propriété à Java avec une centaine de domestiques, mais le climat l'avait affaibli avec les années et il avait attrapé des maladies tropicales qui allaient lui causer régulièrement de graves problèmes de santé jusqu'à la fin de ses jours. Il lui fallait un climat plus tempéré. Plutôt se couper un bras que de retourner vivre en Angleterre. Le continent ne le séduisait guère : la France était remplie de gens irritants ; l'Espagne était corrompue et instable ; la Russie, impossible ; l'Italie, absurde ; l'Allemagne, rigide ; le Portugal, sur le déclin. La Hollande, bien que favorablement disposée à son égard, était terne et ennuyeuse.

Les États-Unis d'Amérique, décida-t-il, étaient une possibilité. Henry n'y était jamais allé, mais il avait entendu des récits prometteurs. Notamment sur Philadelphie, la vibrante capitale de cette jeune nation. On la disait dotée d'un assez bon port de commerce, presque au centre de la côte est du pays, peuplée de quakers pragmatiques, de pharmaciens et de fermiers durs à la tâche. On racontait que c'était un endroit dépourvu d'aristocrates hautains (contrairement à Boston), de puritains répugnant à tout plaisir (contrairement au Connecticut) et d'ennuyeux princes féodaux autoproclamés (contrairement à la Virginie). La ville avait été fondée selon les sains principes de la tolérance religieuse, de la presse libre et d'une intelligente occupation des sols par William Penn, un homme qui faisait pousser des plantules d'arbres dans des baignoires et qui avait imaginé sa métropole comme une grande pépinière de végétaux comme d'idées. Tout le monde était bienvenu à Philadelphie, absolument tout le monde – sauf, bien sûr, les Juifs. Apprenant tout cela, Henry soupçonna Philadelphie d'être un immense domaine de profits encore non réalisés et il décida de transformer cet endroit à son avantage.

Cependant, avant de s'installer quelque part, il désirait avoir une épouse et – comme il n'était pas sot – qu'elle soit hollandaise. Il voulait une femme intelligente et réservée, le moins frivole possible, et c'était en Hollande qu'on en trouvait de telles. Henry s'était de temps en temps adonné à la fréquentation de prostituées et avait même entretenu une jeune Javanaise dans sa propriété de Pengalengan, mais le moment était venu de prendre une épouse digne de ce nom et il se rappela le conseil que lui avait donné autrefois un sage marin portugais : « Pour être heureux et prospère dans la vie, Henry, c'est simple. Il faut choisir une femme, bien la choisir, et rendre les armes. »

Il retourna donc en Hollande. Il choisit rapidement et avec calcul une épouse dans une ancienne et respectable famille, les van Devender, qui étaient depuis des générations conservateurs du Hortus, le jardin botanique d'Amsterdam. Le Hortus était l'un des jardins scientifiques les plus en vue d'Europe – l'un des plus anciens liens dans l'Histoire entre botanique, étude et commerce – et les van Devender l'avaient toujours honorablement géré. Ce n'étaient aucunement des aristocrates, et ils n'étaient certainement pas riches, mais Henry n'avait pas besoin d'une riche épouse. En revanche, les van Devender comptaient parmi les plus éminentes familles européennes, réputée pour son savoir et sa science – et cela, il l'admirait.

Malheureusement, l'admiration ne fut pas réciproque. Jacob van Devender, le patriarche de la famille et du Hortus (également passé maître dans la culture des aloès d'ornement), connaissait de réputation Henry Whittaker et n'aimait guère ce qu'il avait entendu. Il savait que ce jeune homme avait commis des vols et qu'il avait trahi sa patrie par appât du gain. Ce n'était pas le genre de conduite qu'approuvait Jacob van Devender. Jacob était hollandais, oui, et il aimait l'argent, mais il n'était ni banquier ni spéculateur. Il ne mesurait pas la valeur des individus à leur fortune.

Cependant, Jacob van Devender avait une fille qui faisait un excellent parti – du moins était-ce ce que pensait Henry. Elle s'appelait Beatrix, et elle n'était ni laide ni jolie, ce qui semblait assez idéal pour une épouse. Elle était courtaude, avec une poitrine plate, un véritable petit tonneau, et elle roulait déjà vers le célibat prolongé quand Henry fit sa connaissance.

Aux goûts de la plupart des soupirants, Beatrix van Devender aurait paru d'un raffinement intimidant. Elle parlait couramment cinq langues vivantes et deux mortes et possédait un savoir en botanique rivalisant avec celui de n'importe quel homme. Sans conteste, cette femme n'était pas une coquette. Ce n'était pas un ornement pour le salon. Elle s'habillait de toutes les nuances que l'on associe habituellement au moineau domestique. Elle nourrissait une méfiance tenace envers la passion, l'exagération ou la beauté, n'avait confiance qu'en ce qui était solide et crédible, et préférait le savoir et l'expérience à l'instinct impulsif. Pour Henry, elle était comme un lest de plomb ambulant, et c'était précisément ce qu'il désirait.

Quant à ce que Beatrix voyait en lui ? Là, nous tombons sur un léger mystère. Henry n'était pas bel homme. Il n'était certainement pas raffiné. En toute vérité, il y avait quelque chose du forgeron de campagne dans son visage rougeaud, ses grosses mains et ses manières rudes. Aux yeux de la plupart, il ne paraissait ni solide ni crédible. Henry Whittaker était un homme passionné, impulsif, tapageur et belliqueux, qui avait des ennemis dans le monde entier. Il était également devenu, avec le temps, un peu buveur. Quelle jeune femme respectable aurait été encline à choisir un tel personnage comme époux ?

— Cet homme n'a aucun principe, objecta Jacob van Devender à sa fille.

— Oh, père, vous vous méprenez cruellement, le corrigea-t-elle ironiquement. Mr Whittaker en a de nombreux. Ils ne sont simplement pas de la meilleure espèce.

Certes, Henry était riche, et en conséquence, certains observateurs spéculèrent que Beatrix appréciait peut-être plus sa fortune qu'elle ne voulait bien le dire. En outre, Henry avait pour projet d'emmener sa jeune épouse en Amérique, et peut-être – ragotèrent les commères du cru – avait-elle quelque raison honteuse et secrète de vouloir quitter la Hollande pour de bon.

La vérité était cependant plus simple : Beatrix van Devender épousa Henry Whittaker parce que ce qu'elle vit en lui la séduisit. Elle apprécia sa force, son astuce, son ascendance et ses promesses. Il était mal dégrossi, certes, mais elle n'était pas elle-même un délicat bouton de rose. Elle respectait son manque de raffinement comme il respectait le sien. Elle comprit ce qu'il cherchait en elle et eut la certitude qu'elle pourrait travailler avec lui, et peut-être même le diriger un peu. C'est ainsi que Henry et Beatrix forgèrent rapidement et sans détours leur alliance. Le seul mot juste pour qualifier cette union était un terme néerlandais des affaires : *partenrederijen* – un partenariat reposant sur un commerce honnête et des accords clairs, où les profits de l'avenir sont le résultat des promesses du présent, et où la collaboration des deux parties contribue équitablement à la prospérité.

Ses parents la renièrent. Enfin, il serait plus exact de dire que Beatrix les renia. C'était une famille rigide, tous autant qu'ils étaient. Ils n'étaient pas d'accord avec cette alliance et chez les van Devender, les désaccords avaient tendance à durer éternellement. Après avoir choisi Henry et être partie aux États-Unis, Beatrix ne communiqua plus jamais avec Amsterdam. La dernière chose qu'elle vit de sa famille, ce fut son jeune frère Dees, âgé de dix ans, qui pleurait et s'écriait en s'accrochant à ses jupes : « On me l'enlève ! On me l'enlève ! » Elle décrocha les doigts de l'enfant de l'étoffe, lui intima de ne plus jamais se couvrir de honte en pleurant en public et s'en alla.

Elle emmena en Amérique sa femme de chambre personnelle – une grande jeune fille extrêmement compétente du nom de Hanneke de Groot. Elle emporta également de la bibliothèque de son père une édition de 1665 du *Micrographia* de Robert Hooke et un recueil d'illustrations botaniques de Leonhart Fuchs des plus précieux. Elle cousit dans sa robe de voyage des dizaines de poches qu'elle remplit des plus rares bulbes de tulipes du Hortus, tous soigneusement enveloppés de mousse. Elle emporta également plusieurs dizaines de registres vierges.

Elle faisait déjà des projets pour sa bibliothèque, son jardin et – comme il apparaîtrait plus tard – sa fortune.

Beatrix et Henry Whittaker arrivèrent à Philadelphie au début de l'année 1793. La ville, qui n'était pas protégée par des murailles ou toute autre fortification, se composait alors d'un port très animé, de quelques quartiers commerciaux et administratifs, d'un conglomérat de propriétés agricoles et de belles propriétés neuves. L'endroit recelait de vastes possibilités : c'était un véritable confluent de croissance potentielle. La première banque des États-Unis venait de s'y ouvrir l'année précédente. Tout le Commonwealth de Pennsylvanie était en guerre contre ses forêts et ses citoyens, armés de haches, de bœufs et d'ambition, la gagnaient. Henry acheta cent quarante hectares de pâtures vallonnées et de forêts intactes en bordure ouest de la Schuylkill, avec l'intention de s'agrandir dès qu'il en aurait la possibilité.

Au départ, Henry avait l'intention d'être riche avant ses quarante ans, mais il avait si peu ménagé sa monture, comme on dit, qu'il avait atteint son but précocement. Il n'avait que trente-deux ans et déjà en banque livres, florins, guinées et même kopecks. Il comptait bien devenir encore plus riche. Mais pour l'heure, à son arrivée à Philadelphie, il lui fallait étaler sa fortune.

Henry Whittaker baptisa sa propriété White Acre, un jeu de mots sur son nom, et entreprit aussitôt de faire bâtir une demeure palladienne aux proportions majestueuses, bien plus belle qu'aucune autre bâtisse privée de la région. La maison serait en pierre, vaste et bien équilibrée – agrémentée de beaux pavillons est et ouest, d'un portique à colonnade au sud et d'une large terrasse au nord. Il fit aussi construire une grande écurie, une vaste forge et un corps de garde alambiqué, ainsi que plusieurs édifices botaniques (dont la première de nombreuses serres chaudes indépendantes, une orangerie sur le modèle de celle de Kew, et le début d'une serre en verre aux dimensions ahurissantes). Le long des rives boueuses de la Schuylkill – où cinquante ans plus tôt, les Indiens cueillaient de l'oignon sauvage –, il fit construire son débarcadère personnel, tout comme ceux des belles anciennes demeures en bordure de la Tamise.

À cette époque, la ville de Philadelphie vivait encore chichement, mais Henry conçut White Acre comme un affront insolent à la notion même de frugalité. Il voulait que la demeure vibre d'extravagance. Il ne craignait pas d'être envié. À vrai dire, il trouvait que c'était follement amusant d'être envié, et bon pour les affaires, aussi, car l'envie attirait les gens. Sa maison était faite non seulement pour paraître grandiose de loin – visible sans peine depuis la rivière, orgueilleusement perchée sur son promontoire et jetant négligemment un regard sur la ville de l'autre côté – mais aussi pour exprimer la richesse dans le moindre de ses détails. Chaque poignée de porte était en bronze et ce bronze devait étinceler. Le mobilier venait tout droit de chez Seddon's of London, les murs étaient tendus de papier peint belge, la vaisselle de porcelaine de Canton, la cave remplie de rhum jamaïcain et de vins de Bordeaux, les lampes étaient en verre soufflé à la main de Venise et les lilas qui enchantaient la propriété avaient connu leurs premières fleurs dans l'Empire ottoman.

Il laissa courir librement les rumeurs sur sa fortune. Si riche qu'il fût, cela ne faisait pas de mal qu'on l'imagine encore plus fortuné. Quand les voisins se mirent à chuchoter que les chevaux de Henry Whittaker étaient ferrés d'argent, il les laissa croire. En réalité, ses chevaux n'étaient pas ferrés d'argent, mais d'acier, comme n'importe quel cheval et, qui plus est, c'était Henry lui-même qui les avait ferrés (un savoir-faire qu'il avait appris au Pérou, sur de pauvres mules avec de pauvres outils). Mais fallait-il que cela se sache, alors que la rumeur était bien plus agréable et formidable ?

Henry comprenait non seulement l'attrait exercé par l'argent, mais aussi celui, plus mystérieux, qu'exhale le pouvoir. Il savait que sa propriété ne devait pas seulement éblouir, mais aussi intimider. Louis XIV emmenait ses visiteurs se promener dans ses jardins non pas pour les distraire agréablement, mais pour démontrer sa puissance : chaque arbre en fleur, chaque fontaine scintillante et toutes ces statues grecques n'étaient là que pour communiquer au monde un message unique et sans ambiguïté : *Ne vous avisez pas de me déclarer la guerre !* et Henry désirait que White Acre exprime exactement le même sentiment.

Henry fit également construire un vaste entrepôt et une fabrique sur le port de Philadelphie, pour la réception des plantes médicinales du monde entier : ipéca, simarouba, rhubarbe, écorce de gaïac, salsepareille. Il s'associa avec un vaillant pharmacien quaker du nom de James Garrick et les deux hommes se lancèrent dans la fabrication de pilules, poudres, pommades et sirops.

Il avait fait affaire avec Garrick à point nommé. À l'été 1793, une épidémie de fièvre jaune décima Philadelphie. Les rues étaient encombrées de cadavres et les orphelins se cramponnaient à la dépouille de leur mère gisant dans le caniveau. Les gens mouraient par couples, familles, dizaines – en laissant échapper d'ignobles flots de fluide noirâtre par tous leurs orifices. Les médecins du cru avaient estimé que le seul remède possible était de purger violemment leurs patients plus encore, en provoquant vomissements et diarrhées, et le meilleur purgatif au monde était le jalap, la racine d'une plante appelée ipomée, que Henry importait déjà en quantité du Mexique.

Henry lui-même soupçonna que le remède à base de jalap était une illusion et refusa que quiconque en prenne chez lui. Il savait que les médecins créoles des Caraïbes – bien plus familiers de la fièvre jaune que leurs confrères du Nord – traitaient leurs patients en préconisant un régime moins barbare de liquides roboratifs et du repos. Cependant, il n'y avait aucun argent à gagner avec les liquides et le repos, alors que le jalap en promettait beaucoup. Et c'est ainsi qu'à la fin de 1793, un tiers de la population de Philadelphie était mort de la fièvre jaune et Henry Whittaker avait doublé sa fortune.

Avec ses bénéfices, il construisit deux autres serres. Sur la suggestion de Beatrix, il commença à cultiver des fleurs, des arbres et des arbustes endémiques d'Amérique pour les exporter en Europe. L'idée valait la peine : les prairies et forêts américaines étaient remplies d'espèces qui paraissaient exotiques pour un œil européen et se vendaient sans peine outre-mer. Henry en avait assez d'envoyer ses navires à vide : à présent, il pouvait gagner de l'argent des deux côtés de la traversée. Il gagnait toujours des fortunes grâce à Java et à l'écorce des jésuites qu'il commercialisait avec ses associés hollandais, mais il y avait des fortunes à faire localement aussi. En 1796, Henry envoyait déjà des cueilleurs dans les montagnes de Pennsylvanie récolter de la racine de ginseng pour l'exporter en Chine. Pendant des années, il resta le seul Américain à avoir su comment vendre quelque chose aux Chinois.

À la fin de l'année 1798, Henry remplissait ses serres américaines avec des plantes tropicales qu'il vendait à la toute nouvelle aristocratie américaine. L'économie des États-Unis montait en flèche. George Washington et Thomas Jefferson possédaient l'un et l'autre d'opulentes propriétés campagnardes et tout le monde voulait faire comme eux. La jeune nation se mit soudain à repousser les limites de la prodigalité. Certains citoyens s'enrichissaient, d'autres tombaient dans le dénuement. La trajectoire de Henry n'était qu'ascension. La base de chacun de ses calculs était : « Je vais gagner », et c'était invariablement le cas, qu'il importe, exporte, fabrique ou se livre à toute sorte d'opportunisme. L'argent semblait aimer Henry. L'argent le suivait comme un petit chien excité. En 1800, il était facilement l'homme le plus riche de Philadelphie et l'un des trois plus riches de l'Occident.

Aussi, quand la fille de Henry, Alma, naquit cette année-là – trois semaines tout juste après la mort de

George Washington –, ce fut comme si elle venait combler une toute nouvelle espèce de créature telle que le monde n'en avait encore jamais vu : un puissant sultan américain à peine couronné.

II

La prune de White Acre

5

C'était la fille de son père. C'est ce que l'on déclara d'elle dès le début. Pour commencer, Alma Whittaker ressemblait en tout point à Henry : rousse de cheveux, rosée de teint, petite de bouche, large de front, abondante de nez. C'était un état de fait quelque peu malheureux pour Alma, même s'il allait lui falloir quelques années pour s'en rendre compte. Le visage de Henry convenait nettement mieux à un homme adulte qu'à une petite fille. Non que Henry lui-même objectât à cette situation : étant donné qu'il aimait regarder son image chaque fois qu'il la voyait (dans un miroir, en peinture, sur le visage d'un enfant), il tira toujours satisfaction de l'apparence d'Alma.

— Il n'y a pas à se demander de qui elle est la fille ! clamait-il.

Qui plus est, Alma était aussi astucieuse que lui. Et robuste, également. Un vrai petit dromadaire : infatigable et ne se plaignant jamais. Jamais malade. Entêtée. Dès l'instant où la fillette apprit à parler, elle ne se lassa pas de débattre. Si la meule qui lui tenait lieu de mère n'avait pas rapidement réduit en poussière toute impudence chez elle, elle aurait pu devenir franchement grossière. Pour le coup, elle n'était qu'acharnée. Elle voulait comprendre le monde et elle prit l'habitude de traquer le savoir jusque dans ses derniers retranchements, comme si le destin des nations était en jeu à chaque fois. Elle exigeait de savoir pourquoi un poney n'était pas un bébé cheval. Pourquoi des étincelles jaillissaient quand elle passait la main sur les draps par une chaude nuit d'été. Elle voulait savoir non seulement si les champignons étaient des plantes ou des animaux, mais aussi – quand on lui donnait la réponse – *pourquoi on en était aussi sûr.*

Alma était née avec les parents qu'il fallait pour ce genre d'interrogations incessantes : tant que ses questions étaient respectueusement formulées, elles obtenaient une réponse. Henry et Beatrix Whittaker, tolérant aussi peu l'un que l'autre la lourdeur d'esprit, encourageaient l'esprit d'investigation de leur fille. Même la question sur les champignons eut droit à une réponse sérieuse (en l'occurrence de Beatrix, qui cita l'estimé taxonomiste suédois Carl von Linné concernant la manière de distinguer les minéraux des végétaux et les végétaux des animaux : « Les pierres grandissent. Les plantes grandissent et vivent. Les animaux grandissent, vivent et sentent. »). Beatrix n'estimait pas qu'une enfant de quatre ans était trop jeune pour discuter de Linné. À vrai dire, Beatrix avait commencé l'éducation d'Alma presque dès que l'enfant avait su tenir debout. Si les enfants des autres pouvaient apprendre à zézayer des prières et du catéchisme dès qu'ils commençaient à parler, sa fille, estimait Beatrix, pouvait certainement apprendre *n'importe quoi*.

Du coup, Alma sut compter avant ses quatre ans, en anglais, néerlandais, français et latin. On insista particulièrement sur l'étude du latin, car pour Beatrix, quiconque ignorait le latin était incapable d'écrire une phrase bien construite en anglais ou en français. Elle tâta aussi un peu du grec de bonne heure, mais avec un peu moins d'urgence. (Même Beatrix estimait qu'un enfant ne pouvait étudier le grec avant cinq ans.) Beatrix enseignait elle-même à son intelligente fille, et avec satisfaction. Nul ne saurait excuser un parent qui n'apprend pas personnellement à son enfant à penser. Comme Beatrix jugeait également que les facultés intellectuelles de l'humanité se dégradaient régulièrement depuis le IIe siècle de notre ère, elle aimait avoir l'impression de diriger un lycée athénien privé à Philadelphie pour l'unique bien de sa fille.

Hanneke de Groot, la gouvernante en chef, estimait que le jeune cerveau féminin d'Alma était peut-être trop sollicité par autant d'étude, mais Beatrix ne voulait rien entendre, car c'était ainsi qu'elle-même avait été élevée, comme tous les enfants van Devender – filles et garçons – depuis des temps immémoriaux. « Ne soyez pas simplette, Hanneke, la réprimanda Beatrix. À aucun moment de l'Histoire une jeune fille intelligente, en bonne santé et bien nourrie n'est morte *d'avoir trop appris.* »

Beatrix préférait l'utile à l'insipide, l'édification à la distraction. Elle se méfiait de tout ce que l'on aurait pu qualifier d'« amusement innocent » et détestait fermement la sottise comme l'abjection. Étaient notamment sots ou abjects : les tavernes ; les femmes fardées ; les jours d'élection (on pouvait toujours s'attendre à des émeutes) ; la consommation de crème glacée ; la fréquentation de débits de crème glacée ; les anglicans (qui étaient à ses yeux des catholiques déguisés et dont la religion, selon elle, était en conflit autant avec la moralité qu'avec le sens commun) ; le thé (les honnêtes Hollandaises ne buvaient que du café) ; les gens qui menaient leur traîneau en hiver sans faire porter de cloches à leurs chevaux (on ne les entendait pas surgir derrière soi !) ; les domestiques bon marché (une bonne affaire qui ne promettait que des déconvenues) ; quiconque payait ses domestiques en rhum plutôt qu'en argent (et contribuait ainsi à l'ivresse sur la voie publique) ; quiconque vous confiait ses ennuis et refusait ensuite tout conseil sensé ; les fêtes de fin d'année (la nouvelle arriverait de toute façon, qu'on sonne ou non toutes ces cloches) ; l'aristocratie (la noblesse devait reposer sur la conduite et non sur la naissance) ; les enfants trop complimentés (une bonne conduite allait de soi et ne devait pas être récompensée).

Elle embrassait la devise *labor ipse voluptas* – le travail est sa propre récompense. Elle estimait qu'il y avait une dignité intrinsèque à demeurer insensible et indifférente à la sensation ; à vrai dire, elle jugeait que l'indifférence à la sensation était la définition même de la dignité. Plus que tout, Beatrix Whittaker croyait à la respectabilité et à la moralité – mais si on la sommait de choisir entre les deux, elle aurait probablement opté pour la première.

Et tout cela, elle s'efforça de l'enseigner à sa fille.

Quant à Henry Whittaker, de toute évidence, il ne pouvait contribuer à l'enseignement des classiques, mais il appréciait les efforts que faisait Beatrix pour éduquer Alma. En botaniste habile mais sans instruction, il avait toujours jugé que le grec et le latin étaient comme deux gros croisillons d'acier qui lui barraient la voie de la connaissance : il n'était pas question que le chemin de sa fille soit ainsi entravé. D'ailleurs, il n'était pas question d'empêcher quoi que ce soit à sa fille.

Et qu'apprit Henry à Alma ? Eh bien, rien du tout. C'est-à-dire qu'il ne lui enseigna rien du tout *directement*. Il n'avait pas la patience de prodiguer une instruction officielle et il n'aimait pas être acculé dans une impasse par des enfants. Mais ce qu'Alma apprit *indirectement* de son père forme une longue liste. D'abord et avant tout, elle apprit à ne pas l'irriter. Comme elle était bannie de la pièce dès l'instant où elle l'irritait, elle apprit dès son plus jeune âge à ne pas agacer ou provoquer Henry. C'était un défi pour Alma, car cela exigeait qu'elle réprime avec la plus grande fermeté tous ses instincts naturels (qui lui dictaient précisément d'agacer et de provoquer). Cependant, elle apprit que son père ne dédaignait pas une question sérieuse, intéressante ou bien formulée de sa fille – du moment qu'elle ne lui coupait jamais la parole ou (et là, c'était bien plus difficile) n'interrompait pas le cours de ses réflexions. Parfois, ses questions allaient même jusqu'à l'amuser, même si elle ne comprenait pas toujours pourquoi – comme lorsqu'elle lui demanda pourquoi le verrat prenait tant de temps quand il grimpait sur le dos de la truie, alors que le taureau était toujours si rapide avec les vaches. Cette question fit rire Henry. Alma n'aimait pas qu'on rie d'elle. Elle apprit à ne jamais poser ce genre de question deux fois.

Alma apprit que son père était impatient avec ses employés, ses invités, son épouse, sa fille et même ses chevaux, mais qu'avec les plantes, il ne perdait jamais la tête. Il était toujours charitable et indulgent avec les plantes. Cela donnait parfois envie à Alma d'être une plante elle aussi. Jamais elle ne le lui confia, car elle serait passée pour une sotte, et elle avait appris de Henry qu'il ne faut jamais passer pour une sotte. « Le monde est un sot qui meurt d'envie qu'on le dupe », disait-il souvent, et il avait inculqué à sa fille qu'il y avait un abîme entre les idiots et les malins et qu'il fallait être du côté des seconds. Faire montre d'un désir pour quelque chose que l'on ne pouvait obtenir, par exemple, n'était pas malin.

Alma apprit de Henry qu'il y avait des lieux fort lointains dans le monde, où certains hommes se rendent et dont ils ne reviennent jamais, mais où son père était allé *et dont il était revenu*. (Elle se plaisait à imaginer qu'il était revenu pour elle, afin d'être son papa, même s'il n'avait jamais rien insinué de tel.) Elle apprit que Henry avait enduré le monde parce qu'il était courageux. Elle apprit que son père désirait qu'elle le soit aussi, même dans les circonstances les plus inquiétantes – quand il tonne, qu'une oie vous poursuit, que la Schuylkill déborde, devant le singe enchaîné qui accompagne le ferrailleur dans son chariot. Henry interdisait à Alma de redouter tout cela. Avant qu'elle ait même pu comprendre ce qu'était la mort, il lui avait interdit de la craindre elle aussi.

— Des gens meurent tous les jours, lui déclara-t-il. Mais il y a un risque sur huit mille que ce soit toi.

Elle apprit qu'il y avait des semaines – les plus pluvieuses, notamment – où le corps de son père le faisait souffrir plus qu'aucun homme de la chrétienté n'aurait dû souffrir. Une fracture mal réduite à une jambe lui faisait mal en permanence et il souffrait de fièvres récurrentes qu'il avait attrapées dans ces endroits lointains et dangereux autour du monde. Parfois, il ne pouvait quitter son lit pendant deux semaines. Il ne fallait surtout pas l'ennuyer en pareilles circonstances. Même pour lui apporter des lettres, il fallait entrer sans bruit. C'était à cause de ces maux que Henry ne pouvait plus voyager et que, faute de quoi, il convoquait le monde à lui. C'était pour cela qu'il y avait toujours tant de visiteurs à White Acre et qu'autant d'affaires se négociaient dans le salon et à la table de la salle à manger. Et aussi pourquoi Henry avait à son service cet homme du nom de Dick Yancey – le terrifiant, silencieux et chauve homme du Yorkshire au regard glacial, qui voyageait à sa place et régissait le monde au nom de la Compagnie Whittaker. Alma apprit à ne *jamais* parler à Dick Yancey.

Elle apprit que son père n'observait pas le sabbat, même s'il avait un magnifique prie-Dieu personnel à son nom dans l'église luthérienne suédoise où Alma et sa mère passaient leur dimanche. La mère d'Alma ne portait pas particulièrement les Suédois dans son cœur, mais comme il n'y avait aucune église réformée hollandaise dans les parages, les Suédois valaient mieux que rien. Au moins, ils comprenaient et partageaient les croyances centrales des enseignements calvinistes : *Tu es responsable de ta situation dans la vie, tu es très probablement maudit et l'avenir est affreusement sombre.* Tout cela était agréablement familier pour Beatrix. Mieux que toutes les autres religions, avec leurs fausses et molles assurances.

Alma aurait préféré ne pas avoir à aller à l'église le dimanche et pouvoir rester à la maison comme son père pour travailler à ses plantes. L'église était sinistre et inconfortable et sentait le jus de tabac. L'été, des dindes et des chiens s'aventuraient parfois à l'intérieur par la porte grande ouverte pour s'abriter de l'écrasante chaleur. En hiver, il régnait un froid intolérable dans le vieux bâtiment en pierre. Quand un rayon de lumière filtrait par l'un des hauts et étroits vitraux, Alma tournait le visage vers lui, comme une liane tropicale dans les serres de son père rêvant de s'échapper.

Le père d'Alma n'aimait ni les églises ni les religions, mais il invoquait fréquemment Dieu pour maudire ses ennemis. Quant au reste de ce que n'aimait pas Henry, la liste était longue et Alma finit par bien la connaître. Elle savait que son père détestait les hommes corpulents qui avaient de petits chiens. Il détestait aussi les gens qui achetaient des chevaux rapides et ne savaient pas monter. En outre, il détestait : les voiliers de plaisance ; les arpenteurs ; les souliers de mauvaise façon ; le français (la langue, la cuisine et le peuple) ; les employés nerveux ; les minuscules assiettes en porcelaine qui se brisaient dans la fichue main d'un homme ; la poésie (mais pas les chansons !) ; le dos voûté des lâches ; les fils voleurs des putains ; une langue mensongère ; le son du violon ; l'armée (quelle qu'elle fût) ; les tulipes (« des oignons qui se donnent des airs ! ») ; les geais ; boire du café (« une maudite et sale habitude hollandaise ! ») ; et – bien qu'Alma ne comprît pas le sens de ces deux mots – l'esclavage et les abolitionnistes.

Henry pouvait être impétueux. Il était capable d'insulter et de diminuer Alma en moins de temps qu'il n'en faut pour boutonner un gilet (« Personne n'aime un cochonnet sot et égoïste ! »), mais par moments, aussi, il semblait vraiment épris d'elle, voire fier d'elle. Un homme vint un jour à White Acre vendre à Henry un poney pour qu'Alma apprenne à monter. L'animal s'appelait Soames et il était de la couleur du sucre glace. Alma s'en enticha aussitôt. Un prix fut négocié. Les deux hommes s'entendirent sur trois dollars. Alma, qui n'avait que six ans, demanda :

— Pardonnez-moi, monsieur, mais ce prix comprend-il également la bride et la selle que le poney porte en ce moment ?

L'homme hésita devant la question, mais Henry éclata de rire.

— Elle vous a bien eu, mon ami ! beugla-t-il. (Et pendant tout le reste de la journée, il ébouriffa les cheveux d'Alma dès qu'elle s'approchait, et répétait :) Quelle bonne petite négociatrice j'ai là pour fille !

Alma apprit que son père buvait le soir des bouteilles qui contenaient parfois du danger (éclats de voix ; expulsion), mais aussi des miracles, comme la permission de s'asseoir sur les genoux de son père, où elle s'entendait raconter de fantastiques histoires, ou appeler de son plus rare surnom : « Prune ». Lors de ces soirées, Henry lui disait par exemple : « Prune, tu dois toujours avoir sur toi assez d'or pour racheter ta vie en cas d'enlèvement. Couds-le dans tes ourlets, s'il le faut, mais ne sois jamais sans argent ! » Il lui raconta que les Bédouins du désert se cousaient parfois des pierres précieuses sous la peau, pour les cas désespérés. Il lui raconta qu'il s'était lui-même fait coudre une émeraude d'Amérique du Sud sous la peau du ventre et qu'un œil non averti ne pouvait y voir que la cicatrice d'une blessure par balle et que jamais, jamais il ne la lui montrerait – mais que l'émeraude était bien là.

— Tu dois toujours avoir de quoi payer en dernier recours, Prune, déclara-t-il.

Sur les genoux de son père, Alma apprit que Henry avait parcouru le monde en compagnie d'un grand homme appelé capitaine Cook. C'étaient les meilleures histoires de toutes. Un jour, une baleine géante avait surgi de l'océan avec la gueule béante et le capitaine Cook avait lancé son navire dans la baleine et exploré l'intérieur de son ventre avant d'en ressortir en marche arrière ! Une fois, Henry avait entendu des pleurs en pleine mer et avait vu une sirène flottant sur les vagues. Elle avait été blessée par un requin. Henry l'avait hissée hors de l'eau avec une corde et elle était morte dans ses bras, mais par Dieu, elle avait eu le temps de bénir Henry Whittaker et de lui dire qu'il serait un jour un homme riche. Et c'est ainsi qu'il avait acquis cette grande maison – grâce à la bénédiction de la sirène !

— Quelle langue parlait-elle ? voulut savoir Alma, imaginant que ce ne pouvait être que du grec.

— L'anglais ! dit Henry. Par Dieu, Prune, pourquoi aurais-je sauvé une satanée sirène étrangère ?

Alma était remplie d'admiration et parfois intimidée par sa mère, mais elle adorait son père. Elle l'aimait plus que tout. Plus que Soames le poney. Son père était un colosse et elle observait le monde d'entre ses énormes jambes. En comparaison de Henry, le Seigneur de la Bible était ennuyeux et lointain. Comme le Seigneur de la Bible, Henry éprouvait parfois l'amour d'Alma – en particulier après avoir ouvert des bouteilles. « Prune, disait-il, et si, aussi vite que peuvent te porter tes petites jambes grêles, tu courais jusqu'au port voir si des navires arrivent de Chine pour ton papa ? »

Le quai était à deux lieues de là et de l'autre côté de la rivière. Il pouvait être 9 heures du soir par une âpre soirée d'orage en mars, mais Alma sautait des genoux de son père et s'élançait. Il fallait qu'un domestique l'attrape à la porte et la ramène dans le salon, sinon, à six ans, sans cape ni coiffe, sans un sou dans sa poche ni le moindre soupçon d'or cousu dans son ourlet, par Dieu, elle l'aurait fait.

Quelle enfance cette fillette eut-elle !

Non seulement Alma avait des parents puissants et intelligents, mais elle avait tout le domaine de White Acre à explorer à loisir. C'était une véritable Arcadie. Il y avait tant de choses à voir. La maison à elle seule était une merveille sans cesse renouvelée. Il y avait la girafe grossièrement empaillée dans le pavillon est, avec son visage comiquement affolé. Il y avait un trio d'énormes côtes de mastodonte dans le hall, exhumées dans un champ voisin, que Henry avait troquées contre un fusil neuf à un fermier du coin. Il y avait la salle de bal, scintillante et vide, où une fois – une froide fin d'automne – Alma était tombée sur un colibri pris au piège qui avait frôlé son oreille en filant tout droit (tel un projectile rutilant tiré par un minuscule canon). Il y avait le mainate en cage dans le bureau de son père, qui venait de la lointaine Chine et qui pouvait parler avec une éloquence passionnée (du moins Henry le prétendait-il), mais seulement dans sa langue natale. Il y avait des peaux de serpents rares, bourrées de paille et de sciure pour les conserver. Il y avait des étagères remplies de coraux des mers du Sud, d'idoles javanaises, d'antiques bijoux égyptiens en lapis et des almanachs turcs poussiéreux.

Et il y avait tant d'endroits où déjeuner et dîner ! La salle à manger, le salon, la cuisine, le boudoir, le bureau, le jardin d'hiver et les vérandas avec leurs pergolas ombragées. On déjeunait de thé et de pain d'épices, de châtaignes et de pêches (et quelles pêches – roses d'un côté, dorées de l'autre). En hiver, on pouvait manger de la soupe dans la nurserie à l'étage tout en contemplant la rivière qui luisait sous le ciel nu comme un miroir poli.

Mais dehors, les délices étaient encore plus abondants et remplis de mystères. Il y avait les serres nobles, remplies de cycas, de palmiers et de fougères arborescentes, tous enfouis sous un paillis d'écorce pour rester au chaud. Il y avait le bruyant et effrayant moteur qui entretenait l'humidité dans les serres. Il y avait les mystérieuses serres de forçage – où régnait toujours une chaleur à vous faire défaillir – où les délicates plantes importées étaient soignées après les longs voyages en mer, et où les orchidées étaient forcées à fleurir. Il y avait les citronniers dans l'orangerie, que l'on roulait dehors sous le soleil chaque été comme des malades de consomption. Il y avait le petit temple grec, caché au bout d'une avenue de chênes, où l'on pouvait imaginer l'Olympe.

Il y avait la laiterie et juste à côté, la fromagerie – avec ses séduisants relents d'alchimie, de superstition et de sorcellerie. Les laitières allemandes traçaient des sortilèges à la craie sur la porte de la fromagerie et marmonnaient des incantations avant d'y pénétrer. Le fromage ne prendrait pas, disaient-elles à Alma, s'il était maudit par le diable. Quand Alma interrogea sa mère à ce propos, elle fut grondée pour son innocence et sa naïveté et eut droit à une longue leçon sur la manière dont le fromage prend vraiment – par le biais d'une transmutation chimique parfaitement rationnelle du lait frais traité avec de la présure, puis placé à mûrir sous une croûte de cire à une température constante. La leçon achevée, Beatrix effaça les sortilèges sur la porte de la fromagerie et reprocha aux laitières d'être des sottes superstitieuses. Le lendemain, remarqua Alma, les sortilèges avaient réapparu. D'une manière ou d'une autre, le fromage continuait de prendre convenablement.

Et puis il y avait les infinies étendues sylvestres, laissées intactes tout exprès, remplies de lapins, de renards et de daims qui venaient vous manger dans la main. Alma était autorisée – que nenni, encouragée ! – par ses parents à se promener à loisir dans ces forêts, afin d'apprendre le monde naturel. Elle récoltait des scarabées, des araignées et des papillons de nuit. Elle observa un gros serpent à rayures se faire dévorer un jour par un serpent noir bien plus gros – une opération aussi affreuse que spectaculaire qui prit des heures. Elle vit des argiopes construire leurs toiles et des rouges-gorges récolter mousse et boue sur les bords de la rivière pour faire leurs nids. Elle adopta une jolie chenille (jolie autant que peut l'être une chenille) et l'enveloppa dans une feuille pour la ramener chez elle comme compagnie, mais elle la tua accidentellement plus tard en s'asseyant dessus. Ce fut une douloureuse épreuve, mais il fallait aller de l'avant. C'est ce que sa mère lui déclara : « Cesse de pleurer et va de l'avant. » Les animaux meurent, expliqua-t-on. Certains animaux, tels les moutons ou les vaches, n'ont d'autre but dans la vie que de mourir. On ne pouvait porter le deuil de chacun. Alma n'avait pas huit ans qu'elle avait déjà disséqué, avec l'aide de Beatrix, la tête d'un agneau.

Alma allait toujours dans les bois avec les vêtements les plus adaptés, armée de sa propre trousse de fioles de verre, de boîtes, de coton et de calepins. Elle s'y rendait par tous les temps, car les merveilles peuvent se trouver par tous les temps. Une année, une tempête de neige tardive en avril mêla étrangement les chants des oiseaux et les grelots des traîneaux, et rien que pour cela, cela valait la peine d'être sortie de la maison. Elle apprit que marcher à petits pas dans la boue pour épargner ses souliers ou les ourlets de ses jupes ne facilitait jamais une quête. Jamais on ne la gronda de rentrer avec des souliers crottés du moment qu'elle rapportait de beaux spécimens pour son herbier personnel.

Soames le poney était l'inlassable compagnon de ces expéditions – tantôt il la transportait dans la forêt, tantôt il la suivait comme un gros chien docile. L'été, on lui mettait de magnifiques glands de soie dans les oreilles pour empêcher les éphémères d'y entrer. L'hiver, le dessous de sa selle était garni de fourrure. Soames était le meilleur compagnon de cueillette botanique que l'on pût imaginer et Alma lui parlait toute la journée. Il aurait fait absolument tout pour la fillette, sauf se presser. Il était rare qu'il mange les spécimens.

À son neuvième été, Alma apprit toute seule à deviner l'heure en regardant s'ouvrir et se fermer les fleurs. C'est à 5 heures du matin, remarqua-t-elle, que s'ouvraient toujours les pétales de la barbe-de-bouc. À 6 heures, les marguerites et les trolles s'ouvraient. Quand sonnaient 7 heures, c'était le tour des pissenlits. Et à 8 heures, celui du mouron rouge. À 9 heures : la morgeline. À 10 heures : le safran sauvage. Et à partir de 11 heures, le processus commençait à s'inverser. À midi, la barbe-de-bouc se fermait. À 13 heures, la morgeline. À 15 heures, les pissenlits s'étaient refermés. Si Alma n'était pas rentrée et n'avait pas les mains lavées avant 17 heures – quand la trolle se fermait et que l'œnothère commençait à s'ouvrir –, elle risquait des ennuis.

Ce qu'Alma tenait surtout à savoir, c'était comment le monde était organisé. Quel était le grand mécanisme qui gouvernait tout ? Elle disséquait les fleurs et étudiait leur structure interne. Elle faisait de même avec les insectes et toutes les carcasses qu'elle trouvait. Un matin de la fin septembre, Alma fut fascinée par la brusque apparition d'un crocus, une fleur qu'elle croyait jusque-là ne fleurir qu'au printemps. Quelle découverte ! Personne ne sut lui expliquer de manière satisfaisante ce que ces fleurs s'imaginaient faire en sortant ainsi dans les premiers frimas de l'automne, sans feuilles ni protection, alors que tout le reste se mourait. « Ce sont des colchiques d'automne », lui déclara Beatrix. Certes, c'était évident – mais à quelle fin ? Pourquoi fleurir à ce moment ? Ces fleurs étaient-elles sottes ? Avaient-elles perdu la notion du temps ? Quelle tâche cruciale le colchique devait-il accomplir pour supporter de fleurir durant les premières âpres gelées nocturnes ? Personne ne put l'éclairer. « C'est simplement ainsi que se comporte cette variété », déclara Beatrix, ce qu'Alma estima une réponse bien moins satisfaisante qu'à son habitude. « Il n'y a pas de réponse à tout. »

Alma trouva que c'était une idée d'une intelligence si ahurissante qu'elle en demeura le bec cloué pendant plusieurs heures. Elle ne put que rester assise à la ruminer dans une sorte de stupeur abasourdie. Quand elle s'en remit, elle dessina le mystérieux colchique d'automne dans son carnet et nota la date avec ses questions et ses doléances. Elle était très méticuleuse à cet égard. Il fallait garder trace de tout – même des choses que l'on ne comprenait pas. Beatrix lui avait enseigné qu'elle devait toujours consigner ses découvertes sous forme de dessins les plus justes possibles en notant lorsqu'elle le pouvait leur taxonomie correcte.

Alma aimait dessiner, mais ses croquis la décevaient souvent une fois achevés. Elle ne savait pas dessiner visages et animaux (même ses papillons avaient un air féroce) mais elle finit par découvrir que ce n'était pas *épouvantable* quand elle dessinait des plantes. Ses premières réussites furent quelques bons croquis d'ombellifères – ces plantes à tige creuse et à fleurs plates de la famille de la carotte. Elles étaient dessinées avec justesse, même si elle aurait aimé qu'elles ne soient pas seulement justes, mais belles. Elle s'en ouvrit à sa mère, qui la corrigea : « La beauté n'est pas nécessaire. Elle détourne de la justesse. »

Parfois, durant ses expéditions dans les bois, Alma croisait d'autres enfants. Cela l'alarmait toujours. Elle savait qui étaient ces intrus, même si elle ne leur parlait jamais. C'étaient les enfants des employés de ses parents. Le domaine de White Acre était comme une créature géante, dont la moitié du corps était nécessaire au personnel – les jardiniers d'origine allemande ou écossaise que son père préférait engager plutôt que les Américains, plus paresseux, et les servantes d'origine hollandaise auxquelles sa mère tenait et se fiait. Les domestiques logeaient sous les toits et les ouvriers agricoles et leurs familles dans des cottages et des chalets répartis sur toute la propriété. C'étaient de jolis cottages, d'ailleurs – pas parce que Henry se souciait du confort de ses employés, mais parce qu'il ne supportait pas le spectacle de la misère.

Quand Alma croisait les enfants des employés dans les bois, elle était saisie de terreur et d'horreur. Cependant, elle avait une méthode pour survivre à ces rencontres : elle faisait comme si elles n'avaient pas lieu. Elle passait à côté et *au-dessus* des enfants, juchée sur son robuste poney (qui avançait, comme toujours, avec la lenteur insouciante d'un filet de mélasse froide qui se fige). Alma retenait son souffle à leur passage et ne regardait ni à droite ni à gauche jusqu'à ce qu'elle les eût dépassés. Si elle ne les regardait pas, elle n'était pas obligée de croire à leur existence.

Les enfants des employés ne l'importunaient jamais. Il est fort probable qu'on leur avait donné pour consigne de la laisser tranquille. Comme tout le monde craignait Henry Whittaker, on avait automatiquement peur de sa fille aussi. Cependant, parfois, Alma épiait les enfants à prudente distance. Leurs jeux étaient brutaux et incompréhensibles. Ils étaient vêtus différemment d'elle. Aucun d'eux ne portait de trousse de matériel botanique en bandoulière ni ne montait de poney aux oreilles ornées de passementeries de soie multicolores. Ils se bousculaient bruyamment et parlaient grossièrement. Alma avait peur de ces enfants plus que de tout au monde. Souvent, ils peuplaient ses cauchemars.

Mais voici ce que l'on faisait en cas de cauchemar : on allait trouver Hanneke de Groot dans le sous-sol de la maison. C'était efficace et réconfortant. Hanneke de Groot, la gouvernante en chef, avait autorité sur tout le cosmos du domaine de White Acre, et son autorité la revêtait de la plus apaisante gravité. Elle dormait dans ses quartiers personnels, à côté de la cuisine en sous-sol, là où le feu ne s'éteignait jamais. Elle baignait perpétuellement dans l'air chaud de la cave, parfumé par les jambons salés accrochés à chaque solive. Hanneke habitait dans une cage – ou du moins c'est ce qui semblait à Alma –, les portes et fenêtres de ses appartements étaient munies de barreaux car elle conservait l'argenterie et la porcelaine, et gérait les gages du personnel.

— Je n'habite pas dans une cage, rectifia-t-elle un jour. J'habite dans le coffre-fort souterrain d'une banque.

Quand Alma ne pouvait dormir à cause de ses cauchemars, elle surmontait parfois sa terreur et descendait bravement les trois volées de marches plongées dans l'obscurité pour gagner le coin le plus lointain du sous-sol, où elle s'agrippait aux barreaux et suppliait Hanneke de la laisser entrer. Parfois, Hanneke se levait en maugréant, encore endormie, déverrouillait sa porte de geôlière et laissait Alma venir dormir dans son lit. Mais parfois, elle refusait. Il arrivait qu'elle la gronde et la traite de bébé, lui demande pourquoi il fallait absolument qu'elle harcèle une Hollandaise épuisée, et la renvoie par l'angoissant escalier obscur jusqu'à sa chambre.

Mais les rares occasions où l'on était autorisée dans le lit de Hanneke compensaient les dix autres où l'on en était bannie, car Hanneke racontait des histoires et savait mille choses ! Elle connaissait la mère d'Alma depuis toujours, depuis sa petite enfance. Elle racontait des histoires sur Amsterdam, ce que ne faisait jamais Beatrix. Hanneke parlait toujours en néerlandais à Alma, et cette langue, aux oreilles de l'enfant, demeurerait éternellement celle du réconfort, des coffres de banques, des jambons salés et de la sécurité.

Jamais il ne serait venu à l'esprit d'Alma de courir auprès de sa mère, dont la chambre était voisine de la sienne, afin qu'elle la rassure durant la nuit. La mère d'Alma avait bien des talents, mais réconforter n'en faisait pas partie. Comme le disait fréquemment Beatrix Whittaker, tout enfant assez âgé pour marcher, parler et raisonner devait être capable – sans la moindre assistance d'aucune sorte – de se réconforter tout seul.

Et puis il y avait les invités – un défilé incessant de visiteurs passait presque chaque jour à White Acre, dans des attelages, à cheval, en bateau, ou à pied. Comme le père d'Alma vivait dans la terreur de s'ennuyer, il aimait donc convoquer des gens à sa table pour le distraire, lui apporter des nouvelles du monde ou lui souffler des idées d'affaires. Dès que Henry Whittaker invitait des gens, ils venaient, et de bonne grâce.

« Plus on a d'argent, expliqua-t-il à Alma, mieux les gens se comportent avec vous. C'est un fait notable. »

Henry avait à l'époque un beau tas d'argent. En mai 1803, il avait signé un contrat avec un homme du nom d'Israël Whelen, un dignitaire du gouvernement qui fournissait le matériel médical des expéditions de Lewis et Clark dans l'Ouest américain. Henry avait amassé pour l'expédition d'importantes quantités de mercure, laudanum, rhubarbe, opium, gentiane jaune, calomel, ipéca, plomb, zinc, sulfate – certains de ces produits ayant une réelle utilité médicale, mais tous rapportant beaucoup. En 1804, la morphine fut isolée pour la première fois dans le pavot par des pharmaciens allemands, et Henry fut parmi les premiers à investir dans la fabrication de cette utile matière première. L'année suivante, il signa un contrat pour approvisionner en fournitures médicales toute l'armée américaine. Cela lui donna un certain poids politique et fiduciaire. C'est pourquoi en effet, les gens répondaient à ses invitations à dîner.

Ce n'était en aucun cas des dîners mondains. Les Whittaker ne furent jamais vraiment accueillis dans le cercle restreint de la haute société de Philadelphie. À leur arrivée dans la ville, ils avaient été invités seulement une fois à dîner avec Anne et William Bingham sur la 3e Rue et Spruce Street, mais cela ne s'était pas bien passé. Au dessert, Mrs Bingham – qui se comportait comme si elle était à la cour de St James – avait demandé à Henry :

— Quel genre de nom est Whittaker ? Cela me paraît si peu courant.

— De la région des Midlands, avait répliqué Henry. Il vient du mot Warwickshire.

— Le Warwickshire est le berceau de votre famille ?

— Oui, et ailleurs aussi. Nous autres les Whittaker, nous avons tendance à dormir là où nous pouvons nous coucher.

— Mais votre père possède encore des terres dans le Warwickshire, monsieur ?

— Mon père, madame, s'il est encore en vie, possède deux cochons et le pot de chambre sous son lit. Je doute beaucoup que le lit lui appartienne.

Les Whittaker ne furent plus invités à dîner avec les Bingham. Ils n'en furent pas particulièrement affectés. De toute façon, Beatrix désapprouvait la conversation ou les tenues des dames à la mode, et Henry n'aimait pas l'ambiance morne des salons. À la place, il fonda son propre club, de l'autre côté de la rivière, au sommet de sa colline. Les dîners de White Acre n'étaient pas le domaine des ragots, mais d'exercices de stimulation intellectuelle et commerciale. S'il y avait quelque part dans le monde un audacieux jeune homme qui accomplissait quelque exploit, Henry voulait qu'on le fasse venir à sa table. S'il y avait un vénérable philosophe qui passait par Philadelphie ou bien un homme de science considéré, un nouvel inventeur prometteur, ces hommes étaient eux aussi invités. Des femmes venaient parfois à ces dîners aussi, si elles étaient les épouses de penseurs respectés, les traductrices d'importants livres ou d'intéressantes actrices en tournée en Amérique.

La table de Henry était un peu excessive pour certains. Les repas en eux-mêmes étaient opulents – huîtres, pièces de bœuf, faisan – mais ce n'était pas du tout relaxant de dîner à White Acre. Les convives devaient s'attendre à être interrogés, défiés, provoqués. Ceux qui étaient connus comme des adversaires étaient placés côte à côte. Les croyances les plus précieuses étaient mises en pièces dans des conversations qui étaient plus sportives que courtoises. Certains notables quittaient White Acre avec l'impression d'avoir subi les pires indignités. D'autres – plus habiles, peut-être, ou plus coriaces, ou plus avides d'un soutien – quittaient White Acre avec des accords lucratifs, des partenariats avantageux, ou simplement la lettre d'introduction auprès d'un homme important au Brésil. La salle à manger de White Acre était un terrain dangereux, mais une victoire remportée là-bas pouvait lancer votre carrière une bonne fois pour toutes.

Alma avait été accueillie à cette table de joutes dès ses quatre ans, et elle était souvent assise auprès de son père. Elle avait la permission de poser des questions, du moment qu'elles n'étaient pas idiotes. Certains invités étaient même charmés par l'enfant. Un expert en symétrie chimique s'exclama une fois : « Eh bien, vous êtes aussi passionnante qu'un petit livre ! » – un compliment qu'Alma n'oublia jamais. Il se trouva que d'autres grands hommes de science n'étaient pas habitués à être interrogés par une petite fille. Mais certains grands hommes de science, ainsi que Henry le souligna, étaient incapables de défendre leurs théories devant une petite fille et, si tel était le cas, ils méritaient d'être dénoncés comme des charlatans.

Henry estimait – et Beatrix le soutenait fermement – qu'il n'y avait pas de sujet trop sinistre, trop épineux ou trop troublant pour être discuté devant leur enfant. Si Alma ne comprenait pas ce qui se disait, raisonnait Beatrix, cela ne lui donnerait que plus envie de cultiver son intellect afin de ne pas être laissée de côté la fois suivante. Beatrix enseigna à

Alma, lorsqu'elle n'avait aucune contribution intelligente à fournir à la conversation, à sourire au dernier orateur et à murmurer poliment : « Poursuivez, je vous prie. » Si jamais elle s'ennuyait à table, eh bien, cela ne regardait certainement personne. Les dîners de White Acre n'étaient pas faits pour distraire un enfant (d'ailleurs, pour Beatrix, très peu de choses dans la vie étaient faites pour distraire un enfant) et plus tôt Alma apprendrait à rester assise immobile sur une chaise pendant des heures d'affilée en écoutant attentivement des idées dépassant sa compréhension, mieux elle s'en porterait.

C'est ainsi qu'Alma passa les tendres années de son enfance à écouter les conversations les plus extraordinaires – avec des hommes qui étudiaient la décomposition des restes humains ; des hommes qui avaient comme idée d'importer de Belgique en Amérique des lances d'incendie de bonne qualité ; des hommes qui dessinaient des planches médicales de difformités monstrueuses ; des hommes qui pensaient que tout remède que l'on pouvait avaler était tout aussi efficacement absorbé par l'organisme si on s'en oignait la peau ; des hommes qui étudiaient les matières organiques des sources sulfureuses ; et un homme expert de la fonction pulmonaire des oiseaux aquatiques (un sujet qu'il prétendait être bien plus passionnant que tout autre dans le monde naturel – même si son exposé ronronnant à la table du dîner n'en apporta pas la preuve).

Certaines de ces soirées étaient distrayantes pour Alma. Ce qu'elle aimait le plus, c'était lorsque des acteurs et des explorateurs venaient et racontaient des histoires émouvantes. D'autres soirées étaient tendues par les débats. D'autres encore s'éternisaient péniblement. Parfois, elle s'endormait à table les yeux grands ouverts, ne tenant droite à sa place que par la terreur absolue des réprimandes maternelles et les baleines de son corset. Mais la soirée qu'Alma n'oublierait jamais, la soirée qui plus tard lui semblerait avoir été l'apogée de son enfance, fut celle de la visite de l'astronome italien.

C'était la fin de l'été 1808 et Henry Whittaker avait fait l'acquisition d'un nouveau télescope. Il admirait le ciel nocturne à travers ses belles lentilles allemandes, mais il commençait à se dire qu'il était un illettré céleste. Sa connaissance des étoiles était celle d'un marin – ce qui n'est pas négligeable – mais il n'était pas au courant des dernières découvertes. Des progrès stupéfiants étaient faits désormais dans le domaine de l'astronomie et Henry avait de plus en plus l'impression que la voûte céleste était une bibliothèque de plus qu'il serait presque incapable de lire. Aussi, quand Luca Pontesilli, le brillant astronome italien, vint à Philadelphie s'adresser à la Société philosophique américaine, Henry l'attira à White Acre en donnant un bal en son honneur. Pontesilli, avait-il entendu dire, était épris de danse, et Henry sentait que l'homme ne pourrait résister à un bal.

Ce fut la réception la plus élaborée que les Whittaker eussent jamais tentée. Les meilleurs traiteurs de Philadelphie – des Noires en livrées blanches immaculées – arrivèrent en début d'après-midi et entreprirent de monter les élégantes meringues et de préparer des punchs multicolores. Des fleurs tropicales qui n'avaient encore jamais été sorties des serres de forçage composèrent des arrangements floraux dans toute la demeure. Soudain, un orchestre d'inconnus maussades débarqua dans la salle de bal en accordant ses instruments et en se plaignant à mi-voix de la chaleur. Alma fut récurée et emballée dans une crinoline blanche et sa crête de cheveux roux rebelles disciplinée dans un nœud en satin presque aussi gros que sa tête. Puis les invités arrivèrent dans des tourbillons de soie et de poudre.

Il faisait chaud. Il en avait été ainsi de tout le mois, mais c'était la pire journée. Prévoyant un temps inconfortable, les Whittaker ne commencèrent le bal qu'à 21 heures, longtemps après le coucher du soleil, mais l'accablante chaleur de la journée s'attardait encore. La salle de bal devint rapidement une véritable serre, suffocante et humide, que les plantes tropicales apprécièrent, mais pas les dames. Les musiciens souffraient et transpiraient. Les invités s'égaillèrent dehors, traînèrent dans les vérandas, appuyés aux statues de marbre en essayant vainement d'absorber un peu de la fraîcheur de la pierre.

Afin d'étancher leur soif, les gens burent bien plus de punch qu'ils n'en avaient peut-être l'intention. Conséquence naturelle, leurs inhibitions fondirent et une légère griserie s'empara de chacun. L'orchestre abandonna le décor guindé de la salle de bal et se livra à un bruyant concert sur les vastes pelouses. On sortit des lampes et des torches qui projetèrent sur les invités un déchaînement d'ombres agitées. Le charmant astronome italien tenta d'enseigner aux messieurs de Philadelphie quelques audacieux pas de danses napolitaines et badina aussi avec toutes les dames, qui le trouvèrent unanimement comique, hardi et passionnant. Il essaya même de danser avec les laquais noirs, à l'hilarité générale.

Pontesilli était censé donner une conférence ce soir-là, avec des illustrations et des calculs complexes, expliquant les trajectoires elliptiques et la vélocité des planètes. Mais à un moment de la soirée, l'idée fut abandonnée. Quelle assemblée, animée d'un esprit aussi tapageur, pouvait-on espérer voir s'asseoir et écouter calmement une conférence scientifique sérieuse ?

Alma ne saurait jamais qui avait eu cette idée – Pontesilli ou son père – mais peu après minuit, il fut décidé que le célèbre maestro cosmologue italien allait reproduire en maquette l'univers sur la grande pelouse de White Acre, en utilisant les invités eux-mêmes en guise de corps célestes. Elle ne serait pas à une échelle exacte, déclama l'Italien d'une voix avinée, mais elle donnerait au moins à ces dames une petite idée de la vie des planètes et des relations qu'elles entretenaient entre elles.

Avec une autorité merveilleusement pleine d'humour, Pontesilli plaça Henry Whittaker – le Soleil – au centre de la pelouse. Puis il réunit quelques autres messieurs en guise de planètes, chacune de plus en plus éloignée de leur hôte. Pour amuser l'assistance, Pontesilli tenta de choisir pour ces rôles les messieurs qui ressemblaient le plus aux planètes qu'ils devaient représenter. Ainsi, la minuscule Mercure fut incarnée par un marchand de grain de Germantown aussi digne qu'il était de petite taille. Comme Vénus et la Terre étaient plus grosses que Mercure, mais presque de la même taille l'une et l'autre, Pontesilli choisit pour elles deux frères du Delaware – deux hommes qui étaient presque identiques en taille, teint et stature. Mars devait être plus gros que le marchand de grain, mais pas autant que les frères du Delaware : un éminent banquier à la silhouette svelte remplit cet office. Pour Jupiter, Pontesilli réquisitionna un capitaine de vaisseau à la retraite, un homme d'une corpulence vraiment hilarante, dont l'apparition dans le système solaire déchaîna des rires hystériques dans toute l'assistance. Quant à Saturne, un journaliste un peu moins gros, mais encore assez drôlement imposant fit l'affaire.

Et cela continua jusqu'à ce que les planètes soient disposées sur la pelouse à distance correcte du Soleil et les unes des autres. Ensuite, Pontesilli les fit orbiter autour de Henry, tentant désespérément de maintenir chacun de ces gentilshommes ivres sur leur trajectoire céleste appropriée. Très vite, les dames réclamant de participer aux réjouissances, Pontesilli les disposa autour des messieurs, dans le rôle de lunes, chacune ayant son étroite orbite. (La mère d'Alma joua le rôle du satellite de la Terre avec une glaciale perfection lunaire.) Le maestro créa ensuite des constellations aux confins de la pelouse à partir des plus jolis groupes de beautés.

L'orchestre se remit à jouer et ce paysage astronomique prit l'apparence de la plus étrange et magnifique valse qu'eussent jamais vue les bonnes gens de Philadelphie. Henry, le Roi-Soleil, rayonnait au cœur de tout cela, avec ses cheveux couleur flamme, tandis que des hommes de tous gabarits tournaient autour de lui et des femmes autour d'eux. Des groupes de jeunes filles célibataires scintillaient dans les coins les plus lointains de l'univers, telles des galaxies inconnues. Pontesilli se jucha sur le haut d'un mur et, vacillant, orchestra tout ce tableau vivant en s'écriant dans la nuit : « Messieurs, observez la même vitesse ! N'abandonnez pas votre trajectoire, mesdames ! »

Alma voulut participer. Jamais elle n'avait rien vu d'aussi passionnant. Jamais encore elle n'avait veillé aussi tard – sauf peut-être lorsqu'elle faisait des cauchemars – mais elle avait été en quelque sorte oubliée de ces réjouissances. Elle était la seule enfant présente, ainsi qu'elle l'avait toujours été de sa vie. Elle courut jusqu'au mur et cria au maestro Pontesilli toujours juché en équilibre instable : « Mettez-moi dans ce tableau, monsieur ! » L'Italien baissa les yeux de son perchoir en plissant les paupières – *qui était donc cette enfant ?* Il l'aurait balayée avec indifférence si Henry n'avait pas braillé depuis le cœur du système solaire :

— Donnez-lui une *place* !

Pontesilli haussa les épaules.

— Vous êtes une comète, cria-t-il à Alma tout en faisant toujours mine de diriger l'univers en battant la mesure d'une main.

— Que fait une comète, monsieur ?

— Vous volerez en tous sens ! ordonna l'Italien.

Ce qu'elle fit. Elle s'élança au milieu des planètes, les esquivant les unes après les autres, en tourbillonnant et en galopant, son ruban dénoué dans ses cheveux. Chaque fois qu'elle s'approchait de son père, celui-ci s'écriait :

— Pas si près de moi, Prune, sinon tu seras réduite en cendres !

Et il l'écartait de sa flamboyante et combustible personne pour la faire courir dans une autre direction.

Étonnamment, à un moment, une torche crachotante fut placée dans sa main. Alma ne vit pas qui la lui avait donnée. Jamais on ne lui avait confié de feu jusqu'ici. Des étincelles jaillissaient de la torche et des gouttelettes de goudron enflammé crépitaient dans l'air derrière elle tandis qu'elle s'élançait à travers le cosmos – seul corps céleste de l'univers qui n'était pas fixé sur une trajectoire strictement elliptique.

Personne ne l'arrêtait.

Elle était une comète.

Elle ignorait qu'elle ne volait pas.

6

La jeunesse d'Alma – ou plutôt ce qu'elle eut de plus simple et de plus innocent – connut une brusque fin en novembre 1809, peu après minuit, un mardi qui sans quoi aurait été ordinaire.

Alma fut réveillée par des éclats de voix et un bruit de roues crissant sur du gravier. À des endroits de la maison qui auraient dû être silencieux à pareille heure (le couloir devant sa chambre, par exemple, et les quartiers des domestiques à l'étage), des pas précipités retentissaient de toute part. Elle se leva dans l'air froid, alluma une bougie, prit ses souliers de cuir et un châle. Son instinct lui soufflait que quelque chose de grave était arrivé à White Acre et que son aide était nécessaire. Plus tard dans sa vie, elle se rappellerait l'absurdité de cette idée (comment avait-elle sincèrement pu croire qu'elle pourrait être d'aucune aide ?) mais sur le moment, elle était convaincue d'être une jeune dame de presque dix ans et elle avait encore une certaine foi dans son importance.

Quand elle arriva en haut du grand escalier, elle vit en bas dans la vaste entrée un groupe d'hommes brandissant des lanternes. Son père, en vêtements de nuit et drapé d'un grand manteau, se tenait au milieu, le visage crispé de colère. Hanneke de Groot était là aussi, coiffée d'un bonnet. Et il y avait également sa mère. Ce devait être grave, alors : Alma n'avait jamais vu sa mère debout à cette heure.

Mais il y avait autre chose, et le regard d'Alma alla droit dessus : une fillette, légèrement plus petite qu'Alma, avec une tresse blonde tombant dans son dos, se tenait entre Beatrix et Hanneke. Les deux femmes avaient chacune une main sur les épaules maigres de l'enfant. Alma lui trouva un air familier. La fille d'un des employés, peut-être ? Elle ne pouvait en être sûre. En tout cas, elle avait un visage d'une grande beauté – même si elle paraissait bouleversée et terrifiée à la lueur des lampes.

Cependant, ce qui troubla Alma, ce ne fut pas la peur de la fillette, mais plutôt la main résolue et impérieuse que Beatrix et Hanneke posaient sur sa personne. Alors qu'un homme semblait vouloir s'emparer de l'enfant, les deux femmes se rapprochèrent et l'empoignèrent de plus belle. L'homme battit en retraite – et il fut bien avisé, songea Alma, qui venait de surprendre sur le visage de sa mère une expression de férocité implacable. Hanneke arborait la même. C'est en voyant cette expression identique sur les deux femmes qui comptaient le plus dans sa vie qu'Alma fut envahie par une peur inexplicable. Quelque chose de grave était en train d'arriver.

À cet instant, Beatrix et Hanneke levèrent toutes les deux la tête vers le haut de l'escalier d'où les regardait sans mot dire Alma avec ses gros souliers et sa chandelle. Elles la levèrent comme si Alma les avait appelées et qu'elles n'appréciaient pas d'avoir été interrompues.

— Va te *coucher* ! ordonnèrent-elles – Beatrix en anglais, Hanneke en néerlandais.

Alma aurait pu protester, mais elle était impuissante devant ces deux forces réunies. Leurs visages pincés et tendus l'effrayèrent. Elle n'avait jamais rien vu de tel. Sa présence ici n'était ni nécessaire ni désirée, c'était évident.

Elle jeta un dernier regard inquiet à la belle fillette au milieu de l'entrée remplie d'inconnus, puis elle s'enfuit vers sa chambre. Pendant une longue heure, elle resta assise au bord de son lit, l'oreille tendue, espérant que l'on viendrait lui fournir explication ou réconfort. Mais les voix décrurent, un galop de sabots s'éloigna et personne ne vint. Alma finit par s'endormir sur l'édredon, enveloppée de son châle et ses souliers encore aux pieds. Quand elle se réveilla le lendemain matin, elle découvrit que tous les intrus avaient quitté White Acre.

Mais la fillette était toujours là.

Elle s'appelait Prudence.

Ou plutôt, Polly.

Ou, pour être exact, son nom était Polly-qui-était-devenue-Prudence.

Son histoire était affreuse. On s'efforça à White Acre de la faire oublier, mais ce genre d'histoire ne se laisse pas oublier et en quelques jours, Alma allait l'apprendre. L'enfant était la fille du jardinier en chef du potager de White Acre, un Allemand discret qui avait révolutionné la conception des cloches à pastèques avec des conséquences lucratives. L'épouse du jardinier était une femme de Philadelphie de basse extraction mais d'une exceptionnelle beauté, et connue pour être une catin. Son époux, le jardinier, l'adorait, mais était incapable de la retenir. Cela aussi était connu de tous. La femme le cocufiait sans relâche depuis des années et se cachait à peine de ses indiscrétions. Il l'avait toléré sans rien dire – soit qu'il ne l'eût pas remarqué, soit qu'il fît mine de n'en avoir rien su – jusqu'au jour où, brusquement, il cessa de le tolérer.

En cette nuit d'un mardi de novembre 1809, le jardinier avait réveillé son épouse qui dormait paisiblement à son côté, l'avait traînée dehors par les cheveux et lui avait tranché la gorge d'une oreille à l'autre. Immédiatement après, il s'était pendu à un orme voisin. Le tumulte avait réveillé les autres employés de White Acre, qui avaient accouru pour voir de quoi il retournait. Et dans le sillage de ces deux morts brutales était restée la petite fille nommée Polly.

Polly avait le même âge qu'Alma, mais elle était plus menue et d'une éclatante beauté. Elle avait l'air d'une figurine parfaite sculptée dans du savon français, où l'on aurait incrusté deux yeux d'un bleu étincelant. Mais c'était le petit coussinet rose de sa bouche qui faisait que cette fillette était plus que simplement jolie : il faisait d'elle une petite créature d'une troublante volupté, une Bethsabée miniature.

Quand Polly avait été amenée au manoir de White Acre en cette nuit tragique, entourée de policiers et de grands gaillards d'ouvriers qui ne la lâchaient pas, Beatrix et Hanneke avaient immédiatement pressenti qu'il n'y avait là que danger pour l'enfant. Certains des hommes déclaraient qu'il fallait l'emmener à l'hospice, mais d'autres déclaraient déjà qu'ils ne seraient que trop heureux de s'occuper de l'orpheline. La moitié avaient couché avec la mère de l'enfant à un moment ou à un autre – ainsi que le savaient fort bien Beatrix et Hanneke – et les deux femmes préféraient ne pas imaginer ce qui pouvait attendre cette jolie créature, rejeton de la catin.

Les deux femmes, d'un seul élan, arrachèrent Polly à la foule et l'en gardèrent à bonne distance. Ce n'était pas une décision mûrement réfléchie. Ni un geste de charité drapé dans le chaud manteau de la douceur maternelle. Non, ce fut un geste instinctif né du savoir profond et tacite qu'ont les femmes de la manière dont fonctionne le monde. On ne laisse pas au milieu de la nuit une créature de sexe féminin si belle et si menue seule avec dix hommes échauffés.

Mais une fois que Béatrix et Hanneke eurent mis Polly à l'abri – une fois que les hommes furent partis –, qu'allait-on faire d'elle ? C'est là qu'elles prirent une décision mûrement réfléchie. Ou plutôt, ce fut Beatrix qui la prit, car elle était seule à avoir l'autorité de décider. Elle prit, à vrai dire, une décision plutôt choquante. Elle décida de garder Polly pour de bon et de l'adopter comme une Whittaker.

Alma apprit plus tard que son père protesta contre cette idée (Henry ne fut pas ravi d'être réveillé au milieu de la nuit, et encore moins d'avoir soudainement une autre fille) mais Beatrix coupa court à ses doléances d'un seul et unique regard et Henry eut le bon sens de ne pas insister davantage. Qu'il en fût ainsi. Leur famille était trop petite, de toute façon, et Beatrix n'avait jamais été capable de l'agrandir. Deux bébés n'étaient-ils pas nés après Alma ? Ces bébés avaient-ils jamais respiré ? Et ces enfants mort-nés n'étaient-ils pas enterrés dans le cimetière luthérien, ce qui n'était bon pour personne ? Beatrix avait toujours voulu un autre enfant et à présent, par un caprice de la providence, un enfant était arrivé. Avec Polly, la portée des Whittaker était efficacement doublée du jour au lendemain. Tout cela tenait fort bien debout. La décision de Beatrix fut rapide et sans hésitation. Sans un mot de plus, Henry céda. À vrai dire, il n'avait pas le choix.

De toute façon, la fillette était mignonne et ne semblait pas être totalement simplette. Une fois la situation calmée, Polly fit même montre d'une véritable éducation – un maintien presque aristocratique – qui était d'autant plus remarquable chez une enfant qui avait assisté à la mort de ses deux parents.

Beatrix vit que Polly avait en elle quelque chose de prometteur et qu'il n'y avait pas d'autre possibilité d'avenir respectable pour elle. Dans un milieu convenable, estimait-elle, et avec l'influence morale appropriée, cette enfant pouvait être dirigée sur une voie différente dans la vie que la gaieté avide de plaisir et le vice que sa mère avait payé au prix fort. La première tâche était de la nettoyer. L'infortunée avait les mains et les souliers couverts de sang. La seconde était de changer son nom. Polly était un nom qui ne convenait qu'à une perruche ou à une fille des rues.

Dorénavant, l'enfant serait appelée Prudence – un prénom qui servirait de guide, espérait Beatrix, et indiquerait une voie plus vertueuse.

Tout fut donc ainsi résolu et cela en une heure. Et c'est ainsi qu'Alma Whittaker se réveilla le lendemain matin avec l'effarante nouvelle qu'elle avait désormais une sœur et que celle-ci se prénommait Prudence.

L'arrivée de Prudence changea tout à White Acre. Plus tard dans sa vie, quand Alma fut devenue une femme de science, elle comprendrait mieux comment l'introduction de tout nouvel élément dans un milieu contrôlé le modifie de maintes imprévisibles façons, mais enfant, tout ce qu'elle sentit, ce fut une invasion hostile et une fatale prémonition. Elle n'accueillit pas l'intruse dans une chaleureuse étreinte. Aussi, pourquoi l'aurait-elle fait ? Qui parmi nous a jamais accueilli un intrus dans une chaleureuse étreinte ?

Au début, Alma était loin de comprendre pourquoi cette fillette était là. Ce qu'elle finirait par découvrir de l'histoire de Prudence (extorquée aux laitières, et en allemand, rien de moins !) éclaira beaucoup de choses mais le lendemain de l'arrivée de Prudence, personne n'expliqua rien. Même Hanneke de Groot, qui avait habituellement plus d'informations que quiconque sur les mystères, déclara seulement : « C'est le dessein de Dieu, mon enfant, et c'est pour le mieux. » Quand Alma insista, Hanneke chuchota sèchement : « Accommode-t'en et ne me pose plus de question ! »

Les fillettes furent officiellement présentées l'une à l'autre au petit déjeuner. On ne parla pas de leur rencontre de la veille. Alma ne pouvait s'empêcher de fixer Prudence et celle-ci de fixer son assiette. Beatrix parlait aux enfants comme si de rien n'était. Elle expliqua qu'une certaine Mrs Spanner viendrait de Philadelphie plus tard dans l'après-midi pour tailler de nouvelles robes pour Prudence dans une étoffe plus convenable que ce qu'elle portait. Il y aurait aussi un autre poney, et Prudence devrait apprendre à monter – le plus tôt serait le mieux. Et puis il y aurait en conséquence un précepteur à White Acre. Beatrix avait décidé que cela l'épuiserait trop d'enseigner aux deux fillettes en même temps et, comme Prudence n'avait jusqu'ici pas fait les moindres études, un jeune précepteur serait une utile addition à la maisonnée. La nursery serait désormais transformée en salle de classe. Il était inutile de préciser qu'Alma aurait pour tâche d'aider sa sœur à apprendre la calligraphie et le calcul. Alma était très loin devant en matière de connaissances, bien sûr, mais si Prudence s'appliquait sincèrement – et si sa sœur l'aidait – elle serait en mesure d'exceller. L'intellect d'un enfant, déclara Beatrix, est d'une impressionnante élasticité et Prudence était assez jeune pour rattraper son retard. L'esprit humain, dûment entraîné, doit pouvoir faire tout ce qui lui est demandé. Tout n'est qu'affaire de labeur et d'efforts.

Tandis que Beatrix parlait ainsi, Alma avait le regard fixe. Pouvait-il exister quelque chose d'aussi joli et troublant que le visage de Prudence ? Si la beauté détournait vraiment de la justesse, comme le disait toujours sa mère, qu'est-ce que cela faisait de Prudence ? Probablement l'objet le moins juste et la plus grande distraction du monde connu ! L'inquiétude d'Alma redoubla d'instant en instant. Elle commençait à prendre conscience de quelque chose d'affreux sur son compte et à quoi elle n'avait jamais encore songé : *elle-même n'était pas une jolie chose.* Ce fut seulement par le biais d'une horrible comparaison qu'elle s'en rendit soudainement compte. Autant Prudence était menue, autant Alma était ample. Prudence avait des cheveux filés dans de la soie d'or blanc, ceux d'Alma avaient la couleur et la texture de la rouille – et poussaient, fort disgracieusement, dans toutes les directions sauf vers le bas. Le nez de Prudence était un petit bouton de rose ; celui d'Alma une pomme de terre qui n'avait pas fini de grossir. Et il en était ainsi de la tête aux pieds : un épouvantable décompte.

Le petit déjeuner terminé, Beatrix déclara :

— Allons, mes filles, embrassez-vous comme des sœurs.

Alma étreignit effectivement Prudence, docilement, mais sans chaleur. Côte à côte, le contraste était encore plus visible. Plus que tout, Alma avait l'impression qu'à elles deux elles étaient comme un parfait petit œuf de rouge-gorge et une grosse et laide pomme de pin qui partageaient soudain et sans raison le même nid.

Cela lui donna envie de pleurer, ou de se battre. Elle sentit son visage se figer dans une moue sombre et boudeuse. Sa mère dut le voir, car elle dit :

— Prudence, vous voudrez bien nous excuser le temps que je parle un instant avec votre sœur.

Beatrix empoigna Alma par le bras, si fermement que cela lui fit mal, et l'entraîna dans le couloir. Alma sentit les larmes lui monter aux yeux, mais elle les retint, encore, encore et encore.

Beatrix baissa les yeux sur son enfant et déclara d'une voix dure et froide comme le granit :

— Il n'est pas question que je revoie jamais sur le visage de ma fille l'expression que je viens de voir. Vous me comprenez ? (Alma eut à peine le temps d'articuler un « *Mais…* » tout tremblant qu'elle fut coupée.) Aucune jalousie ni malice n'a jamais eu gré aux yeux du Seigneur, continua Beatrix, pas plus qu'elles ne le seront dans votre famille. Si vous avez en vous des sentiments qui sont désagréables ou peu charitables, tuez-les dans l'œuf. Maîtrisez-vous, Alma Whittaker. Me suis-je bien fait comprendre ?

Cette fois, Alma pensa seulement le mot « *Mais…* » ; cependant, elle dut le penser trop fort, car sa mère l'entendit, de quelque sorte que ce soit. Les bornes étaient dépassées.

— Je suis désolée pour vous, Alma Whittaker, que vous soyez aussi égoïste à l'égard des autres, dit Beatrix, le visage pincé par une sincère colère. (Et les deux derniers mots, elle les cracha comme deux tranchants pics de glace.) *Améliorez-vous.*

Mais Prudence aussi avait besoin de s'améliorer, et beaucoup !

Pour commencer, elle était fort à la traîne derrière Alma en matière d'études. Soyons justes cependant : quel enfant n'aurait pas été derrière Alma ? À l'âge de neuf ans, Alma pouvait lire sans peine *Les Commentaires sur la guerre des Gaules* de César dans le texte, et Cornelius Nepos. Elle était déjà capable de défendre Théophraste par rapport à Pline. (L'un était le véritable érudit en science naturelle et l'autre rien de plus qu'un copiste.) Son grec, qu'elle adorait et en lequel elle voyait une forme délirante de mathématiques, était meilleur de jour en jour.

De son côté, Prudence connaissait son alphabet et savait compter. Elle avait une voix douce et mélodieuse, mais sa manière de parler – l'emblème flamboyant de ses regrettables origines – nécessitait d'être largement corrigée. Au début du séjour de Prudence à White Acre, Beatrix ne cessait de reprendre l'enfant, désignant comme de la pointe acérée d'une aiguille à tricoter les expressions qui étaient fautives ou communes. Beatrix apprit à Prudence qu'elle ne devait jamais dire « ainsi de suite » alors que « et cetera » était bien plus raffiné. L'emploi de « fréquenter » et de « les gens » était vulgaire, quel que fût le contexte. Quand on écrivait une lettre à White Acre, on la « postait » on ne la « mettait pas à la poste ». On ne disait pas « manger », mais « déjeuner » ou « dîner ». On ne « descendait » ni ne « montait » en ville, on s'y « rendait », et non pas « tantôt », mais « dans l'après-midi ». Et dans cette famille, on ne « parlait » pas, on « conversait ».

Une enfant plus faible aurait pu renoncer entièrement à parler. Une autre plus combative aurait pu exiger de savoir pourquoi Henry Whittaker avait le droit de *parler* comme un débardeur – pourquoi il pouvait déclarer au dîner à propos de tel homme qu'il était un « âne bâté » sans que Beatrix le corrige – alors que le reste de la famille devait *converser* comme des avocats du barreau. Mais Prudence n'était ni faible ni combative. Au lieu de cela, elle se révéla une créature d'une implacable et inlassable vigilance qui s'améliorait chaque jour comme si elle affûtait la lame de son esprit en veillant bien à ne jamais commettre deux fois la même erreur. Au bout de cinq mois à White Acre, il n'était plus nécessaire de la reprendre. Même Alma ne pouvait trouver la moindre faute, alors qu'elle ne cessait de la guetter. D'autres aspects de Prudence – sa posture, ses manières, sa toilette – furent également promptement rectifiés.

Prudence acceptait toutes les corrections sans se plaindre. À vrai dire, elle les recherchait, même – et notamment auprès de Beatrix ! Quand Prudence négligeait d'accomplir une tâche convenablement, se laissait aller à une pensée bien peu généreuse ou à une remarque mal intentionnée, elle se dénonçait elle-même à Beatrix, admettait ses torts et se soumettait volontiers à un sermon. Ainsi, Prudence ne fit pas de Beatrix simplement sa mère, mais aussi son confesseur. Alma, qui dissimulait ses fautes et mentait sur ses lacunes depuis sa petite enfance, trouva ce comportement monstrueusement incompréhensible.

Du coup, elle considéra Prudence avec une suspicion croissante. Prudence avait la dureté du diamant, une qualité qu'Alma soupçonnait de dissimuler quelque chose de mauvais, voire de maléfique. Elle trouvait la fillette cachottière et circonspecte. Prudence avait le don de s'esquiver quand elle sortait d'une pièce, de ne jamais donner l'impression de tourner le dos à quiconque et de ne pas faire un bruit en fermant une porte. En outre, elle était beaucoup trop attentionnée à l'égard d'autrui, n'oubliant jamais des dates qui comptaient, veillant à souhaiter aux domestiques un heureux anniversaire ou un agréable sabbat lorsqu'il le fallait, et toutes choses du même acabit. Cet acharnement à faire preuve de bonté paraissait bien exagéré à Alma, tout comme ce stoïcisme.

Ce dont Alma avait la certitude, c'était que cela l'avantageait peu d'être comparée à une petite personne si parfaitement lisse comme Prudence. Henry lui-même appelait Prudence « notre Exquise Petite », à côté de quoi le vieux surnom d'Alma, « Prune », paraissait humble et bien laid. Tout chez Prudence faisait paraître Alma humble et bien laide.

Mais il y avait des consolations. En classe, au moins, Alma conservait la première place. Prudence ne parvint jamais à rattraper sa sœur dans ce domaine. Ce n'était pas par manque d'efforts, non plus, car la fillette était sans conteste travailleuse. La pauvre, elle peinait sur ses livres comme un maçon basque. Pour Prudence, chaque ouvrage était une dalle de granit qu'il fallait soulever en plein soleil au prix de grands efforts. C'était presque douloureux à regarder, mais Prudence tenait à persévérer et ne fondit pas une seule fois en larmes. En conséquence, elle progressait, certes, et de manière impressionnante, il fallait le reconnaître, étant donné ses origines. Les mathématiques seraient toujours difficiles pour elle, mais elle se grava dans le crâne les bases du latin et au bout d'un certain temps, elle fut capable de parler un français acceptable, avec un bel accent. Quant à la calligraphie, Prudence ne cessa de pratiquer que lorsque son écriture fut en tout point aussi raffinée que celle d'une duchesse.

Mais toute la discipline du monde ne suffit pas pour combler un véritable fossé dans le domaine du savoir, et Alma avait des dons intellectuels qui allaient bien au-delà des limites de Prudence. Alma avait une mémoire exceptionnelle des mots et un don inné pour le calcul. Elle adorait les tests, les exercices, les formules, les théorèmes. Pour Alma, lire quelque chose une fois suffisait à s'en souvenir éternellement. Elle pouvait démonter un raisonnement comme un soldat chevronné son fusil – à moitié endormi dans l'obscurité – et que le résultat soit magnifique. L'algèbre provoquait chez elle des crises d'extase. La grammaire était une vieille amie – peut-être parce qu'elle avait parlé tant de langues différentes simultanément dès son plus jeune âge. Elle adorait aussi son microscope, qui était pour elle une extension magique de son œil droit lui permettant de plonger son regard au fond de la gorge du Créateur Lui-même.

Pour toutes ces raisons, on aurait pu supposer que le précepteur que Beatrix finit par engager pour les fillettes aurait préféré Alma à Prudence, mais en fait, ce ne fut pas le cas. Pour tout dire, il veilla bien à ne jamais faire connaître sa préférence entre les deux enfants – qu'il semblait considérer comme une charge identique. Le précepteur était un jeune homme assez terne, anglais de naissance, avec un teint cireux, une vilaine peau et une expression perpétuellement inquiète. Il soupirait beaucoup. Il s'appelait Arthur Dixon et était récemment diplômé de l'université d'Édimbourg. Beatrix l'avait choisi après un rigoureux processus d'examen de dizaines d'autres candidats, qui furent tous rejetés pour – entre autres défauts – s'être montrés trop bêtes, trop bavards, trop dévots, pas assez pieux, trop radicaux, trop séduisants, trop gros et trop hésitants.

Durant la première année d'enseignement d'Arthur Dixon, Beatrix assista souvent aux cours tout en reprisant, assise à l'écart, vérifiant qu'Arthur ne commettait aucune erreur factuelle ou ne traitait pas les fillettes d'une manière inconvenante. Elle se trouva satisfaite : le jeune Dixon était un prodige de connaissances parfaitement ennuyeux, qui n'avait rien d'un boute-en-train immature. On pouvait donc lui faire confiance pour enseigner aux filles Whittaker, quatre jours par semaine, philosophie naturelle, latin, français, grec, chimie, astronomie, minéralogie, botanique et histoire. Alma eut également droit à des cours supplémentaires en optique, algèbre et géométrie sphérique qui – geste d'une miséricorde peu courante chez Beatrix – furent épargnés à Prudence.

Le vendredi, il y avait entorse à cet emploi du temps, quand un professeur de dessin, un professeur de danse et un professeur de musique venaient apporter la dernière touche à l'éducation des fillettes. Le matin, elles étaient censées travailler ensemble avec leur mère dans son jardin personnel à la grecque – un triomphe de mathématiques fonctionnelles que Beatrix tentait, à l'aide de tracés d'allées et de topiaires, de façonner selon les stricts principes de symétrie euclidienne (tout n'étant que boules, cônes et triangles complexes taillés avec précision). Les fillettes devaient également consacrer plusieurs heures par semaine à améliorer leurs talents à l'aiguille. Le soir, elles prenaient part aux dîners officiels et conversaient intelligemment avec des invités du monde entier. Si personne n'était convié à White Acre, Alma et Prudence passaient les soirées dans le salon jusque tard dans la nuit à aider leur père et leur mère à traiter la correspondance officielle du domaine. Le dimanche était consacré à l'église. L'heure du coucher sonnait celle d'une longue série de prières du soir.

En dehors de cela, elles faisaient ce qu'elles voulaient de leur temps.

Mais cet emploi du temps n'était pas si éprouvant, en fait – du moins pas pour Alma. C'était une jeune fille énergique et pleine d'allant, qui n'avait pas besoin de beaucoup de repos. Elle appréciait le travail de l'esprit, les tâches de jardinage, et les conversations durant les dîners. Elle était toujours heureuse de passer du temps à aider son père à rédiger sa correspondance jusque tard dans la nuit (car c'était parfois pour elle la seule occasion qui restait de converser avec lui). Dieu sait comment, elle réussissait même à trouver quelques heures pour elle-même, durant lesquelles elle se consacrait à de petits projets botaniques. Elle s'amusait avec des boutures de saules, se demandant comment il se faisait que parfois, ils faisaient pousser des racines tantôt à partir de leurs boutons, tantôt de leurs feuilles. Elle disséquait et mémorisait, conservait et cataloguait toutes les plantes à sa portée. Elle se confectionna un magnifique *hortus siccus* – un splendide herbier.

Alma adorait chaque jour davantage la botanique. Ce n'était pas tant la beauté des plantes qui la fascinait que leur ordonnancement. Alma était animée d'une passion dévorante pour les systèmes, les séquences, les catalogues et les index : la botanique offrait toute latitude pour s'adonner à tous ces plaisirs. Elle appréciait qu'une plante reste dans l'ordre taxonomique correct une fois qu'on l'y avait placée. Il y avait aussi dans la symétrie des végétaux de sérieuses et admirables règles mathématiques où Alma trouvait la sérénité. Par exemple, dans chaque espèce, il y avait entre les dents du calice et les divisions de la corolle une proportion fixe qui ne change jamais. On pouvait se fier à cette loi inflexible et réconfortante.

En tout cas, Alma aurait aimé disposer d'encore plus de temps pour l'étude des plantes. Elle avait de bizarres fantaisies. Elle aurait aimé vivre dans une caserne consacrée aux sciences naturelles, où elle aurait été réveillée à l'aube par le clairon et se serait élancée en rangs avec d'autres jeunes naturalistes en uniforme pour œuvrer toute la journée dans les forêts, les rivières et les laboratoires. Elle aurait aimé vivre dans une sorte de monastère ou de couvent botanique, entourée d'autres fervents taxonomistes, où personne ne gênait autrui dans ses travaux, mais où l'on mettait en commun les plus passionnantes découvertes. Même une prison botanique aurait été merveilleuse ! (Il ne venait pas à l'esprit d'Alma que de tels lieux d'asile intellectuel et d'isolement derrière des murs existaient dans le monde, dans une certaine mesure, et qu'on les appelait des « universités ». Mais les fillettes de 1810 ne rêvaient pas d'universités. Pas même les fillettes de Beatrix Whittaker.)

Alma ne rechignait donc pas à travailler dur. Mais elle détestait franchement le vendredi. Cours de dessin, de danse, de musique – tout cela l'irritait et l'éloignait de ses véritables centres d'intérêt. Elle n'était pas gracieuse. Elle ne pouvait faire clairement la différence entre un tableau célèbre et un autre, pas plus qu'elle n'apprit à dessiner des visages sans qu'ils aient l'air frappés de terreur ou morts. Elle n'était pas non plus douée pour la musique et vers son onzième anniversaire, son père demanda officiellement qu'elle cesse de mettre à mal le pianoforte. Dans tous ces domaines, Prudence excellait. Prudence savait également coudre magnifiquement et servir le thé avec autant de maîtrise que de délicatesse et possédait nombre d'autres exaspérants petits talents. Le vendredi, Alma avait toutes les chances de nourrir les pensées les plus noires et les plus envieuses à l'égard de sa sœur. Dans ces moments, elle pensait en toute sincérité, par exemple, qu'elle aurait volontiers échangé l'une des langues qu'elle savait parler (n'importe laquelle, sauf le grec !) contre la simple capacité à plier, *ne fût-ce qu'une seule fois*, une enveloppe aussi joliment que savait le faire Prudence.

Malgré – ou peut-être à cause de – tout cela, Alma tirait une véritable satisfaction dans les domaines où elle était meilleure que sa sœur, et là où sa supériorité était la plus remarquable, c'était à la table des célèbres dîners des Whittaker, en particulier quand l'atmosphère bruissait d'idées provocatrices. À mesure qu'Alma avançait en âge, sa conversation se fit plus hardie et affirmée. Mais Prudence n'acquit jamais une telle assurance à table. Elle avait tendance à rester coite, mais charmante, à être une sorte d'inutile ornement, à occuper un siège entre deux convives sans rien apporter d'autre que sa beauté. D'une certaine manière, cela rendait Prudence utile. On pouvait l'asseoir auprès de *n'importe qui* et elle ne se plaignait jamais. Bien des soirs, la pauvre enfant fut délibérément placée auprès de vieux professeurs sourds et barbants – de véritables mausolées – qui se curaient les dents avec leur fourchette ou s'endormaient devant leur assiette en ronflant légèrement pendant que le débat faisait rage autour d'eux.

Prudence n'objectait jamais ni ne demandait un compagnon de table plus brillant. En vérité, apparemment, peu importait qui on asseyait auprès d'elle : sa posture et son expression soigneusement artificielle étaient toujours les mêmes.

De son côté, Alma se jetait dans les conversations sur tous les sujets possibles – de la gestion des sols aux molécules des gaz et à la physiologie des larmes. Un soir, par exemple, arriva à White Acre un invité qui revenait tout juste de Perse, où il avait découvert en dehors de l'antique ville d'Ispahan des échantillons d'une plante qui, selon lui, produisait de la gomme ammoniaque – un produit médicinal antique et lucratif, dont la provenance avait jusque-là toujours été un mystère pour le monde occidental, car son négoce était le monopole des bandits. Le jeune homme avait travaillé pour la couronne britannique, mais, déçu par sa hiérarchie, il voulait proposer à Henry Whittaker de financer un projet d'exploration. Henry et Alma – qui travaillaient et pensaient comme un seul être, comme souvent lors de ces dîners – le criblèrent de questions chacun de leur côté comme deux chiens de berger qui acculent un bélier.

— Quel est le climat de cette région de Perse ? demanda Henry.

— Et l'altitude ? ajouta Alma.

— Eh bien, monsieur, la plante pousse dans des plaines, répondit le visiteur, et la gomme y est si abondante, je vous assure, que l'on peut en extraire de grandes quantités…

— Oui, oui, oui, coupa Henry. C'est ce que vous ne cessez de répéter, et nous devons vous croire sur parole, j'imagine, car je remarque que vous ne m'avez rien apporté de plus qu'une infime quantité de gomme comme preuve. Dites-moi cependant combien il faut payer les autorités en Perse ? Je parle de tribut pour obtenir le privilège de parcourir leur pays et recueillir librement des échantillons de gomme ?

— Eh bien, elles demandent en effet un tribut, monsieur, mais le prix semble fort peu cher payé…

— La Compagnie Whittaker ne paie jamais aucun tribut, dit Henry. Je déteste cela. Pourquoi avoir informé quiconque dans ce pays de ce que vous faisiez ?

— Mais monsieur, on ne peut guère agir en contrebandier !

— Vraiment ? interrogea Henry, un sourcil haussé. On ne le peut ?

— Mais la plante ne pourrait-elle être cultivée ailleurs ? intervint Alma. Voyez-vous, monsieur, cela ne nous serait guère profitable de vous envoyer chaque année à Ispahan dans de coûteuses expéditions de collecte.

— Je n'ai pas encore eu l'occasion d'explorer…

— Pourrait-elle être cultivée au Kattywar ? demanda Henry. Avez-vous des partenaires au Kattywar ?

— Eh bien, je l'ignore, monsieur, j'ai tout juste…

— Ou bien en Amérique du Sud ? intervint Alma. Quelle quantité d'eau lui est-elle nécessaire ?

— Aucune opération nécessitant des cultures en Amérique du Sud ne m'intéresse, Alma, tu le sais bien, dit Henry.

— Mais père, on dit que le Territoire du Missouri…

— Franchement, Alma, vois-tu ce pâle petit mioche anglais prospérer dans le Territoire du Missouri ?

Le pâle petit mioche anglais en question cligna des paupières et sembla perdre toute capacité à s'exprimer. Mais Alma insista, demandant à l'invité avec un empressement croissant :

— Pensez-vous que la plante dont vous parlez puisse être celle-là même que mentionne Dioscoride dans son *De Materia medica* ? Ce serait passionnant, ne trouvez-vous pas ? Nous avons une magnifique édition ancienne de Dioscoride dans notre bibliothèque. Si vous le désirez, je pourrais vous la montrer après le dîner !

À cet instant, Beatrix s'en mêla et admonesta sa fille de quatorze ans :

— Je me demande vraiment, Alma, s'il est absolument nécessaire que vous fassiez part au monde entier de votre moindre idée. Pourquoi ne laissez-vous pas notre malheureux invité répondre à une question avant de l'assaillir avec une autre ? Je vous en prie, jeune homme, poursuivez. Que vouliez-vous nous dire ?

Mais Henry avait repris la parole.

— Vous ne m'avez même pas apporté des boutures, n'est-ce pas ? demanda-t-il au jeune homme accablé qui, ne sachant plus à ce stade à quel Whittaker il devait s'adresser d'abord, commit la grave erreur de ne répondre à aucun. (Dans le silence qui suivit, tous les regards restèrent fixés sur lui. Mais le jeune homme ne parvint pas à articuler le moindre mot. Agacé, Henry rompit le silence et se tourna vers Alma.) Ah, laisse donc, Alma. Celui-là ne m'intéresse pas. Il n'a pas suffisamment réfléchi. Et pourtant, regarde-le ! Il est tout de même là à manger à ma table et à boire mon vin tout en espérant obtenir mon argent !

Alma laissa donc et ne formula pas d'autres questions sur le sujet de la gomme ammoniaque, de Dioscoride ou des coutumes tribales de Perse. Elle se tourna avec animation vers un autre gentilhomme invité – sans remarquer que ce deuxième jeune homme avait lui aussi pâli – et demanda :

— Eh bien, je vois d'après votre merveilleux article que vous avez découvert d'assez extraordinaires fossiles ! Avez-vous déjà pu comparer ces ossements à des exemples modernes ? Pensez-vous que ce sont vraiment des dents de hyène ? Et croyez-vous encore que la grotte était inondée ? Avez-vous lu le récent article de Mr Winston sur le déluge ?

Pendant ce temps, Prudence – à l'insu de tous – se tourna froidement vers le jeune Anglais paralysé à côté d'elle, celui à qui on venait de clouer si fermement le bec, et murmura :

— Poursuivez, je vous prie.

Ce soir-là, avant le coucher, et après qu'elles eurent fait les comptes et les prières, Beatrix corrigea les filles, comme il était quotidiennement d'usage.

— Alma, commença-t-elle, le discours courtois ne doit pas se précipiter. Vous découvrirez que c'est un comportement aussi utile que civilisé, en de rares occasions, de permettre à votre victime d'achever vraiment une pensée. Votre précieux rôle d'hôtesse consiste à mettre en valeur les talents de vos invités, et non à clamer triomphalement les vôtres.

— Mais… commença à protester Alma.

— En outre, la coupa Beatrix, il n'est pas nécessaire de multiplier les rires devant les mots d'esprit, une fois qu'ils ont accompli leur tâche et suscité l'amusement. Je trouve dernièrement que vous riez beaucoup trop longuement. Je n'ai jamais connu de femme vraiment honorable qui trompette comme une oie. (Beatrix se tourna alors vers Prudence.) Quant à vous, Prudence, si j'admire que vous ne vous livriez pas à des bavardages inutiles et irritants, c'est tout autre chose de vous retirer entièrement de la conversation. Les invités penseront que vous êtes une sotte, ce que vous n'êtes point. Une marque regrettablement infamante serait faite à notre famille si l'on pensait que seule une de mes filles est capable de parler. La timidité, comme je vous l'ai dit bien des fois, est simplement une autre forme de vanité. Bannissez-la.

— Veuillez me pardonner, mère, dit Prudence. Je ne me sentais pas bien ce soir.

— Je crois que vous *pensiez* ne pas vous sentir bien ce soir. Mais je vous ai vue lire avec contentement avant le dîner quelques vers sans conséquence. Quiconque peut lire quelques vers sans conséquence juste avant un dîner ne peut se trouver mal une heure plus tard.

— Veuillez me pardonner, mère, répéta Prudence.

— Je désire également vous parler, Prudence, du comportement de Mr Edward Porter ce soir à table. Vous n'auriez pas dû laisser cet homme vous regarder si longtemps. Faire montre d'une telle insistance est dégradant pour tout le monde. Vous devez apprendre à tuer dans l'œuf ce genre de comportement chez les hommes en leur parlant avec fermeté et intelligence de sujets sérieux. Peut-être que Mr Porter aurait été tiré de sa fascination énamourée plus tôt si vous aviez débattu avec lui de la campagne de Russie, par exemple. Il ne suffit pas d'être bonne, Prudence ; vous devez aussi devenir habile. En tant que femme, bien sûr, vous aurez toujours une conscience morale supérieure à celle des hommes, mais si vous n'aiguisez pas votre esprit afin de vous défendre, votre moralité ne vous sera guère d'utilité.

— Je comprends, mère, dit Prudence.

— Rien n'est aussi essentiel que la dignité, mes filles. Le temps révélera qui la possède et qui en est privé.

La vie aurait été plus plaisante pour les filles Whittaker si, comme l'aveugle et le paralytique, elles avaient appris à s'entraider, à compenser chacune les faiblesses de l'autre. Mais au lieu de cela, elles clopinaient côte à côte en silence, tentant chacune d'avancer à tâtons malgré ses défauts et ses difficultés.

Il faut le leur reconnaître, ainsi qu'à leur mère qui exigeait qu'elles soient polies, les fillettes ne furent jamais désagréables l'une avec l'autre. Jamais des mots déplaisants ne furent échangés. Elles partageaient respectueusement le même parapluie, bras dessus, bras dessous, lorsqu'elles sortaient sous la pluie. Elles s'effaçaient à l'entrée des pièces, chacune voulant laisser passer l'autre. Elles s'offraient la dernière part de tarte, ou la meilleure place, la plus proche de la chaleur du poêle. Elles s'offraient des cadeaux aussi modestes qu'attentionnés à Noël. Une année, Alma acheta à Prudence – qui aimait dessiner des fleurs (avec *beauté*, mais sans *justesse*) – un charmant livre d'illustrations botaniques intitulé *Traité de peinture florale à l'usage des dames*. La même année, Prudence confectionna pour Alma un exquis pique-épingles de la couleur préférée d'Alma, aubergine. Elles tentaient donc bien de se témoigner les meilleurs égards.

« Merci de ton pique-épingles, écrivit Alma à Prudence dans un petit mot d'une courtoisie attentionnée. Je ne manquerai point d'en user chaque fois que j'aurai besoin d'une épingle. »

Année après année, les filles Whittaker se conduisaient l'une avec l'autre avec la plus intransigeante correction, bien que peut-être pour des motifs différents. Pour Prudence, une intransigeante correction était une expression de son état naturel. Pour Alma, une intransigeante correction était un effort suprême – une soumission constante et presque physique de tous ses plus bas instincts devant la discipline morale et la peur de la réprobation de sa mère. En conséquence, les manières étaient sauves et les apparences paisibles à White Acre. Mais en vérité, il y avait entre Alma et Prudence une immense muraille que le temps n'entama jamais. Bien plus, personne ne les aida à y changer quoi que ce soit.

Un soir d'hiver, alors que les jeunes filles avaient une quinzaine d'années, un vieil ami de Henry aux jardins botaniques de Calcutta vint en visite à White Acre après de nombreuses années passées à l'étranger. Dans l'entrée, secouant encore la neige de sa cape, l'invité s'écria :

— Henry Whittaker, espèce de vieille fouine ! Montre-moi ta fameuse fille dont on m'a tant parlé !

Les jeunes filles étaient à côté dans le salon en train de recopier leurs notes de botanique. Elles entendirent jusqu'au moindre mot.

— Alma ! tonna Henry. Viens immédiatement ! On demande à te voir !

Alma se précipita dans l'entrée, pleine d'enthousiasme. L'inconnu la considéra un instant, puis il éclata de rire et déclara :

— Mais non, imbécile, ce n'est pas de celle-là que je parlais. Je veux voir la jolie !

Sans se froisser le moins du monde, Henry répondit :

— Oh, tu t'intéresses donc à notre Exquise Petite, alors ? Prudence, viens ici ! On demande à te voir !

Prudence apparut dans l'entrée et se plaça à côté d'Alma, qui avait l'impression de sombrer dans des sables mouvants.

— Eh bien voilà ! dit le visiteur, en lorgnant Prudence comme un maquignon. Oh, mais elle est splendide, n'est-ce pas ? Je me posais la question. Je pensais que tout le monde avait exagéré.

— Ah, tu fais bien trop de cas de Prudence, dit Henry avec un geste négligent de la main. À mon avis, la laide vaut dix fois la jolie.

Vous voyez donc qu'il est tout à fait possible que les deux filles aient autant souffert l'une que l'autre.

7

L'année 1816 allait passer à la postérité sous le nom d'Année sans été, non seulement à White Acre, mais dans une bonne partie du monde. Des éruptions volcaniques en Indonésie remplirent l'atmosphère de cendres qui obscurcirent le ciel, provoquant une sécheresse en Amérique du Nord et des gelées et une famine dans la majeure partie de l'Europe et de l'Asie. La récolte de maïs fut désastreuse en Nouvelle-Angleterre, celle de riz ne parvint pas à maturité en Chine, et celles d'avoine et de blé furent réduites à néant dans toute l'Europe du Nord. Plus de cent mille Irlandais moururent de faim. Chevaux et bétail, privés de céréales, furent décimés. Il y eut des émeutes de la faim en France, en Angleterre et en Suisse. À Québec, il tomba trente centimètres de neige en plein mois de juin. En Italie, la neige qui tomba était rouge et brune, et les populations furent terrifiées, croyant à l'apocalypse.

En Pennsylvanie, pendant tous les mois de juin, juillet et août de cette obscure année, la campagne fut enveloppée d'un brouillard épais et glacial. Peu de plantes poussèrent. Des milliers de familles perdirent tout. Cependant, pour Henry Whittaker, ce ne fut pas une mauvaise année. Les poêles de ses serres avaient réussi à maintenir en vie la plupart de ses espèces exotiques malgré le manque de soleil, et il n'avait de toute façon jamais gagné sa vie avec l'agriculture. La majeure partie de ses plantes médicinales étaient importées d'Amérique du Sud, où le climat avait peu changé. En outre, le temps rendait les gens malades et les maladies nécessitent des remèdes. Botaniquement et financièrement, Henry ne fut donc guère affecté.

Non, cette année-là, Henry trouva la prospérité dans la spéculation immobilière et le plaisir dans les livres rares. Les paysans fuyaient la Pennsylvanie par centaines pour l'Ouest, où ils espéraient trouver plus de soleil, un sol plus sain et un environnement plus accueillant. Henry racheta une bonne partie des propriétés que ces gens anéantis abandonnaient et entra dès lors en possession de superbes moulins, forêts et pâturages. Un petit nombre de familles haut placées de Philadelphie furent ruinées cette année par le déclin économique provoqué par les aléas climatiques. Ce fut une excellente nouvelle pour Henry. Chaque fois que de riches familles s'effondraient, il était en mesure de racheter avec un important rabais leurs terres, leur mobilier, leurs chevaux, leurs selles françaises raffinées et leurs tissus persans, ainsi que – à sa grande satisfaction – leurs bibliothèques.

Avec les années, l'acquisition de magnifiques livres était devenue une sorte de manie pour Henry. Une étrange manie, étant donné que l'homme déchiffrait à peine l'anglais et était incapable de lire, par exemple,

Catulle. Mais Henry ne voulait pas lire ces livres : il voulait tout au plus les posséder comme des trophées dans sa bibliothèque sans cesse croissante de White Acre. C'étaient les livres médicaux, philosophiques et botaniques délicieusement illustrés qu'il convoitait le plus. Il avait conscience que ces ouvrages étaient en tout point aussi éblouissants pour ses visiteurs que les trésors tropicaux de ses serres. Il avait même lancé l'habitude, avant les dîners, de choisir (ou plutôt de faire choisir par Beatrix) un livre précieux à montrer aux invités. Il appréciait particulièrement de procéder à ce rituel quand de célèbres savants étaient de passage, afin de les voir retenir leur souffle et presque se pâmer de convoitise ; la plupart des hommes de lettres n'imaginaient jamais vraiment tenir entre leurs mains un Érasme du début du XVIe siècle, imprimé en grec d'un côté et en latin de l'autre.

Henry achetait les livres avec avidité et volupté – non pas un par un, mais par malles entières. Évidemment, tous ces livres devaient être triés et, tout aussi évidemment, Henry n'était pas l'homme de la situation. Cette tâche physiquement et intellectuellement éprouvante incombait depuis des années à Beatrix, qui faisait le tri en conservant les ouvrages précieux et en se débarrassant de la majeure partie des déchets à la Bibliothèque libre de Philadelphie. Mais Beatrix, à la fin de l'automne 1816, était en retard. Les livres arrivaient plus vite qu'elle ne pouvait les trier. Les remises de l'écurie contenaient maintenant de nombreuses malles qu'il fallait encore ouvrir et examiner. Avec la récente avalanche hebdomadaire de bibliothèques privées entières (chaque semaine, une riche famille se trouvait ruinée), la collection menaçait de devenir une corvée ingérable.

Beatrix choisit donc Alma pour l'aider à sélectionner et à cataloguer les livres. Alma était un choix évident. Prudence n'était guère utile dans ces domaines, étant donné qu'elle était ignare en grec, à peine moins en latin, et n'avait jamais réussi à comprendre comment répartir sans se tromper les ouvrages botaniques entre éditions antérieures et postérieures à 1753 (c'est-à-dire avant et après l'apparition de la taxonomie linnéenne). Mais Alma, qui avait désormais seize ans, se révéla aussi enthousiaste qu'efficace pour mettre de l'ordre dans la bibliothèque de White Acre. Elle avait une solide connaissance historique de ce qu'elle maniait et indexait avec une diligence fébrile. Elle était également assez robuste pour transporter les lourdes caisses et cartons. En outre, le temps était si mauvais en 1816 qu'il n'y avait guère de plaisirs à attendre de l'extérieur et de bénéfices à trouver dans les travaux de jardinage. Heureusement, Alma en arriva à considérer le travail de bibliothécaire comme une sorte de jardinage d'intérieur, avec toutes les satisfactions que procurent le labeur physique et les magnifiques découvertes.

Elle découvrit même qu'elle avait un talent pour réparer les livres. La conservation des spécimens de plantes l'avait rendue compétente pour s'occuper du cabinet de reliure – une minuscule pièce avec une porte dérobée voisine de la bibliothèque, où Beatrix rangeait les papiers, tissus, cuirs, cires et colles nécessaires pour entretenir les fragiles éditions anciennes. En fait, au bout de quelques mois, Alma se débrouillait si bien que Beatrix confia à sa fille la responsabilité de la bibliothèque de White Acre, les collections triées comme celles qui ne l'étaient pas encore. Beatrix était désormais trop grosse et trop fatiguée pour grimper sur les escabeaux et elle était lasse de cette tâche.

Là, certains auraient pu demander s'il était vraiment raisonnable de confier à une jeune fille de seize ans, respectable et non mariée, une telle abondance de livres sans la moindre censure et la laisser sans surveillance se débrouiller seule au milieu d'un tel flot d'idées librement exprimées. Beatrix, peut-être, estimait avoir déjà achevé son travail auprès d'Alma, ayant réussi à faire d'elle une jeune femme qui semblait pragmatique et bien élevée et qui saurait certainement comment résister à des idées corruptrices. Ou bien Beatrix n'avait pas réfléchi au genre de livres sur lesquels Alma pourrait tomber en ouvrant ces malles. Ou bien elle pensait que la laideur et la maladresse d'Alma la rendaient imperméable aux dangers – Dieu du ciel – de la *sensualité*. Ou bien Beatrix (qui approchait la cinquantaine et souffrait d'accès de vertiges et de distraction) ne faisait plus attention.

Quelle que fût la cause, Alma Whittaker fut laissée seule et c'est ainsi qu'elle découvrit le livre.

Elle ne saurait jamais de quelle bibliothèque il provenait. Alma le trouva dans une malle non étiquetée, avec un ensemble d'ouvrages par ailleurs sans intérêt particulier, pour la plupart de natures médicales, certains étant de Galien, d'autres des traductions récentes d'Hippocrate, mais rien de nouveau ni de passionnant. Cependant, au milieu de tout cela se trouvait un gros livre relié en vélin intitulé *Cum grano salis* rédigé par un auteur anonyme. Quel drôle de titre : *Avec un grain de sel*. De prime abord, Alma pensa qu'il s'agissait d'un recueil de recettes, quelque chose comme la réimpression vénitienne du classique du IVe siècle, le *De re coquinaria*, que possédait déjà la bibliothèque de White Acre. Mais il lui suffit de feuilleter rapidement les pages pour constater qu'il était en anglais et ne contenait aucune illustration ou texte destinés à un cuisinier. Elle l'ouvrit à la première page et ce qu'elle lut lui titilla l'esprit.

> *Je suis intrigué,* écrivait l'auteur anonyme dans son introduction, *que notre corps soit doté dès notre naissance de merveilleux orifices et saillies que le plus jeune enfant sait être des objets de purs délices, mais que nous devons faire mine de considérer au nom de la civilisation comme des abominations – à ne jamais toucher, jamais montrer, jamais savourer ! Pourtant, pourquoi ne devrions-nous pas explorer ces dons de notre corps, tant chez nous-mêmes que chez nos prochains ? C'est seulement notre esprit qui nous empêche de connaître de tels enchantements, et seulement notre artificielle notion de « civilisation » qui interdit des divertissements aussi simples. Mon propre esprit, naguère emprisonné dans les rigueurs de la civilité, a été ouvert il y a des années par les plus exquis des plaisirs physiques. En vérité, j'ai découvert que l'expression charnelle peut être pratiquée comme l'un des beaux-arts, avec la même passion que l'on peut témoigner à la musique, la peinture ou la littérature.*

> *Ce qui suit dans ces pages, estimé lecteur, est un récit sans fard de toute une vie d'aventures érotiques, que certains qualifieront peut-être de malsaines, mais que j'ai accumulées avec bonheur – et, je le crois, sans danger – depuis ma jeunesse. Si j'étais un homme pieux, prisonnier des liens de la honte, je pourrais qualifier ce livre de confession. Mais je ne souscris point à la honte sensuelle et mes recherches ont démontré que de nombreux groupes humains autour du monde ne souscrivent pas davantage à la honte concernant l'acte sensuel. J'en suis venu à croire que l'absence d'une telle honte peut être, en vérité, notre état naturel en tant qu'espèce humaine – un état que notre civilisation a tristement altéré. C'est pour cette raison que je ne confesse point mon histoire peu commune, mais que tout au plus je la dévoile. J'ai l'espoir et la certitude que ce récit sera lu comme un guide et un divertissement, non seulement pour les gentilshommes, mais également pour les dames entreprenantes et instruites.*

Alma referma le livre. Elle connaissait ce ton. Elle ne connaissait pas personnellement l'auteur, bien sûr, mais elle reconnaissait en lui un type : celui de l'homme de lettres instruit, de la sorte qui dînait fréquemment à White Acre. C'était le genre d'homme qui pouvait aisément écrire quatre cents pages sur la philosophie naturelle des sauterelles, mais qui, en l'occurrence, avait décidé de consacrer ces quatre cents pages à ses aventures sensuelles. Cette sensation de familiarité et de proximité dérouta et attira Alma tout à la fois. Si un tel traité était écrit par un respectable gentleman sur un ton respectable, cela rendait-il le texte respectable ?

Que dirait Beatrix ? Alma n'en douta pas un instant. Elle dirait que ce livre était contre la loi, un danger et une abomination – une scandaleuse illusion. Elle voudrait faire détruire ce livre. Qu'aurait fait Prudence si elle avait jamais trouvé un tel livre ? Eh bien, elle ne l'aurait pas touché, fût-ce même avec des pincettes. Et si le livre était arrivé Dieu sait comment entre ses mains, Prudence l'aurait docilement apporté à Beatrix pour qu'elle le détruise, et elle aurait docilement reçu un strict châtiment par la même occasion, pour avoir touché cette chose. Mais Alma n'était pas Prudence.

Que ferait Alma, alors ?

Alma détruirait le livre, décida-t-elle, et n'en dirait rien à personne. D'ailleurs, elle le détruirait maintenant. Cet après-midi même. Sans même en lire un autre mot.

Elle le rouvrit au hasard. De nouveau, elle trouva ce ton familier et respectable, cette voix qui parlait du sujet le plus incroyable qui fût.

> *Je souhaitais découvrir,* écrivait l'auteur*, à quel âge une femme perd la faculté de recevoir le plaisir sensuel. Mon ami propriétaire de bordel, qui m'avait assisté par le passé lors de tant d'expériences, me parla d'une certaine courtisane qui avait pratiqué avec plaisir son métier depuis l'âge de quatorze ans et qui, désormais, à celui de soixante-dix, vivait dans une ville non loin de la mienne. J'écrivis à la femme en question, et elle me répondit par une lettre d'une chaleur et d'une sincérité charmantes. En l'espace d'un mois, j'étais venu lui rendre visite, et elle m'autorisa à examiner ses parties génitales, qui ne se distinguaient guère aisément de*

> *celles d'une femme beaucoup plus jeune. Elle démontra en vérité qu'elle était encore tout à fait capable de plaisir. Avec ses doigts et un peu d'huile de noix sur son capuchon de passion, elle se caressa jusqu'à atteindre un paroxysme de plaisir…*

Alma referma le livre. Il ne fallait pas conserver cet ouvrage. Elle allait le brûler dans la cheminée de la cuisine. Pas cet après-midi, où quelqu'un risquait de la surprendre, mais plus tard dans la soirée.

Elle le rouvrit, de nouveau au hasard.

> *J'en étais arrivé à croire,* poursuivait calmement le narrateur, *qu'il existe des individus dont l'esprit et le corps tirent profit de coups régulièrement prodigués sur leur postérieur nu. Bien des fois, j'ai vu cette pratique rendre leur humeur à des hommes comme à des femmes et je la soupçonne d'être le plus salubre traitement à notre disposition pour la mélancolie et les autres maux de l'esprit. Pendant deux ans, j'ai fréquenté une domestique des plus exquises, la fille d'un chapelier, dont les globes innocents, voire angéliques, devinrent fermes et robustes à la suite de flagellations répétées, et dont les chagrins étaient communément balayés par le martinet. Ainsi que je l'ai décrit plus haut dans ces pages, j'avais naguère dans mes bureaux un canapé raffiné, fabriqué exprès pour moi par un artisan londonien, et muni de courroies et de treuils. Cette servante n'aimait rien tant qu'être solidement attachée sur ce canapé, où elle prenait mon membre dans sa bouche afin de le sucer comme un enfant savoure un sucre d'orge, tandis qu'un compagnon…*

Alma referma le livre. Quiconque était doté d'un esprit répugnant au vulgaire cesserait de le lire sur-le-champ. Mais qu'en était-il du ver de curiosité qui rongeait les entrailles d'Alma ? De son désir de se nourrir quotidiennement de nouveauté, d'extraordinaire et *d'authentique* ?

Alma rouvrit le livre et lut pendant une heure, gagnée par la curiosité, le doute et la confusion. Sa conscience tirait sur ses jupes et la suppliait de cesser, mais elle ne pouvait s'en empêcher. Ce qu'elle découvrit dans ces pages la rendit chagrine, moite et haletante. Quand elle crut que tout ce qu'elle imaginait désormais risquait vraiment de la faire défaillir, elle referma sèchement le livre et le rangea sous clé dans la malle innocente d'où elle l'avait sorti.

Elle quitta précipitamment la dépendance de l'écurie en lissant son tablier de ses mains brûlantes. Le temps était frais et couvert, comme depuis le début de l'année, nimbé d'un déplaisant brouillard. L'air était si épais qu'on l'aurait coupé au couteau. Il y avait des tâches importantes à accomplir aujourd'hui. Alma avait promis à Hanneke de Groot qu'elle surveillerait le rangement des tonneaux de cidre dans les caves pour l'hiver. Quelqu'un avait jeté des papiers sous les lilas le long de la clôture de la forêt : il allait falloir nettoyer cela. Les buissons derrière le jardin à la grecque de sa mère étaient envahis par le lierre et il allait falloir dépêcher un gamin l'arracher. Elle allait s'acquitter à l'instant de ces responsabilités avec son efficacité coutumière.

Orifices et saillies.

Elle n'arrivait à penser qu'à cela : *orifices et saillies*.

Le soir arriva. La salle à manger était allumée et le couvert mis. Des invités étaient attendus d'un instant à l'autre. Alma était habillée pour le dîner d'une coûteuse robe de mousseline. Elle aurait dû attendre les invités dans le salon, mais elle s'éclipsa un moment à la bibliothèque. Elle s'enferma dans le cabinet de reliure, derrière la porte dérobée, juste à côté de l'entrée de la bibliothèque. C'était la porte la plus proche qui soit munie d'une solide serrure. Elle n'avait pas emporté le livre, mais elle n'en avait nul besoin : ses images l'avaient poursuivie partout durant tout l'après-midi, bestiales, entêtantes et inquisitrices.

Elle débordait de pensées qui la taraudaient tout entière. Son con lui faisait mal. Comme s'il était privé de quelque chose. Ce malaise s'était accumulé durant tout l'après-midi. Cette sensation de privation entre ses cuisses lui faisait l'effet d'une espèce de sortilège diabolique. Son con exigeait d'être frotté des plus vigoureusement. Ses jupes l'embarrassaient. Elle mourait de démangeaisons sous sa robe. Elle la souleva. Assise sur le petit tabouret dans le minuscule cabinet de reliure fermé à clé, dans l'odeur de cuir et de colle, elle écarta les cuisses et commença à se caresser, se palper, agitant les doigts en elle et explorant frénétiquement ses pétales spongieux pour tenter de trouver le diable qui s'y cachait, impatiente de le chasser de la main.

Elle le trouva. Elle le frotta avec vigueur. Elle sentit un changement. La douleur dans son con se transforma en un feu, un tourbillon de plaisir et de chaleur. Elle se laissa aspirer et le suivit. Elle ne pesait plus rien, elle n'avait plus ni nom, ni pensées ni histoire. Puis apparut une explosion de phosphorescence, comme si un feu d'artifice s'était déchaîné dans ses yeux, et ce fut terminé. Elle se sentit apaisée et réchauffée. Pour la première fois de sa vie, elle eut la conscience que son esprit était libre de toute inquiétude, de toute charge et de toute perplexité. Puis, au milieu de ce merveilleux calme, une pensée naquit et s'empara d'elle :

Il va falloir que je recommence.

À peine une demi-heure plus tard, dans l'entrée de White Acre, rougissante et gênée, Alma recevait les invités du dîner. Il y avait ce soir-là parmi eux le jeune et sérieux George Hawkes, un éditeur de planches, livres, journaux et périodiques de botanique de Philadelphie et un distingué gentleman plus âgé du nom de James K. Peck, qui enseignait à l'université du New Jersey à Princeton et qui venait de publier un livre sur la physiologie des Noirs. Arthur Dixon, le blême précepteur des filles, dînait avec la famille comme d'habitude, bien qu'il agrémentât rarement la conversation et eût tendance à passer le dîner à contempler ses ongles avec inquiétude.

George Hawkes, l'éditeur de botanique, avait été invité maintes fois à White Acre et Alma l'appréciait beaucoup. Il était timide, mais aimable, et affreusement intelligent, avec une allure de grand ours gauche. Il portait des vêtements trop grands, son chapeau était de guingois sur sa tête et il semblait ne jamais savoir où était sa place. L'amener à parler était un défi, mais une fois qu'on y était parvenu, c'était un trésor. Il en savait plus que quiconque à Philadelphie sur la lithographie botanique et ses publications étaient exquises. Il parlait avec amour des plantes, des peintres et de l'art de la reliure, et Alma appréciait considérablement sa compagnie.

Quant à l'autre invité, le professeur Peck, c'était une nouveauté à la table du dîner, et Alma le détesta immédiatement. Il avait tout du convive barbant, et déterminé à l'être. À peine arrivé, il passa vingt minutes dans le hall de White Acre à relater avec une précision homérique les épreuves de son trajet en diligence de Princeton à Philadelphie. Une fois qu'il eut épuisé ce passionnant sujet, il fit part de sa surprise qu'Alma, Prudence et Beatrix se joignent à ces messieurs à la table du dîner, puisque la conversation leur passerait certainement au-dessus de la tête.

— Oh, non, corrigea Henry. Je pense que vous découvrirez bien assez tôt que mon épouse et mes filles sont passablement capables de conversation.

— Vraiment ? demanda l'homme sans dissimuler son scepticisme. Sur quels sujets ?

— Eh bien, dit Henry en se frottant le menton et en considérant les siens. Beatrix sait tout, Prudence a des connaissances en peinture et en musique et Alma – la grande – est passée maîtresse en botanique.

— En *botanique*, répéta le professeur Peck avec une condescendance appuyée. Un divertissement tout à fait formateur pour les filles. Le seul ouvrage scientifique qui soit adapté au sexe féminin, ai-je toujours pensé, étant donné qu'il est dénué de cruauté ou de rigueur mathématique. Ma propre fille fait de fort belles aquarelles de fleurs sauvages.

— Comme cela doit l'absorber, murmura Beatrix.

— Oui, tout à fait, opina le professeur Peck avant de se tourner vers Alma. Les doigts d'une femme sont plus souples, voyez-vous. Plus agiles que ceux d'un homme. Mieux adaptés pour les délicates opérations dans lesquelles consiste la confection d'un herbier.

Alma, qui n'était pas femme à rougir, s'empourpra jusqu'à la moelle. Pourquoi cet homme parlait-il de ses doigts, de souplesse, de délicatesse et de douceur ? À présent, tout le monde regardait les mains d'Alma qui, un instant plus tôt à peine, étaient glissés dans son con. C'était ignoble. Du coin de l'œil, elle vit son vieil ami George Hawkes lui faire un sourire compatissant. George rougissait constamment. Chaque fois que quelqu'un le regardait ou qu'on le forçait à parler. Peut-être compatissait-il à son malaise. Avec le regard de George sur elle, Alma se sentit devenir écarlate. Pour la première fois de sa vie, elle ne trouvait plus ses mots et elle aurait préféré que personne ne la regarde. Elle aurait tout donné pour échapper au dîner de ce soir.

Heureusement pour Alma, le professeur Peck ne semblait pas s'intéresser particulièrement à quiconque en dehors de lui-même, et une fois le dîner servi, il commença une dissertation aussi longue que détaillée, comme s'il avait pris White Acre pour un amphithéâtre et ses hôtes pour des étudiants.

— Certains, commença-t-il après avoir méticuleusement plié sa serviette, ont récemment avancé que le négroïdisme était tout au plus une maladie de la peau, qui pouvait probablement, en usant de la mixture chimique appropriée, être *lavée*, pour ainsi dire, transformant ainsi le Noir en un homme blanc et sain. Rien n'est plus faux. Ainsi que l'ont prouvé mes propres recherches, un Noir n'est pas un homme blanc malade, mais une espèce à part entière, ainsi que je le démontrerai…

Alma eut du mal à mobiliser son attention. Ses pensées allaient au *Cum grano salis* dans le cabinet de reliure. Précisons que ce jour ne fut pas la première occasion où Alma avait entendu parler des parties génitales, voire de la sexualité humaine. Contrairement aux autres filles – à qui l'on racontait que c'étaient les Indiens qui apportaient les bébés ou que la fécondation se faisait par l'insertion de graines dans de petites entailles dans les flancs de la femme –, Alma connaissait les rudiments de l'anatomie humaine, masculine comme féminine. Il y avait bien trop de traités médicaux et de livres scientifiques à White Acre pour qu'elle reste ignorante sur ce sujet, et tout le langage de la botanique, avec lequel Alma était très familière, était fortement sexualisé. (Linné lui-même avait qualifié la pollinisation de « mariage », appelé les pétales des fleurs « de nobles rideaux de lit » et une fois audacieusement décrit une fleur qui possédait neuf étamines et un pistil comme « neuf hommes dans la même chambre nuptiale avec une seule femme ».)

En outre, comme Beatrix n'aurait pas élevé ses filles dans une dangereuse innocence, en particulier avec la malheureuse histoire de la mère de Prudence, c'était elle-même qui – avec bien des bafouillages et des difficultés et en s'éventant abondamment la gorge – avait fait part à Alma et à Prudence des bases de la reproduction humaine. Cette conversation, personne n'y avait pris plaisir, et tout le monde avait œuvré pour l'achever le plus rapidement possible, mais l'information avait été transmise. Beatrix avait même un jour averti Alma que certaines parties du corps ne devaient jamais être touchées en dehors de l'intérêt de l'hygiène et que l'on ne devait jamais s'attarder aux cabinets, par exemple, en raison des dangers que représentaient les impudiques passions solitaires. Alma n'y avait pas fait attention à l'époque, car cette mise en garde ne tenait pas debout : *qui pouvait avoir envie de s'attarder aux cabinets ?*

Mais avec la découverte de *Cum grano salis*, Alma avait soudainement compris que les événements sensuels les plus inimaginables se produisaient dans le monde entier. Tout bonnement, hommes et femmes se faisaient mutuellement des choses étonnantes et dans un but non seulement procréatif mais aussi récréatif – tout comme les hommes entre eux, et les femmes entre elles, les enfants et les domestiques, les paysans et les voyageurs, les marins et les couturières, et parfois même les maris et leurs épouses ! On pouvait même se faire les choses les plus étonnantes à *soi-même*, ainsi que venait de l'apprendre Alma dans le cabinet de reliure. Avec ou sans huile de noix.

D'autres gens le faisaient-ils ? Non seulement les actes gymnastiques de la pénétration, mais ces frottis intimes ? L'anonyme écrivait que beaucoup de gens s'y adonnaient – même les dames de bonne naissance, d'après son récit et son expérience. Et Prudence ?

Faisait-elle cela ? Avait-elle jamais expérimenté les pétales spongieux, le tourbillon de feu et l'explosion de phosphorescence ? C'était impossible à imaginer : Prudence ne transpirait même pas. C'était assez difficile de déchiffrer les expressions de son visage, et plus encore d'imaginer ce qui était caché sous ses vêtements ou enfoui dans son esprit.

Et Arthur Dixon, leur tuteur ? Quelque chose d'autre qu'un morne savoir était-il tapi dans son esprit ? Y avait-il quoi que ce soit d'enfoui dans son corps en dehors de ses tics et de ses toussotements perpétuels ? Elle le contempla, cherchant le signe d'une vie sensuelle, mais sa silhouette et son visage ne lui révélèrent rien. Elle ne put l'imaginer en proie à un frisson d'extase comme celui qu'elle venait de connaître dans le cabinet de reliure. Elle l'imaginait à peine s'allonger et certainement pas dévêtu. Il présentait tous les signes d'un homme qui était né assis, sanglé dans un gilet ajusté et des culottes en laine, un gros livre à la main, soupirant d'insatisfaction. S'il avait des besoins, où et quand les soulageait-il ?

Alma sentit une main froide sur son bras. C'était sa mère.

— Quelle est votre opinion, Alma, sur le traité du professeur Peck ?

Beatrix savait qu'Alma n'avait pas écouté. *Comment le savait-elle ? Que savait-elle d'autre ?* Alma se ressaisit rapidement, retourna son attention au début du dîner et essaya de se rappeler les quelques idées qu'elle avait effectivement entendues. Contrairement à son habitude, rien ne lui vint. Elle se racla la gorge et déclara :

— Je préférerais lire la totalité du livre du professeur Peck avant de formuler le moindre jugement.

Beatrix jeta un regard aigu à sa fille : surpris, critique et impassible.

En revanche, le professeur Peck prit le commentaire d'Alma comme une invitation à poursuivre – à vrai dire, à *réciter* une bonne partie du premier chapitre de son livre, de mémoire, à l'intention de ces dames. Henry Whittaker n'aurait normalement pas autorisé un geste aussi parfaitement ennuyeux dans sa salle à manger, mais Alma vit que son père était las et affaibli, très probablement près de succomber à une nouvelle crise. Rien d'autre n'aurait pu faire taire ainsi son père. Si Alma le connaissait – et c'était bien le cas –, il serait alité tout le lendemain et probablement pendant toute la semaine. Pour l'heure, cependant, Henry supportait le ronronnement du professeur Peck en se servant de généreuses doses de vin rouge et en fermant les yeux durant de longs moments.

Pendant ce temps, Alma scrutait George Hawkes, l'éditeur botanique. Faisait-il cela ? Lui arrivait-il de se frotter jusqu'à atteindre un paroxysme de plaisir ? L'anonyme écrivait que les hommes pratiquaient l'onanisme plus fréquemment même que les femmes. Un jeune homme sain et vigoureux pouvait se caresser jusqu'à l'éjaculation plusieurs fois par jour. Personne n'aurait qualifié George Hawkes de parangon de vigueur, mais c'était un jeune homme avec un grand corps lourd et transpirant – un corps qui semblait rempli de *quelque chose*. George avait-il accompli cet acte récemment, peut-être même aujourd'hui ? Que faisait le membre de George Hawkes en cet instant ? Reposait-il, plein de langueur ? Ou bien se tendait-il vers le désir ?

Soudain, il se produisit un événement tout à fait étonnant.

Prudence Whittaker *parla.*

— Pardonnez-moi, monsieur, dit-elle en tournant son regard placide sur le professeur Peck. Si je vous comprends bien, il semble que vous ayez identifié les différentes textures de cheveux humains comme une preuve que les Noirs, les Indiens, les Orientaux et les Blancs sont tous des membres d'espèces différentes. Mais je ne puis m'empêcher de m'interroger devant votre hypothèse. Sur cette propriété même, monsieur, nous élevons plusieurs variétés de moutons. Peut-être les avez-vous remarqués quand vous êtes arrivé ce soir ? Certains ont une laine soyeuse, d'autres plus rude, et certains l'ont bouclée. Vous ne douterez certainement pas monsieur qu'en dehors de leurs différences de pelage, ce sont tous des moutons. Et si vous voulez bien m'excuser, je crois que toutes ces variétés de moutons peuvent également être croisées avec succès entre elles. N'en est-il pas de même avec l'homme ? Ne pourrait-on avancer alors la thèse que Noirs, Indiens, Orientaux et Blancs sont également une seule et même espèce ?

Tous les yeux se tournèrent vers Prudence. Alma eut l'impression d'avoir été réveillée en sursaut en étant aspergée d'eau glacée. Henry ouvrit les yeux. Il posa son verre et se redressa, son intérêt piqué. Il fallait un œil aiguisé pour le voir, mais Beatrix se redressa légèrement elle aussi, comme en alerte. Arthur Dixon, le précepteur, ouvrit de grands yeux affolés en direction de Prudence, puis regarda immédiatement autour de lui avec inquiétude, comme si on risquait de lui reprocher cette saillie. Il y avait là de quoi s'émerveiller, en vérité. C'était la phrase la plus longue qu'eût jamais prononcée Prudence à la table du dîner – et même *ailleurs*.

Malheureusement, Alma, n'ayant pas suivi la discussion jusqu'à ce stade, ne pouvait être certaine que l'argument de Prudence était juste ou pertinent, mais mon Dieu, la jeune fille avait parlé ! Tout le monde était ébahi, apparemment, sauf Prudence elle-même, qui considérait le professeur Peck avec sa beauté glaciale habituelle, ses grands yeux bleus impassibles, et attendait une réponse. C'était comme si elle n'avait jamais rien fait d'autre de toute sa vie que défier les professeurs de Princeton.

— Nous ne pouvons comparer êtres humains et moutons, jeune fille, dit le professeur Peck. Il ne suffit pas que deux créatures puissent se croiser… Eh bien, votre père m'excusera de mentionner un tel sujet devant des dames ? (Henry, désormais tout à fait attentif, donna son approbation d'un geste royal.) Que deux créatures puissent se croiser ne signifie pas qu'elles sont de la même espèce pour autant. Les chevaux peuvent être croisés avec des ânes, comme vous le savez. Ainsi que les canaris et les pinsons, les coqs et les perdrix, le bouc et la brebis. Cela ne les rend pas équivalents biologiquement. En outre, il est bien connu que les Noirs attirent différents types de poux et de vers intestinaux que les Blancs, ce qui prouve sans aucune contestation possible la différenciation des espèces.

— Veuillez m'excuser, opina poliment Prudence. Je vous en prie, poursuivez.

Alma resta stupéfaite et sans voix. *Pourquoi toutes ces histoires de croisements ? Et ce soir, surtout ?*

— Alors que la *différenciation* entre les races est visiblement évidente même pour un enfant, continua le professeur Peck, la *supériorité* de l'homme blanc devrait être claire à quiconque possède le moindre rudiment de savoir en matière d'histoire et d'origines humaines. En tant que Teutons et chrétiens, nous honorons la vertu, la vigueur, l'épargne et la moralité. Nous gouvernons nos passions. En conséquence, nous dirigeons. Les autres races, s'éloignant de la civilisation, ne pourraient avoir inventé des progrès tels que la monnaie, l'alphabet et la fabrication industrielle. Mais aucune n'est aussi incapable que la noire. Son expression excessive des sens et des affects explique sa fameuse et déplorable absence de maîtrise de soi. Nous pouvons l'observer dans sa structure faciale. Il y a beaucoup trop d'œil, de lèvre, de nez et d'oreille – c'est-à-dire que le Noir ne peut s'empêcher d'être surstimulé par ses sens. En conséquence, il est capable de la plus chaleureuse affection, mais aussi de la plus sombre violence. Qui plus est, le Noir ne pouvant rougir, il est par conséquent incapable de honte.

À la simple mention de la honte et du rougissement, Alma s'empourpra. Elle ne maîtrisait plus aucun de ses sens, ce soir. George Hawkes lui sourit de nouveau, une fois de plus avec une chaleureuse compassion, ce qui la fit rougir de plus belle. Beatrix jeta à Alma un regard si cruellement méprisant qu'Alma craignit un instant de prendre une gifle. Elle souhaita presque qu'on la giflât, ne fût-ce que pour lui faire reprendre ses esprits.

Prudence – étonnamment – reprit la parole.

— Je me demande, dit-elle d'une voix calme et mesurée, si le Noir le plus sage est supérieur en intelligence à l'homme blanc le plus stupide ? Je vous pose la question, professeur Peck, simplement parce que l'an dernier, notre précepteur, Mr Dixon, nous a parlé d'un carnaval auquel il avait assisté et où il avait rencontré un ancien esclave du nom de Mr Fuller, du Maryland, qui était connu pour sa célérité à calculer. Selon Mr Dixon, si vous disiez à ce Noir la date et l'heure exacte de votre naissance, il pouvait instantanément calculer combien de *secondes* vous aviez vécu, monsieur, en tenant même compte des années bissextiles. C'était de toute évidence un exploit des plus impressionnants.

Arthur Dixon parut sur le point de défaillir.

Le professeur, qui ne cachait désormais plus son irritation, répliqua :

— Ma jeune dame, j'ai vu des mules de carnaval à qui l'on pouvait apprendre à compter.

— Moi également, répondit Prudence du même ton neutre et impassible. Mais je n'ai jamais rencontré de mule de carnaval, monsieur, à qui l'on puisse apprendre à calculer les années bissextiles.

— Alors très bien, dit le professeur à Prudence en hochant sèchement la tête. Pour répondre à votre question, on peut trouver des individus idiots, et même des individus savants dans toutes les espèces. Ce n'est cependant pas la norme dans un sens ou dans l'autre. Je recueille et mesure les crânes de Blancs et de Noirs depuis des années et mes études concluent sans conteste que le crâne de l'homme blanc, rempli d'eau, contient en moyenne dix centilitres de plus que celui d'un Noir – ce qui prouve donc une plus grande capacité intellectuelle.

— Je me demande, dit suavement Prudence, ce qui aurait pu arriver si vous aviez tenté de verser votre savoir dans le crâne d'un Noir vivant plutôt que de l'eau dans celui d'un Noir mort.

Un silence glacial tomba sur la table. George Hawkes n'avait pas encore parlé de la soirée et il était évident qu'il n'allait pas commencer maintenant. Arthur Dixon faisait une très convaincante imitation d'un cadavre. Le visage du professeur Peck avait pris une teinte nettement violacée. Prudence qui, comme toujours, avait l'air d'une porcelaine irréprochable, attendait sa réponse. Henry fixa sa fille adoptive avec un début d'étonnement, mais pour une raison ou une autre décida de ne rien dire – se sentant peut-être trop mal pour se lancer dans cette conversation tout à fait inattendue, ou peut-être simplement curieux du tour qu'elle prendrait. Alma, de la même manière, n'y contribua pas non plus. En toute franchise, Alma n'avait rien à ajouter. Jamais elle ne s'était trouvée avec si peu à dire et jamais Prudence n'avait été si loquace. Le devoir incomba donc à Beatrix de remettre des mots sur la table du dîner, et elle s'en acquitta avec son robuste sens des responsabilités de Hollandaise.

— Je serais fascinée, professeur Peck, dit-elle, de voir les études dont vous venez de parler, sur les différences de variétés en matière de poux et de parasites intestinaux entre les Noirs et les Blancs. Peut-être avez-vous sur vous ces documents ? Je serais heureuse de les examiner. La biologie au niveau parasitique est tout à fait passionnante pour moi.

— Je ne transporte pas mes documents avec moi, madame, dit le professeur en reprenant lentement sa dignité. Pas plus que je n'en ai besoin. La documentation n'est pas nécessaire dans ce cas. La différenciation en matière de poux et de parasites intestinaux entre Noirs et Blancs est un fait bien avéré.

C'était presque incroyable, mais Prudence *reprit* la parole.

— Quel dommage, murmura-t-elle, glaciale comme le marbre. Pardonnez-nous, monsieur, mais dans cette maison, nous ne nous autorisons pas à nous reposer sur l'hypothèse qu'un fait est suffisamment avéré pour échapper à la nécessité d'une documentation précise.

Henry, si malade et las qu'il fût, explosa de rire.

— Et *cela*, monsieur, tonna-t-il au professeur, est un fait bien avéré !

Beatrix, comme si rien de tout cela ne s'était produit, se tourna vers le maître d'hôtel et dit :

— Il me semble que nous sommes maintenant prêts pour le pudding.

Les invités étaient censés passer la nuit à White Acre, mais le professeur Peck, anéanti et irrité, décida de retourner en ville, annonçant qu'il préférait séjourner dans un hôtel et prendre la route du retour à Princeton dès l'aube du lendemain. Personne ne regretta son départ. George Hawkes demanda s'il pouvait partager jusqu'au centre de Philadelphie la voiture avec le professeur, qui accepta à contrecœur. Mais avant de partir, George demanda s'il pouvait dire un mot en privé à Alma et à Prudence. Il avait à peine ouvert la bouche de la soirée, mais à présent, il voulait dire quelque chose – et apparemment, aux deux filles. Tous les trois – Alma, Prudence et George – se retirèrent ensemble au salon pendant que les autres patientaient dans l'entrée et prenaient manteaux et bagages.

George s'adressa à Alma après avoir reçu un hochement de tête presque imperceptible de Prudence.

— Miss Whittaker, dit-il, votre sœur m'a informé que vous aviez écrit, simplement pour satisfaire votre curiosité, un article fort intéressant sur le monotrope. Si vous n'êtes pas trop fatiguée, j'aurais voulu savoir si vous pouviez me faire part de vos principales découvertes ?

Alma resta perplexe. C'était une étrange requête, et à une fort étrange heure.

— Vous êtes certainement vous-même trop fatigué pour parler de mes petits passe-temps botaniques à une heure aussi avancée, dit-elle.

— Pas du tout, Miss Whittaker, dit George. Ce serait fort bienvenu. Et cela me détendrait.

À ces mots, Alma se détendit à son tour. Enfin un thème simple ! Enfin de la botanique !

— Eh bien, Mr Hawkes, dit-elle, comme vous le savez certainement, *Monotropa hypopitys* ne pousse qu'à l'ombre et est d'une maladive couleur blanche presque spectrale. Les anciens naturalistes pensaient que le monotrope était dépourvu de pigment à cause de l'absence de lumière solaire de son environnement, mais cette théorie ne me paraît pas logique, puisque certaines des nuances les plus vives de vert se trouvent à l'ombre chez les fougères et les mousses, par exemple. Mes recherches démontrent que le monotrope a tout autant de probabilités de s'incliner vers le soleil que de s'en détourner, ce qui me conduit à me demander s'il tire sa subsistance non pas des rayons solaires mais d'une autre source. Je suis venue à conclure que le monotrope se nourrit des plantes parmi lesquelles il pousse. En d'autres termes, je le tiens pour un parasite.

— Ce qui nous ramène à un sujet abordé plus tôt dans la soirée, dit George, avec un petit sourire.

Bonté divine, George faisait une plaisanterie ! Alma ne le savait pas capable de plaisanterie, mais en s'en rendant compte, elle en rit de plaisir. Prudence ne rit pas, et se contenta de rester assise à les regarder, jolie et sage comme une image.

— Oui, tout à fait ! s'enthousiasma Alma. Mais contrairement au professeur Peck et à ses poux, je peux présenter mes documents. J'ai remarqué au microscope que la tige du monotrope est dépourvue de ces portes cuticulaires par lesquels air et eau pénètrent généralement dans les autres plantes, et qu'elle ne semble pas dotée d'un mécanisme qui extrait l'humidité du sol. Je pense que le monotrope tire son alimentation et son humidité de son parent adoptif. Que son absence de couleur semblable à celle d'un cadavre provient du fait qu'elle se nourrit d'aliments déjà digérés, pour ainsi dire, par l'hôte.

— Une spéculation tout à fait extraordinaire, dit George Hawkes.

— Eh bien, ce n'est que spéculation à ce stade. Peut-être qu'un jour la chimie sera en mesure de prouver ce que mon microscope ne peut pour l'instant que suggérer.

— Si vous vouliez bien me communiquer cet article dans la semaine, dit George, j'aimerais envisager sa publication.

Alma fut si enchantée par cette invitation inattendue (et elle était si troublée par les étranges événements de la journée et si agitée de parler à un homme à l'égard duquel elle venait de nourrir des pensées sensuelles) qu'elle ne prit pas la peine de réfléchir à l'élément le plus étrange de tout cet échange – nommément, le rôle de sa sœur Prudence. Pourquoi Prudence était-elle présente durant cette conversation ? Pourquoi avait-elle hoché la tête pour l'autoriser à prendre la parole, d'ailleurs ? Et quand, à quelle occasion précédente et inconnue Prudence avait-elle pu parler avec George Hawkes des recherches botaniques personnelles d'Alma ? Quand Prudence avait-elle ne fût-ce que *remarqué* les recherches botaniques personnelles d'Alma ?

Un autre soir, ces questions auraient occupé l'esprit d'Alma et titillé sa curiosité, mais ce soir-là, elle les balaya. Ce soir-là – au terme de ce qui avait été la journée la plus étrange et la plus distrayante de sa vie –, l'esprit d'Alma tourbillonnait et papillonnait de tant d'autres pensées qu'elle manqua tout cela. Perplexe, fatiguée et un peu étourdie, elle souhaita bonne nuit à George Hawkes, puis elle resta assise dans le salon avec sa sœur en attendant que Beatrix vienne débattre avec elles.

En songeant à Beatrix, Alma sentit son euphorie décroître. Le décompte que faisait chaque soir Beatrix des fautes de ses filles n'était jamais une perspective attendue, mais ce soir, Alma redoutait le sermon plus qu'à l'accoutumée. Son comportement ce jour-là (la découverte du livre, les pensées excitantes, la passion solitaire dans le cabinet de reliure) lui donnait l'impression d'exsuder la culpabilité. Elle redoutait que Beatrix la perçoive. En outre, la conversation au dîner avait été catastrophique, ce soir : Alma était apparue tout bonnement stupide, tandis que Prudence, pour la première fois de sa vie, avait été quasiment discourtoise. Beatrix n'allait pas être satisfaite d'elles.

Alma et Prudence attendirent leur mère dans le salon, muettes comme des religieuses. Elles se taisaient toujours quand elles étaient seules toutes les deux. Jamais elles n'avaient trouvé de conversation qui ne les embarrasse pas. Jamais elles n'avaient bavardé. Jamais elles ne le feraient. Prudence resta assise, les mains sur les genoux, pendant qu'Alma tripotait nerveusement l'ourlet d'un mouchoir. Elle regarda Prudence, cherchant quelque chose qu'elle n'aurait pu nommer. La complicité, peut-être. La chaleur. Une sorte d'affinité. Peut-être une allusion à ce qui s'était passé dans la soirée. Mais Prudence – plus étincelante que jamais – n'invitait pas à l'intimité. Malgré cela, Alma décida de se lancer.

— Ces idées que tu as exprimées ce soir, Prudence, comment te sont-elles venues ? interrogea-t-elle.

— De Mr Dixon, pour la plupart. La condition et la souffrance de la race africaine sont un sujet favori de notre bon précepteur.

— Vraiment ? Jamais je ne l'ai entendu parler d'une telle chose.

— Quoi qu'il en soit, il a des sentiments très arrêtés sur le sujet, dit Prudence sans changer d'expression.

— Il est abolitionniste, alors ?

— En effet.

— Juste ciel, dit Alma, émerveillée à l'idée qu'Arthur Dixon ait des sentiments très arrêtés sur *quoi que ce fût*. Mieux vaudrait que mère et père ne l'apprennent point !

— Mère le sait, répondit Prudence.

— Vraiment ? Et père ?

Prudence ne répondit pas. Alma avait d'autres questions – un bon nombre – mais Prudence ne semblait guère disposée à discuter. De nouveau, le silence retomba. Puis soudain, Alma sauta à pieds joints dans ce silence et laissa une question insensée franchir ses lèvres.

— Prudence, demanda-t-elle. Que penses-tu de Mr George Hawkes ?

— Je trouve que c'est un gentleman comme il faut.

— Et je crois que je suis éperdument amoureuse de lui ! s'exclama Alma, choquée elle-même de cet aveu aussi absurde qu'inattendu.

Avant que Prudence ait pu répondre – si tant est qu'elle eût répondu, à vrai dire –, Beatrix entra dans le salon et considéra ses deux filles assises sur le divan. Pendant un long moment, elle resta sans mot dire.

D'un regard sévère et inflexible, elle les scruta l'une après l'autre. Ce fut plus terrifiant pour Alma que n'importe quel sermon, car le silence recelait d'infinies possibilités d'horreur et d'omniscience. Beatrix pouvait être au fait de n'importe quoi, elle pouvait *tout* savoir. Alma agrippa un coin de son mouchoir et le réduisit en lambeaux. L'expression et la posture de Prudence ne changèrent pas.

— Je suis lasse, ce soir, dit Beatrix, rompant enfin cet affreux silence. (Elle regarda Alma.) Je n'ai pas la volonté ce soir, Alma, de parler de vos défauts. Cela ne fera qu'aggraver encore ma mauvaise humeur. Disons seulement que si jamais je revois chez vous cette distraction hébétée au dîner, je vous demanderai de prendre vos repas ailleurs.

— Mais, mère… commença Alma.

— Ne vous justifiez point, ma fille. C'est une faiblesse. (Beatrix tourna les talons comme pour sortir, puis elle se ravisa et baissa le regard vers Prudence, comme si elle venait seulement de se rappeler quelque chose.) Prudence, dit-elle. Belle conduite, ce soir.

Cela sortait tout à fait de l'ordinaire. Beatrix ne formulait jamais de louanges. Mais y avait-il quoi que ce soit dans cette journée qui ne sortait *pas* de l'ordinaire ? Alma, stupéfaite, se tourna à nouveau vers Prudence pour chercher encore quelque chose sur son visage. Reconnaissance ? Commisération ? Étonnement partagé ? Mais Prudence ne laissant rien paraître et ne relevant pas le regard d'Alma, celle-ci renonça. Elle se leva et partit se coucher. Cependant, au pied de l'escalier, elle se tourna vers Prudence et se surprit une fois de plus.

— Bonne nuit, ma sœur, dit-elle.

Jamais elle n'avait employé ce terme jusqu'ici.

— Et à toi aussi, se contenta de répondre Prudence.

8

Entre l'hiver 1816 et l'automne 1820, Alma Whittaker écrivit pour George Hawkes plus d'une trentaine d'articles qu'il publia tous dans son journal mensuel, *Botanica americana*. Ses articles n'étaient pas d'avant-garde, mais ses idées étaient brillantes, ses illustrations sans faille et son érudition solide et rigoureuse. Si le travail d'Alma n'enthousiasma pas le monde, il la passionna et ses efforts étaient largement suffisants pour les pages de *Botanica americana*.

Alma écrivit en profondeur sur le laurier, le mimosa et la verveine. Elle s'intéressa au raisin et aux camélias, au chinotto et aux soins à apporter aux figues. Elle publia sous le nom de « A. Whittaker ». Ni elle ni George Hawkes n'estimaient que cela l'avantagerait de signer en tant que femme. Dans le monde scientifique de l'époque, il y avait encore une division stricte entre « botanique » (l'étude des plantes par les hommes) et « botanique d'agrément » (l'étude des plantes par les femmes). Certes, les deux étaient souvent impossibles à distinguer l'une de l'autre hormis que l'une était respectée et l'autre pas – mais cependant, Alma ne souhaitait pas être dédaignée comme une simple botaniste d'agrément.

Bien sûr, le nom Whittaker étant connu dans le monde des plantes et de la science, bon nombre de botanistes savaient déjà précisément qui était « A. Whittaker ». Pas tous, néanmoins. Par conséquent, Alma recevait parfois en réponse à ses articles des lettres de botanistes du monde entier, sous couvert de l'imprimerie de George Hawkes. Certaines commençaient par « Cher Monsieur ». D'autres étaient adressées à « Mr A. Whittaker ». Il arriva même un jour une missive tout à fait mémorable envoyée au « Dr A. Whittaker ». (Alma la garda longtemps, titillée par ce titre honorifique inattendu.)

Comme George et Alma partageaient leurs recherches et publiaient ensemble des articles, il devint un visiteur encore plus régulier à White Acre. Par bonheur, sa timidité décrut avec le temps. Désormais, il prenait fréquemment la parole dans les dîners et tentait même parfois un mot d'esprit.

Quant à Prudence, elle ne reparla plus à table. Sa sortie sur les Noirs le soir de la visite du professeur Peck avait dû être quelque geste fébrile, car elle ne le réitéra jamais, pas plus qu'elle ne défia un invité. Henry avait taquiné Prudence sur ses opinions avec une certaine insistance depuis cette soirée, la surnommant « notre guerrière éprise du Noiraud », mais elle refusa de s'exprimer à nouveau sur le sujet. Elle reprit ses manières froides, distantes et impénétrables, traitant tout et chacun avec la même courtoisie indifférente et indéchiffrable.

Les filles grandirent. À leurs dix-huit ans, Beatrix cessa enfin les cours, annonça que leur instruction était achevée et congédia le pauvre et barbant Arthur Dixon, qui prit un poste de professeur de lettres classiques à l'université de Pennsylvanie. Il semblait donc que les filles ne fussent plus considérées comme des enfants. Toute autre mère que Beatrix Whittaker aurait considéré que cette période devait être consacrée à la recherche d'époux. Toute autre mère aurait ambitieusement présenté Alma et Prudence à la société, les aurait encouragées à flirter, à danser et à se laisser faire la cour. Cela aurait été sans doute le moment opportun pour commander de nouvelles robes, adopter de nouvelles coiffures, faire peindre de nouveaux portraits. Cependant, ces activités ne semblèrent pas du tout effleurer l'esprit de Beatrix.

En vérité, Beatrix n'avait jamais favorisé la disposition de Prudence ou d'Alma au mariage. Certains à Philadelphie murmuraient que les Whittaker avaient rendu leurs filles absolument impossibles à marier, à force de les instruire et de les isoler des bonnes familles. Aucune des filles n'avait d'amies. Comme elles avaient uniquement dîné avec des scientifiques ou des négociants, leurs esprits n'étaient clairement pas formés. Elles n'avaient pas la moindre idée de la manière dont il convient de parler avec un jeune soupirant. Alma était le genre de fille qui, lorsqu'un jeune homme admirait les nénuphars de l'un des magnifiques étangs de White Acre, répondait : « Non, monsieur, vous vous méprenez. Il ne s'agit pas de nénuphars, mais de lotus. Les nénuphars flottent à la surface de l'eau, voyez-vous, alors que les lotus s'élèvent légèrement au-dessus. Une fois que vous connaissez cette différence, vous ne pouvez plus les confondre. »

Alma avait désormais la carrure d'un homme, avec de larges épaules. Elle avait l'air capable de manier la hache. (En réalité, d'ailleurs, elle en *était* capable, et l'avait souvent fait, au cours de ses travaux botaniques.) Cela ne l'empêchait pas nécessairement d'espérer le mariage. Certains hommes appréciaient une femme de grande taille, qui promettait une disposition plus robuste, et Alma, pouvait-on avancer, avait un beau profil – du moins le gauche. Elle avait sans conteste une nature aimable et bonne. Cependant, il lui manquait un ingrédient essentiel et invisible et dès lors, malgré l'érotisme sincère tapi en elle, sa présence dans une pièce n'éveillait d'ardeur chez aucun homme.

Le fait qu'Alma elle-même se considère sans charme n'arrangeait rien. Elle le croyait seulement parce qu'on le lui avait dit de nombreuses fois et de bien des manières. Plus récemment, c'était son père qui avait abordé le sujet de sa laideur. Ayant bu un peu trop de rhum un soir, c'était venu comme un cheveu sur la soupe :

— Ne te fais pas de souci, ma fille !

— Du souci à propos de quoi, père ? demanda Alma en levant le nez de la lettre qu'elle rédigeait pour lui.

— Ne te désespère pas, Alma. Ce n'est pas le tout d'avoir un visage agréable. Bien des femmes qui ne sont pas des beautés sont aimées. Songe à ta mère. Elle n'a jamais été jolie un seul jour de sa vie, et pourtant, elle a trouvé un époux, n'est-ce pas ? Songe à

Mrs Cavendesh, qui habite près du pont ! Elle est effrayante, mais elle a suffisamment convenu à son mari pour qu'il lui fasse sept enfants. Il y aura donc quelqu'un pour toi, Prune, et je crois que ce sera un homme heureux de t'avoir.

Quand on pense que tout cela lui avait été dit pour la *consoler* !

Quant à Prudence, elle était unanimement reconnue comme une beauté, sans conteste la plus grande beauté de Philadelphie – mais la ville entière s'accordait à dire qu'elle était glaciale et hors d'atteinte. Prudence suscitait l'envie chez les femmes, mais on ne savait si elle éveillait la passion chez les hommes. Comme Prudence avait le don de faire penser aux hommes qu'ils ne devaient pas se donner la peine d'essayer de la séduire, très prudemment, ils s'abstenaient. Ils la contemplaient, car personne ne pouvait s'empêcher de regarder Prudence Whittaker, mais ils ne l'abordaient pas.

On pourrait penser que les filles Whittaker attireraient les coureurs de dot. Certes, de nombreux jeunes gens convoitaient l'argent de la famille, mais la perspective de devenir le gendre de Henry Whittaker semblait constituer plus une menace qu'une aubaine et personne ne croyait d'ailleurs vraiment que Henry se séparerait jamais de sa fortune. D'une manière ou d'une autre, même les rêves de richesse ne suffisaient pas à attirer les courtisans à White Acre.

Bien sûr, il y avait toujours des hommes qui venaient, mais ils étaient là pour voir Henry et non ses filles. À toute heure du jour, on pouvait en trouver faisant le pied de grue dans le hall de White Acre en espérant une audience avec Henry Whittaker. C'étaient des hommes de toute espèce : des désespérés, des rêveurs, des révoltés, des menteurs. Des hommes qui arrivaient à la propriété chargés de vitrines, d'inventions, de croquis, de plans ou de mises en demeure. Ils venaient proposer des actions, solliciter un prêt ou présenter le prototype d'une nouvelle pompe à vide, la certitude d'un remède contre la jaunisse, à condition que Henry accepte d'investir dans leurs recherches. Mais ils ne venaient pas à White Acre pour le plaisir de faire la cour.

Cependant, George Hawkes était différent. Jamais il ne rechercha rien de matériel auprès de Henry ; il venait à White Acre tout au plus pour converser avec lui et profiter des merveilles de ses serres. Henry appréciait la compagnie de George, car celui-ci publiait les dernières découvertes scientifiques dans ses journaux et savait tout ce qui se tramait dans le monde de la botanique. George ne se comportait certainement pas en soupirant – jamais il ne badinait ni ne flirtait – mais il avait *conscience* de la présence des filles Whittaker et était aimable avec elles. Il était toujours plein de sollicitude pour Prudence. Quant à Alma, il discutait avec elle comme avec quelque consœur botaniste respectée. Alma appréciait la considération de George, mais elle aurait souhaité davantage. Ce n'était pas avec des discours savants, estimait-elle, qu'un jeune homme parle à la fille dont il est amoureux. C'était fort malheureux, car Alma aimait George Hawkes de tout son cœur.

C'était un choix d'amour curieux. Personne n'aurait jamais qualifié George de bel homme, mais aux yeux d'Alma, il était exemplaire. Elle avait l'impression qu'ils faisaient un beau couple, peut-être même un couple évident. Certes, George était d'une carrure imposante, pâle, maladroit – mais Alma aussi. Il était toujours attifé comme l'as de pique – mais Alma n'était pas à la mode non plus. Les gilets de George étaient toujours trop serrés et ses pantalons trop larges – mais si Alma avait été un homme, c'est certainement ainsi qu'elle aurait été vêtue elle aussi, car elle avait toujours eu le même genre de difficulté à arranger son habillement. George avait trop de front et pas assez de menton – mais il avait d'épais cheveux bruns qu'Alma brûlait de toucher.

Alma ne savait pas comment jouer la coquette. Elle ignorait absolument comment s'y prendre pour séduire George à part écrire article après article sur des sujets botaniques de plus en plus obscurs. Il ne s'était produit qu'un unique moment entre George et Alma qui aurait raisonnablement pu être interprété comme tendre. En avril 1818, Alma avait montré à George Hawkes dans son microscope un magnifique *Carchesium polypinum* (parfaitement éclairé et vivant, dansant béatement dans de l'eau, avec ses cupules tourbillonnantes, ses cils vibrants et ses branches frangées et fleuries). George avait empoigné sa main gauche dans les siennes et déclaré :

— Seigneur, Miss Whittaker ! Quelle brillante microscopiste vous êtes devenue !

Au contact de ses grosses mains moites et en entendant ce compliment, Alma sentit son cœur battre la chamade. Cela l'amena aussi à courir au cabinet de reliure afin de s'apaiser une fois de plus de ses propres mains.

Oh, oui, encore un tour au cabinet de reliure !

La pièce était devenue, depuis l'automne 1816, un endroit où Alma allait chaque jour – à vrai dire, parfois plusieurs fois par jour, ne s'en abstenant que lorsqu'elle était indisposée. On aurait pu se demander quand elle trouvait le temps pour ces activités, avec toutes ses recherches et responsabilités, mais pour dire les choses simplement, il n'était pas question de *ne pas* le faire. Le corps d'Alma – grand et hommasse, dur et semé de taches de rousseur, aux os épais et aux gros doigts, aux hanches carrées et à la poitrine dure – était devenu avec les années un très improbable organe sexuel et elle était constamment suffoquée de désir.

Elle avait désormais lu *Cum grano salis* tant de fois qu'il était gravé dans sa mémoire, et elle était passée à d'autres lectures plus hardies. Quand son père achetait les bibliothèques d'autres gens, Alma portait la plus grande attention au tri des livres, guettant toujours ce qui pouvait être dangereux, quelque ouvrage illicite avec une fausse couverture tapi parmi les volumes les plus inoffensifs. C'est ainsi qu'elle avait découvert Sappho et Diderot, ainsi que quelques traductions tout à fait troublantes de manuels de plaisir japonais. Elle avait trouvé un recueil français de douze aventures sexuelles, une pour chaque mois, intitulé *L'Année galante*, où il était question de concubines perverses et de prêtres libidineux, de danseuses déchues et de gouvernantes séduites. (Oh, ces gouvernantes séduites qui souffraient éternellement ! On en trouvait par dizaines, accablées et ruinées ! Elles figuraient dans tellement de livres coquins ! Pourquoi être gouvernante, se demandait Alma, si cela ne menait qu'au viol et à l'esclavage ?) Alma lut même le manuel d'un « Club de flagellation pour dames » secret de Londres, ainsi que d'innombrables récits d'orgies romaines et d'obscènes initiations religieuses hindoues. Tous ces livres, elle les rangea à part des autres dans des malles cachées dans l'ancien grenier à foin des écuries.

Mais il n'y avait pas que ceux-là ! Elle consulta aussi des publications médicales, où elle trouvait parfois les rapports les plus étranges et les plus saugrenus sur le corps humain. Elle lut des théories sérieuses sur la possibilité qu'Adam et Ève aient été des hermaphrodites. Elle lut des récits scientifiques sur des poils pubiens qui poussaient avec une telle abondance qu'on pouvait les tondre et en faire des perruques. Elle lut des statistiques sur la santé des prostituées de la région de Boston. Elle lut des récits de marins qui prétendaient s'être accouplés avec des phoques. Elle lut des études comparatives sur la taille du pénis selon les races et les cultures et les variétés de mammifères.

Elle savait qu'elle n'aurait pas dû lire de telles choses, mais elle ne pouvait s'en empêcher. Elle voulait apprendre tout ce qui était possible. Toutes ces lectures remplirent son esprit d'une véritable parade de corps – dénudés, fouettés, avilis et profanés, brûlant de désir et démembrés (puis réassemblés plus tard afin d'être profanés plus encore). Elle avait également développé une fixation sur l'idée d'introduire des choses dans sa bouche – des choses, pour être précis, qu'une dame ne devrait jamais désirer mettre dans sa bouche. Des parties du corps d'autrui. Surtout le membre viril. Elle désirait le mettre dans sa bouche plus encore qu'elle le désirait dans son con, car elle voulait être au plus près de la chose. Comme elle aimait étudier intimement les choses, même à l'échelle microscopique, il était logique qu'elle voulût voir et même goûter la face la plus cachée d'un homme – ce qu'il y avait de plus secret chez lui. La pensée de tout cela, alliée à une conscience aiguë de ses lèvres et de sa langue, devint une obsession problématique qui grandissait en elle jusqu'à la submerger. Elle ne pouvait résoudre le problème qu'avec ses doigts et ne pouvait le faire que dans le cabinet de reliure – dans cette obscurité propice et isolante, dans les odeurs familières de cuir et de colle, avec un solide et fiable verrou à la porte. Elle ne pouvait le résoudre qu'en glissant une main entre ses cuisses et l'autre dans sa bouche.

Alma savait que se profaner ainsi était le summum du mal et que cela pouvait même mettre sa santé en danger. Là aussi, incapable de s'empêcher de chercher, elle s'était documentée sur le sujet et ce qu'elle avait appris n'était pas encourageant. Dans une publication médicale britannique, elle avait lu que des enfants élevés avec une alimentation saine et dans un air pur ne devaient jamais éprouver la moindre sensation sexuelle dans leur organisme ni rechercher aucune information sensuelle. Les amusements simples de la vie rurale, déclarait l'auteur, devaient suffisamment divertir les jeunes gens pour qu'ils ne succombent absolument pas au désir d'explorer leurs parties génitales. Dans un autre journal médical, elle apprit que la précocité sexuelle pouvait être provoquée par les fuites urinaires nocturnes, des châtiments trop fréquents dans l'enfance, une irritation de la région rectale due à des vers, ou (et là, la gorge d'Alma s'était serrée) par une « croissance intellectuelle prématurée ». Ce devait être ce qui lui était arrivé. Car si l'esprit est excessivement nourri à un jeune âge, des perversions apparaissent inévitablement et la victime recherchera des substituts de plaisir à l'acte sexuel. C'était principalement un problème dans le développement des garçons, lut-elle, mais on le rencontrait également chez les filles dans de rares cas. Devenus adultes et mariés, les jeunes gens qui s'adonnaient au plaisir solitaire tourmenteraient leur conjoint avec leur besoin irrépressible d'acte sexuel chaque soir, jusqu'à ce que la famille sombre dans la maladie, la déchéance et la faillite. Le plaisir solitaire dégradait également la santé, donnant à l'individu un dos voûté et une démarche claudicante.

En d'autres termes, cette pratique ne présageait rien de bon. Mais au départ, Alma n'avait jamais eu l'intention d'en faire une habitude. Elle s'était sincèrement et sérieusement juré d'arrêter. Du moins *au début*. Elle se promit d'arrêter de lire des textes salaces. De cesser de s'adonner à des rêveries sensuelles sur George Hawkes et sa touffe de cheveux bruns et moites. Jamais elle n'imaginerait plus fourrer son membre caché dans sa bouche. Elle fit le serment de ne plus jamais revenir dans le cabinet de reliure, même si un livre avait besoin d'être réparé.

Inévitablement, sa résolution faiblit. Elle se promit de ne revenir qu'une seule et dernière fois dans le cabinet de reliure. Une dernière fois, elle laisserait sa tête se remplir de ces horribles pensées excitantes. Une dernière fois, elle ferait courir ses doigts autour de son con et de ses lèvres, sentirait ses cuisses se crisper et son visage s'échauffer, puis son corps s'abandonner dans un merveilleux chaos. Rien qu'une dernière fois.

Et puis, peut-être une autre fois encore.

Très vite, il devint évident qu'elle ne pouvait lutter et Alma finit par n'avoir d'autre choix que d'accepter silencieusement ce comportement et continuer. Sans quoi, comment aurait-elle évacué le désir qui s'accumulait en elle d'heure en heure ? En outre, les effets sur sa santé et son esprit de cette souillure qu'elle s'infligeait paraissaient si nettement différents des mises en garde des publications qu'elle se demanda pendant un certain temps *si elle ne s'y prenait pas mal*, d'une façon qui rendait l'acte accidentellement bienfaisant plutôt que dangereux. Comment expliquer autrement que cette activité secrète n'ait pas les effets sinistres décrits dans les journaux de médecine ? Elle apportait à Alma un soulagement, et non un malaise. Elle donnait à ses joues de saines couleurs, au lieu de vider son visage de toute sa vitalité. Oui, cette compulsion la remplissait de honte, mais immanquablement – une fois l'acte perpétré – elle se sentait gagnée par une vive clarté mentale. À peine quittait-elle le cabinet de reliure qu'elle retournait aussitôt à ses recherches et s'y adonnait avec un enthousiasme renouvelé, portée dans l'étude par une énergique lucidité et un enthousiasme pour ainsi dire physique. C'était toujours après cela qu'elle était au summum de son acuité et de son intelligence et que son travail avançait vraiment.

En outre, Alma avait désormais un endroit où travailler. Elle avait un bureau à elle – ou du moins un lieu qu'elle appelait son bureau. Après avoir vidé l'écurie de tous les livres superflus, elle avait réquisitionné l'une des plus grandes selleries inutilisées du rez-de-chaussée et en avait fait un sanctuaire de savoir. C'était un lieu charmant. L'écurie de White Acre était une splendide construction en briques, royale et sereine, avec de hauts plafonds voûtés et de grandes et larges fenêtres. Le bureau d'Alma était la plus belle pièce de ce bâtiment, bénéficiant de la douce lumière du nord, d'un sol dallé et d'une vue sur l'impeccable jardin à la grecque de sa mère. L'endroit sentait le foin, la terre et les chevaux et était envahi par un agréable désordre de livres, tamis, plats, récipients, spécimens, correspondance, bocaux et vieilles boîtes de fer. Pour le dix-neuvième anniversaire d'Alma, sa mère lui offrit une *camera lucida*, qui lui permettait d'agrandir et de décalquer des spécimens botaniques pour en faire des croquis scientifiques plus justes. Elle possédait désormais aussi un bel ensemble de prismes italiens qui lui donnaient l'impression d'être un peu comme Newton. Elle avait une bonne et solide table de travail et une large et simple paillasse pour ses expériences. Elle prit d'anciens tonneaux en guise de sièges plutôt que des fauteuils, car elle trouvait qu'ils étaient plus commodes à utiliser avec ses jupes. Elle avait deux merveilleux microscopes allemands, qu'elle avait appris à manœuvrer – George Hawkes l'avait remarqué ! – avec l'adresse d'une maîtresse brodeuse. Au début, les hivers dans le bureau avaient été déplaisants (si froids que son encre se figeait) mais Alma s'installa rapidement un petit poêle et boucha elle-même les fissures des murs avec de la mousse sèche, si bien que la pièce devint tout au long de l'année un refuge aussi confortable et charmant que l'on aurait pu l'espérer.

C'est dans l'écurie qu'Alma confectionna son herbier, maîtrisa ses connaissances en taxonomie et entreprit des expériences toujours plus détaillées. Elle lut son vieil exemplaire du *Dictionnaire du jardinier* de Philip Miller si souvent que le livre avait lui-même pris l'apparence d'un feuillage usé. Elle étudia les derniers articles médicaux sur les bienfaits de la digitale sur les patients souffrant d'hydropisie et l'utilisation du copahu dans le traitement des maladies vénériennes. Elle travailla à améliorer ses dessins botaniques – qui n'étaient jamais exactement jolis, mais toujours joliment exacts. Elle travaillait avec une diligence infatigable, parcourant ses tablettes du bout des doigts tout en murmurant comme si elle disait sa prière.

Pendant que le reste de White Acre poursuivait ses activités, ces deux endroits – le cabinet de reliure et le bureau des écuries – devinrent pour Alma des lieux jumeaux d'intimité et de révélation. L'une de ces pièces servait au corps, l'autre à l'esprit. La première était petite et sans fenêtres, l'autre vaste et bien éclairée. L'une sentait la vieille colle, l'autre la paille fraîche. L'une laissait éclore des pensées secrètes, l'autre des idées qui pouvaient être publiées et partagées. Les deux pièces étaient situées dans des bâtiments distincts, séparés par des pelouses et des jardins et une vaste allée de gravier. Personne ne ferait jamais le lien.

Les deux pièces appartenaient à Alma Whittaker et à elle seule, et c'est dans ces deux pièces qu'elle se mit à exister.

9

Un jour de l'automne 1819, Alma, assise à son bureau dans l'écurie, lisait le quatrième tome d'*Histoire naturelle des animaux sans vertèbres* de Jean-Baptiste de Lamarck, quand elle vit une silhouette traverser le jardin à la grecque de sa mère.

Alma avait l'habitude de voir des ouvriers de White Acre passer pour vaquer à leurs tâches, et généralement, il y avait aussi une perdrix ou un paon qui picorait sur le sol, mais cette créature n'était ni un ouvrier ni un volatile. C'était une fille petite, menue et brune d'environ dix-huit ans, vêtue d'une tenue de promenade d'un rose des plus seyants. Tout en traversant le jardin, la jeune fille balançait négligemment une ombrelle ornée de passementerie verte. Il était difficile d'en être sûre, mais elle semblait parler toute seule. Alma posa son livre et l'observa. L'inconnue n'était pas du tout pressée et, d'ailleurs, elle finit par trouver un banc sur lequel elle s'assit, puis – plus curieusement encore – s'allongea sur le dos. Alma la regarda, attendant qu'elle bouge, mais apparemment, elle s'était endormie.

C'était tout à fait étrange. Il y avait des visiteurs à White Acre cette semaine-là (un expert en plantes carnivores de Yale et un ennuyeux scientifique qui avait écrit un traité capital sur la ventilation des serres) mais aucun n'avait amené sa fille. Celle-ci n'était apparemment pas non plus parente avec l'un des employés du domaine. Aucun jardinier n'aurait eu les moyens d'acheter une ombrelle aussi raffinée que celle-là et aucune fille d'ouvrier n'aurait traversé avec autant d'insouciance le précieux jardin à la grecque de Beatrix Whittaker.

Intriguée, Alma laissa son travail et sortit. Elle s'approcha prudemment de la jeune fille, ne voulant pas la réveiller en sursaut mais, ce faisant, elle constata qu'elle ne dormait pas du tout : elle contemplait le ciel, la tête appuyée sur son épaisse masse de boucles brunes.

— Bonjour, dit Alma en baissant les yeux sur elle.

— Oh, bonjour ! répondit la jeune fille, absolument pas alarmée de la voir surgir ainsi. Je remerciais justement la providence de ce banc !

Elle se redressa, lui fit un sourire rayonnant et l'invita à la rejoindre en tapotant la place à côté d'elle. Alma s'assit docilement en la dévisageant. La fille était un être à l'allure étrange. Elle semblait plus jolie de loin. Certes, elle avait une charmante silhouette, une magnifique chevelure et de stupéfiantes fossettes, mais de près, on voyait que son visage était un peu plat et rond – un peu comme une soucoupe – et que ses yeux verts étaient beaucoup trop grands et expressifs. Elle ne cessait de cligner des paupières. Tout cela contribuait à la faire paraître trop jeune, pas très intelligente et un petit peu agitée.

Elle leva son petit visage vers Alma et demanda :

— À présent, dites-moi donc. Avez-vous entendu des cloches sonner la nuit dernière ?

Alma réfléchit à la question. Elle avait *effectivement* entendu sonner des cloches la nuit dernière. Il y avait eu un incendie à Fairmont Hill et les cloches avaient donné l'alerte dans toute la ville.

— Je les ai entendues, répondit-elle.

La fille hocha la tête d'un air satisfait, battit des mains et déclara :

— Je le *savais* !

— Vous saviez que j'avais entendu des cloches hier soir ?

— Je savais que ces cloches étaient *réelles* !

— Je crois que nous n'avons pas été présentées, dit prudemment Alma.

— Oh, mais non ! Je m'appelle Retta Snow. Je suis venue à pied jusqu'ici !

— Vraiment ? Et puis-je vous demander d'où vous veniez ?

On aurait pu s'attendre à ce que la fille réponde : « Des pages d'un recueil de contes de fées ! » mais elle désigna le sud en disant : « De par là. »

Immédiatement, Alma comprit tout. Il y avait une nouvelle propriété en construction à une lieue de White Acre en aval. Le propriétaire était un riche négociant textile du Maryland. Ce devait être sa fille.

— J'espérais qu'il y aurait une fille de mon âge qui habiterait par ici, dit Retta. Quel âge avez-vous, si vous me permettez la question ?

— J'ai dix-neuf ans, répondit Alma, qui se sentait beaucoup plus vieille, surtout en comparaison de cette petite chose.

— C'est exceptionnel ! s'extasia Retta en battant de nouveau des mains. J'en ai dix-huit, ce qui n'est guère différent, ne trouvez-vous pas ? À présent, vous devez me dire quelque chose et je vous supplie d'être sincère. Quelle opinion avez-vous de ma robe ?

— Eh bien…

Alma ne connaissait rien aux robes.

— Je suis bien d'accord ! dit Retta. Ce n'est pas vraiment ma plus belle, n'est-ce pas ? Si vous connaissiez les autres, vous en seriez d'autant plus convaincue, car j'ai des robes exceptionnelles. Mais vous ne la détestez pas entièrement non plus, n'est-ce pas ?

— Eh bien…

Alma chercha de nouveau quoi répondre. Retta lui épargna cette peine.

— Vous êtes bien trop aimable avec moi ! Vous ne voulez pas me faire de peine ! Je vous considère déjà comme mon amie ! Et puis, vous avez un menton si beau et si rassurant. Cela donne envie de vous faire confiance.

Retta prit Alma par la taille et posa sa tête sur son épaule où elle se blottit chaleureusement. Il n'y avait aucune raison au monde pour qu'Alma la laissât faire. Qui qu'elle fût, Retta Snow était de toute évidence une créature absurde et écervelée qui ne pouvait être qu'une distraction. Alma avait du travail à faire et la jeune fille l'avait interrompue.

Mais personne n'avait jamais qualifié Alma d'amie.

Personne ne lui avait jamais demandé ce qu'elle pensait d'une robe.

Personne n'avait jamais admiré son menton.

Elles restèrent un moment assises sur le banc dans cette surprenante et chaleureuse étreinte. Puis Retta se redressa, leva les yeux vers Alma et sourit – enfantine, crédule, captivante.

— Qu'allons-nous faire, à présent ? demanda-t-elle. Et comment vous appelez-vous ?

Alma éclata de rire et se présenta, puis elle avoua qu'elle ne savait pas très bien ce qu'elles pourraient faire.

— Y a-t-il d'autres filles ? demanda Retta.

— Il y a ma sœur.

— Vous avez une sœur ! Comme vous êtes chanceuse ! Allons la voir.

Elles s'en furent donc ensemble et errèrent dans la propriété jusqu'à ce qu'elles trouvent Prudence devant son chevalet dans l'une des roseraies.

— Vous devez être la sœur ! s'exclama Retta en se précipitant sur Prudence comme si c'était un prix qu'elle venait de gagner.

Prudence – calme et polie comme de coutume – posa sa palette et lui tendit poliment la main. Après avoir secoué le bras de Prudence avec un enthousiasme plutôt excessif, Retta la jaugea sans se cacher pendant un moment, la tête inclinée sur le côté. Alma se tendit, attendant que Retta fasse un commentaire sur la beauté de Prudence ou demande comment il était humainement possible qu'Alma et Prudence pussent être sœurs. C'était certes ce que tout le monde demandait en les voyant la première fois. *Comment l'une pouvait-elle être une porcelaine alors que l'autre était aussi rougeaude ? Comment l'une pouvait être aussi menue et l'autre aussi forte ?* Prudence se tendit elle aussi, s'attendant aux mêmes questions malvenues. Mais Retta ne parut pas captivée ni intimidée le moins du monde par la beauté de Prudence, pas plus qu'elle ne trouva étrange que les deux sœurs soient, de fait, des sœurs. Elle prit simplement le temps d'examiner Prudence de la tête aux pieds, puis elle battit des mains, ravie.

— Nous voici donc trois désormais ! dit-elle. Quelle chance ! Si nous étions des garçons, vous rendez-vous compte de ce que nous devrions faire à présent ? Nous serions obligés de nous lancer dans une affreuse bagarre et nous faire saigner du nez. Puis, au terme de cette bataille, après nous être horriblement blessés, nous deviendrions des amis inséparables. C'est vrai ! Je l'ai vu ! Certes, d'un côté cela paraît fort amusant, mais je serais malheureuse d'abîmer ma nouvelle robe – même si ce n'est pas ma plus belle, ainsi qu'Alma l'a fait remarquer – et je remercie donc le ciel aujourd'hui que nous ne soyons *pas* des garçons. Et comme nous n'en sommes pas, cela veut dire que nous pouvons être des amies inséparables sur-le-champ, sans la moindre bagarre. N'en convenez-vous pas ? (Personne n'eut le temps d'en convenir, car Retta continua sur sa lancée :) Dans ce cas, c'est décidé ! Nous sommes les Trois Amies inséparables. Quelqu'un devrait écrire une chanson sur nous. L'une de vous sait-elle écrire des chansons ? (Prudence et Alma échangèrent un regard, effarées.) Eh bien, s'il le faut, je l'écrirai ! continua Retta. Laissez-moi un instant.

Retta ferma les yeux, bougea les lèvres et tapota des doigts sur sa taille comme si elle comptait des syllabes. Prudence interrogea du regard Alma, qui haussa les épaules. Après un silence si long qu'il aurait été insoutenable pour n'importe qui sauf Retta Snow, la jeune fille rouvrit les yeux.

— Je crois que je la tiens, annonça-t-elle. Quelqu'un devra écrire la musique, car je suis affreusement mauvaise en musique, mais j'ai écrit le premier couplet. Je crois qu'il exprime parfaitement l'esprit de notre amitié. Qu'en pensez-vous ? (Elle se racla la gorge et récita :)

Nous sommes viole, fourchette et cuiller
Sous la lune nous dansons
Si vous voulez nous voler un baiser
Il va falloir vous hâter !

Avant qu'Alma ait pu déchiffrer cette singulière petite comptine (essayer de savoir qui était la viole, la fourchette et la cuiller), Prudence éclata de rire. C'était remarquable, car Prudence ne riait jamais. Son rire fut magnifique, clair et retentissant – pas du tout ce que l'on aurait pu attendre d'une poupée comme elle.

— Qui êtes-vous donc ? demanda finalement Prudence.

— Je suis Retta Snow, madame, et je suis votre nouvelle et plus incontestable amie.

— Eh bien, Retta Snow, dit Prudence, je crois que vous devez être incontestablement folle.

— C'est ce que tout le monde dit ! répondit Retta en s'inclinant cérémonieusement. Mais quoi qu'il en soit, je suis là !

Et pour être là, elle était là.

Retta Snow devint vite une habituée du domaine de White Acre. Enfant, Alma avait eu un petit chat qui s'était aventuré dans le domaine et avait conquis sa place de la même manière. Ce chat – un joli petit animal, avec des rayures jaune clair – était tout bonnement entré dans la cuisine de White Acre par une journée ensoleillée, s'était frotté contre les jambes de tout le monde, puis installé près de l'âtre en enroulant sa queue autour de lui et en ronronnant légèrement, les yeux mi-clos de satisfaction. Le chat était si à l'aise et confiant que personne n'avait eu le cœur de lui faire savoir qu'il n'avait pas sa place ici – et par conséquent, il finit par *l'avoir*.

La manœuvre de Retta fut similaire. Elle se présenta à White Acre ce jour-là, se mit à son aise et soudain, ce fut comme si elle avait toujours été là. Personne n'avait jamais vraiment invité Retta, mais elle ne semblait pas le genre de jeune dame qui avait besoin qu'on l'invite pour quoi que ce fût. Elle arrivait quand elle en avait envie, restait le temps qui lui chantait, se servait de tout ce qu'elle désirait et partait quand elle s'y estimait prête.

Retta Snow menait une existence frivole des plus scandaleuses – voire des plus enviables – qui fussent. Sa mère était une figure de la bonne société dont les matinées étaient monopolisées pendant de longues heures à arranger sa toilette, dont les après-midi étaient consacrés aux visites d'autres figures de la bonne société et dont les soirées étaient affreusement prises par les bals. Son père, un homme à la fois indulgent et absent, finit par acheter pour sa fille un cheval raisonnable et un cabriolet dans lequel la jeune fille caracolait à sa guise dans tout Philadelphie. Elle passait ses journées à sillonner le monde dans son attelage comme une abeille ravie et tapageuse. Si elle avait envie d'aller au théâtre, elle allait au théâtre. Si elle avait envie d'assister à un défilé, elle en trouvait un. Et si elle avait envie de passer toute la journée à White Acre, elle le faisait tout à loisir.

Au cours de l'année suivante, Alma trouva Retta dans les endroits les plus étonnants de White Acre : juchée sur un tonneau dans la fromagerie et faisant rire les laitières en leur jouant une scène de *L'École de la médisance* ; ou bien assise sur le débarcadère et laissant pendre ses pieds dans les eaux grasses de la Schuylkill en prétendant attraper des poissons avec ses orteils ; ou encore coupant l'un de ses magnifiques châles en deux pour le partager avec une domestique qui venait de l'admirer. (« Voyez ! Maintenant que nous avons chacune un morceau du châle, nous sommes des sœurs jumelles ! ») Personne ne savait quoi faire d'elle, mais nul ne la chassait jamais. Ce n'était pas tant parce que Retta charmait les gens que parce qu'il était impossible de la repousser. On n'avait d'autre choix que de se soumettre.

Retta parvint même à conquérir Beatrix Whittaker, ce qui était un exploit. Selon toute attente raisonnable, Beatrix aurait dû détester Retta, qui incarnait ses pires craintes concernant les filles. Elle était un modèle inversé de l'éducation prônée par Beatrix : c'était une petite sucrerie poudrée, superficielle et sans cervelle, qui abîmait de coûteux souliers de danse dans la boue, passait du rire aux larmes, montrait grossièrement du doigt en public, n'ouvrait jamais un livre et qui manquait assez de bon sens pour marcher tête nue sous la pluie. Comment Beatrix pouvait-elle accepter une telle créature ?

Prévoyant que ce serait un problème, Alma tenta même de cacher Retta Snow à Beatrix au début de leur amitié, redoutant le pire si les deux se croisaient. Mais Retta n'était pas facile à cacher et Beatrix pas facile à duper. Il avait fallu moins d'une semaine, en fait, pour que Beatrix demande à Alma un matin au petit déjeuner :

— Qui est cette enfant, avec son *ombrelle*, qui passe son temps chez moi depuis récemment ? Et pourquoi la vois-je toujours avec *vous* ?

À contrecœur, Alma fut contrainte de présenter Retta à sa mère.

— Comment allez-vous, Mrs Whittaker ? avait commencé assez convenablement Retta, se souvenant même de faire une révérence, bien que peut-être un peu trop théâtrale.

— Comment allez-vous, mon enfant ? avait répondu Beatrix.

Beatrix ne demandait pas une réponse franche à cette question, mais Retta la prit très au sérieux et réfléchit un peu avant de répondre.

— Eh bien, je dois vous dire, Mrs Whittaker, je ne vais pas bien du tout. Il y a eu une affreuse tragédie chez nous ce matin.

Alma leva les yeux, alarmée, incapable d'intervenir. Elle refusait d'imaginer où Retta allait en venir. Retta avait passé toute la journée à White Acre, pleine d'entrain, et c'était la première fois qu'Alma entendait parler d'une affreuse tragédie chez les Snow. Elle pria pour que Retta se taise, mais la jeune fille poursuivit, comme si Beatrix l'y avait encouragée.

— Rien que ce matin, Mrs Whittaker, j'ai souffert d'une bouleversante crise de nerfs. L'une de nos domestiques – ma petite bonne anglaise, pour être précise – était en larmes au petit déjeuner, et je l'ai donc suivie dans sa chambre après le repas, afin de connaître la cause de son chagrin. Vous n'imaginerez pas ce que j'ai appris ! Apparemment, sa grand-mère est morte, il y a trois ans, *jour pour jour* ! En apprenant cette tragédie, j'ai eu moi aussi une crise de larmes, comme vous l'imaginerez sans peine ! J'ai dû pleurer pendant une heure sur le lit de cette pauvre enfant. Dieu merci, elle était là pour me réconforter. Cela ne vous donne pas envie de pleurer aussi, Mrs Whittaker ? De penser au décès d'une grand-mère il y a trois ans ?

Au simple souvenir de cet incident, les grands yeux verts de Retta se remplirent de larmes qui ruisselèrent sur ses joues.

— Quel immense fatras d'absurdités, répliqua sèchement Beatrix en appuyant sur chaque mot, faisant tressaillir Alma. À mon âge, imaginez-vous les grands-mères de combien de gens j'ai vues mourir ?

Et s'il avait fallu que je pleure pour chacune ? La mort d'une grand-mère ne constitue pas une tragédie, mon enfant, et celle de la grand-mère de quelqu'un d'autre remontant à trois ans ne devrait certainement pas provoquer de telles larmes. Les grands-mères *meurent*, mon enfant. Ainsi vont les choses. On pourrait presque avancer que c'est le rôle d'une grand-mère que de mourir, après avoir inculqué, espérons-le, quelques leçons de décence et de bon sens à une nouvelle génération. En outre, je soupçonne que vous n'ayez guère été d'un grand réconfort pour votre bonne, qui aurait été mieux servie si vous lui aviez donné un exemple de stoïcisme et de réserve, plutôt que de vous affaler en larmes sur son lit.

Retta accueillit cette admonestation avec candeur, tandis qu'Alma se recroquevillait, désemparée. *C'en est fini de Retta Snow*, songea-t-elle. C'est alors que, d'une manière inattendue, Retta éclata de rire.

— Quelle merveilleuse correction, Mrs Whittaker ! Avec quelle fraîcheur prenez-vous les choses ! Vous êtes tout à fait dans le vrai ! Je ne considérerai plus jamais la mort d'une grand-mère comme une tragédie ! (C'était tout juste si l'on ne voyait pas les larmes remonter le long des joues de Retta pour disparaître dans ses yeux.) À présent, je dois prendre congé, continua-t-elle, fraîche comme le jour. Comme j'ai l'intention d'aller me promener ce soir, je dois rentrer chez moi choisir le plus élégant de mes bonnets de promenade. J'aime tellement me promener, Mrs Whittaker, mais pas avec un bonnet qui ne conviendrait pas, vous le comprenez, j'en suis sûre. (Elle tendit la main à Beatrix, qui ne put refuser de la prendre.) Mrs Whittaker, quelle rencontre utile cela a été ! J'ai peine à trouver comment vous remercier de votre sagesse. Vous êtes Salomon fait femme, et il n'est guère surprenant que vos enfants vous admirent tant. Imaginez, si vous étiez ma mère, Mrs Whittaker – imaginez seulement combien je ne serais pas stupide ! Ma mère, vous serez chagrinée de l'entendre, n'a jamais eu une pensée sensée de toute sa vie. Pire encore, elle se couvre le visage de tant de fard, de crème et de poudre qu'elle a toute l'apparence d'un mannequin de couturière. Imaginez dès lors mon infortune, d'avoir été élevée par un mannequin de couturière sans esprit, et non par quelqu'un comme vous. Eh bien, je m'en vais, à présent !

Et elle décampa, laissant Beatrix bouche bée.

— Quelle ridicule espèce de personne, murmura Beatrix, une fois que Retta fut partie et la maison retombée dans le silence.

— Sans doute est-elle ridicule, mère, répondit Alma, osant défendre son unique amie. Mais je crois qu'elle a un cœur charitable.

— Son cœur peut être charitable ou non, Alma. Seul Dieu peut en juger. Mais son visage, sans le moindre doute, est absurde. Elle semble être capable de prendre n'importe quelle expression, excepté l'intelligence.

Retta revint à White Acre le lendemain, salua Beatrix Whittaker avec une bonne humeur solaire, comme si l'admonestation de la veille n'avait jamais eu lieu. Elle apportait même à Beatrix un petit bouquet de fleurs – cueilli dans les jardins mêmes de White Acre, ce qui représentait un tour assez hardi. Miraculeusement, Beatrix l'accepta sans un mot. De ce jour, Retta Snow eut le droit de fréquenter régulièrement le domaine.

Pour Alma, le désarmement de Beatrix Whittaker était l'exploit le plus exemplaire de Retta. Il tenait presque de la sorcellerie. Qu'il se fût produit si rapidement était encore plus remarquable. D'une manière ou d'une autre, lors d'une seule brève et téméraire entrevue, Retta avait réussi à s'attirer les bonnes grâces (ou du moins les *assez* bonnes grâces) de la matriarche, si bien que, désormais, elle disposait d'une autorisation permanente de venir en visite quand cela lui chantait. *Comment avait-elle réussi ?* Alma ne pouvait en être certaine, mais elle avait ses théories. Pour commencer, Retta était difficile à réfréner. En outre, Beatrix était de plus en plus fragile en vieillissant, et moins encline désormais à lutter jusqu'à la mort pour défendre ses principes. Peut-être que la mère d'Alma n'était plus de taille à affronter Retta Snow et ses semblables. Mais surtout, il y avait ceci : la mère d'Alma détestait peut-être l'absurdité, et elle était incontestablement une femme difficile à flatter, mais Retta Snow n'aurait guère pu faire mieux que qualifier Beatrix Whittaker de « Salomon fait femme ».

Peut-être que la jeune fille n'était pas aussi sotte qu'elle en avait l'air.

Retta resta donc. En fait, alors que l'automne 1819 avançait, Alma arrivait fréquemment à son bureau de bonne heure le matin, prête à travailler sur un projet botanique et découvrait que Retta était déjà là – pelotonnée sur le vieux divan dans le coin en train de regarder les dessins de mode dans le dernier numéro du *Joy's Lady's Book*.

— Oh, bonjour, ma très chère ! roucoulait-elle en levant un regard enjoué comme si elles étaient convenues d'un rendez-vous.

À mesure que passait le temps, cela cessa de surprendre Alma. Retta n'était pas gênante. Elle ne touchait jamais aux instruments scientifiques (sauf aux prismes, auxquels elle ne pouvait résister), et quand Alma lui disait : « Pour l'amour du ciel, ma chérie, taisez-vous donc et laissez-moi calculer », Retta se taisait et laissait Alma calculer. En tout cas, cela devint assez agréable pour Alma d'avoir cette compagnie aussi sotte qu'amicale. C'était comme avoir un joli oiseau dans une cage qui gazouillait de temps en temps dans son coin pendant qu'elle travaillait.

Il arrivait que George Hawkes s'arrête au bureau d'Alma pour discuter des dernières corrections à quelque article scientifique, et il semblait toujours stupéfait de trouver là Retta. George ne savait jamais très bien quoi faire d'elle. C'était un homme si intelligent et sérieux, et la sottise de Retta le troublait totalement.

— Et de quoi Alma et Mr George Hawkes discutent-ils aujourd'hui ? demanda Retta un jour de novembre, quand elle se fut lassée de ses magazines illustrés.

— Des écornifles, répondit Alma.

— Oh, cela a l'air horrible. Sont-ce des animaux, Alma ?

— Non, ce n'en sont pas, ma chérie, répondit-elle. Ce sont des plantes.

— Peut-on les manger ?

— Seulement si l'on est un cerf, dit Alma en riant. Et un cerf affamé, qui plus est.

— Comme ce doit être délicieux d'être un cerf, dit pensivement Retta. À moins d'être un cerf sous la pluie, ce qui doit être désagréable et malheureux. Parlez-moi de ces cornifles, Mr George Hawkes. Mais parlez-m'en de façon à ce qu'une petite personne à la tête vide comme moi puisse comprendre.

C'était cruel, car George Hawkes ne disposait que d'une seule manière de parler, qui était celle d'un érudit et d'un professeur, absolument pas adaptée aux petites personnes à la tête vide.

— Eh bien, Miss Snow, commença-t-il gauchement. Elles font partie de nos plantes les moins évoluées…

— Mais que voilà une remarque bien méchante, monsieur !

— … et elles sont autotrophes.

— Comme leurs parents doivent être fiers d'elles !

— Eh bien… euh… bafouilla George, qui ne savait plus quoi dire.

Alma vint à son secours.

— Autotrophe, Retta, signifie qu'elles sont capables de fabriquer leurs propres aliments.

— Je ne pourrai donc jamais être une cornifle, je suppose, soupira tristement Retta.

— C'est peu probable ! dit Alma. Mais vous pourriez les apprécier, si vous les connaissiez mieux. Elles sont tout à fait jolies, sous le microscope.

— Oh, fit Retta en balayant l'idée d'un geste, je ne sais jamais où je dois *regarder*, dans le microscope !

— Où regarder ? répéta Alma en riant, incrédule. Retta, il faut regarder par l'oculaire !

— Mais l'oculaire est tellement *oppressant* et le spectacle de ces choses minuscules est si *angoissant.* Cela donne le mal de mer. Vous arrive-t-il d'avoir le mal de mer, Mr George Hawkes, quand vous regardez dans le microscope ?

Affligé par la question, George fixa le sol.

— Tais-toi, à présent, Retta, dit Alma. Mr Hawkes et moi devons nous concentrer.

— Si vous continuez à me faire taire, Alma, je devrai aller trouver Prudence et l'ennuyer tandis qu'elle peint des fleurs sur des tasses et tente de me convaincre d'être quelqu'un de plus noble.

— Allez donc, lui dit Alma avec entrain.

— Franchement, vous deux, dit Retta, je ne comprends tout bonnement pas pourquoi vous devez toujours travailler autant. Mais si cela vous permet de ne pas fréquenter les cercles de jeu et les débits de boisson, j'imagine que cela ne vous fait aucun mal durable…

— Allez ! répéta Alma en la poussant gentiment.

Et Retta s'en fut en trottinant, laissant Alma souriante et George Hawkes totalement abasourdi.

— Je dois avouer que je ne comprends pas un mot de ce qu'elle dit, commenta George une fois qu'elle eut disparu.

— Consolez-vous de savoir qu'elle ne vous comprend pas non plus, Mr Hawkes.

— Mais pourquoi faut-il qu'elle soit toujours fourrée auprès de vous ? demanda-t-il pensivement. Essaie-t-elle de s'améliorer en votre compagnie ?

Le compliment fit monter le rouge aux joues d'Alma, ravie que George puisse penser que sa fréquentation puisse améliorer quiconque, mais elle se contenta de répondre :

— Nous ne pouvons être tout à fait sûrs des raisons de Miss Snow, Mr Hawkes. Qui sait ? Peut-être que c'est *moi* qu'elle essaie d'améliorer.

Avant Noël, Retta Snow avait réussi à devenir tellement amie avec Alma et Prudence qu'elle invitait les filles Whittaker à venir déjeuner dans la propriété familiale – détournant donc Alma de ses recherches botaniques et Prudence de ce qu'elle pouvait bien faire de son temps.

Les déjeuners chez Retta étaient des comédies ridicules, comme on pouvait s'y attendre avec la nature ridicule de Retta. Il y avait un fatras de glaces, de pâtisseries et de toasts et le repas était supervisé (si on pouvait qualifier cela de supervision) par l'adorable, mais incompétente bonne anglaise de Retta. Il ne fallait jamais espérer une conversation sérieuse ou utile dans cette maison, mais Retta était toujours prête à faire quelque chose d'idiot, d'amusant ou de sportif. Elle réussissait même à faire jouer Alma et Prudence à des jeux de salon absurdes avec elle – des jeux destinés à des enfants beaucoup plus jeunes comme la poste, la marchande ou, mieux que tout, des mimes. C'était affreusement bête, mais aussi terriblement amusant. Le fait est qu'Alma et Prudence n'avaient jamais *joué* jusqu'ici – ni ensemble, ni seules, ni avec d'autres enfants. Jusqu'à présent, Alma n'avait même jamais particulièrement compris en quoi cela consistait.

Mais jouer, c'était la seule chose que faisait Retta Snow. Son passe-temps favori tenait dans la lecture à voix haute des récits d'accidents dans les journaux locaux pour divertir Alma et Prudence. C'était inexcusable, mais amusant. Retta mettait des écharpes et des chapeaux et prenait des accents étrangers pour rejouer les scènes les plus consternantes de ces accidents : des bébés tombant dans des cheminées, des ouvriers décapités par des branches d'arbres abattus, des mères de cinq enfants précipitées de leur attelage dans des fossés remplis d'eau (et qui se noyaient la tête en bas, souliers en l'air, pendant que leurs enfants, impuissants, poussaient des cris d'effroi).

« Nous ne devrions pas nous divertir ainsi ! » s'indignait parfois Prudence. Mais Retta ne cessait que lorsqu'elles étaient toutes hors d'haleine à force de rire. En certaines occasions, Retta était tellement vaincue par l'hilarité qu'elle ne pouvait plus s'arrêter. Elle perdait l'esprit, totalement possédée par une crise déchaînée. Parfois, et c'était inquiétant, elle allait même jusqu'à se rouler par terre. Dans de telles occasions, c'était comme si Retta avait été menée, voire *chevauchée*, par quelque agent diabolique extérieur. Elle riait jusqu'à être secouée de bruyants hoquets et s'étrangler, et sur son visage passait une ombre qui ressemblait à de la peur. Et à l'instant où Alma et Prudence étaient sur le point de s'inquiéter pour elle, Retta recouvrait la maîtrise d'elle-même. Elle se relevait d'un bond, essuyait son front moite et s'écriait :

« Dieu merci, nous avons une terre ! Sans quoi, où nous assiérions-nous ? »

Retta Snow était la petite demoiselle la plus étrange de Philadelphie, mais elle jouait un rôle spécial dans la vie d'Alma, et dans celle de Prudence également, semblait-il. Quand elles étaient toutes les trois ensemble, Alma avait presque l'impression d'être une jeune fille normale, ce qu'elle n'avait jamais encore éprouvé jusque-là. Quand elle riait avec son amie et sa sœur, elle pouvait faire mine d'être une fille ordinaire de Philadelphie, et non Alma Whittaker du domaine de White Acre – pas une grande jeune femme riche au physique ingrat débordant de connaissances et maîtrisant plusieurs langues, qui avait publié plusieurs dizaines d'articles scientifiques sous son nom et avait une débauche d'images érotiques qui flottait dans son esprit. Tout cela disparaissait en présence de Retta, et Alma pouvait tout bonnement être une fille, normale, qui mangeait une tarte glacée et gloussait en entendant une chanson bouffonne.

En outre, Retta était la seule personne au monde qui fasse rire Prudence, et c'était véritablement une merveille surnaturelle. La transformation que ce rire provoquait chez Prudence était extraordinaire : elle passait de joyau glacial à charmante écolière. Dans ces moments, Alma avait presque l'impression que Prudence pouvait devenir une fille ordinaire elle aussi, et elle étreignait spontanément sa sœur, ravie de sa compagnie.

Malheureusement, cependant, cette intimité entre Alma et Prudence n'existait qu'en présence de Retta. Dès qu'Alma et Prudence quittaient la propriété des

Snow pour retourner ensemble à White Acre, elles retombaient dans le silence. Alma espérait toujours qu'elles apprendraient à entretenir cette chaleureuse relation en dehors de la présence de Retta, mais c'était inutile. Toute tentative d'allusion, lors du long trajet à pied, à l'une des plaisanteries de l'après-midi ne suscitait qu'embarras et mutisme.

Durant l'un de ces trajets en février 1820, emportée et enhardie par les cabrioles de la journée, Alma prit un risque. Elle osa mentionner une fois de plus son affection pour George Hawkes. Plus précisément, Alma révéla à Prudence que George l'avait qualifiée un jour de brillante microscopiste, et que cela l'avait immensément comblée.

— J'aimerais avoir un jour un époux comme George Hawkes, avoua Alma. Un homme bon qui encouragerait mes efforts et que j'admirerais. (Prudence ne répondit rien et, après un long silence, Alma poursuivit.) Je pense à lui de manière presque constante, Prudence. Parfois, je m'imagine même... l'étreindre.

C'était une déclaration bien hardie, mais n'était-ce pas ce que faisaient des sœurs normales ? Dans tout Philadelphie, les filles ordinaires ne parlaient-elles pas à leurs sœurs des soupirants qu'elles auraient aimé avoir ? Ne dévoilaient-elles pas les espoirs nourris dans leur cœur ? N'esquissaient-elles pas les futurs époux dont elles rêvaient ?

Mais la tentative d'intimité d'Alma fut vaine.

Prudence se contenta de répondre : « Je vois » et n'alla pas plus loin. Elles parcoururent le reste du chemin jusqu'à White Acre dans leur silence habituel.

Alma retourna à son bureau finir le travail que Retta avait interrompu le matin, et Prudence disparut tout simplement, ainsi qu'elle avait tendance à le faire, pour s'adonner à des tâches inconnues.

Alma ne se risqua plus jamais à de tels aveux avec sa sœur. La mystérieuse ouverture que Retta savait ménager entre Alma et Prudence se refermait fermement aussitôt que les deux sœurs se retrouvaient seules. C'était sans espoir. Parfois, cependant, Alma ne pouvait s'empêcher d'imaginer ce que la vie aurait été si Retta avait été sa sœur – la benjamine, la petite, gâtée et écervelée, qui désarmait tout le monde et les baignait dans une atmosphère de chaleureuse affection. Si seulement Retta avait été une Whittaker, songeait Alma, au lieu d'une Snow ! Peut-être que tout aurait été différent. Peut-être qu'Alma et Prudence, dans cette disposition familiale, auraient appris à être des confidentes, des intimes, des amies… des sœurs !

C'était une pensée qui remplissait Alma d'une terrible tristesse, mais elle ne pouvait rien y faire. Les choses ne pouvaient être que ce qu'elles étaient, ainsi que sa mère le lui avait dit maintes fois.

Et les choses que l'on ne pouvait changer, il fallait les supporter stoïquement.

10

Nous étions désormais à la fin du mois de juillet 1820.

Les États-Unis d'Amérique connaissaient une récession économique, première période de déclin de leur brève histoire, et Henry Whittaker, en tout cas, ne vivait pas une année d'une scintillante prospérité. Non pas qu'il traversait une période de vaches maigres – en aucun cas – mais il subissait une pression inhabituelle. Le marché des plantes tropicales était saturé à Philadelphie et les Européens s'étaient lassés des exportations botaniques américaines. Pire, il semblait que ces derniers temps, chaque quaker de la ville ouvrait son dispensaire et fabriquait ses propres pilules, liniments et onguents. Aucun rival n'avait encore surpassé en popularité les produits de Garrick & Whittaker, mais cela ne saurait tarder.

Henry aurait bien aimé avoir l'avis de son épouse sur tout cela, mais Beatrix n'avait pas été au mieux de toute l'année. Elle souffrait d'accès de vertiges et avec un été aussi chaud et inconfortable, son état empira. Elle n'avait plus tous ses moyens et avait toujours le souffle court. Elle ne se plaignait jamais et elle essayait de poursuivre ses tâches, mais elle n'était pas en bonne santé et refusait de voir un médecin. Elle ne croyait pas aux médecins, pharmaciens ou remèdes – une ironie, étant donné la profession familiale.

La santé de Henry n'était pas non plus au mieux. Il avait soixante ans, à présent. Ses crises de maladies tropicales duraient plus longtemps, désormais. Les dîners étaient difficiles à prévoir, car on ne pouvait jamais être certain que Henry et Beatrix seraient en état de recevoir des invités. Cela irritait et ennuyait Henry et ses colères rendaient tout plus difficile à White Acre. Ses accès de fureur étaient de plus en plus violents. *Quelqu'un doit payer ! Ce fils de salaud est fini ! Je l'anéantirai !* Les bonnes filaient se cacher dès qu'elles le voyaient arriver.

Les nouvelles d'Europe étaient mauvaises aussi. L'agent et émissaire international de Henry, Dick Yancey – le grand bonhomme du Yorkshire qui effrayait tant Alma quand elle était petite –, était récemment arrivé à White Acre avec une information des plus troublantes : deux chimistes de Paris étaient récemment parvenus à isoler une substance qu'ils appelaient « quinine » dans l'écorce du quinquina. Ils prétendaient que ce composé était le mystérieux ingrédient de l'écorce des jésuites qui était si efficace dans le traitement de la malaria. Armés de ce savoir, les chimistes français seraient peut-être bientôt en mesure d'extraire de l'écorce une substance plus efficace et puissante. Ils pouvaient très bien saper le quasi-monopole de Henry dans ce négoce.

Henry s'en voulait (et il en voulait aussi à Dick Yancey) de ne pas avoir vu cela venir. « Nous aurions dû le découvrir nous-mêmes ! » déclara-t-il. Mais la chimie n'était pas le domaine de Henry. C'était un arboriste sans pareil, un marchand sans scrupules et un brillant innovateur, mais il avait beau faire, il ne pouvait être au courant de toutes les nouvelles découvertes scientifiques qui se faisaient dans le monde. Le savoir progressait trop rapidement pour lui. Un autre Français avait récemment déposé le brevet d'une machine à calcul mathématique appelée *arithmomètre*, capable d'exécuter seule de longues divisions. Un physicien danois venait d'annoncer qu'une relation existait entre électricité et magnétisme, et Henry ne comprenait même pas de quoi cet homme parlait.

Bref, il y avait trop d'inventions désormais et trop de nouvelles idées complexes et alambiquées. On ne pouvait plus être un expert en généralités qui faisait un joli mélange de profits dans toutes sortes de domaines. Cela suffisait à donner à Henry Whittaker l'impression d'être devenu vieux.

Mais tout n'était pas non plus si mauvais. Dick Yancey apporta à Henry une étonnamment bonne nouvelle durant sa visite : Sir Joseph Banks était décédé.

Ce personnage intimidant, qui avait autrefois été le plus bel homme d'Europe, le favori des rois, qui avait parcouru le globe, couché avec des reines païennes sur des plages, fait connaître en Angleterre des milliers de nouvelles espèces végétales et envoyé le jeune Henry de par le monde pour qu'il devienne *Henry Whittaker* – cet homme-là était mort.

Mort et en train de pourrir dans une crypte quelque part à Heston.

Alma, qui recopiait des lettres dans le bureau de son père quand Dick Yancey arriva et annonça la nouvelle, étouffa un cri de stupeur et déclara :

— Dieu le garde.

— Dieu le maudisse, corrigea Henry. Il a tenté de me ruiner, mais je l'ai vaincu.

Sans aucun doute, Henry avait tout l'air d'avoir vaincu Sir Joseph Banks. Il l'avait au moins égalé. Malgré les cuisantes humiliations de Banks autrefois, Henry avait prospéré au-delà de toute imagination. Il n'avait pas seulement été victorieux dans le négoce du quinquina, il avait entretenu des intérêts commerciaux aux quatre coins du monde. Il s'était fait un nom. Presque tous ses voisins lui devaient de l'argent. Sénateurs, propriétaires de navires et négociants de toutes sortes recherchaient son appui et son soutien.

Au cours des trente dernières années, Henry avait édifié à l'ouest de Philadelphie des serres qui rivalisaient avec tout ce que l'on pouvait voir à Kew. Il avait réussi à faire fleurir à White Acre des variétés d'orchidées avec lesquelles Banks avait échoué sur les rives de la Tamise. Quand Henry avait appris que Banks avait acquis une tortue de quatre cents livres pour la ménagerie de Kew, il en avait immédiatement commandé *deux* pour White Acre, un couple capturé aux Galápagos et livré personnellement par l'infatigable Dick Yancey. Henry avait même réussi à acclimater à White Acre les immenses nénuphars de l'Amazone – des nénuphars si grands et si robustes qu'ils pouvaient soutenir le poids d'un enfant – alors que Banks, quand vint sa mort, n'avait même pas réussi à en *voir* un.

En outre, Henry avait réussi à mener sa vie aussi richement que Banks. Il avait acquis une propriété bien plus vaste et imposante en Amérique que n'importe laquelle de celles de Banks en Angleterre. Sa demeure resplendissait sur les collines comme un phare colossal éclairant de sa lumière toute la ville de Philadelphie.

Henry s'habillait même comme Sir Joseph Banks depuis des années. Il n'avait jamais oublié à quel point ces vêtements l'avaient ébloui quand il était enfant et il s'était attaché – au cours de sa vie, une fois devenu riche – à imiter et à surpasser la garde-robe de Banks. Du coup, en 1820, Henry portait encore un style de vêtements qui était très démodé. Quand tout autre homme en Amérique avait depuis longtemps adopté les pantalons, Henry portait encore culottes et bas, des perruques blanches à longue queue, des souliers à boucles d'argent, des manteaux à larges manchettes, des chemises à jabot et des gilets de brocart dans les plus vives nuances de lavande et d'émeraude.

Dans ces tenues royales de l'époque georgienne et pourtant désuètes, Henry avait l'air tout à fait suranné quand il se promenait dans Philadelphie. On lui avait dit qu'il ressemblait à un mannequin de cire de Peale's Arcade, mais cela lui était égal. C'était précisément l'apparence qu'il voulait avoir – exactement tel que Sir Joseph Banks lui était apparu *à lui* dans ses bureaux de Kew, en 1776, quand Henry le voleur (maigre, affamé et ambitieux) avait été convoqué devant Banks l'explorateur (séduisant, élégant et somptueusement vêtu).

Mais voilà que Banks était mort. Son titre était mort, et sa personne aussi. Alors que Henry Whittaker – l'empereur né pauvre mais richement vêtu de la botanique américaine – était en vie et prospère. Oui, il avait mal aux jambes, son épouse était malade, les Français le rattrapaient dans le domaine de la malaria, les banques américaines tombaient les unes après les autres autour de lui, il avait un placard rempli de perruques encore jamais portées et il n'avait jamais eu de fils, mais par Dieu, Henry Whittaker avait enfin vaincu Sir Joseph Banks.

Il demanda à Alma de descendre à la cave lui chercher la plus belle bouteille de rhum pour fêter l'événement.

— Prends-en deux, se ravisa-t-il.

— Peut-être ne devriez-vous pas boire autant ce soir, le mit prudemment en garde Alma.

Il venait seulement de se remettre d'une fièvre et elle n'aimait pas l'expression sur son visage. C'était une effrayante grimace.

— Nous boirons autant qu'il nous plaira ce soir, mon ami, dit Henry à Dick Yancey, comme si Alma n'avait pas parlé.

— *Plus* qu'il nous plaira, dit Yancey en jetant à Alma un regard qui la glaça.

Seigneur, comme elle exécrait cet homme, même si son père l'admirait. Dick Yancey, lui avait dit un jour son père avec une sincère fierté, était quelqu'un d'utile à avoir de son côté pour régler les disputes, car il ne les réglait pas avec des paroles mais des couteaux. Les deux hommes s'étaient connus sur les quais des Célèbes en 1788, quand Henry avait vu Yancey apprendre la politesse à deux officiers de marine anglais sans prononcer un seul mot. Henry l'avait immédiatement engagé comme agent et homme de main, et les deux hommes avaient pillé le monde ensemble depuis.

Alma avait toujours été terrifiée par Dick Yancey. Tout le monde l'était. Même Henry le qualifiait de « crocodile dressé » et avait déclaré un jour : « Difficile de dire qui est le plus dangereux – un crocodile dressé ou un crocodile sauvage. Dans un cas comme dans l'autre, je ne laisserais pas longtemps ma main dans sa gueule, Dieu le bénisse. »

Enfant, déjà, Alma comprenait instinctivement qu'il y avait deux types d'hommes muets dans le monde : l'un était humble et plein de déférence ; l'autre était Dick Yancey. Ses yeux étaient comme deux requins qui tournent lentement, et alors qu'ils se posaient sur Alma en cet instant, ils lui disaient clairement : « Va chercher le rhum. »

Alma descendit donc à la cave et rapporta docilement le rhum – deux pleines bouteilles, une pour chacun. Puis elle alla à l'écurie se noyer dans son travail et échapper à l'ivrognerie qui guettait. Longtemps après minuit, elle s'endormit sur son divan, si inconfortable qu'il fût, plutôt que de retourner à la maison. Elle se réveilla à l'aube et traversa le jardin à la grecque pour aller prendre le petit déjeuner dans la maison. Cependant, en approchant, elle entendit que son père et Dick Yancey étaient encore éveillés. Ils beuglaient à pleins poumons des chansons de marins. Henry n'était peut-être pas parti en mer depuis trente ans, mais il les connaissait encore toutes.

Alma s'arrêta à l'entrée, s'appuya sur la porte et écouta. La voix de son père, qui résonnait par le manoir dans la grise lumière de l'aube, paraissait malheureuse, sinistre et épuisée. On aurait dit l'écho spectral de quelque lointain océan.

Moins de deux semaines plus tard, un matin d'août 1820, Beatrix Whittaker tomba dans le grand escalier de White Acre.

Elle s'était réveillée de bonne heure le matin et avait dû se sentir assez bien pour penser pouvoir aller travailler un peu au jardin. Elle avait enfilé ses vieilles pantoufles de cuir, rassemblé ses cheveux sous sa coiffe hollandaise amidonnée et commencé à descendre. Mais les marches avaient été cirées la veille et les semelles des pantoufles étaient trop lisses. Elle fit la culbute.

Alma était déjà dans son bureau dans l'écurie à relire un article pour *Botanica americana* sur les vestibules carnivores de l'utriculaire, quand elle vit Hanneke de Groot traverser en courant le jardin à la grecque pour la rejoindre. Alma trouva d'abord que c'était fort comique de voir la vieille gouvernante courir en agitant les bras, le visage rouge et les jupons au vent. C'était comme voir un énorme tonneau d'ale revêtu d'une robe rouler en tressautant dans le jardin. Elle faillit éclater de rire. Mais elle se ravisa aussitôt. Hanneke était manifestement alarmée, et ce n'était pas le genre de femme à l'être facilement. Quelque chose d'affreux avait dû arriver.

Alma pensa : *Mon père est mort.*

Elle porta une main à son cœur. *Je vous en prie, non. Non, pas mon père.*

Hanneke avait atteint la porte, les yeux écarquillés, le souffle court. Elle suffoqua, déglutit et bégaya : « *Je moeder is dood.* »

Votre mère est morte.

Les domestiques transportèrent Beatrix dans sa chambre et la couchèrent sur le lit. Alma avait presque peur d'entrer : elle avait rarement été autorisée à pénétrer dans la chambre de sa mère. Elle vit que le visage de Beatrix était devenu gris. Une contusion enflait sur son front et ses lèvres étaient fendues et ensanglantées. Sa peau était froide. Des domestiques entouraient le lit. L'une des femmes de chambre glissa un miroir sous le nez de Beatrix, cherchant un signe de vie.

— Où est mon père ? demanda Alma.

— Il dort encore, dit une bonne.

— Ne le réveillez pas, ordonna Alma. Hanneke, dégrafez son corset.

Beatrix avait toujours porté des vêtements ajustés – respectablement et fermement ajustés, à en frôler l'asphyxie. Elles roulèrent le corps sur le côté et Hanneke défit les lacets. Beatrix ne respira pas pour autant.

Alma se tourna vers l'un des plus jeunes domestiques – un garçon qui semblait capable de courir vite.

— Apportez-moi du *sal volatile*, dit-elle. (Il la regarda sans comprendre. Elle se rendit compte que dans sa hâte et son agitation, elle avait utilisé le terme latin.) Apportez-moi du carbonate d'ammonium, corrigea-t-elle. (Là encore, l'incompréhension. Alma fit volte-face et considéra l'assistance. Elle ne vit que des visages perplexes. Personne ne savait de quoi elle parlait. Elle n'utilisait pas les bons termes. Elle se creusa l'esprit et fit une nouvelle tentative.) Apportez-moi l'esprit de corne de cerf !

Mais là non plus, le terme n'était pas plus familier – en tout cas pour ces gens. Esprit de corne de cerf était un terme archaïque que seul un érudit pouvait connaître. Elle ferma les yeux et chercha le nom le plus facilement reconnaissable pour ce qu'elle demandait. *Comment les gens du commun appelaient-ils cela ?* Pline l'Ancien appelait cela *Hammoniacus sal.* Les alchimistes du XIIIe siècle l'utilisaient constamment. Mais les références à l'alchimie XIIIe siècle ne seraient guère d'utilité à quiconque ici. Alma se maudit d'avoir un esprit qui n'était qu'une remise pour langues mortes et termes obsolètes. Elle perdait un temps précieux. Finalement, elle se rappela. Elle ouvrit les yeux et aboya un ordre qui fut compris :

— Des sels ! s'écria-t-elle. Allez m'en chercher !

Rapidement, on rapporta des sels. Il avait fallu pour les trouver presque moins de temps qu'il n'en avait fallu à Alma pour les *nommer.*

Alma les passa sous le nez de sa mère. Avec un hoquet rauque et humide, Beatrix prit une inspiration. Le cercle des domestiques laissa échapper un concert de bêlements et de cris bouleversés, et une femme s'exclama : « Dieu soit loué ! »

Or donc, Beatrix n'était pas morte, mais elle resta inconsciente pendant toute la semaine. Alma et Prudence se relayèrent à son chevet nuit et jour. La première nuit, Beatrix vomit dans son sommeil et Alma la nettoya. Elle nettoya également l'urine et les déchets.

Alma n'avait encore jamais vu le corps de sa mère – en dehors de son visage, de son cou et de ses mains – mais quand elle baigna la forme inanimée sur le lit, elle vit que les seins de sa mère étaient déformés par plusieurs grosseurs dures. Des tumeurs. Importantes. L'une avait ulcéré la peau et laissait échapper un liquide sombre. À cette vue, Alma manqua de s'évanouir elle aussi. Le mot lui vint à l'esprit en grec : *karkinos*. Le crabe. Le cancer. Beatrix devait en souffrir depuis longtemps. Elle devait avoir vécu dans la souffrance depuis des mois sinon des années. Jamais elle ne s'était plainte. Elle avait tout au plus quitté la table quand les souffrances devenaient intolérables et avait prétexté de simples vertiges.

Hanneke de Groot dormit à peine cette semaine-là, mais elle apportait compresses et bouillon toutes les heures. Elle enveloppait de linges humides et frais la tête de Beatrix, pansait la poitrine ulcérée, apportait du pain beurré aux filles et essayait de faire passer un peu de liquide entre les lèvres desséchées de Beatrix. À sa grande honte, Alma avait du mal à rester en place au chevet de sa mère, mais Hanneke s'acquittait de toutes les corvées de soin. Beatrix et elle avaient été ensemble toute leur vie. Elles avaient grandi côte à côte dans les jardins botaniques d'Amsterdam. Elles étaient venues ensemble de Hollande sur le même bateau. Elles avaient toutes les deux abandonné leurs familles pour gagner Philadelphie et n'avaient jamais revu leurs parents et leurs frères et sœurs. De temps en temps, Hanneke pleurait sur sa maîtresse et priait en hollandais. Alma ne pleura ni ne pria. Prudence non plus – encore que personne n'en vit rien.

Henry débarquait dans la chambre à toute heure et repartait en trombe, abattu et inquiet. Il n'était d'aucune utilité. C'était beaucoup plus facile quand il n'était pas là. Il s'asseyait auprès de sa femme seulement quelques instants avant de s'écrier : « Oh, je ne supporte point cela ! » et de repartir dans un déluge de jurons. Il était de plus en plus débraillé, mais Alma n'avait guère de temps pour s'occuper de lui. Elle voyait sa mère dépérir sous les beaux draps flamands. Ce n'était plus la formidable Beatrix van Devender Whittaker ; c'était une chose tout à fait misérable et insensible, gonflée de puanteur et déclinante. Au bout de cinq jours, Beatrix ne parvenait plus à uriner. Son ventre était enflé, dur et brûlant. Elle ne pouvait plus vivre bien longtemps, à présent.

Un médecin arriva, envoyé par le pharmacien James Garrick, mais Alma le congédia. Cela ne ferait aucun bien à sa mère qu'on la saigne et qu'on lui pose des ventouses. Alma préféra envoyer un message à Mr Garrick, demandant qu'il prépare une teinture d'opium qu'elle administrerait goutte à goutte à sa mère toutes les heures.

La septième nuit, Alma dormait dans son propre lit quand Prudence – qui veillait au chevet de Beatrix – vint la réveiller en lui effleurant l'épaule.

— Elle parle, dit Prudence.

Alma secoua la tête, essayant de reprendre ses esprits. Elle cligna des paupières devant la chandelle de Prudence. *Qui parlait ?* Elle était en train de rêver de sabots et d'animaux ailés. Elle secoua la tête, se ressaisit et se rappela.

— Que dit-elle ?

— Elle m'a demandé de quitter la pièce, répondit Prudence sans émotion. Elle t'a réclamée.

Alma s'enveloppa d'un châle.

— Dors, dit-elle à Prudence en prenant la chandelle avant de gagner la chambre de sa mère.

Beatrix avait les yeux ouverts. L'un d'eux était injecté de sang et ne bougeait pas. L'autre glissa sur le visage d'Alma, scruta, étudia méticuleusement.

— Mère, dit Alma. (Elle chercha du regard autour d'elle quelque chose à lui donner à boire. Il y avait sur la table de chevet une tasse de thé froid, un vestige de la présence de Prudence. Beatrix refuserait ce satané thé anglais, même sur son lit de mort. Mais il n'y avait que cela à boire. Alma porta la tasse aux lèvres desséchées de sa mère. Celle-ci but une gorgée et, comme de bien entendu, fit la grimace.) Je vous apporte du café, s'excusa Alma. (Beatrix secoua imperceptiblement la tête.) Que puis-je vous apporter ? (Pas de réponse.) Voulez-vous que j'appelle Hanneke ? (Beatrix semblant ne pas entendre, Alma répéta la question, cette fois en néerlandais.) *Wilt u Hanneke ?* (Beatrix ferma les yeux.) *Wilt u Henry* ?

Il n'y eut pas de réponse. Alma prit la main de sa mère, qui était frêle et glacée. C'était la première fois qu'elles se tenaient la main. Elle attendit. Beatrix n'ouvrait pas les yeux. Alma faillit s'assoupir quand sa mère parla, et en anglais.

— Alma.

— Oui, mère.

— N'abandonnez jamais.

— Je ne vous abandonnerai pas.

Mais Beatrix secoua la tête. Ce n'était pas ce qu'elle voulait dire. Elle referma les yeux. Alma attendit de nouveau, vaincue par la fatigue dans cette chambre obscure où rôdait la mort. Il s'écoula un long moment avant que Beatrix trouve la force de prononcer entièrement sa phrase.

— N'abandonnez jamais votre père, dit-elle.

Que pouvait répondre Alma ? Que promet-on à une femme sur son lit de mort ? Surtout si cette femme est votre mère ? On promet n'importe quoi.

— Jamais je ne l'abandonnerai.

Beatrix scruta une fois de plus le visage d'Alma de son œil valide, comme pour juger de la sincérité de ce vœu. Manifestement satisfaite, elle referma les yeux.

Alma donna à sa mère une autre goutte d'opium. Beatrix respirait faiblement, à présent, et sa peau était froide. Alma était certaine que sa mère avait déjà prononcé ses dernières paroles, mais presque deux heures plus tard, alors qu'elle s'était endormie sur son fauteuil, elle entendit une toux gargouillante et se réveilla en sursaut. Elle crut que Beatrix s'étouffait, mais elle tentait seulement de parler. Une fois de plus, Alma lui humecta les lèvres avec ce thé tant détesté.

— Ma tête tourne, dit Beatrix.

— Laissez-moi aller chercher Hanneke pour vous.

Curieusement, Beatrix sourit.

— Non, dit-elle. *Het is prettig.*

C'est agréable.

Puis Beatrix Whittaker ferma les yeux et – comme si elle en avait décidé elle-même – elle mourut.

Le lendemain matin, Alma, Prudence et Hanneke lavèrent et habillèrent ensemble le corps, l'enveloppèrent dans un linceul et le préparèrent pour les obsèques. Elles s'acquittèrent ensemble de cette triste tâche.

Elles n'exposèrent pas le corps dans le salon pour la veillée, malgré la coutume locale. Beatrix n'aurait pas aimé être veillée et Henry ne voulait pas voir la dépouille de son épouse. Il ne pouvait le supporter, disait-il. En outre, par un temps aussi chaud, des obsèques rapides étaient la décision la plus avisée et la plus hygiénique. Le corps de Beatrix moisissait déjà avant qu'elle meure et ils craignaient tous à présent une putréfaction rapide. Hanneke fit chercher l'un des menuisiers de White Acre pour qu'il confectionne rapidement un cercueil tout simple. Les trois femmes glissèrent des sachets de lavande dans le linceul pour atténuer l'odeur, et dès que le cercueil fut prêt, le corps fut chargé sur une charrette et mené à l'église pour être conservé dans la fraîcheur du sous-sol avant les obsèques. Alma, Prudence et Hanneke enroulèrent une bande de crêpe noir autour de leur bras. Elles devaient la porter pendant les six mois suivants. Le tissu qui serrait son bras donnait à Alma l'impression d'être un arbre tuteuré.

L'après-midi des obsèques, elles marchèrent derrière le corbillard jusqu'au cimetière suédois luthérien. L'enterrement fut court, simple, efficace et respectable. Moins d'une douzaine de personnes y assistèrent. James Garrick, le pharmacien, était présent. Il toussa affreusement durant toute la cérémonie. Ses poumons étaient gâtés, Alma le savait, d'avoir travaillé pendant des années avec la poudre de jalap qui avait fait sa fortune. Dick Yancey était là, le sommet de son crâne chauve luisant au soleil comme une arme. George Hawkes était présent, et Alma aurait aimé pouvoir se réfugier dans ses bras. À sa surprise, son ancien précepteur au teint cireux, Arthur Dixon, était venu lui aussi. Elle ne voyait pas comment Mr Dixon avait pu apprendre la mort de Beatrix, pas plus qu'elle ne comprenait comment il avait pu apprécier son ancienne employeuse, mais elle fut touchée qu'il soit venu et le lui dit. Retta Snow vint aussi. Elle se planta entre Prudence et Alma, leur tenant la main, et resta sans rien dire, contrairement à son habitude. En fait, il faut lui accorder qu'elle se montra presque aussi stoïque qu'une Whittaker ce jour-là.

Personne ne versa de larme et Beatrix ne l'aurait pas voulu. Elle avait toujours répété que l'on devait, de la naissance à la mort, exsuder crédibilité, longanimité et retenue. Cela aurait été dommage, à présent, après toute une vie de respectabilité, de tomber dans la sensiblerie au dernier moment. De la même manière, après les funérailles, il n'y aurait pas de réunion à White Acre pour boire de la limonade et partager souvenirs et réconfort. Beatrix n'aurait rien voulu de cela. Alma savait que sa mère avait toujours admiré les instructions que Linné – le père de la taxonomie botanique – avait données à sa famille concernant ses obsèques : « Ne recevez personne et n'acceptez aucune condoléance. »

Le cercueil fut descendu dans la fosse fraîchement creusée. Le pasteur luthérien parla. Liturgie, litanie, le Symbole des apôtres – tout s'enchaîna rapidement. Il n'y eut pas d'éloge funèbre, car ce n'était pas l'usage luthérien, mais il y eut un sermon, familier et lugubre. Alma essaya d'écouter, mais le pasteur ronronnait tant qu'elle fut comme frappée de stupeur et qu'elle n'entendit que quelques bribes. Le péché est inné, entendit-elle. La grâce est un mystère de la générosité divine. La grâce ne peut être ni gagnée ni gâchée, ni augmentée ni diminuée. La grâce est rare. Nul ne peut savoir qui la possède. Nous sommes baptisés pour la mort. Nous Te louons.

Le chaud soleil estival, bas dans le ciel, cuisait cruellement le visage d'Alma. Tout le monde clignait des paupières, ébloui. Henry Whittaker était assommé et effaré. Il n'avait demandé qu'une seule chose : une fois le cercueil dans la fosse, qu'on recouvre le couvercle de paille. Lorsque la première pelletée de terre serait jetée, il tenait à ce que ce bruit affreux soit étouffé.

11

Alma Whittaker, à vingt ans, était désormais la maîtresse du domaine de White Acre.

Elle endossa l'ancien rôle de sa mère comme si elle y avait été formée toute sa vie – ce qui, en un certain sens, était le cas.

Le lendemain des obsèques de Beatrix, Alma entra dans le bureau de son père et commença à consulter les piles de papiers et de lettres accumulées, résolue à s'acquitter immédiatement de tous les devoirs qui incombaient traditionnellement à sa mère. Son désarroi grandit à mesure qu'elle se rendit compte qu'une grande partie des tâches importantes de White Acre – comptabilité, facturation, correspondance – avait été laissée en plan ces derniers mois, voire toute l'année passée, tandis que la santé de Beatrix se dégradait. Alma s'en voulut de ne pas l'avoir remarqué plus tôt. Le bureau de Henry avait toujours été un désordre de documents essentiels mélangés à un fatras inutile, mais Alma ne saisit à quel point que lorsqu'elle fouilla le bureau.

Voici ce qu'elle découvrit : des piles de paperasses importantes étaient tombées au cours des derniers mois de la table de Henry et s'étaient accumulées sur le sol comme des strates géologiques. Plus horrible encore, il y avait des cartons remplis de papiers non triés cachés dans de profonds placards. Lors de ses premières excavations, Alma découvrit des factures qui n'avaient pas été payées depuis mai dernier, des salaires qui n'avaient pas été calculés et des lettres – comme d'épaisses alluvions ! – d'entrepreneurs de bâtiment attendant des ordres, d'associés en affaires posant des questions pressantes, de collecteurs d'outre-mer, d'avocats, du Bureau des brevets, de jardins botaniques du monde entier, et de directeurs de musées divers. Si Alma avait su plus tôt qu'autant de correspondance avait été négligée, elle s'en serait occupée voilà des mois. À présent, ils frôlaient le niveau critique. En cet instant, un navire rempli de plantes Whittaker attendait dans le port de Philadelphie en payant un coûteux loyer, car il ne pouvait décharger sa marchandise tant que le capitaine n'avait pas été payé.

Pis encore, au milieu de toutes ces tâches urgentes, il y avait d'absurdes vétilles, d'inutiles pertes de temps et quantité de futilités. Il y avait un mot presque illisible d'une femme de l'ouest de Philadelphie disant que son bébé venait d'avaler une épingle et craignant que l'enfant meure – quelqu'un à White Acre pouvait-il lui dire que faire ? La veuve d'un naturaliste qui avait travaillé pour Henry quinze ans auparavant à Antigua se prétendait dans le dénuement et réclamait une pension. Elle trouva un mot très ancien du chef paysagiste de White Acre concernant un jardinier qu'il fallait licencier au plus tôt pour avoir reçu plusieurs jeunes femmes dans sa chambre le soir et leur avoir offert pastèque et rhum.

Était-ce le genre de choses dont sa mère s'était toujours occupée en plus de tout le reste ? D'épingles avalées ? De veuves inconsolables ? De pastèque et de rhum ?

Alma ne se vit d'autre choix que de nettoyer ces écuries d'Augias, une paperasse après l'autre. Elle convainquit son père de s'asseoir avec elle et de l'aider à comprendre le sens de ces documents : tel ou tel procès devait-il être pris au sérieux ? Pourquoi le prix de la salsepareille avait-il autant augmenté l'an dernier ? Ni lui ni elle ne purent entièrement traduire le système vaguement italien de triple comptabilité codée de Beatrix, mais Alma étant meilleure mathématicienne, elle résolut comme elle put les énigmes des registres tout en concoctant une méthode plus simple pour l'avenir. Alma délégua à Prudence la courtoise rédaction de la correspondance tandis que Henry – avec force récriminations – lui donnait les informations nécessaires.

Alma pleura-t-elle sa mère ? C'était difficile à savoir. Elle n'avait pas vraiment le temps pour cela. Elle était prise au piège dans ce bourbier de travail et de frustration, et cette sensation n'était pas très facile à distinguer du chagrin lui-même. Elle était épuisée et bouleversée. Parfois, elle levait le nez de sa tâche pour poser une question à sa mère – quand elle regardait dans la direction du fauteuil que Beatrix occupait toujours – et elle était stupéfaite de n'y trouver personne. C'était comme regarder l'endroit d'un mur où une horloge est accrochée depuis des années et ne plus y voir qu'un espace vide. Elle ne parvenait pas à s'empêcher de regarder et le vide la surprenait chaque fois.

Mais Alma en voulait aussi à sa mère. À mesure qu'elle feuilletait l'équivalent de mois entiers de documents obscurs, elle se demandait pourquoi Beatrix – se sachant si malade – n'avait pas demandé à quelqu'un de l'aider l'année précédente. Pourquoi avait-elle mis ces papiers dans des cartons qu'elle avait rangés dans des placards au lieu de demander de l'assistance ? Pourquoi Beatrix n'avait jamais enseigné à quiconque son système de comptabilité compliqué, ou, à tout le moins, expliqué à quelqu'un où trouver les documents archivés des années précédentes ?

Elle se rappela que sa mère l'avait mise en garde, depuis toujours : « Ne remettez jamais à plus tard vos corvées tant que le soleil brille, Alma, en espérant trouver plus d'heures pour travailler le lendemain – car vous n'en aurez pas plus le lendemain qu'aujourd'hui, et une fois que vous aurez pris du retard dans vos responsabilités, vous ne le rattraperez jamais. »

Dans ce cas, pourquoi Beatrix avait-elle laissé s'accumuler un tel retard ?

Peut-être ne croyait-elle pas qu'elle était en train de mourir. Peut-être que la souffrance lui avait fait perdre la tête et qu'elle ne savait plus où elle en était.

Ou bien, songea sombrement Alma, Beatrix avait voulu punir les vivants en leur laissant tout ce travail longtemps après sa mort.

Quant à Hanneke de Groot, Alma comprit rapidement que la femme était une sainte. Alma n'avait jamais jusque-là mesuré tout le travail que Hanneke accomplissait dans la propriété. Elle recrutait, formait, entretenait et réprimandait des dizaines de personnes. Elle gérait les garde-manger et récoltait les légumes comme si elle avait mené une charge de cavalerie dans les champs et les jardins. Elle réquisitionnait ses troupes pour polir l'argenterie, remuer les sauces, battre les tapis, chauler les murs, parer le cochon, semer le gravier sur l'allée, nettoyer les carcasses et cuire le boudin. Avec son caractère égal et son ferme sens de la discipline, Hanneke arbitrait les jalousies, paresses et sottises d'un grand nombre de personnes et elle était d'évidence l'unique raison pour laquelle le domaine avait continué de fonctionner une fois que Beatrix était tombée malade.

Un matin, peu après le décès de sa mère, Alma avait surpris Hanneke en train de gourmander trois filles de cuisine qu'elle avait plaquées contre le mur comme si elle avait l'intention de les fusiller.

— Une seule bonne ouvrière pourrait vous remplacer toutes les trois, aboya Hanneke. Et faites-moi confiance, quand j'aurai trouvé une bonne ouvrière, vous serez toutes les trois congédiées ! En attendant, retournez à votre travail et cessez de vous faire honte avec votre manque de soin.

— Je ne peux vous remercier assez de tout ce que vous faites, dit Alma à Hanneke quand les filles furent parties. J'espère un jour pouvoir vous assister dans la tenue de cette maison, mais pour le moment, j'ai encore besoin que vous fassiez tout, le temps que je comprenne les affaires de mon père.

— J'ai toujours tout fait, répondit Hanneke sans se plaindre.

— En vérité, c'est ce qu'il semble, Hanneke. On dirait que vous faites le travail de dix hommes.

— Votre mère faisait celui de vingt, Alma, et elle devait s'occuper de votre père, aussi.

Alma la rattrapa par le bras alors qu'elle tournait les talons et s'apprêtait à partir.

— Hanneke, demanda-t-elle, lasse et inquiète. Que faut-il faire quand un bébé a avalé une épingle ?

Sans hésiter ni demander la raison d'une telle question, Hanneke répondit :

— Prescrivez un blanc d'œuf cru à l'enfant et la patience à la mère. Assurez-lui que l'épingle passera probablement dans les selles de l'enfant quelques jours plus tard sans effets dangereux. Si l'enfant est plus âgé, on peut le faire sauter à la corde afin d'accélérer le processus.

— L'enfant en meurt-il parfois ? demanda Alma.

— Cela arrive, dit Hanneke en haussant les épaules. Mais si vous prescrivez ces mesures et parlez avec assez d'assurance, la mère ne se sentira pas si impuissante.

— Merci, dit Alma.

Quant à Retta Snow, elle vint plusieurs fois à White Acre durant les premières semaines qui suivirent le décès de Beatrix, mais Alma et Prudence, occupées à rattraper le retard dans les affaires de famille, ne purent lui consacrer de temps.

— Je peux vous aider ! dit Retta. (Mais tout le monde savait qu'elle en était incapable.) Dans ce cas, je vous attendrai chaque jour dans votre bureau des écuries, finit par promettre Retta à Alma, après avoir été éconduite plusieurs fois de suite. Quand vous en aurez terminé de vos corvées, vous viendrez me voir. Je vous parlerai pendant que vous étudierez ces choses insensées. Je vous raconterai des histoires extraordinaires et vous rirez et vous émerveillerez. Car j'ai des nouvelles de la plus choquante espèce !

Alma n'imaginait pas pouvoir jamais trouver de nouveau le temps de rire ou de s'émerveiller avec Retta, et moins encore de poursuivre ses travaux personnels. Pendant un certain temps après la mort de sa mère, elle oublia complètement qu'elle avait à faire de son côté. Elle n'était plus qu'un gratte-papier, un scribe, une esclave au bureau de son père et l'administratrice d'une maisonnée dangereusement imposante qui se frayait un chemin dans une jungle de tâches négligées. Pendant deux mois, elle sortit à peine du bureau de son père. Elle refusa autant qu'elle put de laisser son père en sortir aussi.

— J'ai besoin de votre aide sur ces questions, le supplia-t-elle, sinon nous ne serons jamais à jour.

Puis, par une journée d'octobre, en fin d'après-midi, alors qu'ils calculaient, triaient et déchiffraient, Henry se leva tout simplement et sortit de son bureau, laissant Alma et Prudence avec une pile de papiers sur les bras.

— Où allez-vous ? demanda Alma.

— Me saouler, gronda-t-il sombrement. Et par Dieu, comme je le redoute.

— Père… protesta-t-elle.

— Finis toute seule, ordonna-t-il.

Ce qu'elle fit.

Avec l'aide de Prudence et de Hanneke, mais surtout toute seule, Alma rangea ce bureau jusqu'à ce qu'il soit la perfection même. Elle rangea toutes les affaires de son père – résolvant un problème pénible après l'autre – jusqu'à ce qu'elle ait traité chaque édit, injonction, mandat et diktat, répondu à chaque lettre, payé chaque facture, rassuré chaque investisseur et chaque vendeur et arbitré jusqu'à la dernière querelle.

C'est à la fin du mois de janvier qu'elle termina et quand elle y fut parvenue, elle comprenait tous les tenants et aboutissants et tous les détails de la Compagnie Whittaker. Elle avait porté le deuil pendant cinq mois. Elle avait totalement manqué l'automne, qu'elle n'avait vu ni arriver ni s'achever. Elle se leva du bureau de son père et dénoua le brassard de crêpe noir. Elle le posa sur le dessus de la dernière corbeille de déchets et rebuts afin qu'il soit brûlé avec. Cela suffisait.

Elle gagna le cabinet de reliure à côté de la bibliothèque, s'y enferma et s'accorda rapidement un peu de plaisir. Cela faisait des mois qu'elle ne s'était pas touché le con, et la libération que cela lui procura lui donna envie de pleurer. Cela faisait des mois qu'elle n'avait pas versé une larme non plus. Non, ce n'était pas exact : cela faisait des années. Elle se rendit aussi compte que son vingt et unième anniversaire était passé la semaine précédente sans que personne ne le remarque, pas même Prudence, sur qui l'on pouvait toujours compter pour faire un petit cadeau attentionné.

Qu'imaginait-elle, enfin ? Elle était plus âgée, désormais. Elle était la maîtresse de la plus grande propriété de Philadelphie et la dirigeante, apparemment, de la plus grande affaire d'import-export de la planète. Le temps des enfantillages avait passé.

Une fois qu'Alma eut quitté le cabinet de reliure, elle se dévêtit entièrement et prit un bain – alors que ce n'était pas un samedi – et alla se coucher à 5 heures de l'après-midi. Elle dormit pendant treize heures. Quand elle se réveilla, la maison était silencieuse. Pour la première fois depuis des mois, la maison n'avait pas besoin d'elle. Le silence était comme de la musique. Elle s'habilla lentement et savoura du thé et des toasts. Puis elle traversa l'ancien jardin à la grecque de sa mère, désormais glacé par le givre, et arriva aux écuries. Il était temps pour elle de revenir, ne fût-ce que pour quelques heures, à son travail personnel, qu'elle avait laissé au beau milieu d'une phrase le jour où sa mère était tombée dans l'escalier.

À sa surprise, elle aperçut un mince ruban de fumée qui s'élevait de la cheminée des écuries. Quand elle entra dans son bureau, elle trouva Retta Snow, pelotonnée sur le divan sous une épaisse couverture de laine, profondément endormie, qui l'attendait – comme promis.

— Retta, dit Alma en lui touchant le bras. Mais que faites-vous donc ici ?

Retta ouvrit ses grands yeux verts. Manifestement, lorsqu'elle se réveilla, elle n'eut pas la moindre idée de l'endroit où elle se trouvait et elle ne sembla pas reconnaître Alma. En cet instant, quelque chose d'affreux passa sur son visage. Elle eut un air féroce, presque dangereux, et Alma se surprit à reculer, effrayée, comme on se recroqueville devant un chien acculé. Puis Retta sourit et l'expression disparut. Redevenue elle-même, elle n'était plus que suavité.

— Ma fidèle amie, dit-elle d'une voix ensommeillée en prenant la main d'Alma. Qui vous aime le plus ? Qui vous aime le mieux ? Qui pense à vous quand d'autres se reposent ?

Alma regarda autour d'elle et vit une petite réserve de boîtes en fer à biscuits vides et un tas de vêtements jetés sans soin sur le sol.

— Pourquoi dormez-vous dans mon bureau, Retta ?

— Parce que la vie est devenue insupportablement morne chez moi. C'est assez morne ici aussi, bien sûr, mais au moins, on a la possibilité de pouvoir voir de temps en temps un visage enjoué, si l'on est patient. Saviez-vous que vous aviez des souris dans votre herbier ? Pourquoi n'avez-vous pas un chat dans votre bureau pour s'en occuper ? Avez-vous déjà vu une sorcière ? J'avoue que je crois qu'il y en avait une dans l'écurie la semaine dernière. Je l'ai entendue rire. Pensez-vous que nous devrions en parler à votre père ? Je ne pense pas que ce soit sûr de garder une sorcière chez vous. Ou bien il pensera tout au plus que je suis folle. Cela dit, il semble déjà le penser. Avez-vous encore du thé ? Ces matins glacés ne sont-ils pas insupportablement cruels ? N'avez-vous pas affreusement hâte d'être à l'été ? Où est passé votre brassard noir ?

Alma s'assit et porta la main de son amie à ses lèvres. C'était agréable d'entendre à nouveau ces absurdités, après tout le sérieux des mois précédents.

— Je n'ai jamais su à laquelle de vos questions répondre en premier, Retta.

— Commencez par le milieu, proposa Retta, et nous progresserons dans les deux directions.

— À quoi ressemblait la sorcière ? demanda Alma.

— Ha ! Voilà que c'est *vous* qui posez trop de questions, à présent ! s'exclama Retta en se levant d'un bond. Travaillons-nous, aujourd'hui ?

— Oui, sourit Alma. Je crois que nous travaillons, aujourd'hui. Enfin.

— Et qu'étudions-nous, ma très chère Alma ?

— Nous étudions la mille-feuille des marais, ma très chère Retta.

— Une plante ?

— Tout à fait.

— Oh, elle semble magnifique !

— Soyez assurée qu'elle ne l'est pas, dit Alma. Mais elle est intéressante. Et qu'est-ce que Retta étudie, aujourd'hui ?

Alma ramassa le magazine féminin qui gisait à côté du divan et en feuilleta les pages incompréhensibles.

— J'étudie le genre de robe dans laquelle devrait se marier une jeune fille dans le ton, dit Retta avec désinvolture.

— Et est-ce vous qui la choisissez ? répondit Alma avec la même désinvolture.

— Tout à fait !

— Et que ferez-vous d'une telle robe, mon petit oiseau ?

— Oh, j'avais en projet de la porter le jour de mon mariage.

— Quel projet ingénieux ! dit Alma en se retournant vers sa paillasse pour voir si elle pourrait commencer à rassembler ses notes datant de cinq mois.

— Mais les manches sont fort courtes sur tous ces dessins, voyez-vous, continua Retta, et je redoute d'avoir froid. Je pourrais porter un châle, me propose ma petite bonne, mais dans ce cas, personne ne pourrait admirer le collier que mère m'a dit que je pourrais porter. Et puis je voudrais une gerbe de roses, même si ce n'est pas la saison et que certains disent que c'est inélégant de porter une gerbe de fleurs en toutes circonstances.

Alma se retourna vers son amie.

— Retta, dit-elle sans rire. Vous n'allez pas sérieusement vous marier, si ?

— Je l'espère bien ! répondit Retta en riant. On m'a dit que la seule manière dont il fallait se marier, c'était *sérieusement*.

— Et qui avez-vous l'intention d'épouser ?

— Mr George Hawkes, dit Retta. Ce drôle de monsieur si sérieux. Cela me rend si heureuse, Alma, que mon futur époux soit quelqu'un que vous adorez autant, ce qui veut dire que nous pouvons tous être amis. Il vous admire tant, et vous l'admirez, ce qui ne peut que signifier que c'est un homme de bien. C'est parce que vous avez de l'affection pour George, en vérité, que je lui fais confiance. Il m'a demandé ma main peu après le décès de votre mère, mais je ne voulais pas en parler plus tôt, car vous aviez bien du chagrin, ma pauvre chère amie. J'ignorais absolument qu'il était épris de moi, mais mère me dit que tout le monde l'est, Dieu merci, car nul ne peut s'en empêcher.

Alma s'assit par terre. Elle n'avait d'autre *choix* que de s'asseoir par terre.

Retta se précipita et s'assit à côté d'elle.

— Regardez-vous ! Vous êtes bouleversée pour moi ! Vous m'aimez tellement ! (Elle la prit par la taille, comme elle l'avait fait le jour de leur rencontre, et la serra contre elle.) Je dois avouer que je suis encore un peu dépassée moi-même. Qu'est-ce qu'un homme aussi intelligent pourrait vouloir d'une petite tête de linotte comme moi ? Mon père a été des plus surpris. Il m'a dit : « Loretta Marie Snow, j'ai toujours pensé que vous étiez le genre de fille qui épouserait un beau garçon stupide chaussé de hautes bottes qui chasse le renard pour le plaisir ! » Mais regardez-moi ! Au lieu de cela, je vais épouser un savant. Imaginez, si cela fait de moi quelqu'un d'intelligent, Alma, d'être mariée à un homme qui a un tel esprit. Cependant, je dois dire que George est loin d'être aussi patient que vous, quand il s'agit de répondre à mes questions. Il dit que le sujet des éditions botaniques est bien trop compliqué à expliquer et il est vrai que je ne sais toujours pas faire la différence entre une lithographie et une gravure. C'est bien ainsi que l'on dit – une lithographie ? Je resterai peut-être éternellement sotte ! Cependant, j'habiterai de l'autre côté de la rivière, ce qui sera très amusant ! Père a promis de nous faire construire une charmante maison, juste à côté de l'imprimerie de George. Vous devez venir me voir chaque jour ! Et tous les trois, nous irons voir ensemble des pièces au Old Drury !

Alma, toujours assise par terre, était incapable de répondre. Elle remerciait seulement le ciel que Retta ait blotti sa tête contre sa poitrine pendant qu'elle babillait, et ne puisse dès lors voir son visage.

George Hawkes allait épouser Retta Snow ?

Mais George était censé être l'époux d'Alma. Elle le voyait en imagination si clairement depuis presque cinq ans. Elle l'avait imaginé – son corps ! – quand elle était dans le cabinet de reliure. Mais elle avait aussi chéri à son égard des pensées plus chastes. Elle les avait imaginés collaborant étroitement. Elle s'était toujours vue quitter White Acre quand le moment serait venu d'épouser George. Ensemble, ils habiteraient dans une petite chambre au-dessus de son atelier d'imprimerie, dans une chaude odeur d'encre et de papier. Elle s'était vue voyager avec lui à Boston, ou peut-être même au-delà – jusqu'aux Alpes, escaladant les rochers à la recherche de pulsatilles et d'androsaces. Il lui aurait dit : « Que pensez-vous de ce spécimen ? » Et elle aurait répondu : « Il est magnifique et rare. »

Il avait toujours été si bon avec elle. Un jour, il avait pressé sa main entre les siennes. Ils avaient regardé dans le même oculaire de microscope *tant de fois*

– l'un après l'autre, à plusieurs reprises – en s'émerveillant tour à tour.

Que pouvait donc voir George Hawkes chez Retta Snow ? D'après les souvenirs d'Alma, George n'avait presque jamais pu *regarder* Retta Snow sans éprouver de gêne. Alma se rappelait qu'il lui jetait des regards éperdus chaque fois que Retta parlait, comme s'il cherchait de l'aide, un soulagement ou une interprétation. En tout cas, ces petits regards échangés entre George et Alma *à propos* de Retta avaient été l'une de leurs plus délicieuses intimités – ou du moins Alma se l'était-elle imaginé.

Mais, apparemment, Alma avait imaginé beaucoup de choses.

Une partie d'elle espérait encore que ce n'était qu'un autre des étranges petits jeux de Retta, ou bien une illusion que se faisait la jeune fille. Comme un instant plus tôt, après tout, Retta avait prétendu qu'il y avait des sorcières qui habitaient dans les écuries, tout était possible. Mais non. Alma connaissait trop bien Retta. Ce n'était pas la Retta joueuse. C'était Retta dans ce qu'elle avait de plus sérieux. Retta qui babillait sur un problème de châle et de manches pour un mariage en février. Qui s'inquiétait tout à fait sérieusement du collier que sa mère comptait lui prêter, qui avait une grande valeur, mais pas tout à fait du goût de Retta : *Et si la chaîne est trop longue ? Et s'il s'emmêle dans le corset ?*

Alma se leva brusquement et hissa Retta debout. Elle était à bout. Elle ne pouvait plus rester assise sans rien dire à en écouter davantage. Sans réfléchir, elle étreignit Retta. C'était tellement plus facile de la serrer contre elle que de la regarder. Et puis, cela fit taire Retta. Elle la serra si fort qu'elle entendit la jeune fille prendre une inspiration avec un petit cri surpris. Au moment où elle crut que Retta allait recommencer à parler, Alma ordonna : « Chut ! » et la serra de plus belle.

Alma avait des bras d'une force extraordinaire (des bras de forgeron, tout comme son père) et Retta était si minuscule, avec une poitrine aussi menue que celle d'un lapereau. Des serpents étaient capables de tuer ainsi, avec une étreinte qui se renforçait jusqu'à ce que la respiration cesse totalement. Alma serra de plus belle. Retta poussa un nouveau petit cri. Alma continuait de l'étreindre, si fort qu'elle la soulevait du sol.

Elle se rappela le jour où elles s'étaient connues toutes les trois. Alma, Prudence et Retta. Viole, fourchette et cuiller. Retta avait dit : « Si nous étions des garçons, nous devrions nous bagarrer, à présent. » Eh bien, Retta n'était pas une bagarreuse. Elle aurait perdu une telle bataille. Elle aurait cruellement perdu. Alma serra de plus belle sa minuscule, inutile et précieuse personne. Elle ferma les yeux de toutes ses forces, mais des larmes perlèrent tout de même au bord des cils. Elle sentit Retta mollir entre ses bras. Ce serait si facile de l'étouffer. Cette sotte de Retta. Cette Retta chérie qui – même maintenant ! – résistait vaillamment à tous les efforts de ne pas être aimée.

Alma laissa retomber son amie.

Retta atterrit en étouffant un cri et faillit rebondir.

— Je vous félicite pour votre bonheur, se força à dire Alma.

Retta eut un petit sanglot et agrippa son corset d'une main tremblante. Elle sourit, sotte et confiante.

— Quelle bonne petite Alma vous êtes ! s'exclama-t-elle. Et combien vous m'aimez !

Dans un étrange accès de raideur presque masculine, Alma lui tendit la main pour que Retta la serre et parvint à articuler une dernière phrase d'une voix étranglée :

— Vous le méritez tant.

— Le saviez-vous ? demanda Alma à Prudence moins d'une heure plus tard quand elle la retrouva en pleins travaux d'aiguille dans le salon.

Prudence posa son ouvrage sur ses cuisses et joignit les mains sans répondre. Elle avait l'habitude de ne s'engager dans aucune conversation tant qu'elle n'avait pas totalement compris les circonstances. Mais Alma attendit quand même, voulant forcer sa sœur à parler, la surprendre en flagrant délit. Mais de quoi ? Le visage de Prudence n'avait rien à révéler, et si Alma pensait Prudence Whittaker assez imprudente pour parler la première dans des circonstances aussi délicates, c'est qu'elle la connaissait mal.

Dans le silence qui suivit, Alma sentit sa colère passer de l'indignation flamboyante à quelque chose de plus tragique et douloureux.

— Saviez-vous, fut-elle finalement forcée de demander, que Retta Snow doit épouser George Hawkes ?

L'expression de Prudence ne changea pas, mais Alma vit une minuscule ligne blanche apparaître fugitivement autour des lèvres de sa sœur, comme si elle les avait légèrement pincées. Puis la ligne disparut aussi vite qu'elle était arrivée, si vite que ce n'était peut-être qu'un effet de l'imagination d'Alma.

— Non, répondit Prudence.

— Comment cela a-t-il pu se produire ? demanda Alma. (Comme Prudence ne disait rien, elle continua :) Retta me dit qu'ils sont fiancés depuis le jour de la mort de notre mère.

— Je vois, dit Prudence après une longue pause.

— Retta a-t-elle jamais su que je… (Là, Alma hésita et faillit se mettre à pleurer.) A-t-elle jamais su que j'avais des sentiments pour lui ?

— Comment voulez-vous que je puisse répondre à cela ? dit Prudence.

— L'a-t-elle appris de *vous* ? insista Alma d'une voix tremblante. Lui en avez-vous parlé ? Vous étiez la seule personne qui pouvait lui dire que j'aimais George.

La ligne blanche réapparut autour des lèvres de sa sœur, un peu plus longuement. Il n'y avait pas à s'y méprendre. C'était de la colère.

— J'aurais espéré, Alma, dit Prudence, que vous connaîtriez mieux mon caractère depuis toutes ces années. Quelqu'un qui viendrait chercher des ragots auprès de moi pourrait-il jamais s'en retourner satisfait ?

— *Cessez de me répondre par énigmes !* hurla Alma. (Puis, baissant la voix :) Avez-vous oui ou non dit à Retta Snow que j'aimais George Hawkes ?

Alma vit une ombre passer dans l'embrasure, hésiter puis disparaître. Elle aperçut seulement un tablier. Quelqu'un – une bonne – avait voulu entrer dans le salon, mais s'était ravisé. *Pourquoi était-il impossible d'avoir la moindre intimité dans cette maison ?* Prudence avait vu l'ombre aussi et cela ne lui plut pas. Elle se leva et s'avança vers Alma, à vrai dire, d'une manière presque menaçante. Les jeunes filles ne pouvaient se trouver nez à nez, car elles n'étaient pas de la même taille, mais Prudence parvint tout de même à regarder Alma de haut, alors qu'elle faisait une tête de moins qu'elle.

— Non, dit-elle. Je n'ai rien dit à personne et je ne dirai jamais rien. En outre, vos insinuations m'insultent et sont injustes autant pour Retta Snow que Mr Hawkes, dont les affaires – j'ose l'espérer – ne regardent qu'eux. Pire encore, votre question vous rabaisse. Je suis désolée de votre déception, mais nous devons à nos amis notre joie et nos meilleurs vœux de bonheur. (Alma voulut répondre, mais Prudence la coupa :) Vous feriez mieux de recouvrer votre maîtrise de vous-même avant de continuer à parler, Alma, l'avertit-elle, sans quoi vous regretterez ce que vous vous apprêtez à révéler.

Cela n'appelait aucun débat. Alma regrettait déjà ce qu'elle venait de dire. Elle aurait préféré ne jamais avoir lancé cette conversation. Mais il était trop tard. Le mieux aurait été d'y mettre un terme immédiatement. Cela aurait été une merveilleuse occasion pour Alma de dompter sa langue, mais malheureusement, elle ne put se retenir.

— Je voulais simplement savoir si Retta m'avait trahie, bafouilla-t-elle.

— Vraiment ? dit Prudence d'un ton égal. Vous supposez donc que votre amie et la mienne, Miss Retta Snow – l'être le plus innocent que j'aie jamais rencontré –, vous a volontairement volé George Hawkes ? Dans quel but, Alma ? Pour le simple plaisir de se divertir ? Et pendant que vous y êtes, pensez-vous aussi que je vous ai trahie ? Pensez-vous que j'ai confié à Retta votre secret afin de me moquer de vous ? Pensez-vous que j'ai encouragé Retta à séduire Mr Hawkes, par une sorte de jeu pervers ? Pensez-vous que j'ai le désir de vous voir punie ? (Bonté divine, Prudence était parfois impitoyable. Si elle avait été un homme, elle aurait fait un avocat redoutable. Alma ne s'était jamais sentie aussi mal ou mesquine. Elle s'assit sur le premier siège venu et fixa le sol. Mais Prudence suivit Alma jusqu'à la chaise, se pencha et poursuivit :) En attendant, Alma, j'ai des nouvelles de mon côté à vous annoncer et que je vais vous dire dès à présent, car elles ont trait à une question du même ordre. J'avais l'intention d'attendre que notre famille ne soit plus en deuil pour aborder ce sujet, mais je vois que vous avez décidé que notre famille avait déjà assez porté le deuil. (Elle lui toucha le bras d'où avait été enlevé le brassard de crêpe noir et Alma tressaillit.) Moi aussi, je vais me marier, annonça Prudence sans la moindre trace de plaisir ni de triomphe. Mr Arthur Dixon a demandé ma main et je la lui ai accordée.

Un bref instant, la tête d'Alma se vida. Au nom du ciel, mais qui était Arthur Dixon ? Par bonheur, elle ne posa pas la question à voix haute, car immédiatement, bien sûr, elle se rappela qui il était et se sentit toute sotte d'avoir douté. Arthur Dixon : leur précepteur. Cet homme malheureux et voûté, qui avait on ne sait comment appris le français à Prudence et aidé sans plaisir Alma à maîtriser le grec. Ce triste sire aux soupirs humides et aux toussotements douloureux. Ce petit être morne, au visage duquel Alma n'avait quasiment pas pensé depuis la dernière fois qu'elle l'avait vu, ce qui remontait à... Quatre ans ? Quand il avait finalement quitté White Acre pour devenir professeur de langues mortes à l'université de Pennsylvanie ? *Non,* se rendit-elle compte dans un sursaut. *C'est inexact.* Elle avait vu Arthur tout récemment, aux obsèques de sa mère. Elle lui avait même parlé. Il lui avait aimablement présenté ses condoléances, et elle s'était demandé ce qu'il pouvait bien faire là.

Eh bien, à présent, elle savait. Il était là pour faire la cour à son ancienne élève, qui se trouvait également être la plus belle jeune femme de Philadelphie et, il fallait bien le dire, potentiellement l'une des plus riches.

— Quand ont eu lieu ces fiançailles ? demanda Alma.

— Juste avant que notre mère meure.

— *Comment ?*

— De la manière habituelle, répliqua froidement Prudence.

— Tout cela s'est-il produit *en même temps* ? demanda Alma, écœurée par cette idée. Vous êtes-vous fiancée à Mr Dixon au moment même où Retta Snow se fiançait à George Hawkes ?

— Je n'ai aucune connaissance des affaires d'autrui, répondit Prudence. (Puis elle se radoucit légèrement et concéda :) Mais il semble que ce soit au même moment, ou presque. Mes fiançailles ont eu lieu quelques jours auparavant. Encore que cela n'ait aucune importance.

— Père le sait-il ?

— Il le saura bien assez tôt. Arthur attendait que le deuil soit terminé pour se déclarer.

— Mais que va donc dire Arthur Dixon à père, Prudence ? L'homme est terrifié devant père. Je ne puis le concevoir. Comment Arthur parviendra-t-il à aller au bout de la conversation sans s'évanouir ? Et que ferez-vous du reste de votre vie, mariée à un *érudit* ?

Prudence se redressa et lissa ses jupes.

— Je me demande si vous vous rendez compte, Alma, que la réaction la plus traditionnelle à l'annonce de fiançailles est de souhaiter à la future mariée de nombreuses années de santé et de bonheur, particulièrement si la future mariée est votre sœur.

— Oh, Prudence, pardonnez-moi… commença Alma, éperdue de honte pour la énième fois de la journée.

— Ne vous inquiétez pas, dit Prudence en se retournant vers la porte. Je ne m'attendais à rien d'autre.

Il arrive à chacun de nous de vouloir expurger certains jours des archives de notre existence même.

Peut-être parce que tel jour particulier nous a accablé d'un chagrin si déchirant que nous pouvons à peine supporter d'y repenser. Ou bien nous voudrions effacer pour toujours un épisode parce que nous nous sommes conduit de manière misérable ce jour-là – nous avons été affreusement égoïste ou extraordinairement stupide. Ou encore nous avons blessé quelqu'un et nous désirons oublier notre culpabilité. Tragiquement, il y a certains jours où ces trois choses se produisent simultanément – où, le cœur brisé, nous nous comportons sottement et nous infligeons une blessure impardonnable à quelqu'un, *et tout cela au même instant.* Pour Alma, ce jour fut le 10 janvier 1821. Elle aurait fait tout ce qui était en son pouvoir pour rayer cette journée tout entière de la chronique de sa vie.

Elle ne pourrait jamais se pardonner que sa première réaction aux heureuses nouvelles dont lui avait fait part sa chère amie et sa pauvre sœur ait été une mesquine démonstration de jalousie, un manque d'égards et (dans le cas de Retta, du moins) de la violence physique. Que leur avait toujours enseigné Beatrix ? *Rien n'est aussi essentiel que la dignité, mes filles. Le temps révélera qui la possède.* En ce qui concerne Alma, le 10 janvier 1821, elle s'était révélée comme une jeune femme dénuée de dignité.

Cela allait la troubler pendant de nombreuses années. Alma se tourmentait en imaginant – inlassablement – les différentes manières dont elle aurait pu se comporter ce jour-là, si elle avait mieux su maîtriser ses passions. Dans les nouvelles versions qu'elle échafaudait de sa conversation avec Retta, elle étreignait son amie avec une parfaite tendresse, à peine le nom de George Hawkes avait-il été prononcé, et lui disait d'une voix assurée : « Comme cet homme a de la chance de vous avoir conquise ! » Dans celles de sa conversation avec Prudence, elle n'accusait jamais sa sœur de l'avoir trahie auprès de Retta, n'accusait certainement jamais Retta d'avoir ravi George Hawkes et, quand Prudence lui annonçait ses fiançailles avec Arthur Dixon, Alma souriait chaleureusement, prenait avec affection la main de sa sœur et disait : « Je ne puis imaginer un gentleman plus convenable pour vous ! »

Mais malheureusement, personne n'a le droit de rejouer une deuxième fois des moments d'une telle maladresse.

Soyons justes, dès le 11 janvier 1821 – à peine un jour plus tard ! – Alma était une bien meilleure personne. Elle se ressaisit aussi vite qu'elle put. Elle résolut fermement de se comporter avec la meilleure grâce vis-à-vis des deux fiançailles. Elle se força à jouer le rôle d'une jeune femme posée qui était sincèrement heureuse devant le bonheur d'autrui. Et quand les deux mariages arrivèrent le mois suivant, à seulement une semaine d'intervalle, elle parvint à être une invitée agréable et enjouée aux deux cérémonies, serviable avec les mariées et courtoise avec leurs époux. Personne ne vit la moindre fissure en elle.

Cela dit, Alma souffrait.

Elle avait perdu George Hawkes. Elle avait été abandonnée par sa sœur et son unique amie. Prudence et Retta, immédiatement après leurs mariages, partirent s'installer dans le centre de Philadelphie.

Viole, fourchette et cuiller n'étaient plus. La seule qui restait à White Acre était Alma (qui avait depuis longtemps décidé qu'elle était *fourchette*.)

Alma trouva une petite consolation dans le fait que personne, hormis Prudence, ne connaissait son amour passé pour George Hawkes. Elle ne pouvait absolument pas effacer les aveux passionnés qu'elle avait imprudemment faits à Prudence au cours des années (et mon Dieu, comme elle les regrettait !) mais, au moins, Prudence était muette comme une tombe, et aucun secret n'en filtrerait jamais. George lui-même ne semblait pas se rendre compte qu'Alma avait jamais eu de l'affection pour lui, ni qu'elle puisse jamais l'avoir soupçonné d'en avoir pour *elle*. Il ne traita pas différemment Alma après son mariage. Il avait été amical et professionnel naguère, et il l'était toujours désormais. C'était pour Alma à la fois une consolation et une horrible déconvenue. Une consolation parce qu'il n'y aurait jamais entre eux aucun embarras ni aucun signe d'humiliation publique. Une déconvenue parce que apparemment, il n'y avait jamais rien eu entre eux – en dehors de ce qu'Alma s'était laissée aller à rêver.

C'était horriblement honteux, quand on y repensait. Malheureusement, on ne pouvait s'empêcher d'y repenser souvent.

En outre, il semblait à présent qu'Alma allait rester éternellement à White Acre. Son père avait besoin d'elle. C'était chaque jour de plus en plus clair. Henry avait laissé partir Prudence sans protester (en vérité, il avait comblé sa fille adoptive d'une dot pour le moins généreuse et n'avait pas été désagréable envers

Arthur Dixon, bien que l'homme fût une vraie barbe et un presbytérien), mais il ne voudrait jamais laisser partir Alma. Prudence n'avait aucune valeur pour lui, mais Alma lui était essentielle, surtout maintenant que Beatrix n'était plus là.

C'est ainsi qu'Alma remplaça entièrement sa mère. Elle fut contrainte d'endosser ce rôle, car personne d'autre n'était capable de s'occuper de Henry. Alma rédigeait la correspondance de son père, s'occupait de ses finances, écoutait ses doléances, veillait à ce qu'il ne consomme pas trop de rhum, donnait son opinion sur ses projets et apaisait ses indignations. Appelée à son bureau à toute heure du jour et de la nuit, Alma ne savait jamais au juste ce que son père allait exiger d'elle ni combien de temps la tâche lui prendrait. Elle pouvait le trouver assis à son bureau devant un tas de pièces d'or qu'il grattait une par une avec une aiguille pour essayer de voir si elles n'étaient pas fausses. Il lui demandait alors son avis. Il arrivait qu'il s'ennuie simplement et qu'il veuille qu'elle lui apporte une tasse de thé, qu'elle joue au *cribbage* avec lui ou qu'elle lui rappelle les paroles d'une vieille chanson. Les jours où il avait des douleurs, si on venait de lui arracher une dent ou de lui appliquer un cataplasme sur la poitrine, il la faisait appeler simplement pour lui dire à quel point il souffrait. Ou, sans raison aucune, il voulait simplement énumérer ses doléances. (« Pourquoi faut-il que l'agneau ait un goût de *bélier* dans cette maison ? » demandait-il. Ou bien : « Pourquoi faut-il que les femmes de chambre déplacent constamment les tapis, si bien qu'on ne sait jamais où poser les pieds sans danger ? Combien de chutes veulent-elles que je fasse ? »)

Les jours où il se sentait mieux et où il avait à faire, Henry avait parfois une vraie tâche à demander à Alma. Il pouvait vouloir qu'elle rédige une lettre menaçante à un emprunteur. (« Dis-lui qu'il doit commencer à me rembourser sous quinze jours, sinon je veillerai à ce que ses enfants passent le reste de leurs jours en maison de redressement », dictait-il, pendant qu'Alma écrivait : « Cher monsieur, C'est avec le plus grand respect que je vous prie de prendre au plus vite les mesures nécessaires pour régler cette dette… ») Ou bien Henry pouvait avoir reçu d'outre-mer une collection de spécimens botaniques séchés qu'il voulait qu'Alma reconstitue en les réhydratant et dessine rapidement avant qu'ils pourrissent. Ou bien il désirait qu'elle écrive une lettre à quelque sous-fifre en Tasmanie qui se tuait au travail dans les coins les plus reculés pour collecter des plantes exotiques pour le compte de la Compagnie Whittaker.

« Dis à ce fainéant, déclarait Henry en faisant glisser sur son bureau un calepin vers sa fille, que cela ne me sert à rien qu'il m'informe avoir trouvé tel ou tel spécimen sur les rives d'un torrent dont il a sûrement inventé le nom, car je ne peux le trouver sur aucune carte existante. Dis-lui qu'il me faut des détails *utiles*. Que je me contrefiche des nouvelles de sa santé chancelante. La mienne chancelle aussi, mais l'obligé-je à écouter mes plaintes ? Dis-lui que je garantis dix dollars le cent de chaque spécimen, mais qu'il faut qu'il soit *précis* et les spécimens *identifiables*. Dis-lui qu'il cesse de me *coller* ses échantillons séchés sur des papiers, car cela les abîme totalement, ce qu'il devrait savoir depuis le temps. Dis-lui qu'il doit utiliser *deux* thermomètres dans chaque terrarium, un fixé à la vitre et l'autre enfoncé dans la terre. Dis-lui qu'avant d'envoyer d'autres spécimens, il doit convaincre les marins à bord du navire qu'ils doivent enlever les caisses des ponts la nuit et les rentrer si l'on attend du gel, car je ne paierai pas un sou si je reçois encore une livraison de moisissures noirâtres dans une caisse qu'on veut me faire passer pour une plante. Et dis-lui que non, je ne lui ferai pas de nouvelle avance sur salaire. Dis-lui qu'il s'estime heureux d'avoir encore son emploi, étant donné qu'il fait tout son possible à son niveau pour me mener à la faillite. Dis-lui que je le paierai quand il l'aura mérité. » (« Cher monsieur, écrivait Alma, la Compagnie Whittaker désire vous exprimer sa plus sincère reconnaissance pour tout le mal que vous vous êtes récemment donné et ses excuses pour tous les inconforts que vous avez pu connaître… »)

Personne d'autre ne pouvait faire ce travail. Il fallait que ce soit Alma. C'était exactement la consigne que lui avait donnée Beatrix sur son lit de mort : Alma ne pouvait pas abandonner son père.

Beatrix s'était-elle doutée qu'Alma ne se marierait jamais ? Probablement, se rendit compte Alma. Qui aurait voulu d'elle ? Qui aurait voulu de cette créature femelle géante, qui dépassait le mètre quatre-vingt-trois, était bourrée de bien trop de connaissance et dont les cheveux ressemblaient à la crête d'un coq ? George Hawkes avait été le meilleur candidat – le seul, en fait – et à présent, il était parti. Alma savait qu'il serait vain d'espérer trouver un époux digne de ce nom et elle s'en ouvrit à Hanneke de Groot, un jour qu'elles taillaient les buis de l'ancien jardin à la grecque de sa mère.

— Ce ne sera jamais mon tour, Hanneke, dit soudain Alma.

Elle dit cela sans apitoiement, mais avec une grande sincérité. Il y avait quelque chose dans le fait de parler néerlandais (et Alma ne parlait que cette langue avec Hanneke) qui suscitait toujours une grande sincérité.

— Laisse faire le temps, dit Hanneke, comprenant très bien de quoi Alma parlait. Il n'est pas trop tard pour qu'un époux vienne à toi.

— Fidèle Hanneke, dit affectueusement Alma. Soyons honnêtes. Qui me passera jamais la bague au doigt, avec mes mains de harengère ? Qui embrassera jamais cette encyclopédie qui me sert de tête ?

— Moi, dit Hanneke en l'attirant à elle et en lui baisant le front. Voilà. C'est fait. Cesse de te plaindre. Tu te comportes toujours comme si tu savais tout, mais tu ne sais pas tout. Ta mère avait le même défaut. J'ai vécu plus longtemps que toi, et de loin, et je te dis que tu n'es pas trop vieille pour te marier et que tu peux encore fonder une famille. Rien ne presse, d'ailleurs. Vois Mrs Kingston, de Locust Street. Elle doit avoir cinquante ans et elle vient d'offrir des jumeaux à son mari ! Une vraie épouse d'Abraham, celle-ci. Quelqu'un devrait étudier son ventre.

— J'avoue, Hanneke, que je ne crois pas que Mrs Kingston ait atteint cinquante ans. Ni qu'elle désire que nous étudiions son ventre.

— Je dis simplement, mon enfant, que tu ne connais pas aussi bien l'avenir que tu le crois. Et il y a autre chose que je désire te dire, par ailleurs. (Elle s'interrompit dans sa tâche et prit un ton grave.) Tout le monde connaît des déceptions, mon enfant.

Alma aimait la sonorité du mot « enfant » en néerlandais. *Kindje*. C'était ainsi que Hanneke appelait toujours Alma quand elle était petite, qu'elle avait peur et voulait grimper dans le lit de la gouvernante au milieu de la nuit. *Kindje*. Cela évoquait la chaleur.

— Je suis consciente que tout le monde connaît des déceptions, Hanneke.

— Je ne suis pas certaine que tu en sois consciente. Tu es encore jeune, alors tu ne penses qu'à toi. Tu ne remarques pas les avanies que subissent les gens autour de toi. Ne proteste pas : c'est vrai. Je ne te condamne pas. J'étais aussi égoïste que toi quand j'avais ton âge. C'est la disposition des jeunes que d'être égoïstes. À présent, je suis plus sage. C'est dommage que l'on ne puisse mettre une vieille tête sur de jeunes épaules, sans quoi tu serais sage aussi. Mais un jour tu comprendras que personne ne traverse la vie en ce monde sans souffrir, quoi que tu imagines de leur vie et du bonheur que tu leur prêtes.

— Que devons-nous faire de notre souffrance, alors ? demanda Alma.

Ce n'était pas une question qu'elle aurait jamais posée à un prêtre, un philosophe ou un poète, mais elle était curieuse – désespérée, même – d'entendre ce que Hanneke de Groot avait à répondre.

— Eh bien, mon enfant, tu peux faire ce que bon te semble de *ta* souffrance, dit doucement Hanneke.

Elle t'appartient. Mais je dois te dire ce que je fais de la mienne. Je l'empoigne par les cheveux, je la jette à terre et je l'écrase sous mon talon. Je te suggère d'apprendre à en faire autant.

Et c'est ce que fit Alma. Elle apprit à broyer ses déceptions sous son talon. Comme elle avait de gros souliers, elle était bien équipée pour cela. Elle s'efforça de réduire ses chagrins en une fine poudre qui pouvait être balayée du pied dans le fossé. Elle faisait cela quotidiennement, parfois plusieurs fois par jour, et c'est ainsi qu'elle avança.

Les mois passèrent. Alma aidait son père, elle assistait Hanneke, travaillait dans les serres et organisait parfois des dîners officiels à White Acre pour distraire Henry. Elle voyait rarement sa vieille amie Retta. C'était encore plus rare qu'elle voie Prudence, mais cela arrivait parfois. Par simple habitude, Alma assistait à la messe le dimanche, même si, souvent, assez scandaleusement, elle faisait suivre sa visite à l'église d'une escapade dans le cabinet de reliure afin de se vider l'esprit en caressant son corps. Ce n'était plus joyeux, ce petit rituel dans le cabinet de reliure, mais cela lui donnait l'impression d'être un peu libre.

Elle se tenait occupée, mais elle ne l'était pas *suffisamment.* Au bout d'une année, elle sentit s'enraciner en elle une torpeur qui l'effraya terriblement. Elle brûlait de trouver quelque emploi ou entreprise qui lui permette d'évacuer sa considérable énergie intellectuelle. Au début, les affaires de son père l'y aidèrent, car le travail remplissait ses journées de vertigineuses responsabilités, mais très vite, l'efficacité d'Alma devint son ennemie. Elle exécutait les tâches de la Compagnie Whittaker trop bien et trop vite. Bientôt, ayant appris tout le nécessaire sur l'import-export de botanique, elle pouvait exécuter le travail de Henry en quatre ou cinq heures chaque jour. Cela ne faisait tout bonnement pas assez de temps. Cela laissait bien trop d'heures libres, et les heures libres étaient dangereuses. Elles offraient trop d'occasions de songer aux déceptions qu'elle était censée broyer sous son talon.

C'est aussi vers cette époque – l'année qui suivit le mariage de tout le monde – qu'Alma prit conscience de quelque chose de capital, voire de choquant : contrairement à ce qu'elle croyait dans son enfance, elle découvrit que White Acre n'était pas, en réalité, un endroit très vaste. Bien au contraire, même : c'était un endroit *minuscule*. Oui, le domaine avait atteint quatre cents hectares, avec plus de mille cinq cents mètres de bord de rivière, une belle portion de forêt inexploitée, une demeure immense, une bibliothèque spectaculaire, un vaste réseau d'écuries, de serres, d'étangs et de torrents – mais si cela constitue les limites de votre monde (ainsi qu'il en était pour Alma), ce n'était pas vaste du tout. Tout endroit que l'on ne pouvait quitter n'était pas vaste – surtout si l'on était une naturaliste !

Le problème était qu'Alma avait déjà passé sa vie à étudier la nature de White Acre et qu'elle connaissait trop bien les lieux. Elle connaissait chaque arbre, chaque pierre et chaque orchidée. Chaque araignée, scarabée et fourmi. Il n'y avait ici aucune nouveauté à explorer pour elle. Oui, elle aurait pu étudier les plantes tropicales rares qui arrivaient chaque semaine dans les impressionnantes serres de son père, mais ce n'était pas une découverte ! Quelqu'un d'autre avait déjà découvert ces plantes ! Et la tâche du naturaliste, ainsi que le savait Alma, était de découvrir. Mais elle n'en aurait pas l'occasion, car elle avait déjà atteint les frontières de sa botanique. Cette prise de conscience l'effraya et l'empêcha de dormir la nuit, ce qui l'effraya encore plus. Elle redoutait de ne pouvoir tenir en place. Elle entendait presque son esprit faire les cent pas dans son crâne, pris au piège et énervé, elle sentait le poids de toutes les années qui lui restaient encore à vivre et pesaient sur elle comme une lourde menace.

Taxonomiste-née qui n'avait rien à classifier, Alma échappa à son inconfort en mettant en ordre d'autres choses. Elle rangea et classa le bureau de son père. Elle tria la bibliothèque, jetant les livres de moindre intérêt. Elle rangea les bocaux de ses étagères par rangs de taille et elle inventa d'autres systèmes de classification superflue encore plus compliqués. Et c'est ainsi qu'un matin de bonne heure en juin 1822, Alma se retrouva assise seule dans les écuries à réfléchir devant tous les articles qu'elle avait écrits pour George Hawkes. Elle essayait de décider si elle devait ranger ces anciens numéros de *Botanica americana* par sujets ou par ordre chronologique. C'était une tâche sans aucune nécessité, mais cela l'occuperait une heure.

Cependant, au bas de la pile, Alma trouva l'article le plus ancien, celui qu'elle avait écrit quand elle n'avait que seize ans, sur le monotrope. Elle le relut. Le style était jeune, mais l'argument scientifique était sensé et son explication de cette plante avide d'ombre comme un parasite exsangue et astucieux lui paraissait encore valide. Mais quand elle examina de plus près ses anciens croquis du monotrope, elle faillit rire de leur aspect sommaire. On les aurait dits exécutés par une enfant, ce qui était presque le cas. Elle n'était pas devenue pour autant une éblouissante artiste avec les années, mais ces premières illustrations étaient vraiment grossières. George avait été bien indulgent de les publier. Son monotrope était représenté poussant sur un lit de mousse, mais, sous le pinceau d'Alma, on aurait dit qu'il était posé sur un vieux matelas boursouflé. Personne n'aurait pu identifier ces malheureux amas en bas du dessin comme de la mousse. Elle aurait dû apporter plus de soin au détail. En bonne naturaliste, elle aurait dû faire une illustration qui représentait précisément dans quelle variété de mousse poussait le monotrope.

Tout bien réfléchi, cependant, Alma se rendit compte qu'elle ne savait pas dans quelle variété de mousse le monotrope poussait. Et en y réfléchissant encore plus, elle se rendit compte qu'elle n'était pas tout à fait certaine de pouvoir distinguer différentes variétés de mousse. Combien y en avait-il, d'ailleurs ? Quelques-unes ? Une dizaine ? Plusieurs centaines ? Elle fut choquée de s'apercevoir qu'elle l'ignorait.

Après tout, où aurait-elle pu l'apprendre ? Qui avait jamais publié sur la mousse ? Voire sur les bryophytes en général ? Il n'existait à sa connaissance aucun ouvrage faisant autorité sur le sujet. Personne n'avait bâti sa carrière là-dessus. Qui en aurait eu envie ? Les mousses n'étaient pas des orchidées, ni des cèdres du Liban. Elles n'étaient ni grosses, ni belles, ni spectaculaires. Elles n'avaient aucune valeur, médicale ou autre, qui aurait permis à quelqu'un comme Henry Whittaker d'en tirer profit. (Cependant, Alma se rappelait que son père lui avait dit qu'il avait emballé ses précieuses graines de quinquina dans de la mousse sèche pour les protéger durant leur transport jusqu'à Java.) Peut-être que Gronovius avait écrit quelque chose sur les mousses ? Qui sait. Mais les travaux du Hollandais dataient de presque soixante-dix ans, désormais – ils étaient dépassés et terriblement incomplets. Ce qui était clair, c'est que personne ne se souciait guère de cette chose. Alma avait même colmaté les vieux murs des écuries avec des tampons de mousse, comme si c'était de l'étoupe.

Elle n'y avait pas beaucoup fait attention.

Elle se leva prestement, s'enveloppa d'un châle, tira une grosse loupe dans sa poche et sortit en courant. La matinée était fraîche et le temps un peu couvert. C'était une lumière parfaite. Elle n'eut pas besoin d'aller loin. Elle savait que sur une éminence le long de la rivière se trouvait un grand affleurement de rochers humides à l'ombre des arbres. Là, se souvint-elle, elle trouverait des mousses, car c'était à cet endroit qu'elle s'était approvisionnée pour isoler son bureau.

Sa mémoire ne l'avait pas trompée. À la limite de la forêt, Alma trouva le premier rocher, qui était gros comme un bœuf allongé. Comme elle l'espérait, il était recouvert de mousse. Elle s'agenouilla dans les hautes herbes et approcha son visage au ras de la pierre. Et là, à moins d'un pouce au-dessus de la surface du rocher, elle vit une grandiose et minuscule forêt. Rien ne bougeait dans ce monde moussu. Elle était si près qu'elle pouvait sentir son parfum humide, puissant et ancien. Délicatement, elle posa la main sur cette petite forêt. Elle plia sous sa paume, puis elle reprit sa forme sans se plaindre. Il y avait quelque chose d'émouvant dans cette réaction. La mousse avait une texture spongieuse, plus chaude que l'air ambiant, et bien plus humide qu'elle ne s'y attendait. C'était comme si elle avait son propre climat.

Alma porta la loupe à son œil et regarda de nouveau. À présent, la forêt miniature lui livrait tous ses majestueux détails. Elle en eut le souffle coupé. C'était un royaume stupéfiant. C'était la jungle amazonienne vue à vol d'oiseau. Elle parcourut du regard l'étonnant paysage, suivant ses chemins dans toutes les directions. Là, il y avait de riches et abondantes vallées remplies de minuscules arbres de filaments tressés et de minuscules lianes emmêlées. Des affluents à peine visibles parcouraient cette jungle et un océan miniature s'était formé dans un creux au centre du rocher où stagnait l'eau de pluie.

De l'autre côté de cet océan – grand comme la moitié du châle d'Alma –, elle trouva un autre continent de mousse. Sur celui-là, tout était différent. Ce pan du rocher devait recevoir plus de soleil que l'autre, soupçonna-t-elle. Ou bien un peu moins de pluie ? En tout cas, son climat était tout autre. Là, la mousse poussait sur des chaînes de montagnes longues comme le bras d'Alma, en d'élégants amas en forme de sapins d'une mousse d'un vert plus sombre. Sur une autre portion du rocher, elle trouva des étendues de déserts infinitésimaux, habités par une sorte de mousse sèche, dure et écailleuse qui avait toutes les apparences de cactées. Ailleurs, elle trouva de profonds petits fjords de mousse, si profond que, même au beau milieu de ce mois de juin, on pouvait encore y apercevoir des traces de glaces hivernales. Elle trouva également de chauds estuaires, des cathédrales miniatures et des grottes de calcaire de la taille de son pouce.

C'est alors qu'elle leva la tête et vit ce qui était devant elle : des dizaines d'autres rochers semblables, innombrables, chacun tapissé d'une manière subtilement différente. Elle retint son souffle. *C'était le monde entier*. C'était plus grand qu'un monde. C'était le firmament de l'univers, ainsi qu'il était vu depuis l'un des puissants télescopes de William Herschel. C'était planétaire et immense. C'étaient des galaxies anciennes et inexplorées, qui s'étendaient devant elle, et c'était juste là ! Elle voyait encore sa maison depuis cet endroit. Elle voyait encore les vieux bateaux familiers sur la Schuylkill. Elle entendait les voix lointaines des jardiniers de son père dans la plantation de pêchers. Si Hanneke avait sonné la cloche du déjeuner à cet instant, elle l'aurait entendue.

Les mondes d'Alma et de la mousse étaient étroitement imbriqués depuis toujours, l'un sur l'autre, l'un dans l'autre. Mais l'un de ces mondes était bruyant, vaste et rapide, tandis que l'autre était silencieux, minuscule et lent – et seulement l'un de ces mondes semblait impossible à mesurer.

Alma plongea les doigts dans la fine couche de fourrure verte et éprouva un frisson de joie et d'impatience. Tout cela pouvait lui appartenir ! Aucun botaniste avant elle ne s'était consacré uniquement à l'étude de ce phylum sous-estimé, mais Alma en était capable. Elle avait le temps, ainsi que la patience. Elle possédait aussi la compétence. En tout cas, elle avait les microscopes. Et même un éditeur, pour cela – car quoi qu'il fût arrivé entre eux (ou plutôt pas arrivé), George Hawkes serait toujours ravi de publier les découvertes d'Alma Whittaker.

Quand elle eut pris conscience de tout cela, Alma eut l'impression que son existence était à la fois plus vaste et beaucoup plus petite – mais d'une manière agréable. Le monde était descendu à l'échelle infime des possibilités. Sa vie pouvait être menée en généreuse miniature. Mieux encore, se rendit-elle compte, elle n'apprendrait jamais *tout* sur les mousses – car elle voyait déjà qu'il y avait beaucoup trop de cette chose dans le monde, il y en avait partout et de toutes sortes. Elle mourrait probablement très vieille sans avoir compris ne fût-ce que la moitié de ce qui se passait sur cet unique amas de rochers. *Eh bien, hourra !* Cela voulait dire qu'Alma avait du travail devant elle pour le restant de ses jours. Elle ne serait pas forcée de rester inactive. Elle ne serait pas forcée d'être malheureuse. Peut-être même qu'elle ne serait pas seule.

Elle avait une tâche.

Elle allait étudier les mousses.

Si Alma avait été catholique, elle se serait signée pour remercier Dieu de cette découverte, car la rencontre donnait la sensation légère et merveilleuse d'une conversion religieuse. Mais Alma n'était pas une femme aux passions religieuses excessives. Malgré tout, son cœur s'éleva dans sa poitrine, plein d'espoir. Malgré tout, les mots qu'elle prononça alors à haute voix avaient tout d'une prière :

— Louées soient les tâches qui m'attendent, dit-elle. Commençons.

III

La perturbation des messages

12

En 1848, Alma Whittaker commençait tout juste à travailler sur son nouveau livre, *Encyclopédie des mousses d'Amérique du Nord*. Au cours des vingt-six dernières années, elle en avait publié deux autres – *Encyclopédie des mousses de Pennsylvanie* et *Encyclopédie des mousses du nord-est des États-Unis* –, l'un et l'autre étant des ouvrages longs et exhaustifs magnifiquement édités par son vieil ami George Hawkes.

Les deux premiers livres d'Alma avaient été chaleureusement accueillis par la communauté des botanistes. Elle avait bénéficié de critiques flatteuses dans quelques-uns des périodiques les plus respectables et fut quasi unanimement reconnue comme une prodige de la taxonomie des bryophytes. Elle avait maîtrisé le sujet non seulement en étudiant les mousses de White Acre et de ses environs, mais aussi en achetant, troquant et obtenant aimablement des échantillons auprès d'autres collectionneurs botaniques du pays et du monde. Ces opérations s'étaient déroulées assez facilement. Alma savait déjà comment importer des plantes et la mousse ne posait aucun problème de transport. Il suffisait de la sécher, de l'emballer et de la charger sur un bateau, et elle supportait le voyage sans le moindre problème. Comme elle occupait peu d'espace et ne pesait presque rien, les capitaines ne voyaient pas d'inconvénient à prendre cette cargaison supplémentaire. Elle ne pourrissait jamais. La mousse séchée était si parfaitement adaptée au transport, à vrai dire, que l'on s'en servait comme emballage depuis des siècles. D'ailleurs, au début de ses explorations, Alma avait découvert que les entrepôts de son père sur les quais étaient déjà remplis de plusieurs centaines de variétés de mousses venant du monde entier, toutes jetées dans des coins ou dans des caisses oubliées, sans avoir jamais été examinées jusqu'à ce qu'Alma les mette sous son microscope.

Grâce à ces explorations et importations, Alma avait été en mesure, au cours des vingt-six dernières années, de recueillir presque huit mille espèces de mousses, qu'elle avait conservées dans un herbier spécial, rangé dans le fenil le plus sec des écuries. En conséquence, l'ensemble de ses connaissances dans le domaine de la bryologie mondiale était d'une densité presque insoutenable, alors qu'elle n'avait jamais quitté en personne la Pennsylvanie. Elle correspondait avec des botanistes de Suisse comme de Terre de Feu et surveillait soigneusement les débats taxonomiques complexes qui faisaient rage dans les plus obscures publications scientifiques pour décider si tel ou tel brin de *Neckera* ou de *Pogonatum* constituait une nouvelle espèce ou tout au plus une variété modifiée d'une espèce déjà répertoriée. Parfois, elle faisait part de ses propres opinions dans ses articles méticuleusement argumentés.

En outre, à présent, elle publiait sous son propre nom. Elle n'était plus « A. Whittaker », mais simplement « Alma Whittaker ». Aucune initiale n'était ajoutée à son nom – rien qui indique des diplômes, une appartenance à des associations scientifiques distinguées. Elle n'était même pas non plus une « Mrs » avec la dignité qu'un tel titre offre à une dame. Désormais, c'était tout à fait évident, tout le monde savait qu'elle était une femme. Cela n'avait guère d'importance. La mousse n'était pas un domaine où la compétition faisait rage, et c'est la raison, peut-être, pour laquelle elle avait été autorisée à y pénétrer en rencontrant si peu de résistance. À quoi il fallait ajouter sa persévérance.

À mesure qu'Alma se familiarisait avec le monde de la mousse au fil des années, elle comprenait mieux pourquoi personne ne l'avait encore jamais étudiée convenablement : à l'œil innocent, il semblait y avoir fort peu à étudier. Les mousses étaient typiquement définies par ce dont elles manquaient, et non par ce qu'elles étaient et, à vrai dire, il leur manquait beaucoup. Les mousses ne donnaient pas de fruits. Elles n'avaient pas de racines. Elles ne poussaient pas au-delà de quelques pouces de hauteur, car elles n'avaient aucun squelette cellulaire interne pour les soutenir. Elles ne pouvaient transporter d'eau dans leur organisme. Elles n'avaient pas d'activité sexuelle (du moins pas d'activité évidente, contrairement aux nénuphars ou aux fleurs de pommier – ou à toute autre fleur, en fait – qui exhibaient leurs organes mâles et femelles). Les mousses dissimulaient à l'œil nu de l'homme le mystère de leur propagation. C'est pour cela qu'on les appelait aussi des *cryptogames* – « mariage caché ».

À tous égards, les mousses pouvaient paraître quelconques, ternes, modestes, voire primitives. L'herbe la plus simple poussant entre les pavés de n'importe quelle ville semblait infiniment plus sophistiquée en comparaison. Mais voici ce que peu de gens comprenaient et qu'Alma parvint à apprendre : la mousse est d'une inconcevable robustesse. Elle dévore la pierre et peu de créatures, en revanche, la mangent. La mousse se repaît de roches, lentement, mais inexorablement, dans un festin qui dure des siècles. Avec assez de temps, une colonie de mousse peut transformer une falaise en gravier et ce gravier en humus. Sous les couches de calcaire exposé, les colonies de mousses créent des éponges vivantes et ruisselantes qui se cramponnent et boivent l'eau calcifiée de la pierre. Avec le temps, ce mélange de mousse et de minéraux se transforme en marbre travertin. Sur la surface dure et crémeuse du marbre blanc, on voit pour toujours les veines bleues, vertes et grises qui sont les traces de colonies de mousses antédiluviennes. La basilique Saint-Pierre elle-même a été construite dans cette matière créée et teintée par les organismes de ces minuscules mousses antiques.

La mousse pousse là où rien d'autre ne peut croître. Sur les briques. Sur l'écorce des arbres et les ardoises des toits. Elle pousse dans le cercle polaire arctique et sous les plus chauds climats tropicaux, mais aussi sur la fourrure des paresseux, sur le dos des limaces, sur les ossements humains en décomposition. La mousse, apprit Alma, est le premier signe de vie botanique qui réapparaisse sur une terre brûlée ou mise à nu. La mousse a l'audace de pousser la forêt à revivre. C'est un moteur de résurrection. Une simple poignée de mousse peut rester endormie et desséchée pendant une quarantaine d'années d'affilée, puis reprendre vie en étant simplement trempée dans l'eau.

La seule chose dont les mousses ont besoin, c'est de temps, et Alma commençait à comprendre que le monde avait quantité de temps à offrir. D'autres savants, remarqua-t-elle, commençaient à avancer la même idée. Dans les années 1830, Alma avait déjà lu les *Principes de géologie* de Charles Lyell, qui posait que la terre était bien plus ancienne que l'on ne l'avait encore imaginé – peut-être de millions d'années. Elle admirait les travaux plus récents de John Phillips, qui dès 1841 avait présenté une chronologie géologique encore plus ancienne que les estimations de Lyell. Selon Phillips, la terre avait connu déjà trois époques d'histoire naturelle (le paléozoïque, le mésozoïque et le cénozoïque), et il avait identifié des éléments fossiles de la faune et de la flore de chaque période – y compris des mousses fossilisées.

Le concept d'une planète d'un âge inimaginable ne choquait pas Alma, même s'il choquait beaucoup d'autres gens, puisqu'il contredisait les enseignements de la Bible. Mais Alma avait ses propres théories particulières sur le temps, que ne faisaient que renforcer les traces fossiles des fonds de l'océan primordial dont Lyell et Phillips parlaient dans leurs études. Alma en était arrivée à penser, en fait, qu'il y avait plusieurs sortes de temps différents qui opéraient simultanément à travers tout le cosmos ; en diligente taxonomiste, elle était même allée jusqu'à leur donner un nom. D'abord, avait-elle décidé, il y avait un « Temps humain », qui était un récit de mémoire mortelle limitée, fondée sur les souvenirs imparfaits d'archives historiques. Le Temps humain était un mécanisme court et horizontal. Il allait du passé récent à un avenir à peine imaginable. Cependant, la caractéristique la plus frappante du Temps humain, c'était qu'il se déplaçait à une vitesse stupéfiante. C'était un simple claquement de doigts à l'échelle de l'univers. Malheureusement pour Alma, son existence – comme celle de tout le monde – se mesurait à l'échelle du Temps humain. En conséquence, elle ne resterait pas longtemps sur cette terre, ainsi qu'elle en avait très douloureusement conscience. Son existence ne représentait qu'un clignement de paupières dans tout l'univers, tout comme celle des autres.

À l'autre bout du spectre, estima Alma, il y avait le « Temps divin » – une incompréhensible éternité dans laquelle grandissaient les galaxies, et où Dieu demeurait. Elle ne savait rien du Temps divin. Personne n'en savait rien. D'ailleurs, elle s'irritait facilement devant les gens qui prétendaient avoir la moindre compréhension du Temps divin. Cela ne l'intéressait pas de l'étudier, car selon elle aucun esprit humain ne pouvait le comprendre. C'était le temps au-delà du temps. Elle le laissa donc. Cependant, elle sentait qu'il existait et elle soupçonnait qu'il existait dans une sorte de stase énorme et infinie.

Plus proche d'elle, revenant sur terre, Alma croyait également au « Temps géologique » – sujet sur lequel Charles Lyell et John Phillips avaient écrit des textes si convaincants. L'histoire naturelle tombait dans cette catégorie. Le Temps géologique avançait à une allure qui paraissait *presque* éternelle, presque divine. Il se déplaçait à la vitesse des pierres et des montagnes. Le Temps géologique n'était pas pressé, et certains savants avançaient désormais qu'il s'égrenait depuis plus longtemps qu'on ne l'avait imaginé jusqu'ici.

Mais quelque part entre le Temps géologique et le Temps humain, décida Alma, il y avait autre chose : le « Temps de la mousse ». En comparaison du Temps géologique, le Temps de la mousse était d'une vitesse aveuglante, car les mousses pouvaient faire en mille ans des progrès qu'une pierre ne pouvait rêver d'accomplir en un million. Mais selon les critères du Temps humain, le Temps de la mousse était douloureusement long. Pour un œil humain non averti, la mousse semblait même ne pas bouger du tout. Mais elle bougeait, et avec des résultats extraordinaires. Rien ne semblait se produire, mais une dizaine d'années plus tard, tout avait changé. C'était simplement que la mousse bougeait si lentement que la plupart des êtres humains ne pouvaient pas s'en rendre compte.

Mais Alma en était capable. Elle en suivait l'évolution. Bien avant 1848, elle s'était déjà entraînée à observer autant que possible son monde à l'allure ralentie du Temps de la mousse. Alma avait fiché de minuscules fanions peints dans les pierres au bord de cet affleurement calcaire pour suivre le progrès de chaque colonie de mousses et cela faisait désormais vingt-huit ans qu'elle suivait cette interminable saga.

Quelle variété de mousses allait traverser le rocher et quelle autre allait reculer ? Combien de temps cela prendrait-il ? Elle observait ces grandioses et inaudibles royaumes verts s'étendre et se rétracter lentement. Elle mesurait leurs progrès en décennies et en centimètres.

Pendant qu'Alma étudiait le Temps de la mousse, elle essayait de ne pas se préoccuper de sa propre vie. Elle était prisonnière des limites du Temps humain, mais elle ne pouvait rien y faire. Elle n'avait simplement plus qu'à exploiter au mieux la brève et éphémère existence qui lui avait été accordée. Elle avait déjà quarante-huit ans. Quarante-huit ans, ce n'était rien par rapport à une colonie de mousses, mais c'était une somme d'années considérable pour une femme. Elle avait atteint la ménopause. Ses cheveux blanchissaient. Si elle avait de la chance, se disait-elle, il lui serait accordé encore vingt ou trente ans pour vivre et étudier – quarante tout au plus. Elle ne pouvait espérer mieux et elle l'espérait chaque jour. Elle avait tant de choses à apprendre et si peu de temps pour le faire.

Souvent, elle se disait que si les mousses avaient su qu'Alma Whittaker disparaîtrait aussi vite, elles l'auraient prise en pitié.

Pendant ce temps, la vie à White Acre poursuivait son cours. L'entreprise de botanique des Whittaker ne s'était pas développée depuis des années, mais elle n'avait pas non plus régressé : elle s'était stabilisée, aurait-on pu dire, pour devenir une machine à débiter des bénéfices avec régularité. Les serres étaient toujours les meilleures d'Amérique, et il y avait, rien qu'en ce moment, plus de six mille variétés de plantes dans le domaine. En Amérique, c'était alors la grande époque de la folie des fougères et des palmiers (la « ptéridomanie », comme l'appelait insolemment la presse) et Henry engrangeait les profits de cet engouement en faisant pousser et en vendant toutes sortes de frondaisons exotiques. Il y avait aussi beaucoup d'argent à gagner dans les fabriques et les fermes qu'il possédait et, ces dernières années, une bonne portion de ses terres avaient été vendues à bon prix à des compagnies de chemin de fer. Il avait des intérêts dans le commerce balbutiant du caoutchouc et avait récemment utilisé ses contacts en Bolivie et au Brésil pour commencer à investir dans ce nouveau domaine incertain.

Henry Whittaker était donc toujours bien vivant – miraculeusement, peut-être. Sa santé, à l'âge de quatre-vingt-huit ans, n'avait guère décliné, ce qui était plutôt impressionnant, étant donné la vie éprouvante qu'il avait toujours menée et la vigueur avec laquelle il s'était toujours plaint. Ses yeux lui causaient du souci, mais avec une loupe et une bonne lampe, il pouvait se débrouiller avec ses papiers. Avec une solide canne et quelques après-midi, il pouvait encore parcourir sa propriété, vêtu – comme toujours – comme un propriétaire terrien du XVIIIe siècle.

Dick Yancey – le crocodile dressé – continuait de s'occuper avec compétence des intérêts internationaux de la Compagnie Whittaker, important de nouvelles et lucratives plantes médicinales comme le simarouba, le chondodendron et bien d'autres. James Garrick, l'ancien associé quaker de Henry, était décédé, mais son fils John avait repris la pharmacie et les remèdes de la marque Garrick & Whittaker se vendaient toujours allègrement à Philadelphie et au-delà. La place prépondérante de Henry dans le commerce international de la quinine avait souffert de la concurrence française, mais il avait de meilleurs résultats sur le marché national. Il avait récemment lancé un nouveau produit, les « pilules de vigueur Garrick & Whittaker » – un mélange d'écorce des jésuites, de gomme de myrrhe, d'huile de sassafras et d'eau distillée, qui était censé guérir toutes les maladies humaines, depuis les fièvres tierces et les irritations cutanées jusqu'aux maux féminins et plus encore. Le produit était un énorme succès. Les pilules étaient peu coûteuses à fabriquer et apportaient un profit régulier, en particulier en été, quand maladies et fièvres s'abattaient sur la ville et que toutes les familles, riches comme pauvres, vivaient dans la crainte de l'infection. Les mères essayaient les pilules pour n'importe quoi, accablant leurs enfants.

La ville s'était étendue autour de White Acre. Il y avait des quartiers animés là où ne se trouvaient autrefois que de paisibles fermes. Il y avait des omnibus, des canaux, des voies de chemin de fer, des rues, des routes goudronnées et des ferries à vapeur. La population des États-Unis avait doublé depuis l'arrivée des Whittaker en 1792, et le drapeau américain se targuait à présent de trente étoiles. Des trains sillonnaient la région en crachant fumée et cendres brûlantes. Prêtres et moralistes craignaient que les vibrations et les cahots d'un moyen de transport aussi rapide plongent les femmes sans volonté dans une frénésie sexuelle. Des poètes écrivaient des odes à la nature, alors même qu'elle disparaissait sous leurs yeux. Il y avait une douzaine de millionnaires à Philadelphie, là où il n'y avait longtemps eu que Henry Whittaker. Tout cela était nouveau. Mais il y avait encore choléra, fièvre jaune, diphtérie, pneumonie et mort. Tout cela ne l'était pas. En conséquence, l'entreprise de pharmacie restait florissante.

Après la mort de Beatrix, Henry ne s'était pas remarié et n'avait pas témoigné le moindre intérêt pour le mariage. Il n'avait pas besoin d'épouse : il avait Alma. Alma était bonne avec Henry et il arrivait même, une fois l'an environ, qu'il l'en félicite. Depuis le temps, elle avait appris comment mieux organiser sa propre existence autour des caprices et des exigences de son père. La plupart du temps, elle appréciait sa compagnie (elle ne put jamais s'empêcher d'avoir de l'affection pour lui) même si elle était parfaitement consciente que chaque heure passée en sa présence était une heure perdue pour l'étude des mousses. Elle accordait à Henry ses après-midi et ses soirées, mais elle consacrait les matinées à son propre travail. Comme il se levait de plus en plus tard avec les années, cet emploi du temps convenait bien. Il arrivait qu'il veuille des convives à dîner, mais beaucoup moins fréquemment à présent. Ils avaient des invités quatre fois l'an, désormais, au lieu de quatre fois par semaine.

Henry restait capricieux et difficile. Alma était parfois réveillée au milieu de la nuit par l'apparemment inébranlable Hanneke de Groot qui lui disait : « Ton père te demande, mon enfant. » Alma se levait alors, s'enveloppait dans une robe de chambre et se rendait au bureau de son père – où elle trouvait Henry, insomniaque et irrité, en train de se débattre avec une marée de papiers, exigeant un petit verre de gin et une gentille partie de trictrac à 3 heures du matin. Alma accédait à ses désirs, sachant que Henry n'en serait que plus fatigué le lendemain, ce qui lui laisserait plus de temps à consacrer à ses propres travaux.

« T'ai-je déjà parlé de Ceylan ? » demandait-il. Et elle le laissait parler jusqu'à ce qu'il s'endorme. Parfois, elle aussi s'assoupissait en écoutant ses vieilles histoires. L'aube se levait sur le vieillard et sa fille à cheveux blancs, tous les deux affalés sur leurs fauteuils – une partie de trictrac inachevée entre eux. Alma se levait et rangeait la pièce. Elle appelait Hanneke et le majordome pour qu'ils l'aident à coucher son père. Puis elle filait prendre son petit déjeuner et se rendait ensuite soit à son bureau dans les écuries soit auprès des mousses de l'affleurement rocheux, où elle pouvait consacrer son attention à ses études.

C'était ainsi que s'étaient déroulées les choses pendant plus de vingt-cinq ans. C'était ainsi qu'elle pensait qu'elles demeureraient. C'était une vie calme, mais pas malheureuse pour Alma Whittaker.

Pas malheureuse le moins du monde.

Cependant, d'autres n'avaient pas été aussi heureux.

Par exemple, l'ancien ami d'Alma, George Hawkes, n'avait pas trouvé le bonheur dans son mariage avec Retta Snow. Retta n'était pas plus heureuse. Le savoir n'apporta ni consolation ni joie à Alma. Une autre femme se serait peut-être réjouie de cette information, y aurait trouvé une sorte de sombre vengeance pour son cœur brisé, mais Alma n'était pas le genre de personne qui tire satisfaction des souffrances d'autrui. En outre, même si le mariage l'avait peinée autrefois, Alma n'était plus amoureuse de George Hawkes. Cela faisait des années que ce feu avait décru. Continuer à l'aimer malgré les circonstances aurait été incommensurablement stupide et elle avait été déjà assez sotte comme cela. Cependant, elle avait de la peine pour George. C'était un brave homme et il avait toujours été un bon ami, mais jamais un homme n'avait aussi mal choisi une épouse.

L'éditeur botanique, si posé, avait d'abord été simplement décontenancé par sa remuante et capricieuse épouse, mais avec le temps, Retta l'irritait de plus en plus. Le couple était parfois venu dîner à White Acre durant les premières années de leur mariage, mais Alma avait vite remarqué que George s'assombrissait et se tendait dès que Retta parlait, comme s'il redoutait d'avance ce qu'elle allait dire. Il finit lui-même par cesser complètement de parler durant les dîners – presque dans l'espoir, semblait-il, que son épouse en fasse autant. Si tel avait été son souhait, il n'avait pas été exaucé. De son côté, Retta devint de plus en plus mal à l'aise en présence de son taciturne mari, ce qui la rendait encore plus volubile et murait de plus belle son époux dans le silence.

Au bout de quelques années, Retta avait développé un tic tout à fait étrange, qu'Alma trouvait pénible à regarder. Elle agitait les doigts devant sa bouche tout en parlant, comme si elle essayait d'attraper les mots qui franchissaient ses lèvres – comme si elle essayait de les *arrêter*, voire de se forcer à les ravaler. Parfois elle réussissait à s'arrêter au milieu d'une phrase insensée, puis elle posait ses doigts sur ses lèvres pour empêcher d'autres mots de sortir. Mais son triomphe était encore plus pénible à voir, car sa dernière et étrange phrase inachevée restait en suspens, gênante, tandis que Retta fixait son époux silencieux, les yeux écarquillés, pour se faire pardonner.

Après quelques-unes de ces représentations irritantes, Mr et Mrs Hawkes cessèrent complètement de venir dîner. Alma les voyait seulement chez eux, quand elle se rendait à Arch Street pour discuter de questions d'édition avec George.

La vie conjugale, finalement, ne convenait pas à Mrs Retta Snow Hawkes. Elle n'était tout bonnement pas douée pour cela. À vrai dire, l'âge adulte lui-même ne lui convenait pas non plus. Cela comprenait bien trop de restrictions et lui imposait d'être bien trop sérieuse. Retta n'était plus une petite tête de linotte qui pouvait caracoler librement dans toute la ville avec son petit cabriolet. Désormais devenue l'épouse et compagne de l'un des éditeurs les plus respectés de Philadelphie, elle était censée se comporter comme telle. Il n'était plus convenable pour Retta d'être vue seule au théâtre. Enfin, cela ne l'avait jamais été, mais naguère, personne ne le lui avait interdit. George le lui interdisait. Il n'appréciait pas le théâtre. Il exigeait aussi que son épouse assiste à la messe – plusieurs fois par semaine, en fait –, où Retta s'ennuyait et se tortillait comme une enfant. Elle ne pouvait plus avoir des tenues aussi gaies une fois mariée, ni se mettre à chanter quand cela la prenait. Ou plutôt, elle le pouvait, et cela lui arrivait, mais ce n'était pas convenable, et cela ne faisait que rendre son mari furieux.

Quand à la maternité, Retta n'avait pas été en mesure de s'acquitter de cette responsabilité non plus. Au bout d'un an de mariage, il y avait eu une grossesse chez les Hawkes, mais elle s'était conclue par une fausse couche. L'année suivante, il y avait eu une autre grossesse manquée, et l'année d'après également. Après avoir perdu son cinquième enfant, Retta s'était enfermée dans sa chambre, en proie à un violent accès de désespoir. Des voisins l'avaient entendue sangloter, disait-on, à plusieurs maisons de là. Le pauvre George Hawkes ne savait absolument pas quoi faire de cette femme désemparée, et il n'avait pas pu travailler pendant plusieurs jours d'affilée à cause de l'indisposition de sa femme. Il avait fini par envoyer un message à White Acre pour supplier Alma de venir à Arch Street tenir compagnie à sa vieille amie, qui était inconsolable.

Mais quand Alma était arrivée, Retta dormait déjà, en suçant son pouce, ses magnifiques cheveux étalés sur son oreiller comme des branches noires et nues dans un ciel d'hiver blême. George expliqua que la pharmacie avait envoyé un peu de laudanum et que cela avait apparemment été efficace.

— Je vous en conjure, George, essayez de ne pas en prendre l'habitude, le mit en garde Alma. Retta a une constitution d'une sensibilité peu commune, et trop de laudanum pourrait lui faire du mal. Je sais qu'elle est parfois fantasque, et même tragique. Mais d'après ce que je sais de Retta, elle n'a besoin que de patience et d'amour pour retrouver toute seule le bonheur. Peut-être que si vous lui laissez un peu plus de temps…

— Veuillez m'excuser de vous avoir dérangée, dit George.

— Pas du tout, dit Alma. Je suis toujours disponible, pour vous comme pour Retta.

Alma voulait dire autre chose – mais quoi ? Elle avait l'impression d'avoir déjà parlé trop librement, peut-être même de l'avoir critiqué comme mari. Le pauvre homme. Il était épuisé.

— L'amitié est là, George, dit-elle en posant la main sur son bras. Servez-vous-en. Vous pouvez me faire appeler quand vous le voulez.

Et c'est ce qu'il fit. Il fit appel à Alma quand Retta se coupa totalement les cheveux en 1826. Il la fit appeler en 1835, quand Retta disparut pendant trois jours, et fut retrouvée à Fishtown endormie au milieu d'un groupe d'enfants des rues. Il fit encore appel à elle en 1842, quand Retta se jeta sur une domestique avec une paire de ciseaux de couture, prétendant que la femme était un fantôme. La servante n'avait pas souffert de graves blessures, mais à présent, plus personne ne voulait lui servir son petit déjeuner. Il la fit appeler enfin en 1846, quand Retta commença à écrire de longues lettres incompréhensibles, où il en coulait plus de larmes que d'encre.

George ne savait pas comment affronter ce genre de scènes et de comportements confus. Tout cela le dérangeait dans son travail et le troublait. Il publiait plus de cinquante livres par an, désormais, ainsi qu'un ensemble de publications scientifiques et un nouvel in-octavo de la *Flore exotique*, coûteux, sur souscription, à parution trimestrielle, illustré d'immenses lithographies de la meilleure qualité encrées à la main. Toutes ces entreprises exigeaient son attention absolue. Il n'avait pas le temps d'avoir une épouse qui s'effondre.

Alma non plus n'avait pas le temps, mais elle venait quand même. Parfois – lors d'épisodes particulièrement graves – elle allait jusqu'à passer la nuit avec Retta, dans le lit conjugal des Hawkes, et enlaçait de ses bras son amie toute tremblante, pendant que George dormait sur une paillasse dans l'imprimerie voisine. Elle avait l'impression que c'était là qu'il dormait désormais, de toute façon.

— M'aimerez-vous et serez-vous toujours aussi bonne avec moi, demandait Retta à Alma au milieu de la nuit, si je deviens le diable lui-même ?

— Je vous aimerai toujours, répondait Alma à la seule amie qu'elle eût jamais eue. Et jamais vous ne pourriez devenir le diable, Retta. Vous avez simplement besoin de repos et de ne plus vous faire de souci ni en causer aux autres…

Le matin de ce genre d'incidents, tous les trois prenaient le petit déjeuner ensemble dans la salle à manger des Hawkes. Ce n'était jamais plaisant. Même dans les meilleures circonstances, George n'était pas du genre à bavarder légèrement, et Retta – selon la quantité de laudanum qu'on lui avait donnée la veille – était soit saisie de frénésie soit frappée de stupeur. Les périodes de lucidité se faisaient de plus en plus rares. Parfois, Retta mâchonnait un chiffon qu'elle refusait qu'on lui prenne. Alma cherchait un sujet de conversation qui convienne à tous les trois, mais il n'y en avait aucun. Il n'y en avait jamais eu un seul. Elle pouvait parler avec Retta de sottises, ou de botanique avec George, mais jamais elle n'avait réussi à trouver le moyen de converser avec les deux en même temps.

C'est alors qu'en avril 1848, George Hawkes fit de nouveau appel à Alma. Elle était à son bureau, en train d'attaquer avec zèle l'énigme que représentait un spécimen mal conservé de *Dicranum consorbrinum* récemment envoyé par un collectionneur amateur du Minnesota – quand un jeune garçon maigre arriva à cheval porteur d'un message urgent : la présence de Miss Whittaker était demandée au plus vite au domicile des Hawkes sur Arch Street. Un accident était survenu.

— Quel genre d'accident ? demanda Alma en se levant, alarmée.

— Un incendie ! dit le garçon en dissimulant difficilement sa joie.

Les garçons aimaient les incendies.

— Juste ciel ! Y a-t-il des blessés ?

— Non, madame, répondit le garçon, visiblement déçu.

Retta, apprit rapidement Alma, avait mis le feu à sa chambre. Pour une raison quelconque, elle avait décidé qu'elle devait brûler ses draps et rideaux. Par bonheur, le temps était humide et les étoffes s'étaient simplement consumées sans prendre feu. Cela avait produit beaucoup plus de fumée que de flammes, mais les dégâts occasionnés à la chambre étaient tout de même considérables. Ceux causés au moral de la maisonnée l'étaient plus encore. Deux autres servantes avaient rendu leur tablier. On ne pouvait demander à personne d'habiter dans cette maison. Personne ne pouvait plus supporter cette maîtresse démente.

En arrivant, Alma trouva George blême et bouleversé. Des calmants avaient été administrés à Retta, qui dormait profondément sur un divan. La maison sentait le feu de broussailles après la pluie.

— Alma ! s'exclama George en se précipitant vers elle. (Il lui prit la main. Il avait eu ce geste une seule fois auparavant, plus de trente ans plus tôt. Cette fois, c'était différent. Alma eut même honte de se rappeler cet ancien épisode. Il ouvrit de grands yeux paniqués.) Elle ne peut plus rester ici.

— C'est votre épouse, George.

— Je sais ce qu'elle est ! Je le sais. Mais elle ne peut pas rester ici, Alma. Elle n'est pas en sécurité et personne ne l'est en sa présence. Elle aurait pu nous tuer tous et mettre le feu à l'imprimerie aussi. Vous devez trouver un endroit où la loger.

— Un hôpital ? demanda Alma.

Mais Retta était allée tant de fois à l'hôpital où, apparemment, personne ne faisait jamais grand-chose pour elle. Elle en revenait même plus agitée qu'elle n'y était entrée.

— Non, Alma. Il faut que ce soit permanent. Un autre genre de logement. Vous savez de quoi je parle ! Je ne peux plus l'avoir ici une nuit de plus. Elle doit vivre ailleurs. Vous devez me pardonner pour cela. Vous savez mieux que personne ce qu'elle est devenue – encore que vous ne sachiez pas à quel point. Je n'ai pas dormi une nuit de la semaine. Nul n'y parvient dans la maison, par peur de ce qu'elle va faire. Il faut deux personnes avec elle en permanence pour veiller à ce qu'elle ne fasse de mal ni à elle-même ni à quiconque. Ne me forcez pas à en dire davantage ! Je sais que vous comprenez ce que je demande. Il faut que vous vous en occupiez pour moi.

Sans chercher à savoir un instant pourquoi il fallait que ce soit *elle* qui s'en occupe, Alma s'en occupa. Avec quelques courriers bien adressés, elle parvint rapidement à obtenir l'admission de son amie à l'asile Griffon de Trenton, dans le New Jersey. Le bâtiment avait été érigé l'année précédente et le Dr Griffon – un personnage respecté de Philadelphie, qui avait été invité une fois à White Acre – avait lui-même dessiné les plans de la propriété, pour garantir une sérénité optimale à des esprits dérangés. C'était le pionnier américain de la moralisation des soins aux malades mentaux et ses méthodes, disait-on, étaient tout à fait humaines. Ses patients n'étaient jamais enchaînés aux murs, par exemple, ainsi qu'il était arrivé une fois à

Retta à l'hôpital de Philadelphie. On disait que l'asile était un bel endroit serein, avec de beaux jardins, et naturellement de hauts murs. Ce n'était pas désagréable, disait-on. Ni bon marché, ainsi qu'Alma l'apprit quand elle paya d'avance la première année de séjour de Retta. Elle ne voulait pas ennuyer George avec cette facture et les parents de Retta étaient décédés depuis longtemps en ne laissant que des dettes.

Ce fut une triste affaire pour Alma que d'arranger tout cela, mais tout le monde convint que c'était pour le mieux. Retta aurait sa chambre individuelle à Griffon, de façon à ce qu'elle ne puisse faire de mal à un autre patient, et elle aurait une infirmière à toute heure auprès d'elle. Savoir cela réconforta Alma. En outre, les thérapies de l'asile étaient modernes et scientifiques. La folie de Retta serait soignée avec l'hydrothérapie, la force centrifuge et de charitables conseils moraux. Elle ne pourrait se procurer du feu ou des ciseaux. Alma avait été assurée de ce dernier détail par le Dr Griffon en personne, qui avait déjà diagnostiqué chez Retta ce qu'il appelait un « épuisement de la fontaine nerveuse ».

Alma organisa donc tout. George eut seulement besoin de signer le certificat de démence et d'accompagner son épouse avec Alma à Trenton. Tous trois prirent un attelage privé, car il était trop risqué de faire prendre le train à Retta. Ils avaient emporté des courroies au cas où il faudrait la maîtriser, mais Retta se comporta calmement durant le trajet et fredonna des chansonnettes.

Quand ils arrivèrent à l'asile, George passa le premier et traversa d'un pas vif la grande pelouse menant à l'entrée, suivi d'Alma et de Retta bras dessus, bras dessous, comme si elles se promenaient.

— Quelle jolie maison ! s'exclama Retta en admirant l'élégant bâtiment de briques.

— Je suis d'accord, dit Alma, soulagée. Je suis heureuse qu'elle vous plaise, Retta, car c'est ici que vous vivrez désormais.

Il était difficile de savoir jusqu'à quel point Retta comprenait la situation, mais elle ne paraissait pas agitée.

— Ce sont de charmants jardins, continua-t-elle.

— J'en conviens, dit Alma.

— Mais je ne supporte pas de voir couper des fleurs, cependant.

— Retta, voyons, que vous êtes sotte de dire cela ! Personne n'aime autant que vous un joli bouquet de fleurs fraîchement coupées !

— Je suis punie pour les plus innommables crimes, répondit Retta d'un ton très calme.

— Nul ne vous punit, petit oiseau.

— Je suis terrifiée par Dieu, plus que tout.

— Dieu n'a nulle raison de se plaindre de vous, Retta.

— Je souffre dans ma poitrine des plus mystérieuses douleurs qui soient. Parfois, c'est comme si on me broyait le cœur. Pas en ce moment, voyez-vous, mais cela arrive si vite.

— Vous ferez ici la connaissance d'amis qui vous soigneront.

— Quand j'étais petite, continua Retta du même ton détendu, je faisais des promenades compromettantes avec des hommes. Saviez-vous cela sur mon compte, Alma ?

— Taisez-vous, Retta.

— Ce n'est pas nécessaire de me faire taire. George le sait. Je le lui ai dit bien des fois. Je permettais à ces hommes de me manipuler comme bon leur semblait et je me suis même laissée aller à leur prendre de l'argent – même si, comme vous le savez, je n'ai jamais eu besoin d'argent.

— Taisez-vous, Retta. Vous divaguez.

— Avez-vous jamais eu envie de faire des promenades compromettantes avec des hommes ? Quand vous étiez jeune, je veux dire.

— Retta, je vous en prie…

— Les dames de la fromagerie de White Acre le faisaient aussi. Elles m'ont montré comment faire certaines choses aux hommes et enseigné combien d'argent demander pour mes services. Je me suis acheté des gants et des rubans avec cet argent. Un jour, j'ai même acheté un ruban pour vous !

Alma ralentit le pas, espérant que George ne les entendait pas. Mais il est vrai qu'il savait déjà tout.

— Retta, vous êtes si lasse, il faut ménager votre voix…

— Mais l'avez-vous jamais fait, Alma ? N'avez-vous *jamais* eu envie de commettre des actes compromettants ? N'avez-vous jamais éprouvé une perverse soif dans votre corps ? (Retta lui empoigna le bras et scruta le visage d'Alma d'un air pitoyable. Puis elle baissa de nouveau la tête, résignée.) Non, bien sûr. Car vous êtes bonne. Prudence et vous l'êtes toutes les deux. Alors que moi, je suis le diable incarné.

Là, Alma crut qu'elle allait avoir le cœur brisé. Elle regarda le large dos voûté de George Hawkes qui marchait devant elles. Elle se sentit vaincue par la honte. *Avait-elle jamais eu envie de commettre des actes compromettants avec des hommes ?* Oh, si seulement Retta savait ! Si quiconque savait ! Alma était une vieille fille de quarante-huit ans au ventre desséché, et pourtant, elle savait *encore* trouver le chemin du cabinet de reliure plusieurs fois par mois. Bon nombre de fois, même ! Qui plus est, tous les textes illicites de sa jeunesse – *Cum grano salis* et les autres – vibraient encore dans son souvenir. Parfois, elle sortait ces livres de leur malle cachée dans le fenil de l'écurie et les relisait. Que pouvait *ignorer* Alma de ces perverses soifs ?

Alma se dit qu'il serait immoral de sa part de ne pas rassurer ou soutenir ce pauvre petit être brisé. Comment Alma pouvait-elle laisser Retta croire qu'elle était la seule fille perverse au monde ? Mais George Hawkes était juste devant elles et pourrait sans doute tout entendre. Aussi Alma n'offrit-elle ni consolation ni commisération. Elle se contenta de dire ceci : « Une fois que vous serez installée dans votre nouvelle demeure ici, ma chère petite Retta, vous pourrez vous promener chaque jour dans ces jardins. Et vous serez en paix. »

Dans la voiture qui les ramenait de Trenton, Alma et George parlèrent à peine.

— Elle sera bien soignée, dit finalement Alma. Le Dr Griffon en personne me l'a assuré.

— Nous sommes tous nés pour souffrir, dit George en guise de réponse. C'est un triste destin que le simple fait de venir au monde.

— C'est peut-être vrai, répondit prudemment Alma, surprise de la véhémence de ses paroles. Cependant, nous devons trouver la patience et la résignation pour endurer nos épreuves à mesure qu'elles nous sont infligées.

— Oui. C'est ce que l'on nous enseigne, dit George. Savez-vous, Alma, que parfois j'ai prié pour que Retta trouve le soulagement dans la mort, plutôt que de continuer à souffrir ce tourment ou nous le faire subir à moi et aux autres ?

Elle ne sut que répondre. Il la regarda fixement, le visage grimaçant de chagrin et d'accablement. Au bout d'un moment, elle balbutia : « Là où il y a de la vie, George, il y a encore de l'espoir. La mort est si affreusement irrémédiable. Elle viendra bien assez vite. J'hésiterais à la souhaiter plus prompte pour quiconque. »

George ferma les yeux sans répondre. Cela ne semblait pas avoir été une réponse rassurante.

« Je prendrai l'habitude de rendre visite à Retta à Trenton une fois par mois, poursuivit Alma d'un ton plus léger. Si vous le désirez, vous pourrez vous joindre à moi. Je lui apporterai des numéros du *Joy's Lady's Book*. Cela lui plaira. »

Durant les deux heures qui suivirent, George ne prononça pas un mot. Pendant un temps, il sembla sommeiller. Mais alors qu'ils approchaient de Philadelphie, il ouvrit les yeux. Jamais Alma n'avait vu quelqu'un d'aussi abattu. Par compassion, elle décida de changer de sujet. Quelques semaines plus tôt, George avait prêté à Alma un nouveau livre qui venait d'être publié à Londres sur le sujet des salamandres. Peut-être qu'en parler lui remonterait le moral. Elle le remercia donc de son attention et, alors que l'attelage avançait lentement vers la ville, s'attarda un peu sur le livre, concluant : « D'un point de vue général, j'ai trouvé que c'était un ouvrage fort bien pensé et une juste analyse, mais il était abominablement écrit et terriblement organisé. Aussi dois-je vous le demander, George, mais ces gens, en Angleterre, n'ont-ils donc pas de relecteurs ? »

George leva le nez de ses pieds et déclara, assez brusquement :

— L'époux de votre sœur a eu quelques ennuis, dernièrement.

D'évidence, il n'avait pas entendu un mot de ce qu'elle avait dit. En outre, le changement de sujet surprit Alma. George n'était pas un amateur de ragots et elle trouva curieux le simple fait qu'il mentionne le mari de Prudence. Peut-être, se dit-elle, était-il si agité par les événements de la journée qu'il n'était plus tout à fait lui-même. Cependant, ne voulant pas le mettre mal à l'aise, elle enchaîna sur le sujet, comme si George et elle discutaient régulièrement de telles questions.

— Qu'a-t-il fait ? demanda-t-elle.

— Arthur Dixon a publié un pamphlet bien téméraire, expliqua George d'un ton las, qu'il a été assez imprudent de signer de son propre nom, où il exprime l'opinion que le gouvernement des États-Unis d'Amérique est d'une moralité abominablement douteuse au prétexte qu'il continue de pratiquer l'esclavage.

La nouvelle n'avait rien de choquant. Prudence et Arthur Dixon étaient des abolitionnistes engagés depuis des années. Ils étaient bien connus dans tout Philadelphie pour leurs opinions contre l'esclavage qui frisaient le radicalisme. Prudence, dans ses loisirs, enseignait la lecture aux Noirs affranchis dans une école quaker locale. Elle s'occupait également d'enfants à l'Orphelinat pour enfants de couleur et prononçait fréquemment des allocutions lors de réunions de sociétés féminines abolitionnistes. Arthur Dixon publiait fréquemment – constamment, même – des pamphlets et avait siégé au conseil éditorial du *Liberator*. En toute franchise, beaucoup de gens de Philadelphie en avaient assez des Dixon, de leurs pamphlets, articles et discours. (« Pour un homme qui se pique d'être un agitateur, disait toujours Henry de son gendre, Arthur Dixon est épouvantablement barbant. »)

— Mais où est le problème ? demanda Alma. Nous savons tous que ma sœur et son époux sont très engagés dans de telles causes.

— Le professeur Dixon est allé plus loin cette fois, Alma. Il souhaite non seulement que l'esclavage soit aboli immédiatement, mais il est aussi d'avis que nous ne devrions ni payer d'impôts ni respecter la loi américaine jusqu'à ce que cette mesure improbable soit prise. Il nous exhorte à descendre dans les rues en brandissant des torches et en exigeant l'affranchissement immédiat de tous les Noirs.

— Arthur *Dixon* ? (Alma ne put s'empêcher de prononcer le nom de son ancien et ennuyeux précepteur.) Des torches ? Cela ne lui ressemble pas.

— Vous pourrez le lire et voir par vous-même. Tout le monde en parle. On dit qu'il a de la chance d'avoir encore son poste à l'université. Votre sœur, semble-t-il, s'est exprimée en accord avec lui.

Alma réfléchit à la question.

— C'est un peu alarmant, convint-elle finalement.

— Vous et moi sommes nés pour souffrir, répéta George en passant une main lasse sur son visage.

— Cependant, nous devons trouver la patience et la résignation… recommença pitoyablement Alma.

— Votre pauvre sœur, la coupa George. Et avec de jeunes enfants dans son foyer, en plus. Faites-moi savoir, Alma, s'il y a quoi que ce soit que je puisse faire pour aider votre famille. Vous avez toujours été si bonne pour nous.

13

Sa pauvre sœur ?

Eh bien, peut-être… mais Alma n'en était pas certaine.

Prudence Whittaker Dixon était une femme que l'on avait du mal à plaindre et elle était restée, au cours des années, une femme totalement incompréhensible. Alma songea à cela le lendemain, tout en examinant ses colonies de mousses à White Acre.

Quelle énigme, ce ménage Dixon ! Encore un mariage qui ne semblait pas du tout heureux. Prudence et son ancien précepteur étaient mariés depuis plus de vingt-cinq ans et avaient eu six enfants, mais Alma n'avait jamais vu le moindre signe d'affection, de plaisir ou de lien au sein de ce couple. Elle ne les avait jamais entendus rire. Elle les avait rarement vus sourire. Pas plus qu'elle n'avait jamais vu un flamboiement de colère entre les deux. À vrai dire, elle n'avait jamais vu la moindre émotion d'aucune espèce passer entre eux. Quel genre de mariage était-ce, où deux personnes traversent les années avec un ennui appliqué ?

Mais il y avait toujours eu des questions entourant la vie conjugale de sa sœur – à commencer par le mystère brûlant qui avait consumé toutes les commères de Philadelphie des années plus tôt, lorsque Arthur et Prudence s'étaient mariés : *Qu'était devenue la dot ?* Henry Whittaker avait comblé sa fille adoptive d'une somme incroyablement généreuse à l'occasion de son mariage, mais rien n'indiquait que le moindre sou en avait été dépensé. Arthur et Prudence Dixon vivaient comme des pauvres sur son petit salaire de professeur. Ils ne possédaient même pas leur logis. Voire, c'est tout juste s'ils le *chauffaient* ! Ne voyant pas le luxe d'un bon œil, Arthur faisait en sorte que son intérieur soit aussi froid, sec et exsangue que sa personne. Il gouvernait sa famille selon un modèle d'abstinence, de pudeur, d'érudition et de prière, et Prudence s'y était conformée. Dès le premier jour de sa vie d'épouse, elle avait renoncé à tout raffinement et prit l'habitude de se vêtir comme une quakeresse : flanelle, laine et couleurs sombres, et les plus hideuses capotes qui fussent. Elle ne s'autorisait ni babiole ni chaîne comme bijou et ne portait même pas la moindre dentelle.

La retenue de Prudence ne se limitait pas non plus à sa garde-robe. Son alimentation devint aussi simple et restreinte que son habillement – uniquement du pain de farine de maïs et de la mélasse, apparemment. Jamais on ne la voyait boire un verre de vin, ni même du thé ou de la limonade. Quand ses enfants étaient nés, Prudence les avait élevés dans la même misérable existence. Une poire cueillie à un arbre en chemin était une friandise pour ses garçons et filles, auxquels elle apprit à se détourner des gourmandises plus séduisantes. Prudence habillait ses enfants comme elle-même : de vêtements humbles, méticuleusement rapiécés. C'était comme si elle voulait qu'ils eussent l'air pauvres. Ou bien ils l'étaient réellement, même s'ils n'avaient aucune raison de l'être.

— Qu'a-t-elle donc fait de toutes ses robes ? demandait Henry chaque fois que Prudence venait en visite à White Acre vêtue de ses loques. Elle rembourre ses matelas avec ?

Mais Alma avait vu les matelas de Prudence et ils étaient bourrés de paille.

Les commères de Philadelphie s'en donnaient à cœur joie pour deviner ce que Prudence et son époux avaient fait de la dot Whittaker. Arthur Dixon était-il un joueur qui avait gaspillé ces richesses au champ de courses ou dans des combats de chiens ? Avait-il dans une autre ville une autre famille qui vivait dans le luxe ? Ou bien le couple était-il assis sur un trésor enfoui d'une ampleur indicible qu'il dissimulait derrière une pauvreté de façade ?

Avec le temps, la réponse se fit jour : tout l'argent était allé aux causes abolitionnistes. Prudence avait discrètement versé presque toute sa dot à la Philadelphia Abolitionist Society peu après son mariage. Les Dixon avaient aussi utilisé leur argent pour acheter la liberté d'esclaves, ce qui pouvait coûter jusqu'à mille trois cents dollars par tête. Ils avaient payé le transport de plusieurs esclaves fugitifs jusqu'au Canada. Ils avaient financé la publication d'innombrables brochures et pamphlets. Ils avaient même créé des groupes de discussions pour Noirs, où ils leur enseignaient à défendre eux-mêmes leur cause.

Tous ces détails avaient été révélés en 1838, dans un article publié dans l'*Inquirer* sur l'extraordinaire mode de vie de Prudence Whittaker Dixon. À la suite de l'incendie criminel d'une salle de réunion d'abolitionnistes par un groupe de lyncheurs, le journal avait cherché des anecdotes intéressantes – voire divertissantes – sur le mouvement antiesclavage. Prudence Dixon avait été indiquée à un journaliste par un abolitionniste connu qui avait parlé de la discrète générosité de l'héritière Whittaker. Le journaliste avait immédiatement été intrigué ; le nom de Whittaker, jusque-là, n'était pas vraiment associé à Philadelphie à des gestes d'une générosité sans limites. En outre, évidemment, Prudence était d'une grande beauté – ce qui attirait toujours l'attention – et le contraste entre son visage exquis et son existence chichement menée ne la rendait qu'encore plus fascinante. Avec ses élégants poignets blancs et son cou délicat qui dépassait de ses vêtements hideux, elle avait toute l'apparence d'une déesse en captivité – Aphrodite prisonnière dans un couvent. Le journaliste avait été incapable de lui résister.

L'article parut en une du journal, illustré d'une gravure flatteuse de Mrs Dixon. La majeure partie du texte était d'une teneur abolitionniste familière, mais ce qui captiva l'imagination des Philadelphiens, ce fut que Prudence – élevée dans le luxe de White Acre – déclarât que depuis des années, elle refusait, pour elle et sa famille, le moindre article de luxe qui ait été produit par des mains d'esclaves.

« Il peut paraître innocent de porter du coton de Caroline du Sud, citait l'article, mais ce n'est pas innocent, car c'est ainsi que le mal s'insinue dans le foyer. Cela peut paraître un plaisir simple de gâter nos enfants avec une sucrerie, mais ce plaisir devient un péché quand le sucre a été cultivé par des êtres humains détenus dans des conditions innommables. C'est pour cette même raison que dans notre maison, nous ne buvons ni café ni thé. Je conjure tous les Philadelphiens qui ont une bonne conscience chrétienne d'en faire autant. Si nous nous élevons contre l'esclavage, mais que nous continuons à savourer ses produits, nous ne sommes rien de plus que des hypocrites, et comment pouvons-nous croire que le Seigneur se satisfait de notre hypocrisie ? »

Plus bas dans l'article, Prudence ajoutait même : « Mon époux et moi sommes voisins d'une famille de Noirs affranchis, composée d'un brave homme, John Harrington, de son épouse Sadie et de leurs trois enfants. Étant pauvres, ils souffrent. Nous veillons à ne pas vivre plus richement qu'eux. À ne pas avoir un intérieur plus luxueux que le leur. Souvent, les Harrington travaillent avec nous dans notre maison et nous dans la leur. Je récure ma cheminée avec Sadie Harrington. Mon mari coupe du bois avec John Harrington. Mes enfants apprennent à lire et à compter avec les enfants Harrington. Ils dînent souvent à notre table. Nous mangeons et nous nous vêtons comme eux. En hiver, si les Harrington n'ont pas de chauffage, nous en faisons autant. Notre absence de honte nous tient chaud, tout comme notre certitude que le Christ aurait agi comme nous. Le dimanche, nous allons à la messe avec les Harrington dans leur humble église méthodiste noire. Leur église n'a aucun confort

– pourquoi la nôtre devrait-elle en avoir ? Leurs enfants n'ont parfois pas de chaussures – pourquoi les nôtres en auraient-ils ? »

Là, Prudence était allée trop loin.

Les jours suivants, les journaux furent inondés de réponses furieuses aux déclarations de Prudence. Certaines des lettres venaient de mères consternées (« La fille de Henry Whittaker laisse aller ses enfants pieds nus ! ») mais la plupart d'hommes furibards (« Si Mrs Dixon aime les Noirs d'Afrique autant qu'elle le prétend, qu'elle donne la main de sa plus jolie petite fille blanche au fils le plus noir de son voisin – j'ai hâte d'assister à cela ! »).

De son côté, Alma ne put s'empêcher de trouver l'article irritant. Il y avait quelque chose dans la manière de vivre de Prudence qui apparaissait aux yeux d'Alma comme de l'orgueil, voire de la vanité. Certes, Prudence n'avait pas la vanité des gens ordinaires (Alma n'avait même jamais surpris sa sœur en train de se regarder dans un miroir) mais elle sentait que sa sœur était vaniteuse ici d'une autre manière – une manière plus subtile, par ces excessives démonstrations d'austérité et de sacrifice.

Voyez le peu dont j'ai besoin, semblait dire Prudence. *Voyez comme je suis bonne.*

Plus encore, elle ne pouvait s'empêcher de se demander si peut-être, les voisins noirs de Prudence, les Harrington, n'auraient pas préféré manger autre chose un soir que du pain de farine de maïs et de la mélasse – et pourquoi les Dixon ne pouvaient pas le leur acheter, au lieu de s'affamer eux aussi dans un geste de solidarité d'une telle vacuité ?

L'article de presse apporta des ennuis. Philadephie était peut-être une ville libre, mais cela ne signifiait pas pour autant que ses habitants souhaitaient voir des femmes blanches bien nées se mélanger à de pauvres Noirs. Au début, ce furent des menaces et des attaques sur les Harrington, qui furent harcelés à tel point qu'ils durent déménager. Ensuite, Arthur fut criblé de crottin de cheval alors qu'il se rendait au travail à l'université de Pennsylvanie. Des mères refusèrent de laisser leurs enfants continuer à jouer avec les petits Dixon. Des lambeaux de coton de Caroline du Sud commencèrent à être accrochés à la grille des Dixon, et des petits tas de sucre déposés sur leur seuil – des mises en garde aussi étranges qu'inventives, en vérité. Puis un jour, à la mi-1838, Henry Whittaker avait reçu par la poste une lettre anonyme qui disait : « Vous seriez bien avisé de faire tenir sa langue à votre fille, Mr Whittaker, sinon vos entrepôts risquent de finir en cendres. »

Eh bien, c'en fut trop pour Henry. Il avait été assez insulté que sa fille ait dilapidé sa généreuse dot mais, à présent, c'étaient ses affaires qui étaient en danger. Il avait convoqué Prudence à White Acre avec l'intention de lui faire entendre raison.

— Soyez gentil avec elle, père, l'avait averti Alma avant la rencontre. Prudence est probablement ébranlée et inquiète. Elle a été très éprouvée par les événements des dernières semaines, et elle est certainement plus préoccupée par la sécurité de ses enfants que vous par celle de vos entrepôts.

— J'en doute, avait grommelé Henry.

Mais Prudence n'avait pas paru effrayée ni désemparée. Elle était plutôt entrée dans le bureau de Henry comme Jeanne d'Arc et n'avait pas semblé impressionnée par son père. Alma tenta des salutations aimables, mais Prudence ne montra aucun intérêt pour les politesses. Henry non plus. Il se lança immédiatement dans la conversation.

— Regarde ce que tu as fait ! Tu as attiré la disgrâce sur la famille et à présent, tu lances une foule hargneuse sur les biens de ton père ? C'est la récompense que tu m'offres pour tout ce que je t'ai donné ?

— Pardonnez-moi mais je ne vois aucune foule hargneuse, dit calmement Prudence.

— Eh bien, elle risque fort d'arriver ! répondit Henry en tendant la lettre de menaces à Prudence, qui la lut sans émotion. Je te le dis, Prudence, je ne serai pas heureux si je dois diriger mes affaires dans des ruines calcinées. Que t'imagines-tu en jouant ce petit jeu ? Pourquoi t'exhiber ainsi dans les journaux ? C'est tout à fait indigne. Beatrix l'aurait désapprouvé.

— Je suis fière que l'on ait publié mes propos, répondit Prudence. S'il le fallait, je les prononcerais à nouveau avec la même fierté, devant n'importe quel journaliste de Philadelphie.

Prudence n'arrangeait pas la situation.

— Tu viens ici habillée de guenilles, s'emporta Henry. Tu viens ici sans un sou, malgré ma générosité. Tu viens ici depuis les confins de l'enfer de dénuement de ton époux, exprès pour jouer les misérables devant nous et nous rendre misérables en ta présence. Tu te mêles de choses qui ne te regardent pas et tu suscites l'agitation avec une cause qui va déchirer cette ville – en anéantissant mes affaires du même coup ! Et sans raison, en plus ! Il n'y a pas d'esclavage dans le Commonwealth de Pennsylvanie, Prudence ! Alors pourquoi continues-tu d'argumenter ? Laisse le Sud s'occuper de ses péchés.

— Je regrette que vous ne partagiez pas mes opinions, père, répondit Prudence.

— Je me fiche de tes opinions comme d'un pet de singe. Mais je te jure que s'il arrive malheur à mes entrepôts…

— Vous êtes un homme d'influence, coupa Prudence. Votre voix pourrait soutenir notre cause et votre argent faire beaucoup de bien en ce monde de péché. J'en appelle à la conscience de votre cœur…

— Au diable la conscience de mon cœur ! Tu ne fais que rendre plus difficile la vie de tous les négociants de cette ville !

— Que voudriez-vous que je fasse en ce cas, père ?

— Que tu te taises, ma fille, et que tu t'occupes de ta famille.

— Tous ceux qui souffrent sont ma famille.

— Oh, épargne-moi tes sermons : *il n'en est rien*. Ce sont les gens qui sont dans cette pièce, ta famille.

— Pas plus que d'autres, répliqua Prudence.

Cela arrêta Henry. À vrai dire, cela lui coupa le souffle. Même Alma accusa le coup. Le commentaire lui fit monter les larmes aux yeux, comme si on venait de lui donner un coup sur le nez.

— Tu ne nous considères pas comme ta famille ? demanda Henry après avoir repris contenance. Très bien, alors. Je te chasse de cette famille.

— Oh, père, ne… protesta Alma, sincèrement horrifiée.

Mais Prudence coupa sa sœur en se lançant dans une réponse qui était si lucide et calme qu'on aurait pu penser qu'elle la répétait depuis des années. Et c'était peut-être le cas.

— Comme il vous plaira, dit-elle. Mais sachez que vous chassez de votre maison une fille qui vous a toujours été loyale et qui a le droit d'attendre tendresse et sympathie de l'unique homme qu'elle se rappelle avoir appelé « père ». Non seulement c'est cruel, mais je crois que cela tourmentera votre conscience. Je prierai pour vous, Henry Whittaker. Et quand je prierai, je demanderai au Seigneur ce qu'est devenue la morale de mon père, à moins qu'il n'en ait jamais eu ?

Henry se leva d'un bond et assena un coup de poing furibard sur son bureau.

— Espèce de petite idiote ! gronda-t-il. Jamais je n'en ai eu !

Cela s'était produit dix ans plus tôt, et Henry n'avait plus revu sa fille Prudence, pas plus que celle-ci n'avait tenté de le voir. Alma elle-même n'avait vu sa sœur qu'à quelques reprises depuis, s'arrêtant sporadiquement chez les Dixon en faisant montre d'une nonchalance artificielle et d'une bonne volonté forcée. Elle prétendait qu'elle passait par le quartier afin de pouvoir apporter de menus cadeaux à ses neveux et nièces ou déposer des corbeilles de friandises lors des fêtes de Noël. Alma savait que sa sœur se contenterait de transmettre ces cadeaux et friandises à une famille plus nécessiteuse, mais elle le faisait tout de même. Au début de la rupture familiale, elle avait même tenté d'offrir de l'argent à sa sœur, mais Prudence, on ne s'en étonnera guère, avait refusé.

Ces visites n'avaient jamais été chaleureuses ni agréables, et Alma étaient toujours soulagée quand elle en avait terminé. Elle avait honte chaque fois qu'elle voyait Prudence. Si irritante qu'elle trouvât la rigidité et la moralité de sa sœur, Alma ne pouvait s'empêcher de se dire que son père s'était mal conduit lors de sa dernière entrevue avec Prudence – ou plutôt que Henry et Alma s'étaient *tous les deux* mal conduits. L'incident les avait présentés sous un jour peu flatteur. Prudence s'était fermement rangée du côté des bons et des vertueux, tandis que Henry s'était contenté de défendre ses affaires et de renier sa fille adoptive. Et Alma ? Eh bien, elle s'était assez fermement rangée du côté de Henry Whittaker – ou du moins était-ce ainsi qu'il paraissait – en ne prenant pas avec plus de véhémence la défense de sa sœur et en restant à White Acre après le départ de Prudence.

Mais son père avait besoin d'elle ! Henry n'était peut-être pas généreux ni charitable, mais c'était un homme important et il avait besoin d'elle. Il ne pouvait pas vivre sans elle. Personne d'autre ne pouvait gérer ses affaires et ses affaires étaient nombreuses et de la plus haute importance. C'est ce qu'elle s'était dit.

En plus, l'abolitionnisme n'était pas une cause chère au cœur d'Alma. Elle avait assez naturellement en horreur l'esclavage, mais elle était préoccupée par tant d'autres questions que celle-ci ne consumait pas sa conscience au quotidien. Alma vivait dans le Temps de la mousse, après tout, et elle ne pouvait tout simplement pas se concentrer sur son travail – et prendre soin de son père – tout en se mesurant aux caprices changeants du théâtre quotidien de la politique humaine. L'esclavage était une grotesque injustice, certes, et il devait être éradiqué. Mais il y avait *tellement* d'injustices, comme la pauvreté, la tyrannie, le vol et le meurtre. On ne pouvait pas se mettre en devoir d'éliminer toutes les injustices connues tout en rédigeant des ouvrages de référence sur les mousses américaines et en gérant les affaires complexes d'une entreprise familiale d'envergure mondiale.

N'était-ce pas vrai ?

Et pourquoi fallait-il que Prudence se donne autant de mal pour que tout le monde autour d'elle passe pour un monstre de mesquinerie et d'égoïsme par rapport à ses immenses sacrifices ?

— Merci de votre bonté, disait toujours Prudence quand Alma arrivait avec un cadeau ou une corbeille.

Mais elle n'allait pas jusqu'à exprimer une affection ou une reconnaissance sincères. Prudence était tout à fait polie, mais sans aucune chaleur. Quand Alma retrouvait le luxe de White Acre après ses visites à la maison dénuée de tout de Prudence, elle était accablée et se sentait coupable, comme si elle avait comparu devant un homme de loi sévère et avait été jugée simplette. Aussi ne sera-t-on pas surpris d'apprendre qu'avec les années, Alma rendit de moins en moins fréquemment visite à Prudence et que les deux sœurs s'éloignèrent plus que jamais.

Mais à présent, dans la voiture qui les ramenait de Trenton, George Hawkes avait informé Alma que les Dixon risquaient peut-être des ennuis à la suite du pamphlet incendiaire d'Arthur Dixon. Alors que, non loin de ses rochers, elle prenait des notes en ce printemps 1848 sur les progrès de ses mousses, elle se demanda s'il ne fallait pas qu'elle rende de nouveau visite à Prudence. Si le poste de son beau-frère était effectivement menacé à l'université, c'était grave. Mais que pourrait dire Alma ? Que pourrait-elle faire ? Que pourrait-elle offrir à Prudence comme assistance qui ne serait pas refusée par orgueil et humilité obstinée ?

En outre, les Dixon ne s'étaient-ils pas eux-mêmes fourrés dans ce pétrin ? Tout cela n'était-il pas la conséquence naturelle d'une existence aussi extrême que radicale ? Quels parents Arthur et Prudence étaient-ils, à mettre ainsi en danger la vie de leurs six enfants ? Leur cause était dangereuse. Les abolitionnistes finissaient souvent traînés dans la rue et battus – même dans les villes libres du Nord ! Le Nord n'aimait pas l'esclavage, mais il aimait la paix et la stabilité, et les abolitionnistes perturberaient cette paix. L'Orphelinat pour enfants de couleur, où Prudence travaillait souvent en tant qu'enseignante bénévole, avait déjà été plusieurs fois attaqué par des bandes. Et l'abolitionniste Elijah Lovejoy n'avait-il pas été assassiné en Illinois et ses presses, soutien des causes abolitionnistes, détruites et jetées dans la rivière ? Cela pouvait arriver à Philadelphie. Prudence et son mari devaient faire plus attention.

Alma reporta son attention à ses rochers moussus. Elle avait du travail. Elle avait pris du retard la semaine précédente, lorsqu'elle avait accompagné la pauvre Retta à l'asile Griffon, et il n'était pas question qu'elle en accumule encore à cause de l'imprudence de sa sœur. Elle avait des mesures à prendre et à noter.

Il y avait trois colonies séparées de *Dicranum* qui poussaient sur l'un des plus gros rochers. Alma observait ces trois colonies depuis vingt-six ans et dernièrement, il était devenu incontestablement évident que l'une des variétés progressait, alors que les deux autres reculaient. Alma s'assit près de son rocher, en comparant plus de vingt ans de notes et de croquis. Elle n'arrivait pas à leur trouver une logique.

Le *Dicranum* était pour Alma une obsession au sein d'une obsession – le cœur de sa passion pour les mousses. Le monde était couvert de centaines de centaines d'espèces de *Dicranum* et chaque variété présentait des différences infimes. Alma en savait plus que quiconque au monde sur le *Dicranum*, mais ce genre continuait à la préoccuper et à l'empêcher de dormir. Alma – qui s'était interrogée sur les mécanismes et origines durant toute sa vie – était agitée de questions fébriles sur ce petit genre compliqué. Comment le *Dicranum* était-il apparu ? Pourquoi connaissait-il une diversité aussi marquée ? Pourquoi la nature s'était-elle donné autant de mal pour que chaque variété ait d'infimes différences avec les autres ? Pourquoi certaines variétés de *Dicranum* étaient-elles bien plus résistantes que leur parent le plus proche ? Y avait-il toujours eu une telle diversité de *Dicranum*, ou bien s'étaient-elles en quelque sorte transformées, métamorphosées de l'une en l'autre, tout en ayant un ancêtre commun ?

Il y avait eu dernièrement bien des débats au sein de la communauté scientifique sur la transformation des espèces. Alma les avait suivis avec le plus grand intérêt. Ce n'était pas vraiment nouveau. Jean-Baptiste de Lamarck avait lancé le sujet quarante ans plus tôt, en France, quand il avait émis l'idée que chaque espèce sur terre s'était transformée depuis sa création originale à cause d'un « sentiment intérieur » dans l'organisme lui-même, qui le poussait à se perfectionner. Plus récemment, Alma avait lu *Les Vestiges de l'histoire naturelle de la création*, par un auteur anonyme qui avançait également que les espèces étaient capables de progression, de changement. L'auteur ne proposait pas un mécanisme expliquant de manière convaincante *comment* une espèce pouvait changer – mais il était partisan de l'existence d'une transformation.

De telles vues étaient tout à fait controversées. Suggérer que la notion que toute entité sur terre pouvait se modifier au cours du temps revenait à remettre en question l'autorité même de Dieu. La position chrétienne était que le Seigneur avait créé toutes les espèces terrestres en un seul jour, et qu'aucune de Ses créations n'avait changé depuis l'aube des temps. Mais il semblait de plus en plus clair à Alma que des choses avaient effectivement changé. Alma elle-même avait étudié des échantillons de mousses fossilisées qui ne correspondaient pas tout à fait aux mousses de l'époque actuelle. Et ce n'était que la nature à l'échelle la plus minuscule ! Que fallait-il penser des stupéfiants ossements de lézards que Richard Owen avait récemment baptisés *dinosaures* ? Il était incontestable que ces animaux gargantuesques avaient autrefois foulé le sol terrestre et que – de manière tout à fait évidente – ils n'y étaient plus. Les dinosaures avaient été remplacés par autre chose ou bien ils avaient simplement été anéantis. Comment expliquait-on de telles extinctions et transformations massives ?

Comme l'avait écrit le grand Linné lui-même : *Natura non facit saltum.*

La nature ne fait pas de bond.

Mais Alma se dit que la nature faisait en fait des bonds. Peut-être seulement de tout petits bonds – des sauts, des sautillements, des sursauts – mais des bonds néanmoins. On pouvait le constater dans l'élevage des chiens et des moutons, ainsi que dans l'organisation changeante du pouvoir et de la suprématie entre différentes colonies de mousses sur ces rochers calcaires en bordure de forêt à White Acre. Alma avait des idées, mais elle ne parvenait pas tout à fait à les assembler. Elle était sûre que certaines variétés de *Dicranum* devaient descendre d'autres variétés plus anciennes de *Dicranum.* Elle était sûre qu'une entité pouvait être issue d'une autre entité, ou provoquer l'extinction d'une autre colonie. Elle avait la conviction que cela se produisait, mais elle ne saisissait pas *comment*.

Elle sentit dans sa poitrine l'étreinte familière du désir et de l'urgence. Il ne lui restait que deux heures ce jour-là pour travailler sur l'affleurement rocheux avant de devoir revenir vers les exigences de son père. Il lui fallait plus d'heures – beaucoup plus – si elle voulait jamais étudier ces questions ainsi qu'elles le méritaient. Jamais elle n'aurait assez d'heures. Elle avait déjà perdu tellement de temps cette semaine. Apparemment, tout le monde pensait avoir des droits sur le temps d'Alma. Comment pourrait-elle jamais se consacrer convenablement à l'exploration scientifique ?

En regardant le soleil qui se couchait, Alma décida qu'elle ne rendrait pas visite à Prudence. Elle n'avait tout simplement pas le temps pour cela. Elle ne voulait pas non plus lire le dernier pamphlet provocateur d'Arthur sur l'abolition. En quoi Alma pouvait-elle aider les Dixon ? Sa sœur ne voulait pas entendre l'opinion d'Alma ni bénéficier de son aide. Alma avait de la peine pour Prudence, mais une visite ne serait qu'un embarras de plus, comme l'étaient toujours ces rencontres.

Alma revint à ses rochers. Elle sortit son mètre ruban et mesura de nouveau les colonies. Elle nota rapidement les chiffres.

Encore deux heures.

Elle avait tellement de travail à faire.

Arthur et Prudence Dixon allaient devoir apprendre à se débrouiller par eux-mêmes.

14

Plus tard le même mois, Alma reçut un mot de George Hawkes lui demandant de venir à Arch Street à son atelier d'imprimerie afin de voir quelque chose d'extraordinaire.

« Je ne gâcherai point son caractère incroyable en vous en disant davantage, écrivait-il, mais je pense que vous serez heureuse de voir cela en personne, et à loisir. »

Eh bien, Alma n'avait pas de loisirs. Ni George, d'ailleurs – et c'est pourquoi ce mot était tout à fait sans précédent. Naguère, George n'avait contacté Alma que pour des questions d'édition ou des urgences concernant Retta. Mais il n'y en avait plus depuis que Retta avait été internée à l'asile Griffon et Alma et George ne travaillaient pas ensemble sur un livre en ce moment. Dans ce cas, qu'est-ce qui pouvait être aussi urgent ?

Intriguée, elle prit une voiture pour Arch Street.

Elle trouva George dans l'arrière-boutique, penché sur une longue table couverte du plus éblouissant assortiment de formes et de couleurs. En s'approchant, elle vit que c'était une immense collection de peintures d'orchidées rangées en hautes piles. Et ce n'était pas seulement des peintures, mais des lithographies, des croquis et des gravures.

— Je n'ai jamais vu plus magnifique travail, dit George en guise de salut. Cela vient d'arriver hier de Boston. C'est une si étrange histoire. Voyez cette habileté !

George lui fourra dans les mains une lithographie d'une *Catasetum* mouchetée. L'orchidée avait été reproduite si magnifiquement qu'elle semblait vivante sur la feuille. Les lèvres jaunes étaient mouchetées de rouge et apparemment humides, comme de la chair vivante. Les feuilles étaient luisantes et épaisses, et l'on aurait dit que l'on pouvait faire tomber de la terre en secouant les racines bulbeuses. Avant qu'Alma ait pu en apprécier toute la beauté, George lui avait déjà tendu une autre éblouissante gravure – une *Peristeria barkeri,* avec son avalanche de boutons dorés si frais qu'ils tremblaient presque. Celui qui avait exécuté cette lithographie était un maître en matière de texture comme de couleur ; les pétales ressemblaient à du velours et la touche de blanc d'œuf à leur pointe donnait à chaque fleur l'impression d'une goutte de rosée.

C'est alors que George lui donna une autre feuille et qu'Alma ne put s'empêcher de pousser un cri. Cette orchidée, quelle qu'elle fût, Alma ne l'avait encore jamais vue. Ses minuscules lobes roses évoquaient ce qu'une fée aurait utilisé en guise de robe de bal. Jamais elle n'avait vu une telle complexité et une telle délicatesse. Alma connaissait les lithographies, et elle les connaissait bien. Elle était née quatre ans seulement avant l'invention du procédé et elle avait rassemblé pour la bibliothèque de White Acre certaines des plus belles que le monde avait produites jusque-là. Elle croyait bien connaître les limites de cette technique, et pourtant ces reproductions lui prouvaient qu'elle avait tort. George Hawkes s'y connaissait également. Personne à Philadelphie ne maîtrisait la technique mieux que lui. Pourtant, sa main trembla quand il tendit à Alma une autre planche, une autre orchidée. Il voulait qu'elle voie tout cela, et d'un seul coup. Alma en mourait d'envie, mais avant cela, elle avait besoin de mieux comprendre la situation.

— Attendez, George. Prenons un moment. Vous devez me dire… Qui a fait tout cela ?

Elle connaissait tous les meilleurs illustrateurs botaniques, mais elle ne connaissait pas cet artiste. Même Walter Hood Fitch ne pouvait exécuter un tel travail. Si elle en avait déjà vu de semblable, elle s'en serait certainement souvenue.

— Une personne des plus extraordinaires, il semble, dit George. Il s'appelle Ambrose Pike.

Alma n'avait jamais entendu ce nom.

— Qui publie son travail ? demanda-t-elle.

— Personne !

— Qui le lui a commandité, alors ?

— Il ne semble pas qu'il ait été commandité par quiconque, dit George. Mr Pike a fait les lithographies lui-même, dans l'atelier d'imprimerie d'un ami, à Boston. Il a trouvé les orchidées, exécuté les croquis, la gravure et même la mise en couleurs lui-même. Il m'a envoyé tout son travail sans autre explication que cela. Tout est arrivé hier dans une caisse de l'allure la plus innocente qui soit. J'ai failli tomber à la renverse quand je l'ai ouverte, comme vous pouvez l'imaginer. Mr Pike était au Guatemala et au Mexique ces dix-huit dernières années, dit-il, et n'est revenu chez lui au Massachusetts que récemment. Les orchidées présentées ici sont le résultat de son séjour dans la jungle. Personne ne le connaît. Nous devons le faire venir à Philadelphie, Alma. Peut-être pourriez-vous l'inviter à White Acre ? Sa lettre était des plus humbles. Il a consacré toute sa vie à cette entreprise. Il aimerait savoir si je pourrais publier son œuvre.

— Vous *allez* la publier, n'est-ce pas ? demanda Alma, imaginant déjà ces magnifiques images dans un livre parfaitement mis en page par George Hawkes.

— Naturellement que je vais la publier ! Mais avant, je dois tenter de tout comprendre. Certaines de ces orchidées, Alma, je ne les ai jamais vues. Un travail comme celui-là, je n'en ai certainement jamais vu.

— Moi non plus, dit Alma.

Elle se retourna vers la table et examina les autres planches délicatement. Elle osait à peine les toucher, tant elles étaient belles. Elles auraient toutes dû être sous verre, jusqu'à la dernière. Même les plus petits dessins étaient des chefs-d'œuvre. Machinalement, elle leva les yeux au plafond pour s'assurer qu'il était solide et qu'aucune fuite ne viendrait détruire ce travail. Elle redouta soudain incendies ou vols. George devait cadenasser cette pièce. Elle regretta de ne pas porter de gants.

— Avez-vous *jamais*… commença George.

Mais il était tellement dépassé qu'il ne put terminer sa phrase. Jamais elle ne l'avait vu ainsi vaincu par l'émotion.

— Jamais, murmura-t-elle. Jamais de ma vie.

Le soir même, Alma écrivit une lettre à Mr Ambrose Pike, du Massachusetts.

Elle avait écrit des milliers de lettres dans sa vie – et bon nombre étaient des félicitations ou des invitations – mais elle ne savait pas comment commencer celle-ci. Comment s'adresse-t-on à un authentique génie ? Finalement, elle décida qu'elle ne pouvait qu'être directe.

> *Cher Mr Pike,*
>
> *Je crains que vous ne m'ayez causé un grand tort. Vous m'avez rendue pour toujours incapable d'admirer le travail botanique de quiconque d'autre que vous. Le monde des croquis, des peintures et des lithographies me paraîtra tristement morne et terne maintenant que j'ai vu vos orchidées. Je crois que vous devez prochainement vous rendre à Philadelphie afin de travailler auprès de mon cher ami George Hawkes sur la publication d'un livre. J'aurais aimé savoir si, lors de votre venue dans notre ville, je pourrais vous attirer à White Acre, notre propriété familiale, pour une visite prolongée ? Nous avons des serres remplies d'une abondance d'orchidées – dont certaines sont presque aussi belles dans la réalité que les vôtres en peinture. J'ose imaginer que vous les apprécierez. Peut-être souhaiterez-vous les dessiner. (N'importe laquelle de nos fleurs considérerait comme un honneur d'avoir son portrait exécuté de votre main !) Sans aucun*

doute, mon père et moi serons enchantés de faire votre connaissance. Si vous voulez bien me faire savoir l'heure de votre arrivée, j'enverrai un attelage vous prendre à la gare. Une fois que vous nous aurez été confié, nous veillerons à exaucer votre moindre désir. Je vous prie de ne pas me faire à nouveau souffrir en refusant !

Très sincèrement vôtre, Alma Whittaker

Il arriva au milieu du mois de mai 1848.

Alma était dans son bureau à son microscope quand elle vit l'attelage s'arrêter devant la maison. Un svelte et grand jeune homme blond en costume de velours côtelé en descendit. À cette distance, il ne paraissait pas avoir plus de vingt ans – mais Alma savait que c'était impossible. Il ne portait rien d'autre qu'un petit sac de voyage en cuir, qui avait l'air non seulement d'avoir déjà fait plusieurs fois le tour du monde, mais aussi d'être prêt à tomber en morceaux avant la fin de la journée.

Alma l'observa un moment avant de sortir l'accueillir. Elle avait assisté à tant d'arrivées à White Acre au cours des ans et, d'expérience, elle savait que ceux qui venaient la première fois faisaient tous exactement la même chose : ils s'immobilisaient pour contempler, bouche bée, la maison qui se dressait devant eux, car White Acre était aussi magnifique qu'imposante, surtout la première fois. Elle avait été tout spécialement conçue pour intimider les visiteurs, après tout, et rares étaient ceux qui pouvaient dissimuler leur admiration, leur envie, leur crainte – en particulier s'ils ne se savaient pas observés.

Mais Mr Pike ne regarda même pas la maison. En fait, il lui tourna le dos à peine descendu et contempla l'ancien jardin à la grecque de Beatrix – qu'Alma et Hanneke conservaient dans un état impeccable en hommage à Mrs Whittaker. Il recula un peu, comme pour mieux l'appréhender, puis il eut un très étrange comportement : il posa son sac de voyage, ôta sa veste, marcha jusqu'à l'angle nord-ouest du jardin, puis partit à grandes enjambées vers le coin sud-est. Il y resta un moment, regarda autour de lui, puis parcourut les deux bords contigus du jardin – sa longueur et sa largeur – du pas d'un arpenteur qui mesure les limites d'une propriété. Arrivé à l'angle nord-ouest, il ôta son chapeau, se gratta le crâne, puis éclata de rire. Alma ne l'entendit pas, mais elle le vit distinctement.

C'en était trop : elle ne put résister et se précipita hors des écuries pour le rejoindre.

— Mr Pike, dit-elle en lui tendant la main, une fois arrivée auprès de lui.

— Vous devez être Miss Whittaker ! fit-il en la serrant avec un chaleureux sourire. Je ne pouvais en croire mes yeux. Vous devez me dire, Miss Whittaker, quel génie dément a pris tant de peine pour construire ce jardin selon les idéaux les plus stricts de la géométrie euclidienne ?

— C'était l'inspiration de ma mère, monsieur. Si elle n'était pas décédée depuis des années, elle aurait été ravie de savoir que vous avez reconnu ses objectifs.

— Qui ne les reconnaîtrait pas ? C'est le nombre d'or ! Nous avons des doubles carrés ici, qui renferment des réseaux récurrents de carrés – et avec les allées qui divisent toute cette structure, nous traçons plusieurs triangles isiaques. C'est si agréable ! Je trouve extraordinaire que quelqu'un ait pu prendre la peine de faire cela et à une échelle aussi vaste. Les buis sont parfaits aussi. Ils semblent servir de marques d'équation à tous les conjugués. Ce devait être un délice, votre mère.

— Un délice… répéta Alma en réfléchissant. Eh bien, ma mère était douée d'un esprit qui fonctionnait avec une délicieuse précision, c'est certain.

— Comme c'est remarquable, dit-il.

Il semblait n'avoir pas encore remarqué la maison.

— C'est un vrai plaisir de faire votre connaissance, Mr Pike, dit Alma.

— Et moi la vôtre, Miss Whittaker. Votre lettre était des plus généreuses. Je dois dire que j'ai apprécié le trajet en voiture particulière – une première dans ma longue vie. Je suis si accoutumé à voyager à l'étroit en compagnie d'enfants qui piaillent, d'animaux malheureux et d'hommes bruyants fumant de gros cigares que j'ai à peine su quoi faire pendant ces longues heures de solitude et de tranquillité.

— Qu'avez-vous fait, alors ? demanda Alma, souriant devant son enthousiasme.

— J'ai embrassé le spectacle silencieux de la route.

Avant qu'Alma ait pu répondre à cette charmante déclaration, elle vit une expression inquiète assombrir le visage de Mr Pike. Elle se retourna pour voir ce qu'il regardait : un domestique entrait dans White Acre en emportant le petit bagage de Mr Pike.

— Mon sac… dit-il en tendant la main.

— Nous le faisons simplement porter à vos appartements, Mr Pike. Il vous y attendra auprès de votre lit jusqu'à ce que vous en ayez besoin.

— Mais bien sûr, fit Mr Pike en secouant la tête, gêné. Comme je suis bête. Veuillez m'excuser. Je ne suis pas habitué aux serviteurs ni à tout ce genre de choses.

— Préféreriez-vous conserver votre sac avec vous ?

— Pas du tout. Pardonnez ma réaction, Miss Whittaker. Mais lorsqu'on ne possède qu'un seul bien dans sa vie, comme moi, on est un peu inquiet de voir un inconnu partir avec !

— Vous avez bien plus que cela comme bien, Mr Pike. Vous avez un exceptionnel talent artistique – ni Mr Hawkes ni moi n'en avons jamais vu de semblable.

— Ah ! dit-il en riant. Vous êtes si aimable de dire cela, Miss Whittaker. Mais tout le reste de mes biens est dans ce sac de voyage et peut-être que j'accorde à ces petites choses une plus grande valeur !

Alma se mit à rire à son tour. Il n'y avait entre eux rien de la réserve qui existe normalement entre deux inconnus. Peut-être n'y en avait-il jamais eu.

— À présent, dites-moi, Miss Whittaker, continua-t-il avec entrain. Quelles autres merveilles avez-vous à White Acre ? Et qu'ai-je entendu dire, que vous étudiiez les mousses ?

Et c'est ainsi qu'avant une heure, ils se retrouvèrent sur les rochers d'Alma à discuter du *Dicranum.* Elle avait l'intention de lui montrer les orchidées avant. Ou plutôt, elle n'avait jamais eu l'intention de lui montrer les mousses – car personne d'autre ne leur avait jamais témoigné le moindre intérêt –, mais une fois qu'elle eut commencé à parler de son travail, il insista pour les voir par lui-même.

— Je dois vous mettre en garde, Mr Pike, dit-elle alors qu'ils traversaient ensemble le champ. La plupart des gens trouvent les mousses bien peu dignes d'intérêt.

— Cela ne m'effraie pas, dit-il. J'ai toujours été passionné par des sujets que d'autres gens trouvent ternes.

— C'est un trait que nous partageons.

— Mais dites-moi, Miss Whittaker, qu'est-ce que vous admirez chez les mousses ?

— Leur dignité, répondit Alma sans hésitation. Ainsi que leur silence et leur intelligence. J'aime le fait qu'elles aient, en tant qu'objet d'étude, une *fraîcheur*. Elles ne sont pas comme d'autres plantes plus grosses ou plus importantes, qui ont déjà été examinées et manipulées par des hordes de botanistes. Sans doute admiré-je aussi leur pudeur. Les mousses dissimulent leur beauté avec une élégante réserve. En comparaison, tout le reste du monde botanique est parfois fort évident et criard. Voyez-vous ce que je veux dire ? Savez-vous que les fleurs les plus grosses et les plus voyantes ressemblent parfois à des idiotes hébétées, à dodeliner ainsi de la tête, bouche grande ouverte, l'air frappé de stupeur ?

— Je vous félicite, Miss Whittaker. Vous venez de décrire la famille des orchidées à la perfection.

Elle étouffa un cri et porta les mains à ses lèvres.

— Je vous ai vexé !

— Pas le moins du monde, sourit Mr Pike. Je vous taquine. Je n'ai jamais défendu l'intelligence d'une orchidée et je ne le ferai jamais. Je les apprécie beaucoup, mais j'avoue qu'elles ne me semblent pas particulièrement intelligentes – du moins selon les critères de votre description. Mais je suis ravi d'écouter quelqu'un qui défend l'intelligence de la mousse ! On croirait que vous écrivez un panégyrique.

— Quelqu'un doit bien les défendre, Mr Pike ! Car elles ont été si négligées alors qu'elles ont un caractère si noble ! À vrai dire, je trouve que ce monde miniature est un cadeau qui dissimule sa grandeur et que c'est donc un honneur de l'étudier.

Ambrose Pike ne semblait pas du tout trouver cela ennuyeux. Quand ils arrivèrent aux rochers, il avait des dizaines de questions à poser à Alma et il se pencha si près des colonies de mousses qu'on aurait cru que sa barbe poussait sur la pierre. Il écouta avec attention ses explications sur chaque variété et discuta de ses balbutiantes théories de transformation. Peut-être parla-t-elle un peu trop longtemps. C'est ce que sa mère aurait dit. Tout en parlant, Alma craignait de plonger ce pauvre homme dans l'ennui. Mais il était si avenant ! Elle sentit qu'elle se libérait en exprimant ces idées si longtemps restées enfermées en elle. On ne peut retenir en soi son enthousiasme bien longtemps sans vouloir en faire part à quelqu'un qui vous ressemble, et Alma avait des décennies d'idées qui brûlaient d'être partagées.

Très vite, Mr Pike s'était jeté à plat ventre afin de pouvoir regarder sous un gros rocher les colonies de mousses cachées dans ces replis secrets. Ses longues jambes s'agitaient à mesure qu'il s'enthousiasmait. Alma se dit qu'elle n'avait eu autant de plaisir de sa vie. Elle avait toujours eu envie de montrer cela à quelqu'un.

— J'ai une question pour vous, Miss Whittaker, s'écria-t-il de sous le rocher. Quelle est la véritable nature de vos colonies de mousses ? Elles sont passées maîtresses dans l'art d'apparaître, comme vous dites, pudiques et simples. Cependant, à vous en croire, elles possèdent des facultés considérables. Sont-elles des pionnières amicales, vos mousses ? Ou bien des maraudeuses hostiles ?

— Des fermières ou des pirates ? demanda Alma.

— Exactement.

— Je ne peux l'affirmer, dit Alma. Peut-être un peu des deux. Je me pose cette question tout le temps. Il me faudra peut-être encore vingt-cinq ans pour l'apprendre.

— J'admire votre patience, dit-il en ressortant enfin de sous le rocher et en s'étendant nonchalamment dans les herbes.

Lorsqu'elle connaîtrait mieux Ambrose Pike, avec le temps, elle saurait qu'il n'avait pas son pareil pour se jeter par terre n'importe où et n'importe quand dès qu'il voulait se reposer. Il se laissait même tomber joyeusement sur un tapis dans un salon si l'envie lui en prenait – en particulier si les réflexions et la conversation lui plaisaient. Le monde était son divan. Il manifestait tellement de liberté. Alma ne s'imaginait pas capable d'en éprouver jamais autant. Ce jour-là, alors qu'il se vautrait, elle s'était prudemment assise sur un rocher voisin.

Mr Pike était bien plus âgé, elle le voyait désormais, qu'il ne lui avait paru au départ. Certes, c'était bien naturel – il ne lui aurait pas été possible d'avoir produit une œuvre aussi vaste s'il avait été aussi jeune.

C'était seulement son allure enthousiaste et sa démarche vive qui le faisaient ressembler de loin à un étudiant d'université. Cela et ses humbles vêtements marron – l'uniforme même de l'étudiant sans le sou. Mais de près, on pouvait discerner enfin son âge – surtout maintenant qu'il était allongé au soleil, étalé par terre sans chapeau. Son visage était légèrement ridé, tanné et semé de taches de son, et les cheveux blonds grisonnaient sur ses tempes. Alma lui aurait donné trente-cinq ou peut-être trente-six ans. Plus de dix ans son cadet, mais tout de même pas un enfant.

— Quelle satisfaction vous devez ressentir d'étudier le monde d'aussi près, continua Ambrose. Trop de gens se détournent des infimes merveilles, je trouve. Il y a tellement plus de force à puiser dans les détails que dans les généralités, mais la plupart des gens ne peuvent s'astreindre à rester calmes pour les guetter.

— Il m'arrive de craindre que mon univers soit devenu *trop* détaillé, dit Alma. Il me faut des années pour écrire mes livres sur les mousses, et ils sont d'une minutie épuisante. Ils ne sont pas sans rappeler ces miniatures perses compliquées qu'on ne peut étudier qu'avec une loupe. Mon travail ne m'apporte aucune gloire. Il ne m'apporte aucun revenu non plus – vous voyez que j'utilise sagement mon temps !

— Mais Mr Hawkes dit que vos livres sont très appréciés par les critiques.

— Tout à fait : par la douzaine de gentlemen qui s'intéressent de près à la bryologie.

— Une douzaine ! répéta Mr Pike. Tant que cela ? Rappelez-vous, madame, que vous parlez à un homme qui n'a rien publié de sa longue vie et dont les pauvres parents craignent qu'il ne soit qu'un oisif honteux.

— Mais votre travail est superbe, monsieur.

Il balaya le compliment d'un geste.

— Trouvez-vous de la dignité dans votre travail ? demanda-t-il.

— Oui, dit Alma après avoir réfléchi un instant à la question. Mais parfois, je me demande pourquoi. La majorité des gens, surtout les pauvres qui souffrent, seraient heureux, je pense, de pouvoir ne pas travailler. Alors pourquoi me donné-je tant de mal sur un sujet qui intéresse si peu de gens ? Pourquoi ne me contenté-je pas d'admirer les mousses ou même de les dessiner, si leur aspect me plaît tant ? Pourquoi dois-je tenter de percer leurs secrets et les supplier de me donner des réponses sur la nature même de la vie ? J'ai la chance de venir d'une famille aisée, comme vous pouvez le voir, et il n'y a donc aucune nécessité pour moi de travailler. Pourquoi ne me contenté-je pas de laisser mon esprit s'épanouir sans contrainte comme les fleurs des champs ?

— Parce que vous vous intéressez à la création, répondit simplement Ambrose Pike. Et à ses merveilleux desseins.

— À vous entendre, c'est si grandiose, rougit Alma.

— C'est grandiose, dit-il avec la même simplicité.

Ils restèrent en silence un moment. Quelque part dans les arbres voisins, une grive chantait.

— Quel splendide récital privé ! s'exclama Mr Pike après l'avoir longuement écoutée. Cela donne envie de l'applaudir !

— C'est la meilleure période de l'année pour écouter les oiseaux chanter à White Acre, dit Alma. Il y a des matins où vous pouvez vous asseoir sous un simple cerisier dans cette prairie et entendre tous les oiseaux de l'orchestre chanter pour vous.

— J'aimerais entendre cela un matin. Les oiseaux chanteurs américains me manquaient cruellement quand j'étais dans la jungle.

— Mais il devait y avoir des oiseaux exquis là où vous étiez !

— Oui, aussi exquis qu'exotiques. Mais ce n'est pas la même chose. On a une telle nostalgie, vous savez, des bruits familiers de l'enfance. Il m'arrivait d'entendre des tourterelles de Caroline roucouler dans mes rêves. C'était si saisissant que j'en avais le cœur brisé. Cela me donnait envie de ne plus jamais me réveiller.

— Mr Hawkes m'a dit que vous étiez resté des années dans la jungle.

— Dix-huit ans, dit-il avec un sourire presque penaud.

— Principalement au Mexique et au Guatemala ?

— Uniquement au Mexique et au Guatemala. J'avais l'intention de voir le reste du monde, mais je n'ai apparemment pas pu quitter cette région, à mesure que je découvrais de nouvelles choses. Vous savez comment c'est : on trouve un endroit intéressant, on commence à observer, et les secrets se révèlent, l'un après l'autre, jusqu'à ce qu'on ne puisse plus partir. Et puis il y avait certaines orchidées que j'ai découvertes au Guatemala – les épiphytes les plus timides et les plus cachées, en particulier – qui ne voulaient tout simplement pas me faire le plaisir de fleurir. J'ai refusé de partir tant que je ne les aurais pas vues en fleur. Je me suis tout à fait obstiné. Mais elles étaient tout aussi entêtées que moi. Certaines m'ont fait attendre cinq à six ans avant de me laisser les entrevoir.

— Pourquoi êtes-vous finalement revenu, alors ?

— La solitude.

Il était d'une franchise tout à fait extraordinaire. Alma s'en émerveilla. Jamais elle n'aurait imaginé avouer une faiblesse comme la solitude.

— Et puis j'étais trop mal pour continuer de vivre à la dure. J'avais des fièvres récurrentes. Bien qu'elles ne fussent pas totalement déplaisantes, je dois dire. J'avais de remarquables visions durant mes accès de fièvre et j'entendais des voix, aussi. Parfois, j'étais tenté de les suivre.

— Les visions ou les voix ?

— Les deux ! Mais je ne pouvais faire cela à ma mère. Cela lui aurait infligé trop de chagrin de perdre un fils dans la jungle. Elle se serait éternellement demandé ce qu'il était advenu de moi. Bien qu'elle se demande tout de même ce que je suis devenu, je parie ! Mais au moins, elle sait que je suis en vie.

— Vous avez dû manquer à votre famille pendant toutes ces années.

— Oh, ma pauvre famille. Je les ai tellement déçus, Miss Whittaker. Ils sont si respectables et j'ai vécu une vie si désorganisée. J'ai de la compassion pour eux tous, et pour ma mère en particulier. Elle croit, je suppose, que j'ai foulé avec la plus insigne maladresse les perles qu'on jetait à mes pieds. J'ai quitté Harvard au bout d'une année seulement, voyez-vous. On me disait prometteur – j'ignore ce que cela pouvait signifier – mais la vie universitaire ne me convenait pas. Par quelque particularité du système nerveux, je ne pouvais tout simplement pas supporter de rester assis dans un amphithéâtre. En outre, je n'ai jamais recherché la joyeuse compagnie des associations et des bandes de jeunes gens. Vous ne le savez peut-être pas, Miss Whittaker, mais la majeure partie de la vie universitaire tourne autour des associations et des bandes de jeunes gens. Ainsi que l'exprimait ma mère, la seule chose que j'aie jamais voulue, c'était de m'asseoir dans un coin et dessiner des plantes.

— Le ciel en soit remercié ! dit Alma.

— Peut-être. Je ne crois pas que ma mère en conviendrait, et mon père est mort fâché de mon choix de carrière, si tant est qu'on peut l'appeler ainsi. Heureusement pour ma mère qui a tant souffert, mon frère cadet Jacob a donné l'exemple d'un fils docile. Il m'a suivi à l'université, mais contrairement à moi, il est parvenu à y rester le temps exigé. Il a courageusement étudié, remporté chaque distinction et récompense, même s'il m'est arrivé de craindre qu'il s'épuise l'esprit par tant d'activité, et à présent, il prêche depuis la chaire même où mon père et mon grand-père se tenaient devant leurs congrégations. C'est un brave homme que mon frère, et il a prospéré. Il fait honneur au nom des Pike. La communauté l'admire. J'ai une immense affection pour lui. Mais je n'envie pas son existence.

— Vous venez d'une famille de pasteurs, alors ?

— En vérité, et je devais moi-même le devenir.

— Qu'est-il arrivé ? demanda Alma, assez hardiment. Vous êtes-vous éloigné du Seigneur ?

— Non. C'est plutôt le contraire. Je m'en suis trop rapproché.

Alma voulu demander ce qu'il voulait dire par cette si curieuse expression, mais elle craignait d'avoir déjà été bien indiscrète, et son invité ne lui fournit pas d'autre explication. Ils restèrent un long moment sans rien dire à écouter la grive chanter. Au bout d'un certain temps, Alma remarqua que Mr Pike s'était endormi. Comme il s'était assoupi brusquement ! Il lui vint à l'esprit qu'il devait être extrêmement épuisé de son long voyage – et voilà qu'elle le criblait de questions et l'ennuyait avec ses théories sur les bryophytes et les transformations.

Sans un bruit, elle se leva et gagna une autre partie de l'affleurement rocheux pour réfléchir une fois de plus sur ses colonies de mousses. Elle se sentait agréablement détendue. Comme ce Mr Pike était plaisant ! Elle se demanda combien de temps il séjournerait à White Acre. Peut-être pourrait-elle le convaincre de rester durant tout l'été. Quelle joie ce serait d'avoir la compagnie de cet homme aimable et curieux. Ce serait comme avoir un frère cadet. Elle n'avait jamais imaginé jusqu'ici avoir un frère cadet, mais à présent, elle en désirait ardemment un, et elle voulait que ce soit Ambrose Pike. Il faudrait qu'elle en parle à son père. À n'en pas douter, ils pouvaient installer un atelier de peinture pour lui dans l'une des anciennes laiteries, s'il désirait rester.

Il s'écoula probablement une demi-heure avant qu'elle remarque que Mr Pike remuait dans l'herbe. Elle s'approcha de lui et sourit.

— Vous vous êtes endormi, dit-elle.

— Non, corrigea-t-il. Le sommeil s'est emparé de moi.

Toujours allongé dans l'herbe, il s'étira comme un chat, ou un nourrisson. Il ne semblait pas le moins du monde gêné d'avoir sommeillé devant Alma, et elle ne l'était pas non plus.

— Vous devez être las, Mr Pike.

— Je suis las depuis des années, répondit-il en s'asseyant, bâillant et remettant son chapeau. Quelle personne généreuse vous êtes, de m'avoir autorisé ce repos. Je vous en remercie.

— Eh bien, vous avez été généreux de m'écouter parler de mousse.

— Tout le plaisir était pour moi. J'espère en entendre davantage. Je songeais simplement, alors que je m'assoupissais, que vous meniez une vie enviable, Miss Whittaker. Imaginer pouvoir passer toute votre existence à étudier quelque chose d'aussi détaillé et délicat que ces mousses – et pendant tout ce temps être entouré d'une famille aimante et de son réconfort.

— J'aurais pensé que ma vie paraîtrait terne à un homme qui avait passé dix-huit ans dans les jungles d'Amérique centrale.

— Pas le moins du monde. En tout cas, je meurs d'envie d'avoir une existence un petit peu plus terne que ce que j'ai connu jusqu'ici.

— Prenez garde aux vœux que vous faites, Mr Pike. Une vie terne n'est pas aussi intéressante que vous pouvez le penser !

Il éclata de rire. Alma s'approcha encore et s'assit à côté de lui, directement dans l'herbe, en ramenant ses jupes sous ses jambes.

— Je dois vous confesser quelque chose, Mr Pike, dit-elle. Parfois, je crains que mes travaux sur ces lits de mousse n'aient aucune utilité ni valeur. Parfois, j'aimerais avoir quelque chose de plus scintillant à offrir au monde, quelque chose de plus grandiose – comme vos peintures d'orchidées, je suppose. Je suis appliquée et disciplinée, mais je ne possède pas un génie qui me distingue.

— Alors vous êtes industrieuse, mais pas originale ?

— Oui ! dit Alma. C'est exactement cela !

— Bah ! fit-il. Vous ne me convainquez pas. Je me demande pourquoi vous voudriez même vous convaincre vous-même de quelque chose d'aussi absurde.

— Vous êtes bien aimable, Mr Pike. Vous avez donné à une vieille dame l'impression d'être intéressante, cet après-midi. Mais je suis consciente de la vérité de ma vie. Mon travail dans ces champs de mousse ne passionne personne hormis les vaches et les corbeaux qui me regardent faire tout le jour.

— Les vaches et corbeaux sont d'excellents juges du génie, Miss Whittaker. Croyez-moi sur parole : je peins exclusivement pour leur amusement depuis des années et des années.

Ce soir-là, George Hawkes les rejoignit pour le dîner à White Acre. C'était la première fois que George rencontrait Ambrose Pike en personne et il était tout excité – ou du moins aussi excité qu'un vieux bonhomme solennel comme George pouvait jamais l'être.

— C'est un honneur pour moi de vous connaître, monsieur, dit George en souriant. Votre travail m'a apporté un plaisir sans mélange.

Alma fut touchée par la sincérité de George. Elle savait ce que son ami ne pouvait pas dire à l'artiste : que cette année passée avait été un véritable calvaire chez les Hawkes et que les orchidées d'Ambrose Pike avaient libéré George, fugitivement, des griffes noires de l'abattement.

— Je vous présente mes sincères remerciements pour vos encouragements, répondit Mr Pike. Malheureusement, c'est la seule compensation que je puis faire pour le moment.

Quant à Henry Whittaker, il était d'une humeur massacrante ce soir-là. Alma s'en rendit compte à dix pas et elle déplora amèrement que son père se joigne à eux pour le dîner. Elle regrettait d'avoir omis de prévenir son invité que son père se montrait souvent sec. Le pauvre Mr Pike allait être jeté au lion sans rien savoir et il était évident que le lion en question était aussi affamé que furieux. Elle regretta également que ni George Hawkes ni elle n'aient pensé à apporter une des extraordinaires peintures d'orchidées à montrer à son père car, du coup, Henry n'avait pas la moindre idée de qui était Ambrose Pike – à part un chasseur d'orchidées et un peintre, deux catégories d'individus qu'il n'était pas porté à admirer.

On ne s'en étonnera pas : le dîner commença mal.

— Qui est cet individu, au fait ? demanda son père en regardant droit vers son nouvel invité.

— C'est Mr Ambrose Pike, dit Alma. Comme je vous l'ai dit tout à l'heure, c'est un naturaliste et un peintre, que George a récemment découvert. Il est l'auteur des plus belles reproductions d'orchidées que j'aie jamais vues, père.

— Vous dessinez des orchidées ? demanda Henry à Mr Pike du même ton sur lequel un autre homme aurait demandé : *Vous détroussez les veuves* ?

— Eh bien, je m'y efforce, monsieur.

— Tout le monde s'efforce de dessiner des orchidées, dit Henry. Il n'y a rien de nouveau là-dedans.

— C'est tout à fait juste, monsieur.

— Qu'est-ce qu'il y a de si particulier dans vos orchidées ?

Mr Pike réfléchit à la question.

— Je ne saurais dire, avoua-t-il. J'ignore si elles ont quelque chose de particulier, monsieur. Peindre des orchidées est la seule chose que je fasse. C'est tout ce que j'ai fait depuis presque vingt ans.

— Eh bien, voilà un emploi absurde.

— J'en disconviens, Mr Whittaker, répondit l'artiste sans se démonter. Mais seulement parce que je ne qualifierais pas du tout cela d'emploi.

— Comment gagnez-vous votre vie ?

— Là encore, vous soulevez une question tout à fait juste. Mais comme vous devez probablement le voir à mon habillement, on peut douter que je gagne quoi que ce soit.

— Je ne présenterais pas cela comme une qualité, jeune homme.

— Croyez-moi, monsieur, ce n'est pas le cas.

Henry le scruta, remarqua le costume élimé et la barbe négligée.

— Qu'est-il arrivé, alors ? demanda-t-il. Pourquoi êtes-vous si pauvre ? Avez-vous dilapidé une fortune comme un débauché ?

— Père… tenta Alma.

— Malheureusement non, dit Mr Pike apparemment pas offensé. Il n'y a jamais eu la moindre fortune à dilapider dans ma famille.

— Que fait votre père dans la vie ?

— Plus grand-chose. Il réside actuellement dans l'au-delà. Mais avant, il était pasteur à Framingham, dans le Massachusetts.

— Pourquoi ne l'êtes-vous pas aussi, en ce cas ?

— Ma mère se le demande également, Mr Whittaker. Je crains de me poser trop de questions sur la religion pour être un bon pasteur.

— La *religion* ? dit Henry en faisant la grimace. Que vient faire la *religion* avec le fait d'être un bon pasteur ? C'est une profession comme n'importe quelle autre, jeune homme. Vous vous conformez à la tâche et vous gardez vos opinions pour vous. C'est ce que font – ou devraient faire – tous les bons ministres du culte !

— Si seulement quelqu'un m'avait dit cela il y a vingt ans, monsieur ! répondit Mr Pike en riant.

— Il n'y a pas d'excuse pour qu'un jeune homme sain de corps et d'esprit ne puisse prospérer dans ce pays. Même le fils d'un pasteur devrait pouvoir trouver une activité industrieuse quelque part.

— Beaucoup en conviendraient, dit Mr Pike. Y compris mon défunt père. Cependant, je vis au-dessous de mon rang depuis des années.

— Et moi au-dessus du mien depuis toujours ! Je suis arrivé en Amérique quand j'avais votre âge. J'ai trouvé de l'argent partout dans ce pays. Je n'avais qu'à le ramasser du bout de ma canne. Quelle est votre excuse pour être pauvre, alors ?

Mr Pike regarda Henry droit dans les yeux et déclara, sans la moindre trace de malice :

— Le fait que je n'aie pas de canne digne de ce nom, je suppose.

Alma déglutit péniblement et regarda fixement son assiette. George Hawkes en fit autant. Mais Henry sembla ne pas avoir entendu. Parfois, Alma remerciait le ciel pour la surdité croissante de son père. Il s'était déjà tourné vers le maître d'hôtel.

— Je vous assure, Becker, dit Henry. Si vous me resservez du mouton au dîner cette semaine, je ferai fusiller quelqu'un.

— C'est juste une façon de parler, dit à mi-voix Alma à Mr Pike.

— Je m'en étais douté, répondit-il. Sinon, je serais déjà mort.

Durant le reste du dîner, George, Alma et Mr Pike eurent une agréable conversation – plus ou moins entre eux – pendant que Henry soupirait, toussait et pestait à propos de tout, et alla même jusqu'à s'assoupir plusieurs fois, le menton sur la poitrine. Après tout, il avait quatre-vingt-huit ans. Rien de tout cela, heureusement, ne sembla inquiéter Mr Pike, et comme George Hawkes avait déjà l'habitude de ce genre de comportement, Alma finit par se détendre un peu.

— Veuillez pardonner mon père, dit-elle à voix basse à Mr Pike tandis que Henry s'était assoupi. George connaît bien son tempérament, mais ces accès peuvent être troublants pour ceux qui n'ont pas l'habitude de notre Henry Whittaker.

— C'est tout à fait un ours à table, répondit-il d'un ton plus admiratif que consterné.

— En effet, dit Alma. Mais Dieu merci, comme l'ours, il nous laisse parfois un peu de répit quand il hiberne !

Ce commentaire fit sourire George Hawkes, mais Ambrose, l'air songeur, continuait d'observer Henry assoupi.

— Mon propre père était d'une telle gravité, voyez-vous, dit-il. J'ai toujours trouvé ses silences effrayants. Je trouve que cela aurait été délicieux d'avoir un père qui parle et agit avec une telle liberté. Cela permet de savoir sur quel pied danser.

— À cet égard, en effet, convint Alma.

— Mr Pike, dit George, changeant de sujet. Puis-je vous demander où vous habitez actuellement ? L'adresse à laquelle j'ai envoyé ma lettre était à Boston, mais comme vous venez de dire que votre famille se trouve à Framingham, je ne sais plus très bien.

— Actuellement, monsieur, je suis sans domicile, dit Mr Pike. L'adresse à Boston dont vous parlez est la résidence de mon vieil ami Daniel Tupper, qui a été fort bon avec moi depuis l'époque de ma brève carrière à Harvard. Sa famille possède un petit atelier d'imprimerie à Boston – absolument pas aussi raffiné que le vôtre, mais convenable et bien géré. Ils sont surtout connus pour les brochures et affiches publicitaires locales, ce genre de choses. Quand j'ai quitté Harvard, j'ai travaillé pour la famille Tupper pendant plusieurs années comme typographe et j'ai découvert que j'étais doué pour cela. C'est également là-bas que j'ai appris l'art de la lithographie. On m'avait dit que c'était difficile, mais je n'ai jamais trouvé. C'est très semblable au dessin, en vérité, sauf que l'on dessine sur de la pierre. Mais vous le savez déjà tous deux ! Veuillez m'excuser, je n'ai pas pour habitude de parler de mon travail.

— Et qu'est-ce qui vous a entraîné au Mexique et au Guatemala, Mr Pike ? poursuivit gentiment George.

— Là encore, c'est à mon ami Tupper que je le dois. J'ai toujours eu une fascination pour les orchidées et à un moment, Tupper a formé le projet que j'aille dans les tropiques quelques années faire des dessins, et qu'ensuite nous publierions ensemble un magnifique livre sur les orchidées tropicales. Il pensait que cela ferait notre fortune. Nous étions jeunes, vous savez, et il débordait de confiance en moi.

Nous avons donc mis en commun le peu que nous avions de ressources et Tupper m'a mis sur un bateau, en m'enjoignant de faire beaucoup de tapage de par le monde. Malheureusement pour lui, je ne suis pas tapageur. Et plus malheureusement encore, mes quelques années dans la jungle en sont devenues dix-huit, ainsi que je l'ai déjà expliqué à Miss Whittaker. À force d'économie et de persévérance, j'ai pu subsister là-bas pendant presque deux décennies, et je suis fier de déclarer que je n'ai jamais pris d'argent à Tupper ni à quiconque après son investissement initial. Néanmoins, je crois que le pauvre Tupper s'est dit que sa confiance en moi était mal inspirée. Quand je suis revenu l'an dernier, il a été assez aimable pour me laisser utiliser la presse de l'atelier familial pour tirer certaines des lithographies que vous avez vues, mais – on l'en pardonnera assez – cela faisait longtemps qu'il avait perdu tout désir de produire un livre avec moi. Je vais trop lentement pour lui. Il a une famille, désormais, et il ne peut s'attarder sur des projets aussi coûteux. Il aura tout de même été un ami héroïque pour moi. Il me laisse dormir sur le divan de sa maison et, depuis mon retour en Amérique, j'ai repris mon travail dans l'imprimerie.

— Et quels sont vos projets à présent ? demanda Alma.

Mr Pike leva les mains comme pour supplier le ciel.

— Cela fait longtemps que je n'en fais plus, voyez-vous.

— Mais qu'*aimeriez*-vous faire ? demanda Alma.

— Personne ne m'a encore jamais posé cette question.

— Pourtant, je vous la pose, Mr Pike. Et j'aimerais que vous me donniez une réponse sincère.

Il tourna ses yeux bruns vers elle. Il semblait affreusement fatigué.

— Alors je devrais vous dire, Miss Whittaker, que j'aimerais ne jamais plus voyager. Je préférerais passer le reste de mes jours dans un lieu si silencieux, à travailler avec une telle lenteur, que je serais en mesure de m'entendre vivre.

George et Alma échangèrent un regard. Comme s'il avait senti qu'on l'avait laissé en plan, Henry se réveilla en sursaut et attira de nouveau l'attention sur sa personne.

— Alma ! dit-il. Cette lettre de Dick Yancey la semaine dernière. L'as-tu lue ?

— Je l'ai lue, père, répondit-elle en changeant aussitôt de ton.

— Qu'en dis-tu ?

— Je pense que c'est une malheureuse nouvelle.

— De toute évidence. Cela m'a mis d'une humeur massacrante. Mais qu'en pensent tes amis ? demanda Henry en désignant ses invités de son verre.

— Je ne pense pas qu'ils connaissent la situation, dit Alma.

— Alors expose-la-leur, ma fille. J'ai besoin d'avis.

C'était tout à fait étrange. Henry ne demandait généralement l'avis de personne. Mais il appuya sa demande d'un geste de la main et elle entreprit donc de tout expliquer à George et à Mr Pike.

— Eh bien, il s'agit de vanille, dit-elle. Il y a une quinzaine d'années, mon père a été convaincu par un Français d'investir dans une plantation de vanille à Tahiti. Nous venons d'apprendre que la plantation a fait faillite. Et que le Français a disparu.

— Avec mon investissement, ajouta Henry.

— Avec l'investissement de mon père, confirma Alma.

— Un investissement considérable, clarifia Henry.

— Un investissement *tout à fait* considérable, opina Alma.

Elle le savait fort bien, puisqu'elle avait elle-même organisé les versements.

— Cela aurait dû fonctionner, dit Henry. Le climat est parfait pour cela. Et les lianes ont poussé ! Dick Yancey les a vues de ses propres yeux. Elles ont atteint presque vingt mètres. Ce satané Français disait que la vanille pousserait très bien là-bas, et il ne s'était pas trompé. Les lianes ont produit des boutons gros comme le poing. Exactement ainsi qu'il l'avait dit. Quelle expression avait-il employée, Alma ? « Cultiver la vanille à Tahiti sera plus aisé que de péter en dormant. »

Alma blêmit et jeta un regard à ses invités. George plia poliment sa serviette sur ses genoux, mais Mr Pike sourit, sincèrement amusé.

— Alors, qu'est-ce qui a mal tourné, monsieur ? demanda-t-il. Si je puis me permettre ?

Henry lui jeta un regard noir.

— Les lianes n'ont pas donné de fruits. Les boutons ont fleuri et se sont fanés sans jamais produire une satanée gousse.

— Puis-je vous demander d'où venaient les plants de vanille originels ?

— Du Mexique, grommela Henry en le toisant d'un air de défi. Ce sera donc à vous, jeune homme, de me le dire : qu'est-ce qui a mal tourné ?

Alma commençait progressivement à comprendre. Pourquoi sous-estimait-elle toujours son père ? Arrivait-il jamais au vieillard de manquer quoi que ce fût ? Même avec son caractère infernal, même avec sa quasi-surdité, même alors qu'il *dormait*, il avait parfaitement compris qui était assis à sa table : un expert en orchidées qui venait de passer vingt ans à étudier au Mexique et alentour. Et la vanille, se rappela Alma, faisait partie de la famille des orchidées. Leur invité était mis à l'épreuve.

— *Vanilla planifolia*, dit Mr Pike.

— Exactement, confirma Henry en posant son verre. C'est celle que nous avons plantée à Tahiti. Poursuivez.

— J'en ai vu partout au Mexique, monsieur. Surtout aux environs d'Oaxaca. Votre homme en Polynésie, ce Français, il ne s'est pas trompé : c'est une vigoureuse grimpante et elle s'adapterait avec bonheur au climat du Pacifique Sud, je pense.

— Alors pourquoi ces fichues plantes n'ont-elles pas donné de fruits ? demanda Henry.

— Je ne pourrais l'affirmer, dit Mr Pike, n'ayant jamais posé les yeux sur les plantes en question.

— Alors vous n'êtes rien de plus qu'un inutile petit dessinateur d'orchidées, n'est-ce pas ? lâcha Henry.

— Père…

— Cependant, monsieur, continua Mr Pike sans relever l'insulte, je pourrais formuler une théorie. Quand votre Français a acheté ses plants de vanille au Mexique, il se peut qu'il ait fait l'acquisition d'une variété de *Vanilla planifolia* que les indigènes appellent *oreja de burro* – oreille d'âne – et qui ne donne jamais de fruits.

— C'était un imbécile, dans ce cas, dit Henry.

— Pas nécessairement, Mr Whittaker. Il faudrait l'œil d'une mère pour distinguer entre la variété fruitière de *planifolia* et la variété non fruitière. C'est une erreur répandue. Les indigènes eux-mêmes les confondent souvent. Même les botanistes sont peu nombreux à pouvoir faire la différence.

— Vous pouvez la faire, *vous* ? demanda Henry. (Mr Pike hésita. Il était évident qu'il ne voulait pas dénigrer un homme qu'il n'avait jamais rencontré.) Je vous ai posé une question, mon garçon. Pouvez-vous faire la différence entre les deux variétés de *planifolia* ? Ou en êtes-vous incapable ?

— De manière générale, monsieur ? Oui. Je sais faire la différence.

— Dans ce cas, ce Français était un sot, conclut Henry. Et j'ai été encore plus sot en investissant en lui, car désormais, j'ai gâché quatorze hectares de bonne terre à Tahiti en essayant de faire pousser une variété infertile de vanille depuis quinze ans. Alma, écris dès ce soir une lettre à Dick Yancey et dis-lui d'arracher toutes ces lianes et de les donner aux cochons. Dis-lui de tout remplacer par des ignames. Dis-lui également que s'il retrouve ce petit merdeux de Français, il peut le donner aux cochons aussi !

Henry se leva et sortit en claudiquant, trop fâché pour terminer son repas. George et Mr Pike fixèrent en silence la silhouette qui s'éloignait, si désuète avec sa perruque et ses culottes de velours, et pourtant si féroce.

Quant à Alma, elle éprouva un sentiment de victoire. Le Français avait perdu, Henry Whittaker avait perdu, et les plantations de vanille de Tahiti étaient certainement perdues. Mais Ambrose Pike, pensait-elle, avait gagné quelque chose ce soir lors de sa première apparition à White Acre à la table du dîner.

C'était une petite victoire, certes, mais elle déboucherait peut-être sur quelque chose plus tard.

Cette nuit-là, Alma fut réveillée par un étrange bruit.

Elle était perdue dans un sommeil sans rêves quand, soudain, comme si on l'avait giflée, elle s'était réveillée. Elle scruta l'obscurité. *Y avait-il quelqu'un dans sa chambre ? Était-ce Hanneke ?* Non. Il n'y avait personne. La nuit était fraîche et sereine. Qu'est-ce qui avait interrompu son sommeil ? Des voix ? Elle se rappela pour la première fois depuis des années la nuit où Prudence avait été amenée à White Acre enfant, entourée d'hommes et couverte de sang. La pauvre Prudence. Il fallait vraiment qu'Alma aille la voir. Elle devait faire un effort avec sa sœur. Mais elle n'avait tout simplement pas le temps. Le silence l'enveloppait. Alma se rallongea pour dormir.

Elle entendit de nouveau du bruit. Une fois de plus, elle ouvrit les yeux. C'étaient bien des voix. Mais qui pouvait être réveillé à pareille heure ?

Elle se leva et s'enveloppa de son châle avant d'allumer sa lampe d'une main experte. Elle gagna le haut de l'escalier et regarda par-dessus la balustrade. Il y avait de la lumière dans le salon. Elle la voyait sous la porte. Elle entendit le rire de son père. Avec qui était-il ? Parlait-il tout seul ? Pourquoi personne ne l'avait-elle réveillée, si Henry avait besoin d'elle ?

Elle descendit et trouva son père assis avec Ambrose Pike sur le divan. Ils étaient en train de regarder des dessins. Son père portait une longue chemise de nuit blanche et un bonnet à l'ancienne mode, et il était tout rouge d'avoir bu. Mr Pike portait toujours son costume en velours côtelé brun, et avait les cheveux encore plus hirsutes qu'à son arrivée.

— Nous vous avons réveillée, dit-il en levant les yeux. Veuillez nous pardonner.

— Puis-je vous être utile ? demanda Alma.

— Alma ! s'écria Henry. Ton jeune homme a eu une fulgurance ! Montrez-lui donc, mon garçon !

Henry n'était pas ivre, se rendit compte Alma. Il était tout simplement surexcité.

— J'avais du mal à dormir, Miss Whittaker, dit Mr Pike, car je pensais à ces plants de vanille à Tahiti. Il m'est venu à l'esprit qu'ils pouvaient ne pas avoir donné de fruits pour une autre raison. J'aurais dû attendre le matin pour ne déranger personne, mais je ne voulais pas perdre mon idée. Aussi, je me suis levé et je suis descendu en quête de papier. Je crains d'avoir réveillé votre père ce faisant.

— Vois ce qu'il a fait ! dit Henry en brandissant une feuille.

C'était un très beau dessin, minutieusement détaillé, d'une fleur de vanille, avec des flèches désignant certaines parties de l'anatomie de la plante. Henry interrogea Alma du regard, tandis qu'elle étudiait le dessin, qui ne voulait rien dire pour elle.

— Pardonnez-moi, dit-elle. Je dormais encore il y a un instant, et je n'ai peut-être pas l'esprit tout à fait clair…

— La pollinisation, Alma ! s'écria Henry en frappant dans ses mains, puis en désignant Mr Pike, lui faisant signe d'expliquer.

— Ce qui s'est produit selon moi, Miss Whittaker, ainsi que je le disais à votre père, c'est que votre Français a peut-être effectivement importé la variété *correcte* de vanille du Mexique. Mais que les lianes n'ont pas donné de fruits sans doute parce qu'elles n'ont pas été pollinisées.

C'était peut-être le milieu de la nuit et Alma venait peut-être de se réveiller, mais son esprit était tout de même une mécanique redoutablement bien entraînée. Il lui suffit d'un déclic pour comprendre.

— Quel est le processus de pollinisation de la vanille ? demanda-t-elle.

— Je ne saurais l'affirmer, dit Mr Pike. Personne n'a de certitude. L'agent pourrait être une fourmi, une abeille ou un papillon de nuit. Peut-être même un colibri. Mais quoi que ce soit, votre Français ne l'a pas importé à Tahiti avec ses plants et les oiseaux et insectes locaux de Polynésie française ne semblent pas capable de polliniser les fleurs de vanille, qui ont en effet une forme difficile. Et du coup pas de fruits, pas de gousses.

Henry frappa de nouveau dans ses mains.

— Pas de bénéfices ! ajouta-t-il.

— Alors que devons-nous faire ? demanda Alma. Collecter tous les insectes et oiseaux de la jungle mexicaine et essayer de les transporter vivants dans le Pacifique Sud avec l'espoir que notre pollinisateur se trouve parmi eux ?

— Je ne crois pas que ce sera nécessaire, dit Mr Pike. C'est pour cela que je ne pouvais pas dormir, car je réfléchissais à cette question et que je pense avoir trouvé une réponse. Je pense qu'il est possible de polliniser à la main. Regardez, j'ai fait quelques croquis ici. Ce qui rend la fleur de vanille si compliquée à polliniser, c'est la colonne exceptionnellement longue, voyez-vous, qui contient les organes à la fois mâles et femelles. Le rostellum – ici même – sépare les deux, afin d'empêcher que la plante s'autopollinise. Il suffit de soulever le rostellum et d'introduire une brindille dans le sac de pollen pour en recueillir à l'extrémité, puis de glisser cette brindille dans une autre fleur. En essence, cela revient à jouer le rôle de l'abeille, de la fourmi ou de ce qui effectue cette opération dans la nature. Mais vous pouvez être beaucoup plus efficace que tout animal, car vous pouvez polliniser à la main chaque fleur de la liane.

— Qui le ferait ? demanda Alma.

— Vos ouvriers pourraient le faire, dit Mr Pike. La plante ne donne des fleurs qu'une fois l'an et il faudrait moins d'une semaine pour exécuter cette tâche.

— Les ouvriers ne risqueraient-ils pas d'écraser les fleurs ?

— Pas s'ils sont convenablement formés.

— Mais qui posséderait la délicatesse nécessaire pour une telle opération ?

— Il suffit de garçonnets avec du doigté et des bâtonnets. Il y a fort à parier que la tâche leur plaira. Elle m'aurait plu à moi, étant enfant. Et il y a certainement une abondance de garçonnets et de bâtonnets à Tahiti, non ?

— Ah ah ! répondit Henry. Alors, qu'en penses-tu, Alma ?

— Je trouve cela fort astucieux.

Elle pensait également qu'à la première heure demain, il faudrait qu'elle montre à Ambrose Pike dans la bibliothèque de White Acre l'exemplaire du codex florentin du XVIe siècle contenant les premières illustrations de lianes de vanille faites par des franciscains espagnols. Il apprécierait beaucoup. Elle avait hâte de le lui faire découvrir. Elle ne lui avait même pas encore montré la bibliothèque. Elle lui avait à peine fait visiter White Acre. Tant d'explorations les attendaient !

— C'est tout au plus une idée, dit Mr Pike. Elle aurait probablement pu attendre jusqu'au matin.

Alma se retourna en entendant du bruit. C'était Hanneke de Groot qui se tenait sur le seuil en vêtements de nuit, toute bouffie et l'air agacé.

— Voilà que j'ai réveillé toute la maisonnée, dit Mr Pike. Mes plus sincères excuses.

— *Is er een probleem ?* demanda Hanneke à Alma.

— Il n'y a pas de problème, Hanneke, répondit celle-ci. Ces messieurs et moi étions simplement en train de discuter.

— À 2 heures du matin ? demanda Hanneke. *Is dit een bordeel ?*

Est-ce un bordel ?

— Que dit-elle ? demanda Henry.

Il n'entendait plus très bien mais il n'avait de toute façon jamais maîtrisé le néerlandais bien qu'ayant été marié à une Hollandaise pendant des dizaines d'années et ayant travaillé pendant presque toute sa vie avec des gens qui parlaient cette langue.

— Elle veut savoir si nous désirons du thé ou du café, dit Alma. Mr Pike ? Père ?

— Je prendrai du thé, dit Henry.

— Vous êtes fort aimables, mais je vais prendre congé, dit Ambrose Pike. Je vais retourner à ma chambre et je promets de ne plus déranger personne. En outre, je viens de me rendre compte que demain est le sabbat. Peut-être vous lèverez-vous de bonne heure, pour l'église ?

— Pas moi ! dit Henry.

— Vous découvrirez que dans cette maison, Mr Pike, dit Alma, certains observent le sabbat, certains ne l'observent pas, et d'autres l'observent seulement à moitié.

— Je comprends, répondit-il. Au Guatemala, j'oubliais souvent quel jour nous étions et je crains d'avoir manqué bien des sabbats.

— Fête-t-on le sabbat au Guatemala, Mr Pike ?

— Uniquement par la boisson, les bagarres et les combats de coqs, hélas.

— Alors partons au Guatemala ! s'écria Henry.

Alma n'avait pas vu son père d'aussi bonne humeur depuis des années.

— Vous pouvez aller au Guatemala, Mr Whittaker, dit Ambrose Pike en riant. Je crois qu'on vous apprécierait, là-bas. Mais quant à moi, j'en ai terminé avec la jungle. Pour cette nuit, je vais simplement retourner à ma chambre. Moi qui ai l'occasion de dormir dans un lit digne de ce nom, je serais bien sot de la laisser passer. Je vous souhaite une bonne nuit, je vous remercie de nouveau pour votre hospitalité et je prie sincèrement votre gouvernante de bien vouloir m'excuser.

Une fois que Mr Pike eut quitté la pièce, Alma et son père restèrent assis en silence. Henry feuilletait les croquis de fleurs de vanille d'Ambrose. Alma entendait presque son père penser. Elle ne le connaissait que trop bien. Elle attendait qu'il dise ce qu'elle savait d'avance, tout en réfléchissant au moyen de s'y opposer.

Entre-temps, Hanneke était revenue avec du thé pour Henry et Alma, et du café pour elle-même. Elle posa le plateau en grommelant un soupir, puis elle se laissa tomber dans le fauteuil voisin de Henry. La gouvernante se servit sa tasse en premier, puis elle posa sa vieille cheville goutteuse sur un repose-pieds français finement brodé. Elle laissa Henry et Alma se servir eux-mêmes. Le protocole à White Acre s'était relâché au cours des années. Peut-être un peu trop.

— Nous devrions l'envoyer à Tahiti, dit finalement Henry après cinq bonnes minutes de silence. Nous lui confierons la responsabilité de la plantation de vanille.

Nous y étions. Exactement ce qu'Alma avait prévu.

— Intéressante idée, dit-elle.

Mais elle ne pouvait pas laisser son père expédier Mr Pike dans les mers du Sud. Elle en était plus que certaine. Pour commencer, l'artiste ne serait pas ravi de la proposition. Il l'avait dit lui-même. Il en avait assez de la jungle. Il ne voulait plus voyager. Il était las et avait le mal du pays. Même s'il n'avait plus de toit à lui. Il lui en fallait un. Il avait besoin de repos. D'un endroit où travailler pour faire les peintures et les dessins pour lesquels il était né, et pour s'entendre vivre.

Mais surtout, Alma avait besoin de Mr Pike. Elle se sentait submergée par la nécessité démente de garder cette personne à White Acre pour toujours. En voilà une décision, alors qu'elle le connaissait depuis moins d'un jour ! Mais elle se sentait dix ans de moins aujourd'hui par rapport à la veille. Cela avait été le samedi le plus radieux qu'elle ait passé depuis des dizaines d'années – ou peut-être depuis son enfance – et c'était Ambrose qui l'avait illuminé ainsi.

La situation lui rappela la fois où, enfant, elle avait trouvé dans la forêt un tout petit renardeau abandonné. Elle l'avait rapporté à la maison et avait supplié ses parents de lui permettre de le garder. C'était en ces jours heureux avant l'arrivée de Prudence, à l'époque où Alma avait le droit de gouverner tout l'univers. Henry avait été tenté, mais Beatrix avait coupé court à son projet. *La place des animaux sauvages est dans la nature.* On lui avait pris le renardeau et elle ne l'avait plus jamais revu.

Eh bien, ce *renard-ci,* il n'était pas question de le perdre. Et Beatrix n'était plus là pour lui mettre des bâtons dans les roues.

— Je pense que ce serait une erreur, père, dit Alma. Ce serait gâcher son talent qu'envoyer Mr Pike en Polynésie. N'importe qui peut diriger une plantation de vanille. Vous venez d'entendre l'homme l'expliquer lui-même. C'est simple. Il a même déjà dessiné les instructions. Envoyez les croquis à Dick Yancey, et qu'il engage quelqu'un pour mettre en place le programme de pollinisation. Je crois que vous auriez meilleur usage de Mr Pike ici à White Acre.

— À faire quoi, au juste ? demanda Henry.

— Vous n'avez pas encore vu son œuvre, père. George Hawkes pense qu'Ambrose Pike est le meilleur lithographe de notre temps.

— Et quel besoin ai-je d'un lithographe ?

— Peut-être est-il temps de publier un recueil des trésors botaniques de White Acre. Vous avez dans ces serres des spécimens que le monde civilisé n'a jamais vus. Il devrait en être conservé une trace imprimée.

— Pourquoi entreprendrais-je quelque chose d'aussi coûteux, Alma ?

— Permettez-moi de vous dire quelque chose que j'ai récemment entendu, dit Alma en guise de réponse. Kew a le projet de publier un catalogue de gravures et de peintures de ses plantes les plus rares. Le saviez-vous ?

— Dans quel but ? demanda Henry.

— Dans le but de faire étalage de sa gloire, père, dit Alma. Je l'ai appris de l'un des jeunes lithographes qui travaillent pour George Hawkes à Arch Street. Les Anglais ont offert à ce garçon une petite fortune afin de l'attirer à Kew. Il est fort doué, bien que n'étant pas un Ambrose Pike. Il envisage d'accepter l'invitation. Il dit que le livre est censé être la plus belle collection botanique jamais encore imprimée. La reine Victoria elle-même y a investi. Des lithographies en cinq couleurs et les meilleurs aquarellistes d'Europe pour la touche finale. Et ce sera un gros volume. De presque soixante centimètres de hauteur, dixit le jeune homme, pour l'épaisseur d'une bible. Tous les collectionneurs botaniques en voudront un exemplaire. Il est conçu pour annoncer la renaissance de Kew.

— La renaissance de Kew, railla Henry. Kew ne sera plus jamais ce que c'était, maintenant que Banks n'est plus.

— J'ai entendu dire autrement, père. Depuis qu'on y a construit la Serre des palmiers, tout le monde déclare que l'endroit a retrouvé sa magnificence.

Était-ce honteux de sa part, un péché, même, de réveiller la vieille rivalité de Henry à l'égard des jardins de Kew ? Mais ce qu'elle avait dit était vrai. Tout était vrai. Il n'y avait qu'à laisser Henry riposter de son côté, décida-t-elle. Ce n'était pas une mauvaise chose d'attiser ce feu. Ces dernières années, la torpeur s'était emparée de White Acre. Un peu de concurrence ne ferait de mal à personne. Elle ne faisait que donner un bon coup de fouet à Henry – et se secouer un peu par la même occasion. Il fallait que cette famille reprenne du poil de la bête !

— Personne n'a encore entendu parler d'Ambrose Pike, père, continua-t-elle. Mais une fois que George Hawkes aura publié son recueil d'orchidées, tout le monde connaîtra son nom. Une fois que Kew aura publié son ouvrage, tous les jardins botaniques et toutes les pépinières du monde voudront commanditer un *florilegium* de leur côté – et tous voudront que ce soit Ambrose Pike qui exécute les illustrations. Ne le perdons pas au profit d'un jardin rival. Gardons-le ici et offrons-lui un toit et notre mécénat. Investissons en lui, père. Vous avez vu à quel point il est doué. Donnez-lui l'occasion de révéler tout son talent. Produisons un recueil des collections de White Acre qui surpasse tout ce que le monde de l'édition botanique a vu jusqu'ici.

Henry ne répondit pas. À présent, c'étaient les rouages du cerveau de son père qu'elle entendait cliqueter. Elle attendit. Il lui fallait longtemps pour réfléchir. Trop. Pendant ce temps, Hanneke sirotait bruyamment son café avec une insouciance apparemment délibérée. Le bruit semblait distraire Henry. Alma eut envie d'arracher la tasse des mains de la vieille femme. Elle haussa la voix et tenta un dernier effort :

— Ce ne devrait pas être difficile, père, de convaincre Mr Pike de rester ici. Il a besoin d'un logement, mais il se contente de fort peu et un rien suffirait à son bonheur. Ses biens tiennent dans un sac de voyage que vous pourriez poser sur vos genoux. Comme vous l'avez vu ce soir, il est d'agréable compagnie. Je crois que vous pourriez même apprécier de l'avoir chez nous. Mais quoi que vous fassiez, père, j'insiste pour que vous n'envoyiez *pas* cet homme à Tahiti. N'importe quel sot peut cultiver de la vanille. Trouvez un autre Français pour cela ou engagez un missionnaire qui s'ennuie. N'importe quel religieux borné peut diriger une plantation. Mais personne ne peut faire d'illustrations botaniques à la manière d'Ambrose Pike. Ne laissez pas passer la chance de le garder auprès de nous. Il est rare que je me montre aussi véhémente, père, mais je dois vous le dire ce soir sans ambages : ne perdez pas celui-ci. Vous le regretteriez.

Il y eut un autre long silence. Hanneke continua de siroter son café.

— Il lui faudra un atelier, dit finalement Henry. Des presses d'imprimerie, ce genre de choses.

— Il peut s'installer dans les écuries avec moi, dit Alma. Il y a largement assez de place pour lui.

C'est ainsi que ce fut décidé.

Henry claudiqua jusqu'à son lit. Alma et Hanneke se retrouvèrent seules face à face. Hanneke ne dit rien, mais Alma n'apprécia pas son expression.

— *Wat ?* demanda-t-elle finalement.

— *Wat is je spel ?* demanda Hanneke.

— Je ne sais pas de quoi vous parlez, dit Alma. Je ne joue à aucun jeu.

— Comme vous voudrez, dit la vieille gouvernante, en haussant les épaules. Vous êtes la maîtresse de maison.

Sur ce, elle se leva, vida le reste de sa tasse et retourna à sa chambre au sous-sol – laissant à quelqu'un d'autre le soin de ranger le désordre du salon.

15

Alma et Ambrose devinrent inséparables. Très vite, ils passèrent chaque instant ensemble. Alma donna consigne à Hanneke de déménager Mr Pike de l'aile des invités pour l'installer dans l'ancienne chambre de Prudence, au deuxième étage de la maison, juste en face de la chambre d'Alma, de l'autre côté du couloir. Hanneke s'insurgea contre l'intrusion d'un étranger dans les appartements privés de la famille (ce n'était pas convenable, déclara-t-elle, ni prudent et, surtout, *nous ne le connaissons pas*), mais Alma passa outre et ce fut fait. Elle libéra elle-même de l'espace pour Ambrose aux écuries dans une autre petite sellerie peu utilisée à côté de son propre bureau. Une quinzaine de jours plus tard, ses premières presses étaient arrivées. Peu après, Alma lui acheta un beau bureau avec de nombreux tiroirs et rangements.

— C'est la première fois que j'ai mon propre bureau, lui dit Ambrose. Cela me donne l'impression d'être étrangement important. D'être comme un *aide de camp*.

Une seule porte séparait leurs deux bureaux – et elle n'était jamais fermée. Toute la journée, Alma et Ambrose passaient d'une pièce à l'autre pour s'enquérir de l'avancement de leurs travaux respectifs, regarder tel ou tel spécimen intéressant dans un bocal ou sur une lame de microscope. Ils mangeaient des toasts beurrés ensemble tous les matins, faisaient des pique-niques dans les champs et veillaient tard la nuit pour aider Henry à sa correspondance ou consulter les anciens ouvrages de la bibliothèque de White Acre. Le dimanche, Ambrose accompagnait Alma à la morne et ronronnante église luthérienne suédoise, et récitait les prières avec elle.

Qu'ils parlent ou se taisent – peu leur importait –, ils n'étaient jamais séparés.

Durant les heures où Alma travaillait à ses colonies de mousses, Ambrose lisait, vautré dans l'herbe non loin d'elle. Quand Ambrose faisait des croquis dans la serre aux orchidées, Alma s'installait à côté de lui pour travailler à sa correspondance personnelle. Elle n'avait jamais passé autant de temps dans cette serre mais, depuis l'arrivée d'Ambrose, l'endroit avait connu une métamorphose pour devenir le lieu le plus éblouissant de White Acre. Il avait passé près de deux semaines à nettoyer une à une les centaines de vitres afin que le soleil puisse y pénétrer librement. Il avait passé la serpillière et ciré les dalles jusqu'à ce qu'elles resplendissent. Qui plus est – et c'était là le plus étonnant –, il avait passé une autre semaine à frotter les feuilles de chaque orchidée avec des peaux de banane jusqu'à ce qu'elles luisent comme un service à thé poli par un diligent majordome.

— Et après cela, Mr Pike ? le taquinait Alma. Allons-nous peigner chaque poil de chaque fougère du domaine ?

— Je ne crois pas que les fougères s'en plaindraient, disait-il.

En fait, un curieux phénomène avait opéré à White Acre juste après qu'Ambrose eut fait régner ordre et splendeur dans la serre aux orchidées : le reste de la propriété semblait brusquement bien misérable en comparaison. C'était comme si on avait seulement fait briller un petit coin d'un vieux miroir et que, du coup, le reste apparaissait vraiment crasseux. Personne ne l'avait remarqué jusque-là mais, désormais, c'était évident. C'était comme si Ambrose avait levé le rideau sur quelque chose d'invisible, et qu'Alma voyait une vérité sans quoi elle serait restée éternellement aveugle : White Acre, si élégante fût-elle, s'était progressivement délabrée au cours du dernier quart de siècle.

En prenant conscience de cela, Alma prit la résolution de remettre le reste du domaine dans le même état resplendissant que la serre aux orchidées. Après tout, quand avait-on nettoyé pour la dernière fois les vitres des autres serres ? Elle ne s'en souvenait pas. À présent, partout où elle posait les yeux, elle voyait de la moisissure et de la poussière. Les clôtures avaient besoin d'être chaulées et réparées, des herbes envahissaient les allées de gravier et il y avait des toiles d'araignées dans toute la bibliothèque. Le moindre tapis avait besoin d'un bon coup de battoir et les chaudières de ramonage. Les palmiers de la plus grande serre perçaient presque le toit : on ne les avait pas rabattus depuis des années. Il y avait dans les coins des granges des ossements d'animaux desséchés accumulés par les chats en maraude depuis des années, le laiton des harnais était terni et les tenues des bonnes semblaient dater du siècle précédent – et c'était le cas.

Alma engagea des couturières pour couper des livrées à tout le personnel, et elle se commanda même deux robes neuves en lin. Elle offrit un costume neuf à Ambrose, mais il demanda s'il pouvait plutôt avoir quatre nouveaux pinceaux. (Exactement quatre. Elle lui en offrit cinq. Il n'en avait pas besoin de cinq, dit-il. Quatre constituaient déjà un luxe.) Elle engagea un escadron de jeunes domestiques pour la remise à neuf de toute la maison. Elle se rendit compte que les employés de White Acre décédés ou licenciés au cours des années n'avaient jamais été remplacés. Au bout de vingt-cinq ans, un tiers seulement du nombreux personnel restait et ce n'était tout bonnement pas suffisant.

Au début, Hanneke résista à ces nouveaux arrivants.

— Je n'ai plus la force physique ou mentale pour faire de mauvais employés des bons, se plaignit-elle.

— Mais, Hanneke, protesta Alma, vois comme Mr Pike a habilement rénové la serre aux orchidées ! Ne voulons-nous pas que tout le reste du domaine resplendisse autant ?

— Il y a déjà bien assez d'habileté dans ce monde, répondit Hanneke, et pas assez de bon sens. Votre Mr Pike ne fait que donner du travail aux autres. Votre mère se retournerait dans sa tombe si elle savait qu'il y a des gens qui se donnent la peine de nettoyer des fleurs à la main.

— Pas les fleurs, corrigea Alma. Les feuilles.

Mais avec le temps, même Hanneke céda et il ne fallut pas bien longtemps pour qu'Alma la voie déléguer aux nouveaux jeunes employés la corvée de sortir les vieux tonneaux à farine de la cave pour les sécher au soleil – une tâche qui n'avait pas été exécutée, pour autant qu'Alma s'en souvînt, depuis la présidence d'Andrew Jackson.

— N'allez pas trop loin en matière de nettoyage, l'avertit Ambrose. Un peu de négligence peut être un bienfait. Avez-vous jamais remarqué que les plus splendides lilas, par exemple, sont ceux qui poussent le long des granges en ruine et des appentis abandonnés ? Parfois, la beauté a besoin d'être un peu ignorée pour voir le jour.

— Et c'est l'homme qui polit les orchidées avec des peaux de banane qui parle ! dit Alma en riant.

— Ah, mais il s'agit d'orchidées, répondit Ambrose. C'est différent. Les orchidées sont des saintes reliques, Alma, et elles doivent être traitées avec révérence.

— Mais, Ambrose, dit Alma, toute la propriété commençait à ressembler à une sainte relique… après une guerre sainte !

À présent, ils s'appelaient par leurs prénoms. Mai passa. Puis juin. Et juillet arriva. Avait-elle jamais été aussi heureuse ? Jamais à ce point.

L'existence d'Alma, avant l'arrivée d'Ambrose Pike, avait été assez plaisante. Oui, son univers avait peut-être l'air étriqué, et ses journées répétitives, mais rien de tout cela ne lui avait été intolérable. Elle avait tiré le meilleur parti de sa destinée. Son travail sur les mousses lui occupait l'esprit, et elle savait que ses recherches étaient irréprochables et honnêtes. Elle avait ses journaux, son herbier, ses microscopes, ses dissertations de botanique, ses lettres de collectionneurs du monde entier, ses devoirs envers son père. Elle avait ses habitudes, son quotidien et ses responsabilités. Elle avait sa dignité. Certes, elle était un peu comme un livre ouvert à la même page chaque jour depuis trente ans – mais la page n'avait pas été si déplaisante. Elle avait été heureuse. Satisfaite. À tous égards, cela avait été une belle vie.

Jamais elle ne pourrait revenir à cette existence, à présent.

Au milieu du mois de juillet 1848, Alma rendit visite à Retta à l'asile Griffon pour la première fois depuis que son amie y avait été internée. Elle n'était pas allée la voir chaque mois comme elle l'avait promis à George Hawkes, mais White Acre avait été si animé et agréable depuis l'arrivée d'Ambrose qu'elle n'avait plus pensé à Retta. Toutefois, en juillet, sa conscience avait commencé à la démanger et elle avait donc organisé un voyage à Trenton pour la journée. Elle écrivit un mot à George Hawkes pour lui demander s'il voulait se joindre à elle, mais il déclina. Il ne fournit aucune explication, mais Alma savait qu'il ne pouvait tout simplement pas supporter de voir Retta dans son état. Ambrose Pike proposa cependant à Alma de lui tenir compagnie pour la journée.

— Mais vous avez tant de travail à faire ici, dit-elle. Et cela a fort peu de chances d'être une visite agréable.

— Le travail peut attendre. J'aimerais faire la connaissance de votre amie. J'ai une certaine curiosité, je dois l'avouer, pour les affections de l'imagination. Cela m'intéresserait de voir un asile.

Après un trajet tranquille jusqu'à Trenton et un bref échange avec le médecin, Alma et Ambrose furent conduits à Retta. Ils la trouvèrent dans une chambre individuelle avec un lit coquet, une table et une chaise, un petit tapis et un mur nu dont on avait enlevé le miroir, expliqua l'infirmière, parce qu'il troublait la patiente.

— Nous avons essayé de la mettre avec une autre dame pendant un certain temps, continua l'infirmière, mais elle ne l'a pas toléré. Elle est devenue violente. Des crises d'angoisse et de terreur. Nous avons toutes les raisons de craindre pour quiconque serait laissé dans une pièce avec elle. Mieux vaut qu'elle reste seule.

— Que faites-vous pour la soigner quand elle a ces crises ? demanda Alma.

— Des bains glacés, dit l'infirmière. Et nous lui bouchons les oreilles et lui bandons les yeux. Cela semble la calmer.

Ce n'était pas une chambre désagréable. Elle donnait sur les jardins à l'arrière et était très lumineuse, cependant, songea Alma, son amie devait se sentir fort seule. Retta était proprement vêtue et avait les cheveux tressés, mais on aurait dit une apparition. D'une pâleur de cendres. C'était encore une jolie chose, seulement désormais, c'était surtout une *chose*. Elle ne parut ni heureuse ni fâchée de voir Alma, et ne témoigna aucun intérêt pour Ambrose. Alma alla s'asseoir auprès de son amie et lui prit la main. Retta se laissa faire sans protester. Elle avait des pansements sur certains doigts.

— Qu'est-il arrivé ? demanda Alma à l'infirmière.

— Elle se mord la nuit, expliqua celle-ci. Nous n'arrivons pas à lui faire perdre cette habitude.

Alma avait apporté à son amie un petit sachet de bonbons au citron et un bouquet de violettes, mais Retta regarda ces cadeaux comme si elle ne savait pas lequel elle était censée manger et lequel admirer. Alma se douta que l'infirmière emporterait les deux.

— Nous sommes venus vous rendre visite, dit piteusement Alma à Retta.

— Alors pourquoi n'êtes-vous pas là ? demanda Retta d'une voix rendue pâteuse par le laudanum.

— Nous sommes là, ma chérie. Nous sommes juste devant vous.

Retta la considéra un moment d'un regard vide, puis elle se retourna vers la fenêtre.

— Je voulais lui apporter un prisme, dit Alma à Ambrose, mais j'ai oublié de le prendre. Elle a toujours adoré les prismes.

— Vous devriez lui chanter quelque chose, proposa discrètement Ambrose.

— Je ne suis pas chanteuse, dit Alma.

— Je ne crois pas que cela la gênerait.

Mais aucune idée de chanson ne vint à Alma. Elle se contenta de se pencher et de murmurer à l'oreille de Retta :

— Qui vous aime le plus ? Qui vous aime le mieux ? Qui pense à vous quand d'autres se reposent ? (Retta ne réagit pas. Alma se tourna vers Ambrose et demanda, presque paniquée :) Vous connaissez une chanson ?

— J'en connais des quantités, Alma. Mais je ne connais pas *la sienne.*

Sur la route du retour, Alma et Ambrose restèrent pensifs et silencieux. Finalement, Ambrose demanda :

— A-t-elle toujours été ainsi ?

— Hébétée ? Jamais. Elle a toujours été un peu folle, mais elle était délicieuse, étant jeune. Elle avait un humour insensé et du charme à revendre. Tout le monde l'adorait. Elle a même apporté gaieté et rires à ma sœur et moi, alors que, comme je vous l'ai dit, Prudence et moi n'étions pas du genre à nous amuser ensemble. Mais ses troubles se sont accrus avec les années. Et, à présent, comme vous avez pu le voir…

— Oui, j'ai vu. La pauvre créature. J'ai tant de compassion pour les fous. Quand je suis en leur présence, je le sens jusqu'au fond de mon âme. Je crois que quiconque prétend ne jamais s'être senti fou ment.

Alma réfléchit.

— Sincèrement, je ne crois pas m'être jamais sentie folle, dit-elle. Je me demande si je vous mens en disant cela. Je ne pense pas.

— Bien sûr que non, sourit Ambrose. J'aurais dû faire une exception pour vous, Alma. Vous n'êtes pas comme nous autres. Vous avez un esprit solide et cohérent. Vos émotions sont aussi durables qu'un coffre-fort. C'est pourquoi les gens se sentent aussi rassurés en votre présence.

— Ah bon ? demanda Alma, sincèrement surprise de l'entendre.

— Je vous assure que oui.

— C'est une curieuse idée. Jamais je ne l'avais entendu exprimer. (Alma jeta un coup d'œil par la vitre et resta songeuse. Puis elle se rappela quelque chose.) Ou bien si. Vous savez, Retta elle-même disait que j'avais un menton très rassurant.

— Tout votre être est rassurant, Alma. Même votre voix l'est. Pour ceux d'entre nous qui ont parfois l'impression d'être ballottés dans leur vie comme des fétus aux quatre vents, votre présence est une consolation très appréciée.

Ne sachant que répondre à cette surprenante déclaration, Alma essaya de la balayer.

— Allons, Ambrose, dit-elle. Vous êtes un homme à l'esprit si solide, vous n'avez certainement jamais eu l'impression d'être fou ?

Il réfléchit un moment, puis il choisit soigneusement ses mots.

— On ne peut s'empêcher de sentir que l'on est proche du même état que votre amie Retta Snow.

— Non, Ambrose, ce n'est certainement pas le cas ! (Comme il ne répondait pas immédiatement, elle commença à s'inquiéter.) Ambrose, dit-elle plus doucement. Ce n'est certainement pas le cas, n'est-ce pas ?

De nouveau, il répondit prudemment après un long moment de réflexion.

— Je fais référence à une impression de distance d'avec ce monde, alliée à un sentiment d'alignement sur un autre monde.

— Quel autre monde ? (Pensant, devant son hésitation à répondre, qu'elle avait peut-être été trop pressante, elle tenta un ton plus léger.) Pardonnez-moi, Ambrose. J'ai l'affreuse habitude de ne jamais renoncer à une question tant que je n'ai pas trouvé de réponse satisfaisante. C'est ma nature, hélas. J'espère que vous ne m'aurez pas trouvée impolie.

— Vous ne l'êtes pas, dit Ambrose. J'envie votre curiosité. C'est simplement que je ne sais pas très bien comment vous offrir une réponse satisfaisante. On ne souhaite pas perdre l'affection d'autrui en se révélant trop soi-même.

Alma laissa donc le sujet de la folie, espérant peut-être qu'il n'en serait plus jamais question. Comme pour redonner à ce moment son caractère neutre, elle sortit un livre de son sac et tenta de lire. La voiture tressautait trop pour qu'elle puisse le faire confortablement, et son esprit était préoccupé par ce qu'elle venait d'entendre, mais elle fit semblant d'être tout de même absorbée par son livre.

Après un moment, Ambrose reprit :

— Je ne vous ai pas encore dit pourquoi j'avais quitté Harvard il y a des années. (Elle posa son livre et se tourna vers lui.) J'ai souffert d'une crise, Alma.

— De folie ? demanda-t-elle, avec sa franchise habituelle, même si elle avait le ventre noué de peur d'entendre sa réponse.

— C'est possible. Je ne sais comment il faudrait appeler cela. Ma mère a pensé que c'était de la folie.

Mes amis l'ont pensé aussi. Les médecins également. Moi, j'ai senti que c'était autre chose.

— Par exemple ? demanda-t-elle, toujours du même ton normal, même si son inquiétude croissait.

— Un épisode de possession par des esprits, peut-être ? De magie ? L'effacement des frontières matérielles ? Une inspiration portée par des ailes de feu ?

Il ne souriait pas. Il était tout à fait sérieux. Cet aveu alarma tant Alma qu'elle fut incapable de répondre. Dans son système de pensée, il n'y avait nulle place pour l'effacement des frontières matérielles. Rien n'était plus agréablement rassurant dans l'existence d'Alma Whittaker que la certitude réconfortante des frontières matérielles.

Ambrose la dévisagea prudemment avant de poursuivre. Il la regardait comme si elle était un thermomètre ou une boussole – comme s'il essayait de la jauger, comme s'il choisissait la direction à prendre en fonction de la nature de sa réaction. Elle s'efforça de ne pas paraître le moins du monde inquiète. Il dut être satisfait de ce qu'il vit sur son visage, car il continua.

— Quand j'avais dix-neuf ans, j'ai découvert dans la bibliothèque de Harvard un ensemble de livres écrits par Jacob Boehme. En avez-vous entendu parler ?

Évidemment qu'elle en avait entendu parler. Elle avait ses propres exemplaires de ces œuvres dans la bibliothèque de White Acre. Elle avait lu Boehme, même si elle ne l'avait jamais admiré. Jacob Boehme était un cordonnier allemand du XVIe siècle qui avait des visions mystiques concernant les plantes. Beaucoup de gens le considéraient comme un précurseur des botanistes. La mère d'Alma, en revanche, le considérait comme un cloaque de résidus de superstition médiévale. C'est dire si les opinions étaient partagées concernant Jacob Boehme.

Le vieux cordonnier croyait à ce qu'il appelait « la signature des choses » – nommément, que Dieu avait dissimulé des indices destinés à l'amélioration de l'humanité dans la forme de toutes fleurs, feuilles, tous fruits et arbres sur terre. Le monde naturel tout entier était un code divin, prétendait-il, contenant la preuve de l'amour de notre Créateur. C'est pourquoi tant de plantes médicinales ressemblaient aux maladies qu'elles étaient destinées à guérir ou aux organes qu'elles étaient capables de soigner. Le basilic, avec ses feuilles en forme de foie, est le remède évident pour les affections hépatiques. La chélidoine, qui produit une sève jaune, peut servir à soigner la coloration que provoque la jaunisse. Les noix, qui ont la forme de cerveaux, sont souveraines pour les maux de tête. Le tussilage, qui pousse près des cours d'eau froids, peut soigner la toux et les rhumes causés par l'immersion dans l'eau glacée. Le *polygonum,* avec ses taches rouges sur les feuilles, soigne les blessures qui saignent. Et ainsi de suite, à l'infini. Beatrix Whittaker avait toujours méprisé cette théorie (« La plupart des feuilles ont la forme d'un foie – devons-nous toutes les manger ? ») et Alma avait hérité du scepticisme de sa mère.

Mais ce n'était pas le moment de parler de scepticisme, car Ambrose était de nouveau en train de scruter le visage d'Alma. Il semblait y chercher désespérément la permission de poursuivre. De nouveau, Alma garda une expression impassible, même si elle se sentait fort troublée. Et de nouveau, il poursuivit.

— Je sais que la science d'aujourd'hui a des difficultés avec les idées de Boehme, dit-il. J'en comprends les objections. Jacob Boehme œuvrait à l'opposé d'une méthodologie scientifique convenable. Il lui manquait la rigueur de la réflexion. Ses écrits étaient remplis de fragments d'illumination et de débris d'idées. Il était irrationnel. Il était crédule. Il ne voyait que ce qu'il désirait voir. Il laissait de côté tout ce qui contredisait ses certitudes. Son point de départ était ses croyances, à partir desquelles il cherchait des faits. Personne ne pourrait légitimement qualifier cela de science. (*Beatrix Whittaker n'aurait pas mieux dit elle-même*, songea Alma. Mais là encore, elle se contenta d'opiner.) Et pourtant… (Alma laissa son ami rassembler ses pensées. Il resta silencieux si longtemps qu'elle crut qu'il avait décidé de conclure là. Mais il reprit :) Et pourtant, Boehme disait que Dieu avait embrassé le monde et y avait laissé des empreintes que nous devions découvrir.

Le parallèle était impossible à manquer, songea Alma, qui ne put s'empêcher de le souligner.

— Comme un imprimeur, dit-elle.

À ces mots, Ambrose fit volte-face et la regarda avec une expression soulagée et reconnaissante.

— Oui ! Précisément. Vous me comprenez. Vous voyez ce que cette idée a pu signifier pour moi, jeune homme ? Boehme disait que cet *imprimatur* divin est une sorte de magie sacrée et que cette magie est la seule théologie dont nous aurons jamais besoin. Il pensait que nous pouvions lire les empreintes de Dieu, mais que nous devions d'abord nous jeter dans le feu.

— Nous jeter dans le feu, répéta Alma en gardant un ton neutre.

— Oui. En renonçant au monde matériel. En renonçant à l'église, avec ses murailles de pierre et ses liturgies. En renonçant à l'ambition. En renonçant à l'étude. Aux désirs du corps. Au désir de possession et à l'égoïsme. En renonçant même à la parole ! C'est seulement alors que l'on pourrait voir ce que Dieu avait vu au moment de la création. Seulement alors que l'on pourrait lire les messages que le Seigneur avait laissés derrière Lui à notre intention. Vous voyez bien, Alma, que je ne pouvais être pasteur après avoir entendu cela. Ni étudiant. Ni un fils. Ni, semblait-il, un homme vivant.

— Qu'êtes-vous devenu, alors ? demanda Alma.

— J'ai essayé de devenir le feu. J'ai cessé toutes les activités de l'existence normale. J'ai arrêté de parler. De manger. Je croyais pouvoir subsister seulement avec le soleil et la pluie. Pendant une longue période – bien que cela paraisse impossible à imaginer – je vous assure que j'ai *réellement* subsisté seulement avec le soleil et la pluie. Cela ne m'a pas surpris. J'avais la foi. J'avais toujours été le plus dévot des enfants de ma mère, voyez-vous. Alors que mes frères possédaient logique et raison, j'ai toujours senti l'amour du Créateur d'une manière plus innée. Enfant, je plongeais si profondément dans la prière que ma mère me secouait à l'église et me punissait pour avoir dormi durant la messe, mais je n'avais pas dormi.

J'avais… correspondu. Ensuite, après avoir lu Jacob Boehme, j'ai voulu connaître le divin encore plus intimement. C'est pour cela que j'ai renoncé à tout dans le monde, y compris aux moyens de subsistance.

— Et qu'est-il arrivé ? demanda Alma, redoutant une fois de plus la réponse.

— J'ai contemplé le divin, dit-il, les yeux brillants. Ou du moins l'ai-je cru. J'avais les pensées les plus magnifiques. Je pouvais lire le langage caché à l'intérieur des arbres. Je voyais les anges qui vivent à l'intérieur des orchidées. J'ai vu une nouvelle religion exprimée dans un nouveau langage botanique. J'ai entendu ses hymnes. Je ne me rappelle plus la musique à présent, mais elle était exquise. En outre, il y a eu toute une quinzaine de jours où j'ai pu entendre les pensées d'autrui. J'aurais aimé que les gens entendent les miennes, mais ce n'était apparemment pas le cas. J'étais en permanence joyeux, en extase. J'avais la sensation que je ne pourrais jamais plus être blessé, ni même touché. Je n'étais dangereux pour personne, mais j'ai perdu mon désir pour ce monde. Je n'étais plus fait de particules. Oh, mais ce n'est pas tout. Il m'est venu de telles connaissances ! Par exemple, j'ai rebaptisé les couleurs ! Et j'en ai vu de nouvelles, qui étaient cachées. Saviez-vous qu'il existe une couleur appelée *suissène,* qui est une sorte de turquoise clair ? Seuls les papillons de nuit peuvent la voir. C'est la couleur du plus pur courroux divin. Jamais vous n'auriez imaginé que la colère de Dieu serait bleu pâle, mais c'est ainsi.

— Je l'ignorais, avoua Alma prudemment.

— Eh bien, je l'ai vue, dit Ambrose. J'ai vu des halos de *suissène* autour de certains arbres et de certains individus. En d'autres endroits, j'apercevais des auréoles de lumière bienveillante là où il n'aurait dû y en avoir aucune. C'était une lumière qui n'avait pas de nom, mais qui avait un son. Partout où je la voyais – ou plutôt, partout où je l'entendais –, je la suivais. Peu après cela, cependant, j'ai failli mourir. Mon ami Daniel Tupper m'a trouvé dans une fondrière de neige. Parfois, je me dis que si l'hiver n'était pas arrivé, j'aurais pu continuer.

— Sans nourriture, Ambrose ? demanda Alma. Sûrement pas…

— Parfois je pense que si. Je ne prétends pas être rationnel, mais je le crois. Je voulais devenir une plante. Il m'arrive de me dire que – durant une très brève période, poussé par la foi – je suis devenu une plante. Sans quoi, comment aurais-je pu supporter deux mois sans rien d'autre que la pluie et le soleil ? Je me suis rappelé Ésaïe, 40 : « Toute chair est comme l'herbe… […] Certainement le peuple est comme l'herbe. »

Pour la première fois depuis des années, Alma se rappela qu'enfant, elle avait aussi voulu être une plante. Bien sûr, elle était petite et désirait que son père soit plus patient et affectueux avec elle. Mais quand bien même, elle n'avait jamais vraiment cru qu'elle *était* une plante.

— Une fois que mes amis m'ont découvert dans la neige, poursuivit Ambrose, ils m'ont emmené dans un établissement pour aliénés.

— Semblable à celui d'où nous venons ? demanda Alma.

— Oh, non, Alma, répondit-il avec un sourire d'une infinie tristesse. Pas du tout semblable à celui d'où nous venons.

— Oh, Ambrose, je suis vraiment désolée, dit-elle.

À présent, elle se sentait totalement écœurée. Elle avait vu des établissements pour aliénés plus classiques à Philadelphie, quand George et elle faisaient interner Retta dans ces lieux de désespoir durant de courtes périodes. Elle ne pouvait imaginer son délicat ami Ambrose dans un endroit où régnaient peine, souffrance et crasse.

— Ne soyez pas désolée, dit Ambrose. C'est du passé. Heureusement pour mon esprit, j'ai oublié presque tout ce qui est arrivé là-bas. Mais l'expérience de l'hôpital a fait pour toujours de moi un être plus timoré que je ne l'étais jusque-là. Trop effrayé pour pouvoir éprouver à nouveau une véritable confiance. Quand j'ai été libéré, Daniel Tupper et sa famille m'ont pris avec eux. Ils ont été bons pour moi. Ils m'ont offert un toit et un travail dans leur atelier d'imprimerie. J'espérais que je serais en mesure de retrouver les anges, mais cette fois d'une manière plus matérielle. Plus sûre, pour ainsi dire. Je me suis donc formé à l'art de la presse – une imitation du Seigneur, en réalité, bien que je sois conscient que c'est un péché d'orgueil que de dire cela. Je voulais imprimer mes propres perceptions dans le monde, bien que je n'aie pas encore produit une œuvre aussi raffinée que je le souhaiterais. Mais cela m'occupe. Et j'observe les orchidées. Il y a du réconfort dans les orchidées.

Alma hésita, puis elle demanda, non sans gêne :

— Avez-vous jamais pu retrouver les anges ?

— Non, sourit Ambrose. Hélas. Mais le travail apportait ses plaisirs propres, ou ses distractions propres. Grâce à la mère de Tupper, j'ai recommencé à manger. Mais j'étais changé. J'évitais tous les arbres et les gens que j'avais vus teintés du *suissène* de la colère de Dieu durant ma crise. Je brûlais de retrouver les hymnes de la nouvelle religion que j'avais entrevue, mais je ne pouvais me rappeler les paroles. C'est peu après cela que je suis parti dans la jungle. Ma famille a estimé que c'était une erreur, que je retrouverais la folie là-bas et que la solitude serait néfaste pour ma constitution.

— L'a-t-elle été ?

— Peut-être. C'est difficile de le dire. Comme je vous l'ai raconté lors de notre première rencontre, j'ai souffert de fièvres, là-bas. Les fièvres diminuaient mes forces, mais je les accueillais avec plaisir. Durant la fièvre, il m'arrivait de croire que je pouvais de nouveau presque voir l'*imprimatur* de Dieu, mais seulement presque. Je voyais que des édits et des stipulations étaient inscrits sur les feuilles et les lianes. Je voyais que les branches d'arbres autour de moi étaient déformées par des messages. Il y avait des empreintes de toutes parts, des lignes de confluence partout, mais je ne pouvais les lire. J'entendais des bribes de l'ancienne et familière musique, mais je ne pouvais la saisir. Rien ne m'était révélé. Quand j'étais malade, j'entrevoyais parfois à nouveau des anges dans les orchidées – mais seulement les franges de leurs vêtements. Il fallait que la lumière soit pure et qu'il y ait un complet silence pour que cela se produise. Mais ce n'était pas suffisant. Ce n'était pas ce que j'avais vu naguère. Une fois que l'on a vu les anges, Alma, on ne se satisfait pas de ne voir que les franges de leurs vêtements. Après dix-huit ans, ayant compris que je ne reverrais jamais ce que j'avais entrevu naguère, pas même dans la plus profonde solitude de la jungle, pas même dans le délire de la fièvre, je suis rentré. Mais je crois que j'aurai toujours envie d'autre chose.

— De quoi avez-vous envie, au juste ? demanda Alma.

— De pureté, dit-il. Et de communion.

Vaincue par la tristesse – et aussi par la crainte angoissante que quelque chose de magnifique lui soit enlevé –, Alma réfléchit à ce qu'elle venait d'entendre. Elle ne savait pas comment apporter du réconfort à Ambrose, même s'il ne semblait pas en demander. Était-il fou ? Il n'en avait pas l'air. D'une certaine manière, songea-t-elle, elle aurait dû se sentir honorée qu'il lui confie de tels secrets. Mais comme ces secrets étaient inquiétants ! Que fallait-il en faire ? Jamais elle n'avait vu d'anges, ni observé les couleurs cachées de la véritable colère de Dieu, et jamais elle ne s'était jetée dans le feu. Elle n'était même pas entièrement certaine de comprendre ce que cela voulait dire que se jeter dans le feu. Comment fallait-il s'y prendre ? *Pourquoi* le faire ?

— Quels sont vos projets, désormais ? demanda-t-elle.

À peine disait-elle cela qu'elle maudit son esprit tout de lourdeur, qui ne pouvait penser qu'en banals termes matériels : *Un homme vient de te parler d'anges et tu lui demandes quels sont ses projets.* Mais Ambrose sourit.

— Je désire une vie de repos, bien que je ne sois pas convaincu de l'avoir méritée. Je suis reconnaissant que vous m'ayez fourni un logement. J'apprécie énormément White Acre. C'est pour moi une sorte de paradis – ou du moins ce qui approche le plus du paradis sur terre, je suppose. J'ai eu mon content du monde et je désire la paix. J'apprécie votre père, qui ne semble pas me condamner, et qui me permet de rester chez vous. Je suis reconnaissant d'avoir des ouvrages à produire, ce qui m'apporte occupation et satisfaction. Et je vous suis des plus reconnaissants de votre compagnie. Je me suis senti seul, je dois l'avouer, depuis 1828 – depuis que mes amis m'ont sorti de la neige et ramené en ce monde. Après ce que j'ai vu, et parce que je ne peux plus voir, je suis toujours en quelque sorte seul. Mais je trouve que je le suis moins en votre compagnie qu'en d'autres circonstances.

Alma crut qu'elle allait pleurer en entendant cela. Elle réfléchit à la manière dont elle devait réagir. Ambrose lui avait fait si volontiers ses confidences, alors qu'elle n'en avait partagé aucune. Il avait avoué courageusement. Même si ces aveux l'avaient effrayée, elle devait faire preuve de courage en retour.

— Vous soulagez vous aussi ma solitude, dit-elle.

Ce lui fut difficile à avouer. Elle ne put supporter de le regarder en disant cela, mais au moins, sa voix ne s'étrangla pas.

— Je ne l'aurais pas imaginé, chère Alma, répondit aimablement Ambrose. Vous paraissez toujours si vaillante.

— Aucun de nous n'est vaillant, répondit Alma.

Ils revinrent à White Acre et retrouvèrent leurs agréables habitudes, mais Alma était encore distraite par ce qu'elle avait entendu. Parfois, quand Ambrose était occupé à travailler – dessiner une orchidée ou préparer une pierre pour une lithographie –, elle l'observait, cherchant les signes d'un esprit dérangé ou malade. Mais elle n'en voyait aucun. S'il souffrait d'illusions spectrales ou d'hallucinations surnaturelles ou s'il en espérait, il ne le révélait pas non plus. Elle n'avait aucun indice d'une raison chancelante.

Quand Ambrose levait les yeux et la surprenait en train de le regarder, il se contentait de sourire. Il était si candide, si gentil et si innocent. Il ne semblait pas se méfier, ni vouloir dissimuler quoi que ce fût. Il ne paraissait pas regretter ce qu'il avait confié à Alma. À vrai dire, son comportement à son égard n'en était que plus chaleureux. Il était encore plus élogieux, encourageant et serviable. Il était d'une infaillible bonne humeur. Il était patient avec Henry, avec Hanneke, avec tout le monde. Parfois, il semblait fatigué, mais c'était compréhensible, tant il travaillait. Il se donnait autant de mal qu'Alma. C'était naturel qu'il soit fatigué, parfois. Mais en dehors de cela, il était semblable à lui-même et demeurait son cher et fantasque ami. Il n'était pas non plus pris d'excès de dévotion, pour autant que pût en juger Alma. En dehors des dimanches où il l'accompagnait à l'église, jamais elle ne le voyait prier. À tous égards, il semblait être un homme de bien en paix avec lui-même.

En revanche, l'imagination d'Alma avait été attisée et ravivée par leur discussion durant le voyage de retour depuis Trenton. Elle n'arrivait pas à y trouver la moindre logique et elle brûlait d'envie d'obtenir une réponse convaincante à cette énigme : *Ambrose Pike était-il fou ? Et s'il ne l'était pas, dans ce cas, qu'était-il ?* Elle avait du mal à avaler les merveilles et les miracles, mais elle en avait tout autant à considérer son cher ami comme tout juste bon à enfermer. Qu'avait-il donc vu durant ses crises ? Elle-même n'avait jamais rencontré le divin ni n'en avait d'ailleurs éprouvé l'envie. Elle avait mené une existence consacrée à la compréhension du réel, du matériel. Une fois, alors qu'on lui arrachait une dent après lui avoir administré de l'éther, Alma avait vu en esprit des étoiles danser, mais cela, elle le savait déjà à l'époque, était l'effet normal de la drogue sur le cerveau et cela ne lui avait pas permis d'atteindre les rouages cachés des cieux. Mais Ambrose n'était pas sous l'influence de l'éther quand il avait eu ses visions. Sa folie avait été… la folie d'un esprit clair.

Durant les semaines qui suivirent sa conversation avec Ambrose, Alma se réveillait fréquemment la nuit et descendait discrètement à la bibliothèque lire les ouvrages de Jacob Boehme. Elle n'avait pas lu le vieux cordonnier allemand depuis sa jeunesse et elle essayait désormais d'aborder ces textes avec respect et l'esprit ouvert. Elle savait que Milton avait lu Boehme et que

Newton l'admirait. Si des esprits aussi éclairés avaient trouvé de la sagesse dans ses paroles – et si quelqu'un d'aussi extraordinaire qu'Ambrose avait été autant ému par Boehme, pourquoi pas Alma ?

Mais elle ne trouva rien dans ces textes qui la mît dans un état mystique ou d'émerveillement. Pour Alma, les écrits de Boehme étaient remplis de principes caducs, opaques et frisant l'occultisme. Il était d'une mentalité ancienne, celle du Moyen Âge, fascinée par l'alchimie et les bézoards. Il croyait que les pierres et métaux précieux étaient doués d'un pouvoir et de vertus divines. Il voyait la croix de Dieu cachée dans une tranche de chou. Pour lui, tout dans le monde était une révélation incarnée de la puissance éternelle et de l'amour divin. Chaque fragment de la nature était un *verbum fiat* – une parole de Dieu, un mot incarné, une merveille faite chair. Pour lui, les roses ne symbolisaient pas l'amour, elles *étaient* l'amour : l'amour rendu littéral. C'était un tenant de l'apocalypse et de l'utopie. Ce monde devait bientôt s'achever, disait-il, et l'humanité devait atteindre un état édénique, où tous les hommes seraient des vierges mâles et où la vie ne serait que joie et jeu. Cependant, la sagesse de Dieu, insistait-il, était femelle.

Boehme écrivait : « La sagesse de Dieu est une vierge éternelle – non une épouse, mais plutôt la chasteté et la pureté sans tache, qui tient lieu d'image de Dieu… Elle est la sagesse de miracles sans nombre. En elle, le Saint-Esprit contemple l'image des anges… Bien qu'elle donne corps à tous les fruits, elle n'est point la corporalité des fruits, mais plutôt la grâce et la beauté qui sont en eux. »

Rien de tout cela n'avait de sens pour Alma. Une bonne partie l'irritait. Cela ne lui donnait sûrement pas envie de cesser de s'alimenter, d'étudier, de parler ou de renoncer aux plaisirs du corps pour ne vivre que de soleil et de pluie. Au contraire, les écrits de Boehme lui donnaient envie de retrouver son microscope, ses mousses, les conforts du palpable et du concret. Pourquoi le monde matériel n'était-il pas suffisant pour des gens comme Jacob Boehme ? N'était-ce pas assez merveilleux, ce que l'on pouvait voir et toucher en sachant que c'était réel ?

« La vie véritable se trouve dans le feu, écrivait Boehme, et c'est alors qu'un mystère se saisit de l'autre. »

Alma avait été saisie, certes, mais son esprit n'avait pas pris feu. Il ne s'était pas non plus calmé. Sa lecture de Boehme la mena à d'autres ouvrages dans la bibliothèque de White Acre, d'autres traités poussiéreux sur l'intersection entre botanique et divinité. Elle se sentait à la fois sceptique et stimulée. Elle feuilleta tous les anciens théologiens et les thaumaturges obsolètes et disparus. Elle étudia Albert le Grand. Elle analysa scrupuleusement ce que les moines avaient écrit quatre cents ans plus tôt sur les mandragores et les cornes de licorne. Cette science était si pleine d'erreurs. Il y avait dans leur logique des vides si béants que l'on sentait les courants d'air souffler entre leurs arguments. Ils avaient tous cru à des idées si saugrenues autrefois – que les chauves-souris étaient des oiseaux, que les cigognes hibernaient sous l'eau, que les taons naissaient de la rosée sur les feuilles, que c'étaient les bernacles qui donnaient naissance aux oies, et que les bernacles poussaient sur les arbres. En tant que sujet historique, c'était assez intéressant, mais pourquoi y accorder un tel prix ? se demandait-elle. Pourquoi Ambrose avait-il été séduit par le savoir médiéval ? C'était une piste fascinante, certes, mais elle regorgeait d'erreurs.

Au milieu d'une nuit torride à la fin de juillet, Alma, une lampe devant elle et ses lunettes au bout du nez, était dans la bibliothèque en train de regarder un exemplaire du XVIIe siècle d'un *Arboretum sacrum* – dont l'auteur, comme Boehme, avait tenté de lire des messages sacrés dans toutes les plantes mentionnées dans la Bible – quand Ambrose entra dans la pièce. Elle sursauta en le voyant, mais il ne broncha pas. Il avait plutôt l'air inquiet pour elle. Il s'assit à côté d'elle à la longue table au centre de la bibliothèque. Il portait ses vêtements de jour. Soit il venait de se changer, par égard pour Alma, soit il ne s'était pas encore couché de la soirée.

— Vous ne pouvez pas passer autant de nuits d'affilée sans dormir, ma chère Alma, dit-il.

— Je profite des moments calmes pour mener mes recherches, répondit-elle. J'espère ne pas vous avoir dérangé.

Il regarda les titres des gros livres ouverts devant eux.

— Mais ce que vous lisez n'a pas trait aux mousses, dit-il à mi-voix. Pourquoi vous intéresser à tout ceci ?

Elle ne put mentir à Ambrose. En général, elle n'aimait guère le faire et Ambrose était quelqu'un qu'elle ne voulait surtout pas tromper.

— Je n'arrive pas à comprendre votre histoire, avoua-t-elle. Je cherche des réponses dans ces livres. (Il opina sans répondre.) J'ai commencé avec Boehme, continua-t-elle, que je trouve tout bonnement incompréhensible, et à présent, je suis passée à… tous les autres.

— Je vous ai troublée avec ce que je vous ai dit de moi. Je craignais que cela arrive. J'aurais dû ne rien dire.

— Non, Ambrose. Nous sommes les plus chers amis qui soient. Vous pouvez toujours vous confier à moi. Vous pouvez même me troubler, parfois. J'ai été honorée par vos confidences. Mais en cherchant à mieux vous comprendre, j'ai bien peur de ne plus être dans mon élément.

— Et que vous disent ces livres sur moi ?

— Rien, répondit Alma.

Elle ne put s'empêcher de rire et Ambrose se joignit à elle. Elle était tout à fait épuisée. Lui-même paraissait las.

— Alors pourquoi ne me posez-vous pas la question vous-même ?

— Parce que je ne désire pas vous importuner.

— Jamais vous ne m'importuneriez.

— Mais cela me tracasse, Ambrose, les erreurs dans ces livres. Je me demande pourquoi elles ne vous tracassent pas. Boehme fait de tels raccourcis, de telles contradictions et de telles confusions. C'est comme s'il voulait bondir directement aux cieux rien qu'à la force de sa logique, mais cette logique est profondément bancale. (Elle prit un livre et l'ouvrit.) Par exemple, dans ce chapitre, il essaie de trouver la clé des secrets de Dieu cachés dans les plantes de la Bible – mais que devons-nous en conclure, puisque ses informations sont tout simplement fausses ? Il passe tout un chapitre à interpréter les « lis des champs » dont il est question dans Matthieu, à disséquer chaque lettre du mot « lis », à chercher la révélation au cœur des syllabes… mais Ambrose, le terme « lis des champs » est une erreur de traduction. Ce ne pouvait être des lis dont le Christ parlait dans son sermon sur la montagne. Il n'y a que deux variétés de lis endémiques de la Palestine, et elles sont l'une et l'autre excessivement rares. Elles n'auraient pas pu fleurir dans une abondance suffisante pour remplir une prairie. Elles ne pouvaient être assez familières à l'homme du commun. Le Christ, en adaptant sa leçon à une assistance la plus large possible, aurait plus probablement fait référence à une fleur commune, afin que son auditoire comprenne sa métaphore. Pour cette raison, il est extrêmement probable que le Christ ait parlé des anémones des champs – probablement d'*Anemone coronaria*, même si nous ne pouvons être certains…

Elle n'acheva pas. Elle avait l'air d'une maîtresse d'école. Elle était ridicule.

Ambrose rit de nouveau.

— Quelle poétesse vous auriez fait, ma chère Alma ! J'aimerais voir votre traduction des Saintes Écritures : *Apprenez comment croissent les lis des champs ; ils ne travaillent, ni ne filent – mais il ne s'agissait probablement pas de lis, en tout cas, mais plutôt d'*Anemone coronaria, *bien que nous ne puissions en être certains, mais néanmoins, nous pouvons tous convenir qu'ils ne travaillent ni ne filent.* Quel hymne cela ferait pour monter jusqu'aux solives d'une église ! On aimerait entendre une congrégation le chanter. Mais dites-moi, Alma, puisque nous sommes à ce sujet, que feriez-vous des saules de Babylone, où les Israélites suspendirent leurs harpes et pleurèrent ?

— Là, vous me narguez, dit Alma, piquée et stimulée. Mais je pense, étant donné la région, qu'il s'agissait probablement de peupliers.

— Et la pomme d'Adam et Ève ? la sonda-t-il.

Elle se sentit sotte, mais elle ne put se retenir.

— C'était soit un abricot, soit un coing, dit-elle. Plus probablement un abricot, car le coing n'est pas assez sucré pour avoir pu attirer l'attention d'une jeune femme. D'une manière ou d'une autre, il ne pouvait s'agir d'une pomme. Il n'y avait pas de pommes en Terre sainte, Ambrose, et l'arbre d'Éden est souvent décrit comme donnant une ombre agréable, avec des feuilles argentées, ce qui décrit la plupart des variétés d'abricotier… aussi, quand Jacob Boehme parle de pommes, de Dieu et d'Éden…

À présent, Ambrose riait tant qu'il dut s'essuyer les yeux.

— Ma chère Miss Whittaker, dit-il avec la plus grande tendresse. Quelle merveille est votre esprit. Cette sorte de raisonnement périlleux, par ailleurs, est précisément ce que Dieu redoutait, si une femme était autorisée à goûter au fruit de l'arbre de la connaissance. Vous êtes un avertissement exemplaire pour toutes les femmes ! Vous devez cesser sur-le-champ toute cette intelligence et vous mettre immédiatement à la mandoline ou à quelque autre activité inutile !

— Vous me trouvez absurde, dit-elle.

— Non, Alma, pas du tout. Je vous trouve remarquable. Je suis touché que vous tentiez de me comprendre. Une amie ne pourrait avoir plus d'affection. Je suis encore plus touché que vous essayiez de comprendre – par le biais de la pensée rationnelle – ce qui ne peut être compris du tout. Il n'y a pas de principe exact à découvrir ici. Le divin, ainsi que l'a dit Boehme, n'est pas fait de particules, il est insondable, c'est quelque chose d'extérieur à la terre tel que nous le ressentons. Mais c'est une différence de nos esprits, ma très chère. Je désire arriver à la révélation à tire-d'aile, alors que vous avancez fermement à pied, loupe à la main. Je suis un vagabond dilettante, qui cherche Dieu dans les contours les plus vagues et aspire à une nouvelle forme de connaissance. Vous êtes campée sur le sol et vous examinez les indices pouce après pouce. Votre manière de faire est plus rationnelle et méthodique, mais je ne puis changer la mienne.

— J'ai un besoin de comprendre si exagéré que ça en devient affreux, admit Alma.

— En vérité, mais ce n'est pas affreux, répondit Ambrose. C'est ce qui arrive naturellement quand on naît avec un esprit calibré de manière aussi exquise. Mais pour moi, appréhender le monde à travers la simple raison, c'est chercher dans le noir avec d'épaisses moufles à toucher le visage de Dieu. Il ne suffit pas seulement d'étudier, de décrire et de reproduire. Parfois, il faut… *bondir*.

— Cependant, je ne comprends tout bonnement pas le Seigneur vers lequel vous bondissez, dit Alma.

— Mais pourquoi le devriez-vous ?

— Parce que je désire mieux vous connaître.

— Alors questionnez-moi directement, Alma. Ne me cherchez pas à l'intérieur de ces livres. Je suis assis là devant vous et je vous dirai sur moi tout ce que vous désirez.

Alma referma le gros livre. Elle dut avoir un geste un peu brusque, car il se referma avec un bruit sourd. Elle tourna sa chaise vers Ambrose, croisa les mains sur ses genoux et dit :

— Je ne comprends pas votre interprétation de la nature, et cela me remplit d'inquiétude sur la santé de votre esprit. Je ne comprends pas comment vous pouvez ne pas tenir compte des points contradictoires ou de la simple sottise de ces vieilles théories discréditées. Vous présumez que notre Seigneur est un botaniste bienveillant qui dissimule pour l'amélioration de l'humanité des indices dans chaque variété de plante sur la terre, mais je ne vois aucune preuve cohérente de cela. Il y a autant de plantes dans notre monde qui nous empoisonnent que d'autres qui nous guérissent. Pourquoi votre divinité botaniste nous donne-t-elle la fleur de perle et le troène, par exemple, pour tuer nos chevaux et nos vaches ? Où est la révélation cachée en l'occurrence ?

— Mais pourquoi notre Seigneur devrait-il être un botaniste ? demanda Ambrose. Quelle profession préféreriez-vous qu'exerce votre divinité ?

Alma réfléchit sérieusement à la question.

— Peut-être un mathématicien, décida-t-elle. Qui gratte et efface des choses, voyez-vous. Qui ajoute et soustrait. Multiplie et divise. Qui joue avec théories et nouveaux calculs. Écarte les erreurs anciennes. Cela me paraît une idée plus sensée.

— Mais les mathématiciens que j'ai connus, Alma, ne sont pas particulièrement des âmes compatissantes, et ils ne nourrissent pas la vie.

— Précisément, dit Alma. Cela expliquerait considérablement mieux les souffrances de l'humanité et la nature hasardeuse de nos destinées, à mesure que Dieu nous ajoute et nous soustrait, nous divise et nous efface.

— Quelle lugubre vision ! Je préférerais que vous ne considériez pas nos existences d'une manière aussi sinistre. Tout compte fait, Alma, je vois tout de même plus de merveilles dans ce monde que de souffrances.

— Je sais que c'est ce que vous voyez, dit Alma, et c'est pourquoi je suis inquiète pour vous. Vous êtes un idéaliste, ce qui signifie que vous êtes voué à être déçu et peut-être même blessé. Vous êtes en quête d'un évangile de bienveillance et de miracles, qui ne laisse aucune place aux peines de l'existence. Vous êtes comme William Paley, vous avancez que la perfection de chaque chose dans l'univers est la preuve de l'amour de Dieu pour nous. Vous souvenez-vous de ce que dit Paley sur le mécanisme du poignet humain, que pour lui, il est si exquisément adapté pour se saisir de la nourriture et créer des œuvres d'art et de beauté qu'il est l'empreinte même de l'affection du Seigneur pour l'homme ? Mais le poignet de l'homme est aussi parfaitement adapté pour manier une hache et l'abattre sur son prochain. Quelle preuve d'amour est-ce là ? En outre, vous me donnez l'impression d'être une horrible petite fâcheuse, parce que je persiste à énumérer des arguments inutiles et parce que je ne peux vivre dans la cité radieuse sur les cimes où vous résidez.

Ils restèrent sans rien dire un moment, puis Ambrose demanda :

— Est-ce une dispute, Alma ?

— Peut-être, répondit-elle après réflexion.

— Mais pourquoi devrions-nous nous quereller ?

— Pardonnez-moi, Ambrose. Je suis lasse.

— Vous êtes lasse parce que vous êtes dans cette bibliothèque tous les soirs à interroger des hommes qui sont morts depuis des siècles.

— J'ai passé la majeure partie de ma vie à converser avec de tels hommes, Ambrose. Et de plus vieux encore, aussi.

— Cependant, comme ils ne répondent pas aux questions comme il vous sied, vous vous en prenez désormais à moi. Comment puis-je vous offrir des réponses satisfaisantes, Alma, si des esprits bien supérieurs au mien vous ont déjà déçue ? (Alma se prit la tête dans les mains. Elle se sentait à bout. Ambrose continua de parler, mais plus tendrement.) Imaginez seulement ce que nous pourrions apprendre, Alma, si nous pouvions nous libérer des entraves du débat.

Elle leva les yeux vers lui.

— Je ne peux me libérer des entraves du débat, Ambrose. Rappelez-vous que je suis la fille de Henry Whittaker. Je suis née pour le débat. Le débat a été ma première nourrice. Il a été mon compagnon toute ma vie. Qui plus est, je crois au débat et je l'aime, même. Le débat est le chemin le plus sûr vers la vérité, car c'est la seule arme avérée contre la pensée superstitieuse ou les axiomes apathiques.

— Mais si le résultat final consiste seulement à noyer sous des mots et ne jamais *entendre*…

Il n'acheva pas.

— Entendre *quoi* ?

— Autrui, peut-être. Non pas entendre les paroles les uns des autres, mais les pensées de chacun. L'esprit de l'autre. Si vous me demandez ce que je crois, je vous dirai ceci : la sphère entière d'air qui nous entoure, Alma, est agitée d'attractions invisibles – électriques, magnétiques, flamboyantes et de pensées. Il y a une sympathie universelle tout autour de nous. Il y a un moyen caché de parvenir à la connaissance. Je suis certain de cela, car je l'ai moi-même vu. Quand je me suis jeté dans le feu étant jeune homme, j'ai vu que les greniers de l'esprit humain sont rarement grands ouverts. Quand nous les ouvrons, rien ne reste dissimulé. Quand nous cessons d'argumenter et de débattre – à la fois intérieurement et extérieurement –, nos véritables questions peuvent être entendues et recevoir une réponse. C'est cela le puissant moteur. C'est cela le livre de la nature, qui n'est écrit ni en grec ni en latin. C'est cela la magie et, je l'ai toujours cru et désiré, une magie qui peut être partagée.

— Vous parlez par énigmes, dit Alma.

— *Et vous parlez trop*, dit Ambrose.

Elle ne sut que répondre à cela. Sauf à parler encore plus. Offensée, décontenancée, elle sentit des larmes lui brûler les yeux.

— Emmenez-moi dans un endroit où nous pourrons nous taire ensemble, Alma, dit Ambrose en se penchant vers elle. Je vous fais tant confiance, et je crois que c'est réciproque. Je ne désire pas me quereller plus longtemps avec vous. Je désire vous parler sans mots. Permettez-moi d'essayer de vous montrer ce que je veux dire.

C'était une requête des plus surprenantes.

— Nous pouvons nous taire ici, Ambrose.

Il balaya du regard la vaste et élégante bibliothèque.

— Non, dit-il. Nous ne pouvons pas. Cet endroit est trop vaste et trop bruyant, avec tous ces vieillards défunts qui débattent autour de nous. Emmenez-moi dans un endroit caché et silencieux et écoutons-nous l'un l'autre. Je sais que cela paraît insensé, mais ce ne l'est pas. Je sais qu'une chose est vraie : que nous n'avons besoin pour communier que de notre consentement. J'en suis venu à penser que je ne peux atteindre la communion seul parce que je suis trop faible. Depuis que je vous connais, Alma, je me sens plus fort. Ne me faites pas regretter ce que je vous ai déjà dit de moi. Je demande si peu de vous, Alma, mais je dois vous supplier d'accepter cette requête, car je n'ai pas d'autre moyen de m'expliquer, et si je ne puis vous montrer ce que je tiens pour vrai, vous me considérerez toujours comme un idiot ou un esprit dérangé.

— Non, Ambrose, protesta-t-elle, jamais je ne pourrais penser de telles choses de vous…

— *Mais vous les pensez déjà*, coupa-t-il d'un ton pressant et désespéré. Ou bien vous finirez par le faire. Ensuite, vous viendrez vous apitoyer sur moi, ou bien vous me détesterez et je perdrai la seule compagnie que je tiens pour la plus chère au monde, et cela me causera bien des souffrances et des chagrins. Avant que cette tristesse ne survienne, si elle n'est pas déjà arrivée, permettez-moi d'essayer de vous montrer ce que j'entends, quand je dis que la nature, dans son infinitude, ne se soucie pas des limites de nos imaginations de mortels. Permettez-moi de vous montrer que nous pouvons nous parler sans utiliser ni mots ni débat. Je crois qu'assez de mots et d'affection passent entre nous, ma très chère amie, pour que nous puissions y parvenir. J'ai toujours espéré trouver quelqu'un avec qui je pourrais communiquer silencieusement. Depuis que je vous ai connue, je l'ai encore plus espéré – car nous partageons, semble-t-il, une compréhension si naturelle et empreinte de compassion l'un de l'autre qu'elle s'étend bien au-delà de l'affection vulgaire et commune, ne pensez-vous pas ? Ne sentez-vous pas non plus que vous avez en vous plus de puissance lorsque je suis proche de vous ?

C'était indéniable. Mais la dignité interdisait également de l'admettre.

— Qu'est-ce donc que vous attendez de moi ? demanda Alma.

— Je désire que vous écoutiez mon esprit et mon âme. Et je désire écouter les vôtres.

— Vous parlez de lire dans l'esprit, Ambrose. C'est un jeu de salon.

— Vous pouvez appeler cela comme bon vous semble. Mais je crois qu'une fois levé l'obstacle du langage, tout sera révélé.

— Mais je ne crois pas en une telle chose, dit Alma.

— Cependant, vous êtes une femme de science, Alma... Alors pourquoi ne pas le tenter ? Il n'y a rien à perdre, et peut-être beaucoup à apprendre. Mais pour que cela réussisse, nous avons besoin du plus profond silence. Il faut nous libérer de toute interférence. Je vous en prie, Alma, je ne vous le demanderai qu'une seule fois. Emmenez-moi dans le lieu le plus silencieux et secret que vous connaissiez, et tentons la communion. Laissez-moi vous montrer ce que je ne puis vous dire.

Quel choix avait-elle ?

Elle l'emmena dans le cabinet de reliure.

Il faut préciser que ce n'était pas la première fois qu'Alma entendait parler de télépathie. C'était même une tocade en ville. Parfois, Alma avait l'impression qu'à Philadelphie, une femme sur deux était médium. Il y avait des ambassadeurs des esprits partout, que l'on pouvait louer à l'heure. Parfois, leurs expériences étaient relatées dans les publications scientifiques et médicales les plus réputées, ce qui consternait Alma. Elle avait récemment vu un article sur le sujet du *pathétisme* – l'idée que le hasard puisse être provoqué par la suggestion –, ce qui lui semblait tout à fait ridicule. Certains appelaient cela de la science (« le sommeil magnétique ») mais Alma, irritée, diagnostiquait là du divertissement de salon et, pour le coup, d'une espèce plutôt dangereuse.

D'une certaine manière, Ambrose lui rappelait tous ces spirites – ardents et sensibles – mais en même temps, il ne leur ressemblait pas du tout. Pour commencer, *jamais il n'avait entendu parler d'eux*. Il vivait dans un trop grand isolement pour avoir remarqué les modes mystiques du moment. Il n'était pas abonné à des publications de phrénologie, où l'on discutait des trente-sept différentes facultés, tendances et sentiments représentés par les bosses et creux du crâne humain. Pas plus qu'il ne fréquentait de médiums. Il ne lisait pas de magazines transcendentalistes comme *The Dial*. Il n'avait jamais mentionné à Alma les noms de Bronson Alcott ou de Ralph Waldo Emerson – car il ne les avait jamais lus ni entendus. Le réconfort et la ressemblance, il les trouvait chez les auteurs médiévaux, pas les contemporains.

En outre, il cherchait activement le Dieu de la Bible ainsi que les esprits de la nature. Quand il assistait à la messe du dimanche à l'église luthérienne suédoise avec Alma, il s'agenouillait et priait avec la même humilité qu'elle. Il se tenait bien droit sur le dur banc de chêne et écoutait les sermons sans ennui. Quand il ne priait pas, il travaillait en silence sur ses presses d'imprimerie, faisait méticuleusement le portrait d'orchidées, aidait Alma avec ses mousses ou jouait de longues parties de trictrac avec Henry. À la vérité, Ambrose n'avait pas la moindre idée de ce qui se passait dans le reste du monde. Il cherchait à fuir ce monde – ce qui signifiait qu'il était parvenu de lui-même à ce curieux ensemble d'idées. Il ignorait que la moitié de l'Amérique et presque toute l'Europe essayait de lire dans l'esprit de son voisin. Il voulait simplement lire dans les pensées d'Alma et la laisser lire les siennes.

Elle ne pouvait lui refuser cela.

Aussi, lorsque ce jeune homme lui demanda de l'emmener dans un lieu silencieux et secret, elle le conduisit dans le cabinet de reliure. Elle ne voyait pas d'autre endroit où aller. Elle ne voulait réveiller personne en traversant la maison jusqu'à un endroit plus éloigné. Elle ne voulait pas être surprise. Qui plus est, elle ne connaissait aucun autre endroit plus silencieux et privé que celui-là. Elle se répéta que c'étaient les raisons pour lesquelles elle l'y emmenait. Peut-être même qu'elles étaient vraies.

Jamais il n'avait deviné la présence de la porte. Personne ne savait qu'elle était là, tant elle était bien dissimulée dans les moulures chantournées du mur. Depuis la mort de Beatrix, Alma était la seule personne à jamais pénétrer dans ce cabinet. Peut-être que Hanneke en connaissait l'existence, mais la vieille gouvernante venait rarement dans cette partie de la maison jusqu'à la lointaine bibliothèque. Henry devait savoir où elle se trouvait – il avait conçu la maison, après tout – mais lui aussi ne fréquentait plus que rarement la bibliothèque. Il devait avoir oublié son existence depuis des années.

Alma n'emporta pas de lampe. Elle n'était que trop familière des contours de la minuscule pièce. Il y avait un tabouret où elle s'asseyait quand elle venait s'isoler si honteusement et si agréablement, ainsi qu'une petite table de travail sur laquelle Ambrose pouvait s'asseoir juste en face d'elle. Elle la lui montra. Une fois qu'elle eut refermé et verrouillé la porte, ils se trouvèrent dans une obscurité absolue dans ce minuscule endroit caché et étouffant. Il ne parut pas s'inquiéter de l'obscurité ni de l'exiguïté des lieux. Car c'était ce qu'il lui avait demandé.

— Puis-je vous prendre les mains ? demanda-t-il.

Elle les tendit précautionneusement dans l'obscurité jusqu'à ce que le bout de ses doigts effleure ses bras. Ils parvinrent à trouver leurs mains à tâtons. Celles d'Ambrose étaient minces et légères. Les siennes lui paraissaient lourdes et moites. Ambrose posa ses mains sur ses genoux, paumes en l'air, et elle posa ses mains dans les siennes. Elle ne s'attendait pas à ce qu'elle rencontra à ce premier contact : le violent et titubant assaut de l'amour qui la traversa comme un sanglot.

Mais à quoi s'attendait-elle ? Pourquoi aurait-elle dû se sentir autrement qu'élevée, exaltée, exaucée ? Jamais elle n'avait encore été touchée par un homme. Ou plutôt, juste deux fois – une au printemps de 1818, quand George Hawkes avait serré sa main entre les siennes en lui disant qu'elle était une brillante microscopiste ; et une autre en 1848, de nouveau par George, quand il était désemparé à cause de Retta – mais dans les deux cas, c'était seulement *une* main qui était entrée en contact presque accidentellement avec la chair d'un homme. Jamais elle n'avait été touchée d'une manière que l'on puisse légitimement qualifier d'intime. De nombreuses fois au cours des années, elle s'était assise sur ce même tabouret, cuisses ouvertes et jupes troussées jusqu'à la taille, cette même porte verrouillée derrière elle, adossée à ce même mur, pour étancher du mieux qu'elle pouvait sa soif avec ses doigts. S'il y avait dans cette pièce des molécules différentes de toutes les autres de White Acre – ou à vrai dire de toutes les autres molécules du monde –, c'est qu'elles étaient imprégnées des dizaines, des centaines et des milliers d'impressions des activités charnelles d'Alma. Pourtant, en cet instant, elle était dans ce cabinet, dans la même obscurité familière, environnée de ces molécules, seule en compagnie d'un homme qui avait dix ans de moins qu'elle.

Mais qu'allait-elle faire de ce sanglot d'amour ?

— Tendez l'oreille pour entendre ma question, dit Ambrose en tenant légèrement les mains d'Alma. Et ensuite, posez-moi la vôtre. Il n'y aura aucune nécessité de parler. Nous saurons quand nous nous serons entendus l'un l'autre.

Ambrose referma doucement ses mains sur les siennes. La sensation qu'elle éprouva dans ses bras était magnifique.

Comment pouvait-elle la prolonger ?

Elle songea à faire mine de lire dans ses pensées, ne fût-ce que pour faire durer le moment. Elle chercha s'il n'y aurait pas un moyen de répéter cela plus tard. Oui, mais si jamais on les découvrait ici ? Si Hanneke les surprenait ensemble dans le cabinet ? Que diraient les gens ? Que penseraient-ils d'Ambrose, dont les intentions, comme toujours, semblaient dénuées de toute malignité ? Il serait chassé. Elle mourrait de honte.

Non, Alma comprit plus ou moins qu'ils ne réitéreraient pas cela après cette nuit. Ce serait l'unique moment de sa vie où les mains d'un homme tiendraient les siennes.

Elle ferma les yeux et se renversa un peu en arrière en s'appuyant entièrement contre le mur. Il ne la lâcha pas. Ses genoux frôlaient ceux d'Ambrose. Un long moment passa. Dix minutes ? Une demi-heure ? Elle se gorgea du plaisir de son contact. Elle espéra qu'elle ne l'oublierait jamais.

La sensation de plaisir qui était née dans ses paumes et était remontée dans ses bras gagnait désormais son buste et finit par s'accumuler entre ses cuisses. Que croyait-elle qu'il allait arriver ? Son corps s'était habitué à cette pièce, conformé à elle – et à présent, ce nouveau stimulus avait surgi. Pendant un instant, elle lutta contre la sensation. Elle était soulagée qu'ils soient plongés dans le noir, car elle aurait donné à voir un visage empourpré et déformé par une grimace. Bien qu'elle eût permis ce moment, elle avait du mal à y croire : *il y avait un homme assis en face d'elle, ici dans l'obscurité du cabinet de reliure, dans le saint des saints de son univers.*

Alma tenta de garder une respiration régulière. Elle résistait à ce qu'elle éprouvait, mais sa résistance ne faisait qu'accroître la sensation de plaisir qui grandissait entre ses cuisses. Il y a un mot hollandais, *uitwaaien*, qui signifie « marcher contre le vent par plaisir ». C'était ce qu'elle éprouvait. Sans bouger du tout son corps, Alma poussait contre ce vent de toutes ses forces, mais le vent la repoussait avec une force égale et son plaisir ne faisait que croître.

Il passa encore du temps. Dix minutes de plus ? Une demi-heure ? Ambrose ne bougeait pas. Alma ne bougeait pas non plus. Ses mains ne tremblaient ni ne frémissaient. Pourtant, Alma était consumée par lui.

Elle le sentait partout en elle et autour d'elle. Elle le sentait en train de compter les cheveux sur sa nuque et d'étudier les nœuds de nerfs au bas de sa colonne vertébrale.

« L'imagination est délicate, avait écrit Jacob Boehme. Et elle ressemble à l'eau. Mais le désir est brutal et desséché comme la faim. »

Pourtant, Alma éprouvait les deux. Elle sentait l'eau et la faim. Elle sentait l'imagination et le désir. Puis, avec une sorte d'horreur et une certaine joie délirante, elle sut qu'elle allait atteindre le tourbillon de plaisir qu'elle connaissait si bien. La sensation s'éveillait rapidement dans son con et il n'était pas question de l'arrêter. Sans qu'Ambrose la touche (hormis les mains), sans qu'elle se touche elle-même, sans qu'ils aient bougé ne fût-ce que d'un pouce, sans qu'elle ait soulevé ses jupes ou touché de ses mains son corps, sans même que sa respiration ait changé, Alma fut submergée par le plaisir. L'espace d'un instant, elle vit un éclair blanc, comme la foudre qui déchire un ciel d'été sans étoiles. Le monde prit une couleur laiteuse derrière ses paupières closes. Elle se sentit aveuglée, extasiée – et immédiatement après, saisie de honte.

Une honte affreuse.

Qu'avait-elle fait ? Qu'avait-il ressenti ? Qu'avait-il entendu ? Mon Dieu, quelle *odeur* avait-il sentie ? Mais avant qu'elle ait pu réagir ou se dégager, elle sentit autre chose. Bien qu'Ambrose n'ait toujours pas bougé ni réagi, elle eut l'impression qu'il caressait le dessous de ses pieds avec insistance. Très vite, elle se rendit compte que cette sensation de caresse était en réalité une question – une *parole* qui s'incarnait en surgissant du sol. Elle sentit la question pénétrer par la plante de ses pieds et remonter le long de ses jambes. Puis elle sentit la question s'insinuer dans son ventre en glissant sur le chemin humide de son con. C'était presque une voix qui s'infiltrait et remontait en elle, presque une parole. Ambrose lui demandait quelque chose, mais il lui demandait de l'intérieur. Elle l'entendait, à présent. Puis la question fut parfaitement formulée :

Accepterez-vous cela de moi ?

Elle palpita silencieusement de sa réponse : *OUI.*

C'est alors qu'elle sentit autre chose. La question qu'Ambrose avait placée dans son corps se tordait pour devenir quelque chose d'autre. Elle devenait à présent sa question *à elle.* Elle ignorait jusque-là qu'elle avait une question à poser à Ambrose, mais à présent, elle en avait une, et des plus pressantes. Elle la laissa s'élever dans sa poitrine et glisser le long de ses bras, puis elle la déposa dans ses paumes qui l'attendaient :

Est-ce ce que vous désirez de moi ?

Elle l'entendit respirer. Il serra ses mains dans les siennes si étroitement qu'il lui fit presque mal. Puis il brisa le silence avec un unique mot qu'il prononça :

— Oui.

16

Un mois seulement plus tard, ils se marièrent.

Durant les années qui devaient suivre, Alma s'interrogerait sur le mécanisme par lequel elle était parvenue à cette décision – ce saut aussi inconcevable qu'inattendu dans les liens du mariage – mais durant les jours qui suivirent l'expérience dans le cabinet de reliure, le mariage lui parut inévitable. Quant à ce qui s'était réellement passé dans cette minuscule pièce, tout (depuis le chaste orgasme d'Alma jusqu'à la transmission muette de pensée) semblait un miracle, ou au moins un phénomène. Alma ne put trouver aucune explication logique à ce qui était arrivé. Les gens ne pouvaient entendre les pensées d'autrui. Alma savait que c'était ainsi. Les gens ne pouvaient véhiculer cette sorte d'électricité, cette sorte de désir et de trouble franchement érotique, d'un simple contact des mains. Pourtant, c'était arrivé. À n'en pas douter, c'était arrivé.

Quand ils étaient sortis du cabinet cette nuit-là, il s'était tourné vers elle, rouge et extatique, et il avait dit :

— Je voudrais dormir à votre côté chaque nuit pour le restant de mes jours et écouter éternellement vos pensées.

C'était ce qu'il avait dit ! Pas télépathiquement, mais à voix haute. Bouleversée, elle n'avait rien pu répondre. Elle s'était contentée de hocher la tête pour exprimer son accord, son assentiment, ou son émerveillement. Puis ils étaient allés chacun dans leur chambre respective, de chaque côté du couloir – même si, bien sûr, elle n'avait pas dormi. Comment aurait-elle pu ?

Le lendemain, alors qu'ils se rendaient ensemble auprès des colonies de mousses, Ambrose commença à parler d'un ton détaché, comme s'ils poursuivaient une conversation bien entamée. À brûle-pourpoint, il déclara : « Peut-être que notre différence de statut est si vaste qu'elle n'est d'aucune conséquence. Je ne possède rien en ce monde que quiconque puisse désirer, et vous possédez tout. Peut-être que nous résidons dans de tels extrêmes qu'il y a un équilibre à trouver au sein de nos différences ? »

Alma n'avait pas la moindre idée d'où il voulait en venir, mais elle le laissa continuer.

« Je me suis aussi demandé, dit-il pensivement, si deux individus aussi différents pouvaient trouver l'harmonie dans le mariage. »

Son cœur et son ventre avaient fait un bond au mot *mariage*. Parlait-il philosophiquement ou littéralement ? Elle attendit. Il poursuivit, bien que restant fort peu direct :

« Il y aura des gens, je suppose, qui m'accuseront peut-être de chercher à accaparer votre fortune. Rien ne pourrait être plus loin de la vérité. Je mène ma vie dans la plus stricte économie, Alma, non seulement par habitude, mais aussi par préférence. Je n'ai aucune richesse à vous offrir, mais je ne voudrais vous en prendre aucune non plus. Vous ne serez pas plus riche en m'épousant, mais vous ne vous appauvrirez pas. Votre père peut ne pas se satisfaire de cette vérité, mais j'espère qu'elle vous satisfera. En tout cas, notre amour n'est pas typique de celui qu'éprouvent un homme et une femme d'habitude. Nous partageons autre chose, quelque chose de plus immédiat, de plus chérissable. Cela m'a été évident depuis le début, et je prie pour qu'il en ait été de même pour vous. Mon souhait est que nous puissions tous les deux vivre ensemble comme un seul être, à la fois satisfaits et exaltés, sans cesser de mener notre quête. »

C'est seulement plus tard dans l'après-midi, quand Ambrose lui demanda : « Parlerez-vous à votre père ou dois-je le faire ? » qu'Alma comprit véritablement : il s'agissait effectivement d'une demande en mariage. Ou plutôt, d'une *confirmation* de mariage. Ambrose ne lui demandait pas vraiment sa main, car dans son esprit, apparemment, elle la lui avait déjà accordée. Elle ne pouvait nier que c'était vrai. Elle lui aurait tout donné. Elle l'aimait si profondément qu'elle en avait mal. Elle venait seulement de se l'avouer : le perdre aurait été comme se faire amputer. Certes, il n'y avait aucune logique à chercher dans cet amour. Elle avait presque cinquante ans, et il était encore relativement jeune. Elle était laide et il était beau. Ils se connaissaient depuis seulement quelques semaines. Ils croyaient à des univers différents (Ambrose au divin, Alma au réel). Pourtant, indéniablement – se disait Alma –, c'était de l'amour. Indéniablement, Alma Whittaker allait devenir une épouse.

— Je parlerai moi-même à père, dit Alma, débordant prudemment de joie.

Le soir même avant le dîner, elle trouva Henry dans son bureau plongé dans des papiers.

— Écoute cette lettre, dit-il en guise de salut. Cet homme dit qu'il ne peut plus faire fonctionner sa fabrique. Son fils – son imbécile de joueur de fils – a ruiné la famille. Il dit qu'il a résolu de payer ses dettes et désire mourir débarrassé de toute hypothèque. Et cela vient d'un homme qui, en vingt ans, n'a jamais fait preuve de bon sens. Eh bien, voilà quelqu'un qui a de la chance !

Alma ignorait qui était l'homme en question, ni le fils ni quelle fabrique était en jeu. Aujourd'hui, tout le monde lui parlait comme au milieu d'une conversation entamée.

— Père, dit-elle. Je désire discuter de quelque chose avec vous. Ambrose Pike m'a demandé ma main.

— Très bien, dit Henry. Mais écoute, Alma : ce fou veut me vendre une parcelle de ses champs de maïs aussi et il essaie de me convaincre d'acquérir ce vieil entrepôt à céréales qu'il possède sur le quai, celui qui s'écroule déjà dans la rivière. Tu vois duquel je parle, Alma. Je refuse d'imaginer ce qu'il croit que cette ruine vaut ou pourquoi j'aurais envie de m'en encombrer.

— Vous ne m'écoutez pas, père.

Henry leva à peine le nez de son bureau.

— Je t'écoute, dit-il en retournant la feuille. Je t'écoute avec une fascination captive.

— Ambrose et moi désirons nous marier bientôt, dit Alma. Il n'y a nul besoin de festivités, mais nous voudrions que ce soit rapide. Idéalement, nous voudrions être mariés avant la fin du mois. Soyez assuré que nous resterons à White Acre. Vous ne nous perdrez ni l'un ni l'autre.

À ces mots, Henry leva les yeux vers Alma pour la première fois depuis son entrée dans la pièce.

— Naturellement que je ne vous perdrai ni l'un ni l'autre, dit-il. Pourquoi partiriez-vous ? Ce n'est pas comme si ce garçon pouvait t'offrir le train de vie dont tu as l'habitude avec un salaire de… quelle est sa profession, orchidéiste ?

Il se renfonça dans son fauteuil, croisa les bras sur sa poitrine et considéra sa fille par-dessus ses lunettes en laiton à l'ancienne mode. Alma ne sut trop que dire.

— Ambrose est un homme de bien, déclara-t-elle finalement. Il n'a aucun désir de fortune.

— Je soupçonne que tu vois juste en cela, répliqua Henry. Bien que cela n'augure rien de bon de son caractère s'il préfère la pauvreté à la richesse. Cependant, j'ai pensé à la situation il y a des années – longtemps avant que nous ayons entendu parler d'Ambrose Pike.

Henry se leva en chancelant et scruta les rayonnages derrière lui. Il prit un ouvrage sur les voiliers anglais – un livre qu'Alma avait vu là toute sa vie, mais n'avait jamais touché, car elle n'avait aucun intérêt pour les voiliers anglais. Il feuilleta le livre jusqu'à ce qu'il y trouve une feuille pliée et cachetée à la cire.

Au-dessus du cachet était écrit « Alma ». Il la lui tendit.

— J'ai rédigé deux de ces documents avec l'aide de ta mère vers 1817. L'autre, je l'ai donné à ta sœur Prudence lorsqu'elle a épousé son pauvre diable. C'est un acte que ton époux doit signer, où il affirme qu'il ne possédera jamais White Acre.

Henry avait dit cela d'un ton nonchalant. Alma prit le document sans un mot. Elle reconnut l'écriture de sa mère, dans le A majuscule bien droit de son nom.

— Ambrose n'a nul besoin de White Acre ni aucun désir de l'avoir, dit-elle, sur la défensive.

— Excellent. Dans ce cas, cela lui sera égal de le signer. Naturellement, il y aura une dot, mais ma fortune, ma propriété, rien ne sera jamais à lui. Je suppose que nous nous sommes compris ?

— Très bien, dit-elle.

— Très bien, en vérité. À présent, que Mr Pike soit ou non convenable comme époux, ce sont tes affaires. Tu es une adulte. Si tu estimes qu'un tel homme peut te satisfaire dans les liens du mariage, tu as ma bénédiction.

— Satisfaire dans les liens du mariage ? s'offusqua Alma. Ai-je jamais été quelqu'un de difficile à satisfaire, père ? Qu'ai-je jamais demandé ? Ai-je eu des exigences ? Quelle difficulté pourrais-je présenter à quiconque en tant qu'épouse ?

— Je ne saurais dire, répondit Henry en haussant les épaules. C'est à toi de l'apprendre.

— Ambrose et moi partageons une sympathie naturelle mutuelle, père. Je sais que nous pouvons paraître former un couple inattendu, mais j'éprouve…

— Ne t'explique jamais, Alma, la coupa Henry. Cela te fait paraître faible. En tout cas, je n'ai rien contre ce garçon.

Il se replongea dans ses papiers.

Cela constituait-il une bénédiction ? Alma ne pouvait en être certaine. Elle attendit qu'il poursuive. Il ne dit rien de plus. Cependant, il semblait que la permission de se marier lui avait été accordée. À tout le moins, elle ne lui avait pas été refusée.

— Merci, père, dit-elle en se retournant vers la porte.

— Une dernière chose, dit Henry en relevant le nez. Avant ta nuit de noces, l'usage veut qu'une future épouse soit avisée de certaines affaires de la chambre conjugale – en présumant que tu es encore innocente de telles choses, ce que je te soupçonne d'être. En tant qu'homme et étant ton père, je ne puis te conseiller. Ta mère est morte, sans quoi elle s'en serait chargée. Ne prends pas la peine d'interroger Hanneke, car c'est une vieille fille qui ne connaît rien à la question, et elle mourrait d'apoplexie si elle apprenait jamais ce qui se passe au lit entre hommes et femmes. Mon conseil est que tu rendes visite à ta sœur Prudence. Elle est mariée de longue date et la mère d'une demi-douzaine d'enfants. Elle pourra peut-être t'édifier sur certains détails de la conduite matrimoniale. Ne rougis pas, Alma – tu es trop âgée pour rougir et cela te donne l'air ridicule. Si tu dois te marier, par Dieu, que ce soit fait comme il convient. Arrive préparée au lit, ainsi que tu fais pour tout le reste dans la vie. Cela en vaudra peut-être l'effort. Et poste ces lettres pour moi demain, si tu vas en ville.

Alma n'avait même pas eu le temps de réfléchir convenablement à la notion de mariage, mais désormais, tout semblait organisé et décidé. Même son père s'était immédiatement lancé dans les questions d'héritage et de lit conjugal. Les événements s'enchaînèrent encore plus rapidement ensuite. Le lendemain, Alma et Ambrose se rendirent à la 16e Rue pour se faire faire un daguerréotype : leur portrait de mariage. Alma n'avait encore jamais été photographiée et Ambrose non plus. Ce fut un portrait si affreux d'eux qu'elle hésita même à payer. Elle regarda l'image une seule fois, et se jura de ne plus jamais la regarder. Elle paraissait tellement plus âgée qu'Ambrose. Un tiers, en voyant cette photographie, aurait pu penser qu'avec sa silhouette imposante et son visage carré, elle était la mère mélancolique du jeune homme. Quant à Ambrose, avec son visage famélique et ses yeux de dément, il avait l'air captif du fauteuil sur lequel il était assis. L'une de ses mains était floue. Ses cheveux ébouriffés donnaient l'impression qu'il avait été réveillé en sursaut d'un sommeil agité. Ceux d'Alma étaient tragiquement hérissés. Toute cette aventure rendit Alma affreusement triste. Mais Ambrose se contenta d'éclater de rire en voyant l'image.

— Mais c'est de la *calomnie* ! s'exclama-t-il. Quel destin cruel de se voir avec une telle franchise ! Cependant, j'enverrai le portrait à ma famille à Boston. En espérant qu'ils me reconnaîtront.

Les événements se déroulaient-ils aussi précipitamment pour les autres personnes qui se fiançaient et se mariaient ? Alma n'en savait rien. Elle n'avait pas assisté à beaucoup de ces rituels matrimoniaux que sont la cour, les fiançailles et le mariage. Elle n'avait jamais étudié les magazines féminins ni apprécié les romans légers qui parlent d'amour écrits pour les jeunes filles innocentes. (Certes, elle avait lu des ouvrages salaces sur la copulation, mais ils n'éclairaient pas sur la situation au point de vue général.) En bref, elle était loin d'être une courtisane experte. Si les expériences d'Alma dans le domaine de l'amour n'avaient pas été si rares, elle aurait peut-être estimé que la cour qui lui avait été faite était à la fois brusque et improbable. Durant les trois mois suivant leur rencontre, ils n'avaient jamais échangé une seule lettre d'amour, un poème ou une étreinte. L'affection qu'il y avait entre eux était claire et constante, mais la passion était absente. Une autre femme aurait peut-être considéré la situation avec suspicion. Mais Alma se sentait seulement enivrée et étourdie de questions. Elles n'étaient pas nécessairement désagréables, mais elles l'envahissaient au point de lui faire oublier tout le reste. *Ambrose était-il désormais son amant ? Pouvait-elle raisonnablement l'appeler ainsi ? Lui appartenait-elle ? Pouvait-elle lui tenir la main quand bon lui semblait, désormais ? Comment la considérait-il ? Comment était sa peau, sous ses vêtements ? Le corps d'Alma apporterait-il satisfaction à son époux ? Qu'attendait-il d'elle ?* Elle n'arrivait pas à leur imaginer des réponses.

Elle était également follement amoureuse.

Alma avait toujours adoré Ambrose, bien sûr, depuis l'instant où elle l'avait connu, mais – jusqu'au moment de sa demande en mariage – elle n'avait jamais envisagé de se laisser aller à régresser et à exprimer pleinement cette adoration ; cela aurait été audacieux, sinon dangereux. Il lui avait toujours suffi de l'avoir auprès d'elle. Alma aurait été disposée à considérer Ambrose comme rien d'autre qu'un compagnon très cher, si cela avait permis de le garder éternellement à White Acre. Partager des toasts beurrés avec lui tous les matins, contempler son visage toujours illuminé quand il parlait d'orchidées, le regarder manier de main de maître sa presse d'imprimerie, le voir se jeter sur son divan pour écouter les théories de la transformation et de l'extinction des espèces – vraiment, cela lui aurait amplement suffi. Jamais elle n'aurait présumé désirer davantage. Ambrose comme ami – comme frère – était plus que suffisant.

Même après ce qui s'était passé dans le cabinet de reliure, Alma n'aurait pas demandé plus. Elle n'avait aucune peine à considérer ce qui s'était passé entre eux dans le noir comme un moment unique en son genre, peut-être même une hallucination mutuelle. Elle aurait pu se convaincre qu'elle avait imaginé le courant de communication qui était passé entre eux dans le silence et imaginé les violentes sensations que ses mains dans les siennes avaient fait déferler dans tout son corps. Avec un peu de temps, elle aurait même pu apprendre à oublier que c'était jamais arrivé. Même après cette rencontre, elle ne se serait pas autorisée à l'aimer si éperdument et si entièrement – s'il ne le lui avait pas permis.

Mais, à présent, ils devaient se marier, et cette permission lui avait été accordée. Il n'y avait plus aucune possibilité pour Alma de retenir son amour – ni aucune raison. Elle s'autorisa à y plonger directement. Elle se sentait embrasée par l'émerveillement, débordante d'inspiration, captivée. Là où elle voyait naguère une lumière dans le visage d'Ambrose, elle voyait désormais une clarté *céleste*. Ses membres, qui lui avaient paru simplement agréables, lui paraissaient désormais comme de la sculpture antique. Sa voix était un chœur d'église. Un simple regard de lui mortifiait son cœur d'une joie effrayée.

Lâchée en liberté pour la première fois de sa vie dans le royaume de l'amour, possédée d'une impossible énergie, Alma se reconnaissait à peine. Ses capacités semblaient sans limite. Elle avait à peine besoin de sommeil. Elle se sentait capable de remonter un torrent à la rame. Elle traversait le monde comme auréolée de feu. Elle était vivante. Ce n'était pas seulement Ambrose qu'elle considérait avec une pureté et une passion éclatantes, mais tout et tout le monde. Tout était soudain miraculeux. Elle voyait des lignes de convergence et de grâce partout où elle regardait. Même les choses les plus infimes devenaient révélatrices. Elle était remplie d'une assurance surabondante et des plus étonnantes. Du jour au lendemain, elle se mit à résoudre des problèmes de botanique qui l'avaient contrariée pendant des années. Elle écrivit à des messieurs distingués du monde de la botanique (des hommes dont la réputation l'avait toujours intimidée) des lettres enflammées où elle remettait en question leurs conclusions comme jamais encore elle ne se le serait permis. « Vous avez présenté votre *Zygodon campylphyllus* avec seize cils et sans péristome extérieur ! » s'indignait-elle. Ou bien : « Pourquoi êtes-vous si certain qu'il s'agit d'une colonie de *Polytrichum* ? » Ou encore : « Je ne souscris pas à la conclusion du professeur Marshall. Je sais qu'il peut être décourageant de parvenir à un consensus dans le domaine des cryptogames, mais je vous mets en garde contre votre précipitation à déclarer une nouvelle espèce avant d'avoir étudié de manière exhaustive les preuves recueillies. De nos jours, on peut trouver autant de noms pour un spécimen qu'il y a de bryologistes qui l'étudient : cela ne signifie pas que le spécimen est nouveau ou rare. Je possède quatre spécimens de ce genre dans mon propre herbier. »

Jamais elle n'avait possédé le courage pour une telle remontrance, mais l'amour l'avait enhardie, et son esprit était comme un moteur sans faille. Une semaine avant le mariage, Alma se réveilla en sursaut dans la nuit, électrisée, se rendant compte brusquement qu'il y avait un lien entre les algues et les mousses. Elle observait mousses et algues depuis des dizaines d'années, mais elle n'avait jamais perçu cette vérité : toutes les deux étaient cousines. Plus aucun doute ne subsistait. En essence, se rendait-elle compte, les mousses ne *ressemblaient* pas seulement à des algues qui seraient sorties de l'eau pour gagner la terre ferme : les mousses *étaient* des algues sorties de l'eau pour gagner la terre ferme. Comment les mousses avaient accompli cette transformation complexe de l'aquatique au terrestre, elle l'ignorait. Mais ces deux espèces avaient en commun une histoire jumelle. Il ne pouvait en être autrement. Les algues avaient *décidé* quelque chose, longtemps avant qu'Alma ou quiconque les observât, et lors de cette décision, elles étaient sorties à l'air et s'étaient transformées. Elle ignorait le mécanisme derrière cette transformation, mais elle savait qu'elle avait eu lieu.

Se rendant compte de tout cela, Alma eut envie de traverser le couloir en courant et sauter dans le lit d'Ambrose – lui qui avait allumé un tel déchaînement de feu dans son corps et son esprit. Elle avait envie de tout lui dire, de tout lui montrer, de lui prouver le fonctionnement de l'univers. Elle ne pouvait attendre qu'il fasse jour, qu'ils puissent se retrouver au petit déjeuner et qu'elle puisse regarder son visage. Elle avait hâte d'arriver au jour où il ne serait plus nécessaire qu'ils soient séparés – même la nuit, même dans le sommeil. Elle resta allongée dans son lit, tremblante d'impatience et de sentiment.

Que cette distance paraissait immense, entre leurs deux chambres !

Quant à Ambrose lui-même, à mesure que le mariage approchait, il ne devenait que plus serein, plus attentif. Il n'aurait pu être plus gentil avec Alma. Parfois, elle craignait qu'il change d'avis, mais rien ne semblait l'indiquer. Elle avait frémi de terreur en lui donnant l'acte de Henry Whittaker, mais Ambrose l'avait signé sans hésiter ni se plaindre – à vrai dire, sans même le lire. Chaque nuit, quand ils gagnaient chacun leur chambre, il baisait sa main couverte de taches de rousseur, juste au-dessus des doigts. Il l'appelait *mon autre âme, mon meilleur moi-même.*

— Je suis un homme si étrange, Alma, lui déclara-t-il. Êtes-vous certaine de pouvoir supporter mes curieuses manières ?

— Je peux vous supporter ! promit-elle.

Elle se sentit en danger, comme si elle allait prendre feu.

Elle eut peur de mourir d'allégresse.

Trois jours avant le mariage – une cérémonie simple qui devait avoir lieu dans le salon de White Acre –, Alma alla finalement rendre visite à sa sœur Prudence. Cela faisait des mois qu'elles ne s'étaient vues. Mais comme il aurait été de la dernière impolitesse de sa part de ne pas inviter sa sœur au mariage, Alma avait écrit à Prudence un mot expliquant qu'elle allait épouser un ami de Mr George Hawkes, puis elle organisa une brève visite. En outre, Alma avait décidé de suivre le conseil de son père et de parler à Prudence de la question du lit conjugal. Ce n'était pas une conversation qu'elle attendait avec impatience, mais elle ne souhaitait pas arriver dans les bras d'Ambrose sans préparation et elle ne savait qui interroger d'autre.

Ce fut en début de soirée à la mi-août qu'Alma arriva à la maison des Dixon. Elle trouva sa sœur dans la cuisine en train de préparer un cataplasme à la moutarde pour son plus jeune fils, Walter, qui était alité avec des maux de ventre à force d'avoir mangé trop d'écorce de pastèque. Les autres enfants s'affairaient dans la cuisine chacun à sa corvée. La pièce était étouffante. Il y avait deux fillettes noires qu'Alma n'avait encore jamais vues, assises dans le coin avec Sarah, la fille de Prudence, âgée de treize ans ; toutes trois cardaient de la laine. Elles étaient vêtues des robes les plus humbles qu'on pût imaginer. Les enfants, même les Noirs, s'approchèrent d'Alma et l'embrassèrent poliment en l'appelant « ma tante » avant de retourner à leur tâche.

Alma demanda à Prudence si elle pouvait l'aider à préparer le cataplasme, mais Prudence refusa. L'un des enfants apporta à Alma un gobelet d'étain rempli d'eau de la pompe du jardin. L'eau était tiède et avait un désagréable goût de terre. Alma n'en voulut pas. Elle s'assit sur un long banc, sans savoir où poser le gobelet. Ni que dire. Prudence – qui avait reçu le mot d'Alma plus tôt dans la semaine – la félicita du mariage prochain, mais cet échange de politesses ne prit qu'un moment et le sujet fut clos. Alma admira les enfants, la propreté de la cuisine, le cataplasme à la moutarde jusqu'à ce qu'il ne reste plus rien à admirer. Prudence avait l'air amaigrie et fatiguée, mais elle ne se plaignit pas et ne lui donna aucun détail sur sa vie. Alma n'en demanda pas. Elle redoutait d'en savoir plus sur ce qu'affrontait la famille.

Après un long moment, Alma rassembla le courage pour demander :

— Prudence, je voulais savoir si je pouvais parler en privé avec vous.

Si la requête surprit Prudence, elle n'en montra rien. Mais il faut dire que le visage lisse de Prudence avait toujours semblé incapable d'exprimer une émotion aussi vile que la surprise.

— Sarah, dit-elle à son aînée. Emmenez les enfants dehors.

Les enfants sortirent docilement et solennellement en file indienne, comme des soldats qui partent à la bataille. Prudence ne s'assit pas ; elle resta debout appuyée à l'énorme plaque de bois qui tenait lieu de table, les mains élégamment croisées sur son tablier immaculé.

— Oui ? demanda-t-elle.

Alma se creusa la tête pour trouver par où commencer. Elle ne parvenait pas à trouver une phrase qui ne parût ni vulgaire ni grossière. Soudain, elle regretta amèrement d'avoir suivi l'avis de son père sur la question. Elle eut envie de s'enfuir en courant et de retrouver le confort de White Acre, Ambrose, un endroit où l'eau de la pompe était fraîche et pure. Mais Prudence la fixait d'un air interrogateur, sans un mot. Il allait falloir parler.

— Alors que j'approche des rivages de la vie conjugale… commença Alma.

Elle laissa sa phrase en suspens et regarda sa sœur, éperdue, espérant contre toute raison que Prudence déduirait de cette phrase décousue ce qu'Alma tentait au juste de demander.

— Oui ? dit Prudence.

— Je me trouve sans expérience, acheva Alma.

Prudence continua de la fixer dans un silence imperturbable. *Aide-moi, femme !* eut envie de crier Alma. Si seulement Retta Snow avait été là ! Pas la nouvelle Retta, pas la démente – mais celle d'autrefois, la joyeuse Retta que rien n'arrêtait. Si seulement Retta avait été là, et si seulement elles avaient eu de nouveau dix-sept ans. Toutes les trois, jeunes filles, auraient pu aborder ce sujet sans risque, d'une manière ou d'une autre. Retta aurait été amusante et franche. Retta aurait tiré Prudence de sa réserve et balayé la honte d'Alma. Mais personne n'était là pour aider les deux sœurs à se comporter comme telles. Qui plus est, cela ne paraissait pas intéresser Prudence de faciliter cette discussion, car elle ne prononçait pas un mot.

— Je me trouve sans expérience de la vie conjugale, clarifia Alma dans un sursaut de courage désespéré. Père m'a suggéré de chercher conseil auprès de vous afin de savoir comment on comble son époux.

Prudence haussa imperceptiblement l'un de ses sourcils.

— Cela me fait de la peine d'entendre qu'il me considère comme une autorité sur la question, dit-elle.

Vraiment, cela avait été une mauvaise idée, s'aperçut Alma. Mais il n'était plus possible de reculer, à présent.

— Vous vous méprenez, protesta Alma. C'est seulement que vous avez été mariée si longtemps, voyez-vous, et que vous avez tant d'enfants…

— Le mariage, Alma, ne se limite pas à ce dont vous parlez. En outre, certains scrupules m'empêchent de discuter de ce dont vous parlez.

— Bien sûr, Prudence. Je ne souhaite pas offenser votre sensibilité ni m'insinuer dans votre vie privée. Mais ce dont je parle demeure une énigme pour moi. Je vous supplie de ne pas vous méprendre. Je n'ai nul besoin de consulter un médecin ; je suis au fait des mécanismes essentiels de l'anatomie. Mais j'ai besoin de consulter une femme mariée afin de comprendre ce qui peut être bien ou mal accueilli par mon époux. Comment me présenter à lui, concernant l'art de faire plaisir…

— Ce ne devrait nullement être un art, répliqua Prudence, sauf si l'on est une femme qui fait commerce de sa personne.

— Prudence ! s'écria Alma avec une véhémence qui l'étonna elle-même. *Regardez-moi !* Ne voyez-vous pas à quel point je suis mal préparée ? Ai-je l'apparence d'une jeune femme, à votre avis ? Ai-je l'air d'un objet de désir ?

Jusqu'à cet instant, Alma ne s'était pas rendu compte qu'elle était terrifiée à la perspective de sa nuit de noces. Naturellement elle aimait Ambrose, et elle était consumée d'impatience, mais elle était aussi frappée de terreur. Une terreur qui expliquait en partie les insomnies qu'elle connaissait depuis quelques semaines : elle ne savait pas comment se comporter en tant qu'épouse. Certes, Alma brûlait depuis des dizaines d'années d'une imagination charnelle aussi riche qu'indécente, mais elle était également innocente. Imaginer est une chose ; deux corps ensemble, c'en est une autre. Comment Ambrose allait-il la considérer ? Comment pourrait-elle l'enchanter ? C'était un homme plus jeune, charmant, alors qu'un examen sincère de l'apparence d'Alma à l'âge de quarante-huit ans aurait exigé qu'il soit fait état de cette vérité : elle tenait plus de la ronce que de la rose.

Quelque chose chez Prudence se radoucit, légèrement.

— Vous n'avez besoin que d'être consentante, dit Prudence. Un homme en bonne santé à qui son épouse se présente consentante et disposée n'a besoin d'aucun encouragement particulier. (Cette information n'apporta rien à Alma. Prudence dut s'en douter, car elle ajouta :) Je vous assure que les devoirs du mariage ne sont pas excessivement déplaisants. S'il est tendre avec vous, votre époux ne vous blessera pas trop.

Alma eut envie de s'effondrer en larmes. Franchement, Prudence pensait-elle qu'Alma redoutait *la blessure* ? Qui ou quoi aurait pu blesser Alma Whittaker ? Avec des mains aussi calleuses que les siennes ? Des bras qui auraient pu s'emparer de cette plaque de chêne contre laquelle Prudence s'appuyait si délicatement, et la lancer sans peine de l'autre côté de la pièce ? Avec cette nuque rougie par le soleil et ce chaume qui lui tenait lieu de cheveux ? Ce n'était pas d'être blessée qu'Alma avait peur lors de sa nuit de noces, mais d'être *humiliée*. Ce qu'Alma désirait si désespérément savoir, c'était comment elle pouvait se présenter à Ambrose sous la forme d'une orchidée, comme sa sœur, et non comme un rocher moussu, comme elle-même. Mais ce genre de chose ne peut être enseignée. C'était une conversation inutile – un simple préambule à l'humiliation, tout au plus.

— Je vous ai déjà bien trop occupée pour la soirée, dit Alma en se levant. Vous avez un enfant malade dont vous occuper. Pardonnez-moi.

Pendant un moment, Prudence hésita, comme si elle allait tendre la main ou demander à sa sœur de rester. Mais le moment passa, comme s'il n'avait jamais eu lieu. Elle déclara simplement :

— Je suis heureuse que vous soyez venue.

Pourquoi sommes-nous si différentes ? eut envie de demander Alma. *Pourquoi ne pouvons-nous pas être proches ?*

Mais elle demanda :

— Vous joindrez-vous à nous pour le mariage samedi ? tout en se doutant que sa sœur refuserait.

— Je crains que non, répondit Prudence.

Elle ne donna aucune raison. Toutes les deux savaient pourquoi : parce que Prudence ne remettrait jamais les pieds à White Acre. Henry ne l'aurait pas accepté, et Prudence pas davantage.

— Tous mes vœux pour vous, alors, conclut Alma.

— Et les miens pour vous, répondit Prudence.

C'est seulement une fois à mi-chemin dans la rue qu'Alma se rendit compte de ce qu'elle venait de faire : elle avait non seulement demandé à une mère de quarante-huit ans épuisée – dont un enfant était malade ! – des conseils sur l'art de la copulation, mais c'était à *la fille d'une putain* qu'elle s'était adressée. Comment Alma avait-elle pu ne pas se souvenir des origines honteuses de Prudence ? Celle-ci ne pouvait les avoir oubliées, et elle menait probablement une existence de rigueur et de vertu parfaites afin de compenser les ignobles dépravations de sa mère biologique. Pourtant, Alma avait débarqué dans cette maison toute de décence, d'humilité et de réserve, avec des questions sur les astuces de l'art de la séduction.

Elle s'assit sur un tonneau, abattue. Elle voulait retourner chez les Dixon et présenter ses excuses, mais comment le pouvait-elle ? Que pouvait-elle dire qui ne rende pas la situation encore plus embarrassante ?

Comment avait-elle pu être aussi nigaude et maladroite ?

Où donc était passé tout son bon sens ?

L'après-midi avant le mariage, deux courriers intéressants arrivèrent pour Alma.

Le premier était une enveloppe portant le cachet « Framingham, Massachusetts », avec le nom « Pike » écrit dans un coin. Alma pensa immédiatement qu'il s'agissait d'une lettre pour Ambrose, car elle venait clairement de sa famille, mais comme l'enveloppe portait son nom, elle l'ouvrit.

Chère Miss Whittaker,

Je vous prie de m'excuser de ne pouvoir assister à votre mariage avec mon fils Ambrose, mais je suis fort invalide et un si long voyage est bien au-delà de mes capacités. J'ai cependant été ravie d'apprendre qu'Ambrose sera bientôt marié. Mon fils a vécu pendant tant de temps reclus de la vie familiale et de la société que j'avais abandonné depuis longtemps l'espoir qu'il prenne jamais femme. Qui plus est, son jeune cœur fut si profondément blessé jadis par la mort d'une fille qu'il admirait et adorait considérablement – une fille d'une respectable famille chrétienne de notre communauté, que nous pensions tous lui voir épouser – que j'ai craint que sa sensibilité ait été irréparablement endommagée, au point qu'il ne puisse plus jamais connaître les récompenses de l'affection naturelle. Peut-être m'exprimé-je avec trop de liberté, bien qu'il vous aura certainement tout raconté. La nouvelle de ces fiançailles a donc été bienvenue, car elle m'a apporté la preuve de la guérison de son cœur.

J'ai reçu votre portrait de mariage. Vous apparaissez comme une femme capable. Je ne vois aucun signe d'inconséquence ou de frivolité dans vos traits. Je n'hésiterai pas à dire que mon fils a précisément besoin d'une telle femme. C'est un garçon intelligent – le plus intelligent de mes enfants – et enfant, il était ma plus grande joie, bien qu'il ait passé bien trop d'années à contempler indolemment nuages, fleurs et étoiles. Je crains également qu'il croie avoir été plus astucieux que le christianisme. Vous serez peut-être la femme qui le corrigera de cette notion erronée. On prie qu'un mariage décent le guérisse de son désir de déserter la morale. En conclusion, je regrette de ne pas voir mon fils se marier, mais je nourris de grands espoirs pour cette union. Cela réchaufferait le cœur d'une mère de savoir que son enfant a élevé son esprit dans la contemplation de Dieu par la discipline de l'étude des Écritures et de la prière régulière. Je vous prie de veiller à ce qu'il le fasse.

Ses frères et moi vous accueillons avec bienveillance dans notre famille. Je suppose que cela va sans dire. Cependant, cela vaut la peine d'être dit.

Votre Constance Pike

La seule chose qu'Alma retint de cette lettre fut : *une fille qu'il admirait et adorait considérablement.* Bien que sa mère fût certaine qu'il lui avait tout raconté, Ambrose ne lui avait rien dit. Qui était cette fille ? Quand était-elle morte ? Ambrose avait quitté Framingham pour Harvard quand il n'avait que dix-sept ans, et il n'y était jamais retourné. L'histoire d'amour avait dû avoir lieu à un âge bien précoce, si tant est qu'il s'était agi d'une histoire d'amour. Ils devaient être enfants, ou presque. Elle devait avoir été belle, cette fille. Alma la voyait d'ici : une suave créature, un joli petit colley, un modèle de beauté aux cheveux bruns et aux yeux bleus qui chantait les hymnes d'une voix de miel et qui se promenait avec le petit Ambrose dans les vergers en fleurs. La mort de la fille avait-elle contribué à son effondrement mental ? Comment s'appelait-elle ?

Pourquoi Ambrose n'en avait-il pas parlé ? D'un autre côté, pourquoi l'aurait-il dû ? N'avait-il pas le droit de garder pour lui des anecdotes du passé ? Alma avait-elle jamais confié à Ambrose, par exemple, le piteux et vain amour qu'elle avait nourri envers George Hawkes ? L'aurait-elle dû ? Mais il n'y aurait rien eu à raconter. George Hawkes ignorait même qu'il avait joué un rôle dans cette histoire d'amour, ce qui signifiait qu'il n'y avait jamais eu pour commencer aucune histoire d'amour.

Que devait faire Alma de cette information ? Plus immédiatement, que devait-elle faire de cette lettre ? Elle la relut, en mémorisa le contenu, et la cacha. Elle répondrait à Mrs Pike plus tard, de manière superficielle et innocente. Elle aurait préféré ne jamais recevoir une telle missive. Elle devait s'entraîner à oublier ce qu'elle venait d'apprendre.

Comment s'appelait cette fille ?

Heureusement, il y avait un autre envoi qui la divertit – un paquet emballé et ficelé dans du papier ciré brun. Plus étonnant, il venait de Prudence Dixon. Quand Alma l'ouvrit, elle découvrit que c'était une chemise de nuit d'une étoffe blanche et douce, brodée de dentelle. Elle paraissait de la bonne taille pour Alma. C'était une robe charmante et simple, pudique mais féminine, avec d'amples plis, un col haut, des boutons d'ivoire et des manches bouffantes. Sur le buste brillaient discrètement de délicates fleurs brodées en fil de soie jaune pâle. La chemise de nuit avait été pliée soigneusement, parfumée de lavande et nouée d'un ruban blanc, sous lequel était glissé un mot de la main impeccable de Prudence : « Avec tous mes vœux. »

Comment Prudence s'était-elle procuré un objet d'un tel luxe ? Elle n'aurait pas eu le temps de le coudre elle-même ; elle avait dû l'acheter à quelque habile couturière. Comme cela avait dû lui coûter cher ! Où avait-elle déniché l'argent ? C'était précisément le genre de choses auxquelles la famille Dixon avait renoncé depuis longtemps : soie, dentelle, boutons importés, raffinement sous toutes ses formes. Prudence n'avait rien porté d'aussi élégant depuis presque trente ans. Tout cela pour dire que cela avait dû coûter à Prudence *énormément* – tant financièrement que moralement – de faire l'acquisition de ce cadeau. Alma eut la gorge serrée par l'émotion. Qu'avait-elle fait pour sa sœur pour mériter une telle gentillesse ? Surtout si l'on considérait leur dernière entrevue, comment Prudence avait-elle pu lui faire un tel cadeau ?

L'espace d'un moment, Alma se dit qu'elle devait le refuser. Elle devait remballer cette chemise de nuit et la renvoyer au plus vite à Prudence, qui pourrait la découper et y tailler de jolies robes pour ses filles – ou plus probablement la vendre au profit de la cause abolitionniste. Mais non, cela aurait paru grossier et ingrat. Il ne fallait pas rendre les cadeaux. Même Beatrix lui avait toujours enseigné cela. Les cadeaux ne devaient jamais être rendus. Cela avait été un geste gracieux. Il fallait le recevoir gracieusement. Alma devait être humble et reconnaissante.

C'est seulement plus tard, lorsque Alma alla dans sa chambre et referma la porte, se mit devant le grand miroir et enfila la chemise de nuit, qu'elle comprit plus précisément ce que sa sœur lui soufflait de faire et pourquoi ce vêtement ne devait jamais être renvoyé : elle devait porter cette charmante tenue lors de sa nuit de noces.

Elle était d'ailleurs très jolie avec.

17

Le mariage eut lieu le mardi 29 août 1848 dans le salon de White Acre. Alma portait une robe de soie brune spécialement coupée pour l'occasion. Henry Whittaker et Hanneke de Groot étaient les témoins. Henry était plein d'entrain ; Hanneke pas du tout. Un juge de West Philadelphia, qui avait été en affaires autrefois avec Henry, présida la cérémonie pour rendre service au maître de maison.

— Que l'amitié vous instruise, conclut-il après l'échange des vœux. Inquiétez-vous dans vos infortunes et encouragez-vous dans vos joies.

— Associés dans la science, les affaires et la vie ! beugla Henry, d'une manière tout à fait inattendue, avant de se moucher très bruyamment.

Aucun autre ami ou membre de la famille n'assistait au mariage. George Hawkes avait envoyé un cageot de poires en guise de félicitations, mais il se disait pris de fièvre et incapable de venir. Un gros bouquet était également arrivé la veille, de la part de la pharmacie Garrick. Du côté d'Ambrose, il n'y avait pas d'invité. Son ami Daniel Tupper, de Boston, avait envoyé le matin un télégramme disant simplement

« BRAVO PIKE », mais il n'était pas venu pour le mariage. Boston était seulement à une demi-journée de train, mais malgré cela, personne ne vint pour Ambrose.

En regardant autour d'elle, Alma se rendit compte que la maisonnée était devenue minuscule. Cette assemblée était beaucoup trop petite. Il n'y avait tout bonnement pas assez de monde. C'était à peine suffisant pour que le mariage soit légal. Comment avaient-ils pu finir dans un tel isolement ? Elle se rappela le bal que ses parents avaient donné en 1808, exactement quarante ans plus tôt : la véranda et la grande pelouse débordant de danseurs et de musiciens, sa course parmi eux en brandissant une torche. Il était impossible d'imaginer à présent que White Acre avait jamais connu un tel spectacle, tant de rires et de folies. Depuis cette époque, c'était devenu une constellation de silence.

En cadeau de mariage, Alma offrit à Ambrose une édition ancienne d'un grand raffinement de la *Théorie sacrée de la terre* de Thomas Burnet, publié pour la première fois en 1684. Burnet était un théologien qui avançait que la terre – avant le déluge et l'arche de Noé – était une sphère de perfection absolue, qui avait « la beauté et la nature épanouie de la jeunesse, fraîche et fertile, sans une ride, cicatrice ou fracture de par tout son corps ; sans rochers ni montagnes ni grottes ni canaux béants, mais partout régulière et uniforme ». Burnet appelait cela « la Première Terre ». Alma pensait que cela plairait à son époux et ce fut le cas. Les notions de perfections, les rêves d'exquisité immaculée – tout cela, c'était Ambrose de bout en bout.

De son côté, Ambrose offrit à Alma un beau carré de papier italien qu'il avait plié en une minuscule enveloppe compliquée et recouverte de cachets de cire de quatre couleurs différentes. Chaque pli était scellé et chaque cachet était différent. C'était un joli objet – assez petit pour tenir dans la paume de la main – mais étrange et presque cabalistique. Elle le retourna longuement entre ses doigts.

— Comment est-on censé ouvrir un tel cadeau ? demanda-t-elle.

— Il ne doit pas être ouvert, répondit Ambrose. Je vous demande de ne jamais l'ouvrir.

— Que contient-il ?

— Un message d'amour.

— Vraiment ? fit Alma, ravie. Un message d'amour ! J'aimerais voir une telle chose !

— Je préférerais que vous l'imaginiez.

— Mon imagination n'est pas aussi riche que la vôtre, Ambrose.

— Mais vous qui aimez tant la connaissance, Alma, cela fera du bien à votre imagination que quelque chose reste illusoire. Nous en viendrons à nous connaître si bien, vous et moi. Gardons quelque chose sans l'ouvrir.

Elle glissa le cadeau dans sa poche. Il y resta toute la journée, telle une étrange et légère présence mystérieuse.

Ce soir-là, ils dînèrent avec Henry et son ami le juge. Ces derniers burent beaucoup trop de porto. Alma ne but pas d'alcool et Ambrose non plus. Son mari lui souriait chaque fois qu'elle regardait de son côté – mais il avait toujours fait cela même avant de l'épouser. Cela donnait l'impression d'une soirée comme une autre, sauf qu'elle était désormais Mrs Ambrose Pike. Le soleil se coucha lentement, ce soir-là, comme un vieillard qui prend son temps pour gagner sa chambre.

Enfin, après le dîner, Alma et Ambrose se retirèrent pour la première fois dans la chambre d'Alma. Elle s'assit au bord du lit et Ambrose vint l'y rejoindre. Il lui prit la main. Après un long silence, elle déclara : « Si vous voulez bien m'excuser… »

Elle désirait mettre sa chemise de nuit toute neuve, mais elle ne voulait pas se déshabiller devant lui. Elle emporta le vêtement dans le petit cabinet de toilette dans le coin de sa chambre, celui qui avait été installé dans les années 1830 avec une baignoire et l'eau courante froide. Elle se dévêtit et mit la chemise de nuit. Elle ignorait si elle devait garder ses cheveux coiffés ou les libérer. Ce n'était pas toujours très beau à voir quand elle les dénouait, mais c'était inconfortable de dormir avec des épingles et des pinces à cheveux. Elle hésita, puis elle décida de ne pas les dénouer.

Quand elle revint dans la chambre, elle s'aperçut qu'Ambrose avait lui aussi revêtu sa chemise de nuit – un vêtement en lin très simple, serré aux mollets. Il avait soigneusement plié ses vêtements, les avait posés sur un fauteuil et se tenait de l'autre côté du lit. Un frisson d'inquiétude déferla en elle comme une charge de cavalerie. Ambrose ne paraissait pas inquiet. Il n'émit aucun commentaire sur sa chemise de nuit. Il lui fit signe d'approcher et elle monta dans le lit. Il l'imita de son côté et la rejoignit au milieu. Immédiatement, elle eut l'affreuse impression que ce lit était beaucoup trop petit pour eux deux. Ambrose et elle étaient si grands. Où devaient-ils placer leurs jambes ? Et leurs bras ? Et si elle lui donnait un coup de pied dans son sommeil ? Ou un coup de coude dans l'œil, sans s'en rendre compte ?

Elle se tourna sur le côté, il en fit autant et ils se retrouvèrent face à face.

— Trésor de mon âme, dit-il. (Il lui prit une main, la porta à ses lèvres et la baisa, juste au-dessus des doigts, comme il le faisait chaque soir depuis un mois, depuis leurs fiançailles.) Vous m'avez apporté une telle paix.

— Ambrose, répondit-elle, fascinée par son prénom, fascinée par son visage.

— C'est dans notre sommeil que nous entreverrons au plus près la puissance de l'esprit, dit-il. Nos esprits se parleront par-dessus cette étroite distance. C'est ici, ensemble dans le silence nocturne, que nous serons enfin libérés du temps, de l'espace, de la loi naturelle et de la loi physique. Nous parcourrons le monde comme il nous plaira dans nos rêves. Nous parlerons avec les morts, nous nous transformerons en animaux et en objets, nous volerons de par le temps. Nos intellects seront partout et nulle part et nos esprits libres d'entraves.

— Merci, dit-elle sottement.

Elle ne voyait pas ce qu'elle pouvait dire d'autre en réponse à ce discours inattendu. Était-ce une sorte de déclaration d'amour ? Était-ce ainsi qu'on procédait, là-haut, à Boston ? Elle craignit d'avoir mauvaise haleine. La sienne était parfumée. Elle aurait voulu qu'il éteigne la lampe. Immédiatement, comme s'il avait entendu ses pensées, il se tourna et l'éteignit. L'obscurité était mieux, plus confortable. Elle voulait nager vers lui. Elle le sentit lui prendre à nouveau la main et la porter à ses lèvres.

— Bonne nuit, mon épouse, dit-il.

Il ne lâcha pas sa main. Au bout de quelques instants – elle l'entendit à sa respiration –, il s'endormit.

De tout ce qu'Alma avait imaginé, espéré ou redouté quant à ce qui pourrait arriver lors de sa nuit de noces, ce scénario ne lui était jamais venu à l'esprit.

Ambrose sommeillait, calmement, auprès d'elle, sa main refermée avec légèreté et confiance sur la sienne, tandis qu'Alma, les yeux grands ouverts dans le noir, restait immobile dans le silence. La stupéfaction la submergea comme une substance humide et visqueuse. Elle chercha des explications possibles pour un tel comportement, envisageant une interprétation après l'autre, ainsi qu'on le fait dans la science, avec toute expérience qui ne s'est pas déroulée correctement.

Peut-être qu'il allait se réveiller et qu'ils recommenceraient – ou plutôt *commenceraient* – leurs plaisirs conjugaux ? Peut-être qu'il n'avait pas aimé sa chemise de nuit ? Peut-être lui avait-elle paru trop pudique ? Ou trop empressée ? Était-ce la fille morte qu'il désirait ? Pensait-il à son amour de Framingham perdu tant d'années plus tôt ? Ou bien avait-il succombé à une crise de nerfs ? Était-il incapable de remplir le devoir conjugal ? Mais aucune de ces explications ne tenait debout, en particulier la dernière. Alma en savait assez sur ces questions pour comprendre que l'incapacité à accomplir l'acte sexuel accablait les hommes de la plus grande honte imaginable – mais Ambrose ne semblait pas du tout honteux. Il n'avait d'ailleurs pas *tenté* d'accomplir l'acte sexuel. Au contraire, il dormait aussi paisiblement que possible. Comme un riche bourgeois dans un bel hôtel. Comme un roi après avoir passé toute la journée à la chasse au sanglier et au tournoi. Comme un prince mahométan comblé par une dizaine d'avenantes concubines. Il dormait comme un enfant sous un arbre.

Alma ne dormit pas. La nuit était chaude, et elle était mal installée, allongée sur le côté depuis si longtemps, craignant de retirer sa main de la sienne. Les épingles et pinces à cheveux s'enfonçaient dans son cuir chevelu. Au bout d'un long moment, elle se libéra de son étreinte et se retourna sur le dos, mais c'était inutile : le repos ne viendrait pas cette nuit. Elle resta allongée, raide et inquiète, les yeux grands ouverts, les aisselles moites, cherchant vainement dans son esprit une conclusion réconfortante au tour surprenant et contraire qu'avaient pris les choses.

À l'aube, tous les oiseaux de la terre, joyeusement inconscients de sa terreur, se mirent à chanter. Avec les premiers rayons du soleil, Alma s'autorisa l'infime espoir que son époux allait se réveiller à l'aube et la prendre désormais dans ses bras. Peut-être qu'ils commenceraient en plein jour toutes ces intimités que l'on attend de la vie conjugale.

Ambrose se réveilla effectivement, mais il ne l'étreignit pas. Il se réveilla avec entrain, dispos et satisfait.

— Quels rêves ! dit-il en étirant langoureusement les bras au-dessus de lui. Cela faisait des années que je n'en avais fait de tels. Quel honneur de partager l'électricité de votre personne. Merci, Alma ! Quelle journée nous allons passer ! Avez-vous fait aussi de tels rêves ? (Alma n'avait pas rêvé, évidemment. Elle avait passé la nuit dans une horreur éveillée. Cependant, elle acquiesça. Elle ne savait quoi faire d'autre.) Vous devez me promettre, continua Ambrose, que lorsque nous mourrons – quel que soit le premier de nous deux – nous nous enverrons des vibrations l'un à l'autre par-dessus l'abîme de la mort.

De nouveau, sottement, elle acquiesça. C'était plus facile que d'essayer de parler.

En sueur et sans un mot, Alma regarda son mari se lever et s'asperger le visage d'eau à la cuvette. Il prit ses vêtements sur le fauteuil, s'excusa poliment dans le cabinet de toilette et en revint entièrement habillé et débordant de bonne humeur. Qu'est-ce qui était tapi derrière ce chaleureux sourire ? Alma n'y voyait rien d'autre qu'encore plus de chaleur. Il était exactement tel qu'il lui avait paru le premier jour : un charmant jeune homme de vingt ans, intelligent et enthousiaste.

Quelle idiote elle était.

— Je vais vous laisser à votre intimité, dit-il. Et je vous attendrai à la table du petit déjeuner. Quelle journée nous allons passer !

Tout le corps d'Alma la faisait souffrir. Dans un affreux nuage de raideur et de désespoir, elle sortit lentement du lit comme une invalide et s'habilla. Elle se regarda dans le miroir. Elle n'aurait pas dû. Elle avait pris dix ans en une nuit.

Henry était à la table du petit déjeuner quand Alma descendit enfin. Ambrose et lui étaient en pleine conversation. Hanneke apporta à Alma une théière et lui jeta un regard aigu – le genre de regard que toutes les femmes reçoivent au matin de leur nuit de noces –, mais elle l'évita. Elle essaya de ne pas apparaître distraite ou triste, mais son imagination était lasse et elle savait qu'elle avait les yeux rouges. Elle se sentait comme recouverte de moisissure. Les hommes ne parurent pas le remarquer. Henry racontait une histoire qu'Alma avait déjà entendue une douzaine de fois – celle de la nuit où il avait partagé son lit dans une répugnante taverne péruvienne avec un petit Français prétentieux qui avait un accent français à couper au couteau mais qui répétait infatigablement qu'il n'était pas français.

— Ce crétin ne cessait de me répéter : « *I emm en Inglishman !* » Et moi de lui répondre : « Vous n'êtes pas un Anglais, imbécile, vous êtes un Français ! Écoutez donc seulement votre fichu accent ! » Mais non, ce satané crétin continuait de répéter : « *I emm en Inglishman !* » Finalement, je lui ai dit : « Très bien, alors comment est-il possible que vous soyez anglais ? » Et voilà qu'il me dit : « *I emm en Inglishman bicoze I ave en inglish wife !* »

Ambrose s'esclaffa. Alma le considéra comme si c'était un spécimen.

— Avec une telle logique, conclut Henry, je suis un satané Hollandais !

— Et je suis un Whittaker ! ajouta Ambrose, qui riait toujours.

— Encore du thé ? demanda Hanneke à Alma avec le même regard pénétrant.

Alma referma brusquement la bouche, s'étant rendu compte qu'elle l'avait laissée un peu trop grande ouverte.

— J'en ai eu assez, Hanneke, merci.

— Les hommes vont rentrer ce qui reste des foins aujourd'hui, dit Henry. Veille, Alma, à ce que ce soit fait convenablement.

— Oui, père.

Henry se retourna vers Ambrose.

— Elle est précieuse, votre épouse, surtout quand il s'agit de travail à faire. Une vraie fermière.

La deuxième nuit fut semblable à la première – et la troisième, la quatrième et la cinquième. Ainsi que toutes celles qui suivirent. Ambrose et Alma se déshabillaient chacun de leur côté, allaient se coucher et se faisaient face. Il lui embrassait la main et louait sa bonté, puis il éteignait la lampe. Après quoi, il sombrait dans le sommeil d'un personnage enchanté de conte de fées, pendant qu'Alma restait allongée à côté de lui, en proie à un silencieux tourment. La seule chose qui changea avec le temps, c'est qu'Alma parvint finalement à bénéficier de quelques heures de sommeil agité chaque nuit, principalement parce que son corps succombait à l'épuisement. Mais son sommeil était interrompu par des rêves qui la harcelaient et d'horribles périodes de veille en proie aux pires divagations.

Le jour, Alma et Ambrose se tenaient compagnie comme toujours dans l'étude et la contemplation. Jamais il n'avait semblé plus épris d'elle. Elle continua vaillamment de vaquer à ses tâches et de l'aider aux siennes. Il voulait toujours être à côté d'elle, le plus près possible. Il ne semblait pas avoir conscience de son malaise. Elle essayait de ne pas le révéler. Elle continuait d'espérer un changement. Des semaines passèrent. Octobre arriva. Les nuits devinrent froides. Rien ne changea.

Ambrose paraissait si bien s'accommoder des termes de leur mariage qu'Alma, pour la première fois de sa vie, craignait de devenir folle. Elle avait envie de le violer à le réduire en bouillie, mais il se contentait d'embrasser le malheureux pouce carré de peau au milieu de sa main gauche, juste au-dessus des doigts. Avait-elle été mal informée de la nature de la vie conjugale ? Était-ce un tour qu'on lui jouait ? Il y avait assez de Whittaker en elle pour qu'elle bouillonne à l'idée d'être prise pour une imbécile. Mais elle regardait le visage d'Ambrose, qu'on ne pouvait imaginer plus éloigné du visage d'un voyou, et sa fureur, une fois de plus, retombait pour se perdre dans un triste émerveillement.

Au début du mois d'octobre, Philadelphie savourait les derniers jours de l'été indien. Les matinées n'étaient que splendides cieux bleus et air limpide, et les après-midi doux et paresseux. Ambrose se comportait comme s'il était plus inspiré que jamais, bondissant hors du lit chaque matin comme propulsé par un canon. Il avait réussi à amener une rare *Aerides odorata* à fleurir dans la serre aux orchidées. Henry avait importé la plante des années auparavant depuis les contreforts de l'Himalaya, mais elle n'avait jamais donné le moindre bouton, jusqu'au jour où Ambrose avait sorti l'orchidée de son pot dans le sol pour la suspendre en haut sous les poutrelles, en plein soleil, dans une corbeille faite d'écorce et de mousse humide. Et la plante s'était soudain mise à flamboyer et à fleurir. Henry était aux anges. Ambrose également. Il la dessina sous tous les angles. Ce serait l'orgueil du *florilegium* de White Acre.

— Si vous aimez assez une chose, elle finit par vous dévoiler ses secrets, dit-il à Alma.

Elle aurait pu arguer du contraire, si on lui avait demandé son avis. Elle aurait été incapable d'aimer davantage Ambrose, mais il ne lui livrait aucun secret. Elle se surprit à être désagréablement jalouse de sa victoire avec l'*Aerides odorata.* Elle enviait la plante elle-même et les soins qu'il lui avait prodigués. Elle était incapable de se concentrer sur son propre travail, tandis qu'il s'épanouissait dans le sien. Elle commença à mal supporter sa présence dans les écuries. Pourquoi l'interrompait-il constamment ? Ses presses d'imprimerie étaient bruyantes et sentaient l'encre chaude. Alma ne supportait plus cela. Elle avait l'impression de pourrir. Elle commença à devenir irritable. Un jour, elle traversait le potager de White Acre quand elle tomba sur un jeune ouvrier appuyé sur sa bêche qui s'enlevait nonchalamment une écharde du pouce. Ce n'était pas la première fois qu'elle le voyait, celui-là – le petit arracheur d'écharde.

On le trouvait plus souvent appuyé sur sa bêche qu'en train de la manier.

— Vous vous appelez Robert, n'est-ce pas ? demanda-t-elle en s'approchant avec un grand sourire.

— C'est bien moi, confirma-t-il en levant le nez d'un air insouciant.

— Quelle est votre tâche, cet après-midi, Robert ?

— Retourner ce carré de pois, madame.

— Et vous pensez vous y mettre un de ces jours, Robert ? demanda-t-elle d'une voix dangereusement sourde.

— Eh bien, j'ai une écharde, là, voyez…

Alma se pencha sur lui, plongeant sa maigre silhouette dans l'ombre. Elle le saisit par le col, le souleva d'une bonne trentaine de centimètres au-dessus du sol et – tout en le secouant comme un sac d'avoine – elle beugla : « Retourne à ton travail, espèce de petit vaurien, avant que je t'arrache les noix avec un bon coup de ta bêche ! »

Elle le lâcha sans ménagement. Il atterrit durement sur le sol, s'échappa de son ombre comme un lapin qui détale et se mit à creuser, frénétiquement, n'importe comment, terrorisé. Alma s'éloigna en secouant son bras pour le détendre, et fut immédiatement reprise par la pensée de son époux. Se pouvait-il qu'Ambrose ne sût tout simplement pas ? Quelqu'un pouvait-il être assez innocent pour être entré dans la vie conjugale sans rien connaître de ses devoirs, ou en étant inconscient des mécanismes sexuels entre mari et femme ? Elle se rappela un livre qu'elle avait lu des années auparavant, quand elle avait commencé à entreposer ces textes licencieux dans le fenil de l'écurie. Elle n'y avait pas pensé depuis une vingtaine d'années. Il était assez ennuyeux, en comparaison des autres, mais il lui revenait à l'esprit en cet instant. Il s'intitulait : *Les Fruits du mariage : Guide de chasteté pour les gentlemen. Manuel à l'intention des couples mariés*, par le Dr Horscht.

Ce Dr Horscht avait écrit ce livre, disait-il, après avoir conseillé un pudique jeune couple chrétien qui ne possédait aucune connaissance – ni théorique ni pratique – de la relation sexuelle et qui était resté si abasourdi des sensations particulières qu'il avait éprouvé en entrant dans le lit conjugal qu'il s'était cru victime d'un sortilège. Finalement, quelques semaines après leur mariage, le pauvre jeune homme avait interrogé un ami, qui lui avait donné la bouleversante information : le jeune époux devait placer son organe directement dans « l'orifice urinaire » de son épouse pour que la relation se produise correctement. Cette pensée avait envahi le pauvre jeune homme d'un tel mélange de peur et de honte qu'il avait couru chez le Dr Horscht pour lui demander si un acte aussi saugrenu pouvait être accompli et considéré comme vertueux. Le praticien, prenant en pitié la jeune âme éperdue, avait rédigé ce guide sur le fonctionnement de la sexualité, afin d'aider d'autres jeunes mariés.

Alma avait considéré le livre avec mépris quand elle l'avait lu des années plus tôt. Être un jeune homme et souffrir d'une si complète ignorance des fonctions génito-urinaires lui avait semblé au-delà de l'absurde. Ce genre de personne ne pouvait tout de même pas exister, si ?

Seulement, à présent, elle se posait la question. Fallait-il qu'elle lui *montre* ?

Ce samedi après-midi, Ambrose se retira dans leur chambre de bonne heure et alla prendre un bain avant le dîner. Elle le suivit dans la chambre. Elle s'assit sur le lit et écouta l'eau qui coulait dans la grande baignoire de porcelaine de l'autre côté de la porte. Elle l'entendit fredonner. Il était heureux. Elle, en revanche, était accablée par le doute. Il devait se déshabiller, à présent. Elle entendit des éclaboussures discrètes alors qu'il entrait dans la baignoire, puis un soupir de plaisir. Puis ce fut le silence.

Elle se leva et se dévêtit à son tour. Elle enleva tout, culotte et corsage, même les épingles de ses cheveux. Si elle avait eu encore autre chose à enlever, elle l'aurait fait. Son corps nu n'était pas beau, elle le savait, mais elle n'en avait pas d'autre. Elle alla s'appuyer contre la porte du cabinet de toilette et colla l'oreille contre le battant. Elle n'était pas obligée de faire cela. Il y avait d'autres possibilités. Elle pouvait apprendre à endurer la situation telle qu'elle était. Elle pouvait se soumettre patiemment à sa douleur, à cet étrange et impossible mariage qui n'en était pas un. Elle pouvait apprendre à dominer tout ce qu'Ambrose suscitait en elle – son désir pour lui, sa déception, l'impression douloureuse d'absence quand elle était près de lui. Si elle pouvait apprendre à vaincre son propre désir, elle pourrait conserver son époux tel qu'il était.

Non. Non, elle ne pouvait pas apprendre cela.

Elle tourna le bouton de la porte, s'appuya contre le battant et entra aussi silencieusement qu'elle put. Il tourna la tête vers elle et ouvrit de grands yeux affolés. Elle ne dit pas un mot et lui non plus. Elle détourna les yeux de son regard et se permit de contempler son corps qui baignait dans l'eau fraîche. Elle était là, sa délicieuse nudité. Sa peau était d'une blancheur laiteuse – bien plus blanche sur la poitrine et les jambes que les bras. Il n'avait que quelques poils sur le torse. Il n'aurait pu être d'une beauté plus parfaite.

Avait-elle craint qu'il n'ait pas du tout de parties génitales ? Avait-elle imaginé que cela eût pu être le problème ? Eh bien, ce n'était pas cela le problème. Il avait des parties génitales – parfaitement conformes, et même plutôt impressionnantes. Elle se permit d'observer avec attention cette charmante créature qui était la sienne – cette créature marine pâle qui ondulait et flottait entre ses cuisses dans son nid de fourrure humide et intime. Ambrose ne bougea pas. Son pénis ne remua pas non plus. Son pénis n'aimait pas être regardé. Elle s'en rendit compte immédiatement. Alma avait passé assez de temps dans les bois à regarder des animaux farouches pour discerner ceux qui ne voulaient pas être vus, et cette créature entre les cuisses d'Ambrose ne le voulait pas. Cependant, elle continua de la fixer, car elle ne pouvait détourner son regard. Ambrose la laissa faire, moins parce qu'il lui donnait la permission que parce qu'il était paralysé.

Enfin, elle regarda son visage, y cherchant désespérément quelque ouverture, quelque canal menant à lui. Il paraissait figé par la peur. Pourquoi *la peur* ? Elle se laissa tomber sur le sol près de la baignoire. Cela donnait presque l'impression qu'elle s'agenouillait devant lui pour le supplier. Non, elle *s'agenouillait* en effet pour le supplier. La main droite d'Ambrose, avec ses longs doigts fuselés, était posée sur le bord de la baignoire, crispée sur le rebord. Elle lui fit lâcher prise, un doigt après l'autre. Il la laissa faire. Elle prit sa main et la porta à ses lèvres. Elle glissa trois doigts dans sa bouche. Elle ne put s'en empêcher. Elle avait besoin qu'une partie de lui soit en elle. Elle avait envie de les mordre, pour les empêcher de quitter sa bouche. Elle ne voulait pas l'effrayer, mais elle ne souhaitait pas le lâcher non plus. Au lieu de mordre, elle se mit à sucer. Elle était parfaitement concentrée dans son désir. Ses lèvres firent un bruit – une sorte de bruit humide et scandaleux.

En l'entendant, Ambrose s'anima. Il poussa un cri et enleva brusquement ses doigts de sa bouche. Il se redressa rapidement, avec de bruyantes éclaboussures, et se couvrit les parties génitales des deux mains. On aurait dit qu'il allait mourir de terreur.

— Je vous en prie, dit-elle.

Ils se fixèrent l'un l'autre, comme une femme devant un intrus dans sa chambre – sauf que c'était elle l'intruse et lui la proie terrifiée. Il la regardait comme si elle était une inconnue qui venait de porter une lame à sa gorge, comme si elle avait l'intention de se servir de lui pour les plus malsains plaisirs, puis le décapiter, lui arracher les intestins et manger son cœur avec une longue fourchette pointue.

Alma céda. Quel choix avait-elle ? Elle se leva et sortit lentement du cabinet de toilette en refermant doucement la porte derrière elle. Elle se rhabilla. Elle descendit. Elle avait le cœur si brisé qu'elle se demandait comment il était possible qu'elle soit encore en vie.

Elle trouva Hanneke de Groot qui balayait la salle à manger. D'une voix étranglée, elle demanda à la gouvernante de préparer la chambre d'amis de l'aile est pour Mr Pike, qui y dormirait désormais, en attendant que l'on s'organise autrement.

— *Waarom ?* demanda Hanneke.

Mais Alma ne pouvait lui dire pourquoi. Elle eut la tentation de tomber et de pleurer dans les bras de Hanneke, mais elle y résista.

— Y a-t-il quelque mal dans ma question ? demanda Hanneke.

— Vous voudrez bien informer Mr Pike vous-même de ce nouvel arrangement, dit Alma en s'éloignant. Je suis incapable de le faire.

Cette nuit-là, Alma dormit sur le divan dans les écuries et ne dîna pas. Elle songea à Hippocrate, qui croyait que les ventricules du cœur ne pompaient pas le sang, mais l'air. Il croyait que le cœur était un prolongement des poumons – une sorte de grande soufflerie musculaire, qui alimentait la chaudière du corps. Ce soir, Alma avait l'impression que c'était vrai. Elle sentait dans sa poitrine un immense souffle, comme si son cœur suffoquait et cherchait de l'air. Quant à ses poumons, ils semblaient remplis de sang. Elle se noyait à chaque inspiration. Elle n'arrivait pas à dissiper cette sensation de noyade. Elle se crut folle. Elle se crut devenue démente comme la petite Retta Snow, qui elle aussi dormait sur ce divan, quand le monde devenait trop terrifiant.

Au matin, Ambrose vint la trouver. Son visage était pâle et peiné. Il vint s'asseoir auprès d'elle et voulut lui prendre les mains. Elle se déroba. Il la fixa longuement avant de parler.

— Si vous essayez de me communiquer quelque chose sans parler, Ambrose, dit-elle d'une voix tendue par la colère, je ne pourrai l'entendre. Je vous demande de me parler directement. Faites-moi cette politesse, je vous prie.

— Pardonnez-moi, dit-il.

— Vous devez me dire ce pour quoi je dois vous pardonner.

— Ce mariage… commença-t-il difficilement avant de renoncer.

Elle éclata d'un rire creux.

— Qu'est-ce qu'un mariage, Ambrose, quand il est dépourvu des plaisirs honnêtes que tout mari et femme peuvent légitimement en attendre ?

Il opina. Il paraissait désespéré.

— Vous m'avez fourvoyée, dit-elle.

— Pourtant, je croyais que nous nous comprenions.

— Vraiment ? Que croyiez-vous qui était compris ? Dites-le-moi en paroles : que pensiez-vous que serait ce mariage ?

Il chercha ses mots.

— Un échange, dit-il enfin.

— De quoi, au juste ?

— D'amour. D'idées et de réconfort.

— Moi aussi, Ambrose. Mais je pensais qu'il y aurait peut-être d'autres échanges aussi. Si vous vouliez vivre comme un shaker, pourquoi n'avez-vous pas couru les rejoindre ?

Il la regarda, stupéfait. Il ignorait ce qu'étaient les shakers. Seigneur, il y avait tant de choses que ce jeune homme ignorait !

— Ne nous disputons pas, Alma, n'entrons pas en conflit, la supplia-t-il.

— Est-ce la jeune morte que vous aimez ? Est-ce là le problème ? (Là encore, l'expression stupéfaite.) La jeune morte, Ambrose, répéta-t-elle. Celle dont votre mère m'a parlé. Celle qui est morte à Framingham il y a des années. Celle que vous aimiez.

Il n'aurait pu être plus perplexe.

— Vous avez parlé à ma mère ?

— Elle m'a écrit une lettre. Elle m'y parlait de la fille, de votre véritable amour.

— Ma mère vous a écrit une lettre ? À propos de Julia ? (La stupéfaction se peignit sur le visage d'Ambrose.) Mais je n'ai jamais aimé Julia, Alma. C'était une charmante enfant et une amie dans ma jeunesse, mais je ne l'ai jamais aimée. Ma mère a peut-être souhaité que je l'aime, car elle était la fille d'une famille en vue, mais Julia n'était rien de plus que mon innocente voisine. Nous dessinions des fleurs ensemble. Elle avait un certain génie pour cela. Elle est morte à l'âge de quatorze ans. J'ai à peine pensé à elle depuis toutes ces années. Pourquoi diable parlons-nous de Julia ?

— Pourquoi ne pouvez-vous m'aimer ? demanda Alma, s'en voulant de prendre un ton aussi désespéré.

— Je ne pourrais vous aimer *davantage*, répondit Ambrose d'un ton aussi désespéré que le sien.

— Je suis laide, Ambrose. Je l'ai toujours su. En outre, je suis vieille. Cependant, je suis en possession de plusieurs choses que vous désiriez – richesse, confort, compagnie. Vous auriez pu avoir toutes ces choses sans m'humilier par le mariage. Je vous les avais déjà toutes données et je ne vous les aurais jamais enlevées. J'étais heureuse de vous aimer comme une sœur, peut-être même comme une mère. Mais c'est vous qui avez désiré que nous nous mariions. C'est vous qui m'avez présenté l'idée du mariage. Vous qui avez dit que vous vouliez dormir près de moi tous les soirs. Vous qui m'avez permis de désirer des choses que j'avais renoncé depuis longtemps à désirer.

Il fallait qu'elle cesse de parler. Sa voix montait dans les aigus et se brisait. Elle rajoutait la honte à la honte.

— Je n'ai nul besoin de richesse, dit Ambrose, les yeux humides de chagrin. Vous savez cela de moi.

— Cependant, vous en cueillez les bienfaits.

— Vous ne me comprenez pas, Alma.

— Je ne vous comprends absolument pas, Mr Pike. Édifiez-moi.

— Je vous ai demandé, dit-il, si vous vouliez un mariage des âmes, un *mariage blanc**. (Voyant qu'elle

* Tous les mots signalés d'un astérisque sont en français dans le texte original.

ne répondait pas, il dit :) Cela signifie un mariage chaste, sans consommation de la chair.

— Je sais ce qu'est un mariage blanc, Ambrose, rétorqua-t-elle. Vous n'étiez pas né que je parlais français. Ce que je ne comprends pas, c'est pourquoi vous avez pu penser que j'en désirais un.

— Parce que je vous l'ai demandé. Je vous ai demandé si vous accepteriez cela de moi et vous avez acquiescé.

— *Quand* ?

Alma sentit qu'elle allait lui arracher les cheveux s'il ne parlait pas sans détours.

— Dans le cabinet de reliure, cette nuit-là, après que je vous eus trouvée dans la bibliothèque. Quand nous nous sommes assis tous les deux en silence. Je vous ai demandé muettement : « Accepterez-vous cela de moi ? » et vous avez dit oui. Je vous ai *entendue* dire oui. J'ai senti que vous le disiez ! Ne le niez pas, Alma – vous avez entendu ma question par-dessus l'abîme et vous m'avez répondu par l'affirmative ! N'est-ce pas vrai ? (Il la regardait d'un air paniqué. Elle en resta le bec cloué.) Et vous aussi vous m'avez posé une question, continua Ambrose. Vous m'avez muettement demandé si c'était ce que je désirais de vous. J'ai répondu oui, Alma ! Je crois même que je l'ai dit à voix haute ! Je n'aurais pas pu répondre plus clairement ! Vous m'avez entendu le dire !

Elle revint mentalement à cette nuit dans le cabinet de reliure, à la silencieuse explosion de son plaisir sexuel, la sensation de sa question qui la parcourait et de sa question qui le traversait. *Qu'avait-elle entendu ?* Elle l'avait entendu demander, c'était clair comme un carillon d'église : « Accepterez-vous cela de moi ? » Bien sûr qu'elle avait dit oui. Elle avait cru qu'il voulait dire : « Accepterez-vous de moi des plaisirs sensuels tels que celui-ci ? » Et quand elle avait demandé à son tour : « Est-ce ce que vous désirez de moi ? » elle voulait dire : « Voulez-vous connaître ces plaisirs sensuels avec moi ? »

Dieu tout-puissant, ils s'étaient mépris dans leurs questions ! Ils avaient *surnaturellement* mal compris leurs questions respectives. Cela avait été le seul et unique miracle incontestable de toute la vie d'Alma Whittaker, et elle l'avait compris de travers. C'était la pire blague qu'elle eut jamais entendue.

— Je vous demandais seulement, dit-elle avec lassitude, si vous me désiriez *moi*. C'est-à-dire si vous me désiriez *pleinement*, à la manière dont les amants se désirent. Je croyais que vous me demandiez la même chose.

— Mais jamais je ne demanderais le corps de quiconque de la manière dont vous parlez, dit Ambrose.

— Et pourquoi donc ?

— Parce que je n'y crois pas.

Alma ne put comprendre ce qu'elle entendait. Elle resta incapable de parler pendant un long moment. Puis elle demanda :

— Est-ce votre opinion que l'acte conjugal – même entre un homme et son épouse – est quelque chose de vil et de dépravé ? Vous devez savoir, Ambrose, ce que d'autres gens partagent mutuellement dans l'intimité de leur mariage ? Me considérez-vous comme avilie, de désirer que mon époux soit un époux ?

Vous avez sûrement dû entendre parler de ces plaisirs entre hommes et femmes ?

— Je ne suis pas comme les autres hommes, Alma. Cela peut-il sincèrement vous surprendre, après tout ce temps ?

— Qu'imaginez-vous être, alors, sinon un homme comme les autres ?

— Ce n'est pas ce que j'imagine, Alma, mais ce que je désire être. Ou plutôt, ce que j'ai été un jour et que je désire être à nouveau.

— C'est-à-dire, Ambrose ?

— Un ange de Dieu, dit Ambrose avec une indicible tristesse. J'espérais que nous pourrions être tous les deux des anges de Dieu. Une telle chose ne saurait être possible que si nous étions libérés de la chair et liés par la grâce céleste.

— Oh, pour l'amour de notre nom de Dieu de double bougre de Sainte Vierge ! jura Alma. (Elle avait envie de l'empoigner et de le secouer, ainsi qu'elle l'avait fait l'autre jour avec Robert, le jeune jardinier. Elle avait envie de débattre des Écritures avec lui. Les femmes de Sodome, voulait-elle lui dire, avaient été punies par Jéhovah pour avoir eu un commerce charnel avec des anges – *mais au moins, elles avaient pu tenter leur chance !* C'était bien la sienne, d'être tombée sur un ange si beau, mais si rétif.) Allons, Ambrose, dit-elle. Réveillez-vous ! Nous ne vivons pas dans le royaume céleste – pas vous, et très certainement pas moi. Comment pouvez-vous être aussi sot ? Regardez-moi, mon enfant ! Avec vos vrais yeux, vos yeux de mortel. Ai-je l'air d'un ange pour vous, Ambrose Pike ?

— Oui, dit-il avec une triste simplicité.

La fureur quitta Alma, faisant place à un chagrin insondable et pesant.

— Alors vous vous êtes bien trompé, dit Alma. Et désormais, nous sommes dans un diable de pétrin.

Il ne pouvait pas rester à White Acre.

Cela devint évident après seulement une semaine – durant laquelle Ambrose dormit dans la chambre d'amis de l'aile est, et Alma sur le divan des écuries, l'un et l'autre en butte aux ricanements méprisants des jeunes femmes de chambre. Être mariés depuis moins d'un mois et faire déjà non seulement chambre, mais *bâtiment* à part… Eh bien, c'était trop merveilleux comme scandale pour que les commères du domaine puissent y résister.

Hanneke essaya de faire taire le personnel, mais les rumeurs surgissaient et s'envolaient comme les chauves-souris au crépuscule. Certains disaient qu'Alma était trop vieille et laide pour qu'Ambrose la supporte, malgré la fortune qui était tapie au fond de son trou desséché. D'autres disaient qu'Ambrose avait été pris en train de voler. Qu'Ambrose aimait les jolies jeunes filles et qu'on l'avait trouvé la main au cul d'une laitière. Les gens disaient ce qu'ils avaient envie de dire : Hanneke ne pouvait congédier tout le monde. Alma surprit certaines rumeurs elle-même et ce qu'elle ne surprenait pas, elle pouvait l'imaginer sans peine. Les regards qu'on lui jetait étaient suffisamment méprisants.

Son père l'appela dans son bureau un lundi après-midi de la fin d'octobre.

— Qu'est-ce que cela ? demanda-t-il. Tu es déjà lasse de ton nouveau jouet ?

— Ne me ridiculisez pas, père, je vous jure que je ne le supporterai pas.

— Dans ce cas, fournis-moi une explication.

— C'est trop honteux à expliquer.

— Je refuse d'imaginer que cela puisse être vrai. Crois-tu donc que je n'ai pas déjà entendu toutes ces rumeurs ? Rien de ce que tu pourras me dire ne pourra être plus honteux que ce qui se raconte.

— Il y a beaucoup de choses que je ne puis vous dire, père.

— T'a-t-il été infidèle ? *Déjà* ?

— Vous le connaissez, père. Il ne ferait pas cela.

— Aucun d'entre nous ne le connaît bien, Alma. Alors, qu'est-ce donc ? Il a volé de tes biens – des *miens* ? Il t'épuise au lit ? Il te donne des coups de ceinturon ? Non, je ne le vois faire rien de cela. Exprime-toi, ma fille. Quel est son crime ?

— Il ne peut rester ici plus longtemps et je ne puis vous dire pourquoi.

— Me prends-tu pour un de ces hommes que la vérité fait défaillir ? Je suis vieux, Alma, mais pas encore dans la tombe. Et n'imagine pas non plus que je ne saurai pas deviner si j'y consacre le temps qu'il faut. Es-tu frigide ? Est-ce cela le problème ? Ou bien est-il mou ? (Elle ne répondit pas.) Ah. C'est donc quelque chose de cet ordre. Il n'y a donc pas eu consommation du mariage ? (Elle continua de garder le silence. Henry frappa dans ses mains.) Eh bien, qu'est-ce ? Vous appréciez votre compagnie, quoi qu'il en soit. C'est plus que n'y ont droit bien des gens dans le mariage. Tu es trop vieille pour avoir des enfants, de toute façon, et bien des mariages ne sont pas heureux au lit. La majeure partie, à dire vrai. Les couples mal assortis sont aussi nombreux que les mouches en ce monde. Ton mariage a peut-être tourné à l'aigre plus vite que d'autres, mais tu le supporteras et l'endureras, Alma, comme le font ou l'ont fait tous les autres. N'as-tu pas été élevée pour supporter et endurer ? Tu ne vas pas te laisser gâcher la vie par la première déconvenue. Tires-en le meilleur. Considère-le comme un frère, s'il ne te chatouille pas comme tu le désires sous les draps. Il ferait un assez bon frère. C'est une plaisante compagnie pour nous tous.

— Je n'ai nul besoin d'un frère. Je vous dis, père, qu'*il ne peut pas rester ici.* Vous devez le faire partir.

— Et je te dis, ma fille, qu'il n'y a pas trois mois, nous étions tous les deux dans cette même pièce et je t'ai écoutée affirmer que tu devais épouser cet homme – un homme dont je ne savais rien et dont tu savais à peine davantage. À présent, tu désires que je le chasse ? Que suis-je censé être, ton bull-terrier ? J'avoue que je n'approuve pas, oh, que non. Il n'y a là aucune dignité. Sont-ce les rumeurs qui te déplaisent ? Affronte-les comme une Whittaker. Montre-toi à ceux qui se moquent de toi et assène-leur une taloche si tu n'aimes pas leur manière de te regarder. Ils apprendront. Ils trouveront bien assez tôt un autre sujet de bavardages. Mais chasser ce jeune homme pour toujours pour le crime de… quoi ?

Ne pas t'avoir distraite ? Use d'un des jardiniers, si tu tiens à avoir un jeune taurillon dans ton lit. Il y a des hommes que tu peux payer pour ces divertissements, tout comme les hommes paient pour des femmes. Celui qui désire de l'argent est prêt à tout et tu as d'amples ressources. Utilise ta dot pour mettre sur pied un harem de jeunes hommes pour ton plaisir, si c'est là ton désir.

— Père, je vous en prie, supplia-t-elle.

— Mais en attendant, que proposes-tu que je *fasse* de notre Mr Pike ? continua-t-il. Que je le traîne derrière un attelage par les rues de Philadelphie après l'avoir trempé dans du goudron ? Que je le jette dans la Schuylkill attaché à un tonneau rempli de pierres ? Que je lui mette un bandeau et le fasse fusiller contre un mur ?

Incapable de parler, elle ne put que rester plantée là, clouée par la peine et la honte. Qu'avait-elle cru que son père lui dirait ? Eh bien – si stupide que cela parut désormais –, elle avait cru que Henry la défendrait. Qu'il serait outragé pour elle. Elle avait plus ou moins attendu qu'il traverse la maison à grands pas dans un de ses célèbres vieux tours de comédien en agitant théâtralement les bras : *Comment avez-vous pu faire cela à ma fille ?* Ce genre d'éclat. Quelque chose qui aurait été à la hauteur de la peine et de la fureur qu'elle éprouvait. Mais pourquoi s'était-elle imaginé cela ? Qui avait-elle jamais vu Henry Whittaker défendre ? Et s'il défendait quelqu'un en l'occurrence, il semblait bien que c'était Ambrose.

Au lieu de voler à son secours, son père ne faisait que la rabaisser encore. Qui plus est, Alma se rappelait à présent la conversation qu'elle avait eue avec Henry concernant son mariage avec Ambrose, trois mois plus tôt à peine. Henry l'avait mise en garde – ou du moins, il avait soulevé la question : « ce genre d'homme » pourrait-il lui apporter la satisfaction dans le mariage ? Que savait-il alors qu'il n'avait pas exprimé ? Que savait-il à présent ?

— Pourquoi ne m'avez-vous pas empêchée de l'épouser ? demanda-t-elle enfin. Vous soupçonniez quelque chose. Pourquoi n'avoir rien dit ?

— Ce n'était pas de mon ressort il y a trois mois de prendre une décision pour toi. Pas plus qu'aujourd'hui. S'il faut faire quelque chose concernant ce jeune homme, c'est à toi de t'en charger.

Cette pensée consterna Alma : Henry avait décidé à sa place depuis toujours, depuis qu'elle était toute petite – ou du moins était-ce ainsi qu'elle l'avait toujours perçu.

— Mais que pensez-vous que je doive faire de lui ? ne put-elle s'empêcher de demander.

— Fais donc ce qui te chantera, Alma ! C'est à toi de décider. Ce n'est pas à moi de disposer de Mr Pike. Tu as amené cette chose dans notre demeure, c'est toi qui t'en débarrasseras – si c'est ce que tu désires. Et sois prompte. Il vaut toujours mieux couper net que déchirer. D'une manière ou d'une autre, je veux que cette affaire soit réglée. Le sens commun a quitté notre famille depuis quelques mois et j'aimerais le voir revenir. Nous avons beaucoup trop de travail sur les bras pour ce genre de sottises.

Dans les années qui suivirent, Alma allait essayer de se convaincre qu'Ambrose et elle avaient pris la décision ensemble – sur ce qu'il allait faire de sa vie – mais rien n'aurait pu être plus loin de la vérité. Ambrose Pike n'était pas un homme qui décide pour lui-même. C'était un ballon sans amarre, incroyablement soumis à l'influence des plus puissants que lui – et tout le monde l'était. Il avait toujours fait ce qu'on lui disait. Sa mère lui avait dit d'aller à Harvard et il y était allé. Ses amis l'avaient sorti d'une congère de neige et l'avaient emmené dans une institution pour les aliénés, et il les avait suivis docilement et s'était laissé enfermer. Daniel Tupper à Boston lui avait dit d'aller dans les jungles du Mexique et de peindre des orchidées et il était allé dans les jungles peindre des orchidées. George Hawkes l'avait invité à Philadelphie et il était venu à Philadelphie. Alma l'avait installé à White Acre et lui avait donné pour consigne de faire un grand *florilegium* de la collection de plantes de son père, et il s'y était attelé sans poser de question. Il allait là où on l'emmenait.

Il voulait être un ange de Dieu, mais, le Seigneur le protège, il n'était qu'un agneau.

Essaya-t-elle sincèrement d'échafauder un projet qui serait le meilleur pour lui ? Elle se le répéta plus tard. Elle ne voulait pas divorcer : il n'y avait aucune raison de leur faire subir à l'un et l'autre un tel scandale. Elle lui fournirait tout l'argent qu'il faudrait – non qu'il en eût jamais demandé, mais parce que c'était ce qu'il convenait de faire. Elle ne le renverrait pas dans le Massachusetts, non seulement parce qu'elle détestait sa mère (il avait suffi d'une seule lettre pour qu'elle déteste sa mère !) mais aussi parce que la pensée d'Ambrose dormant pour toujours sur le canapé de son ami Tupper la désespérait. Elle ne pouvait pas le renvoyer non plus au Mexique, c'était certain. Il avait déjà failli y mourir des fièvres.

Cependant, elle ne pouvait le garder à Philadelphie, car sa présence la faisait trop souffrir. Miséricorde, comme il l'avait rabaissée ! Pourtant, elle aimait encore son visage – même s'il était devenu pâle et troublé. Le simple fait de le voir éveillait en elle un tel besoin béant et vulgaire qu'elle le supportait à peine. Il allait falloir qu'il aille ailleurs – quelque part au loin. Elle ne pouvait risquer de le croiser durant les années à venir.

Elle écrivit une lettre à Dick Yancey – le régisseur à poigne de fer de son père –, qui était à cette époque à Washington pour conclure une affaire avec les premiers jardins botaniques qui s'y installaient. Alma savait que Yancey allait bientôt s'embarquer pour le Pacifique Sud sur un baleinier. Il partait à Tahiti pour s'occuper de la plantation de vanille en péril de la Compagnie Whittaker et tenter de mettre en place la technique de pollinisation artificielle qu'Ambrose avait suggérée au père d'Alma lors de la première soirée de sa visite à White Acre.

Yancey devait partir bientôt, sous quinze jours. Il valait mieux faire voile avant les tempêtes de la fin de l'automne et l'embâcle du port.

Alma savait tout cela. Pourquoi ne pas envoyer Ambrose à Tahiti avec Dick Yancey, dans ce cas ? C'était une solution respectable, voire idéale. Ambrose pouvait s'occuper de la gestion de la plantation de vanille lui-même. Il y excellerait, n'est-ce pas ? Les vanilles étaient des orchidées, n'est-ce pas ? Henry Whittaker serait ravi de ce projet : envoyer Ambrose à Tahiti, c'était précisément ce qu'il avait voulu au début avant qu'Alma l'en dissuade sans savoir ce que cela lui coûterait.

Était-ce un bannissement ? Alma tenta de ne pas le penser. On disait que Tahiti était un paradis, se répéta-t-elle. C'était loin d'être le bagne. Oui, Ambrose était délicat, mais Dick Yancey veillerait à ce qu'il ne lui arrive rien de mal. Le travail serait intéressant. Le climat était sain et agréable, là-bas. Qui n'envierait pas cette occasion de voir les légendaires rivages de Polynésie ? C'était une occasion que tout botaniste ou négociant aurait accueillie à bras ouverts – sans compter que c'était bien payé.

Elle écarta les voix intérieures qui protestaient que si, c'était certainement un bannissement, et cruel en plus. Elle ignora ce qu'elle ne savait que trop bien : Ambrose n'était ni un botaniste ni un négociant, mais plutôt un homme doté de talents et de sensibilités uniques en leurs genres, dont l'esprit était délicat et certainement pas adapté à un long voyage sur un baleinier ou à la vie sur une plantation agricole dans les lointaines mers du Sud. Ambrose était plus un enfant qu'un homme et il avait dit à Alma bien des fois qu'il ne demandait rien de plus dans la vie qu'une maison sûre et une aimable compagne.

Eh bien, nous désirons beaucoup de choses dans la vie, se dit-elle, et nous ne les obtenons pas toujours.

Par ailleurs, il n'avait aucun autre endroit où aller.

Ayant tout décidé, Alma installa son mari au United States Hotel pour deux semaines – juste en face de la grande banque où l'argent de son père était entreposé dans de vastes chambres fortes –, en attendant le retour de Dick Yancey de Washington.

Ce fut dans le hall du United States Hotel, deux semaines plus tard, qu'Alma présenta enfin son époux à Dick Yancey – à l'imposant et taciturne Dick Yancey, aux yeux effrayants et à la mâchoire taillée dans le roc, qui ne posait pas de questions et ne faisait que ce qu'on lui ordonnait. Eh bien, Ambrose ne fit que ce qu'on lui ordonnait lui aussi. Blême et voûté, il ne posa aucune question. Il ne demanda même pas combien de temps on désirait qu'il demeure en Polynésie. Elle n'aurait pas su répondre à cette question, de toute façon. Ce n'était pas un bannissement, continuait-elle à se repérer. Pourtant, même elle ignorait combien de temps cela durerait.

— Mr Yancey s'occupera de vous à partir de maintenant, dit-elle à Ambrose. On veillera à votre confort dans la mesure du possible.

Elle avait l'impression de confier un bébé à un crocodile dressé. En cet instant, elle aima Ambrose tout autant qu'elle l'avait jamais aimé – c'est-à-dire *entièrement*. Déjà, elle sentait une absence tellement immense en l'imaginant faire voile vers l'autre bout du monde. Mais après tout, elle n'avait rien éprouvé d'autre qu'une immense absence depuis sa nuit de noces. Elle avait envie de l'étreindre, mais elle avait *toujours* envie de l'étreindre, et elle ne pouvait le faire. Il ne l'aurait pas permis. Elle voulait s'accrocher à lui, le supplier de rester, de l'aimer. Rien de cela n'était permis. C'était inutile.

Ils se serrèrent les mains, ainsi qu'ils l'avaient fait dans le jardin à la grecque de sa mère au premier jour de leur rencontre. Le même petit sac de voyage en cuir usé était posé aux pieds d'Ambrose, rempli de tous ses biens. Il portait le même costume de velours côtelé brun. Il n'avait rien emporté de White Acre.

La dernière chose qu'elle lui dit fut : « Je vous en prie, Ambrose, faites-moi la faveur de ne parler à personne que vous puissiez rencontrer de notre mariage. Nul n'a besoin de savoir ce qui s'est passé entre nous. Vous voyagerez non comme le gendre de Henry Whittaker, mais comme son employé. Tout autre chose ne ferait que soulever des questions et je n'ai aucun désir de subir les questions du monde. »

Il acquiesça. Il ne prononça pas un mot. Il avait l'air malade et épuisé.

Alma n'avait pas besoin de demander à Dick Yancey de garder le secret de son histoire avec Mr Pike. Dick Yancey ne faisait rien d'autre que garder des secrets, c'était pour cela que les Whittaker le gardaient à leur service depuis si longtemps.

Dick Yancey était utile pour ce genre de choses.

18

Alma n'eut plus de nouvelles d'Ambrose pendant les trois années suivantes ; en fait, elle n'entendit presque plus parler de lui. Au début de l'été 1849, Dick Yancey leur écrivit qu'ils étaient arrivés sains et saufs à Tahiti après un voyage sans incident. (Alma savait que cela ne voulait pas dire que cela avait été un voyage facile : pour Dick Yancey, tout voyage qui ne se terminait pas par un naufrage ou une attaque de pirates était sans incident.) Yancey les informait que Mr Pike avait été laissé à la baie de Matavai aux bons soins d'un missionnaire botanisant, le révérend Francis Welles, et que Mr Pike avait été familiarisé avec les devoirs de la plantation de vanille. Peu après, Dick Yancey quitta Tahiti pour s'occuper d'affaires pour la Compagnie Whittaker à Hong Kong. Après cela, il n'y eut plus de nouvelles.

Ce fut une période de grand désespoir pour Alma. Le désespoir est une affaire bien ennuyeuse qui devient rapidement répétitive, et c'est ainsi que pour Alma chaque jour devint une réplique de celui qui le précédait : triste, solitaire et flou. Le premier hiver fut le pire. Les mois semblèrent plus froids et sombres que tout autre hiver qu'elle eût vécu, et elle sentait d'invisibles oiseaux de proie planer au-dessus d'elle quand elle allait des écuries au manoir. Les arbres nus l'imploraient comme s'ils avaient voulu qu'on les réchauffe ou les habille. La Schuylkill gela tant et si vite que l'on put y allumer des feux de joie la nuit pour y rôtir des bœufs à la broche. Dès qu'Alma sortait, le vent la giflait, l'emprisonnait et l'enveloppait comme une cape raide et glaciale.

Elle cessa de dormir dans sa chambre. Elle cessa presque de dormir tout court. Elle habitait plus ou moins dans les écuries depuis sa rupture avec Ambrose ; elle ne s'imaginait plus jamais dormir dans sa chambre nuptiale. Elle cessa de prendre ses repas avec les gens de la maison et mangea la même chose au dîner qu'au petit déjeuner : bouillon et pain, lait et mélasse. Elle se sentait apathique, tragique et d'humeur légèrement assassine. Elle était irritable et susceptible avec précisément les gens qui étaient les plus gentils avec elle – Hanneke de Groot, par exemple – et elle renonça à se soucier ou à s'occuper de gens comme sa sœur Prudence, ou sa pauvre ancienne amie Retta. Elle évitait son père. Elle était à peine à jour dans les tâches administratives de White Acre. Elle se plaignit à Henry qu'il l'ait traitée injustement – qu'il l'ait toujours traitée comme sa servante.

— Je n'ai jamais prétendu être juste ! hurla-t-il en la renvoyant dans ses écuries jusqu'à ce qu'elle soit de nouveau maîtresse d'elle-même.

Elle avait l'impression que le monde se moquait d'elle, et le monde était donc difficile à affronter.

Alma avait toujours été d'une constitution robuste et n'avait jamais connu le malheur d'être alitée, mais durant ce premier hiver après le départ d'Ambrose, elle eut du mal à se lever le matin. Elle perdit le goût de l'étude. Elle n'arrivait pas à comprendre pourquoi elle s'était intéressée aux mousses – ou à quoi que ce fût. Toutes ses anciennes passions étaient en jachère. Elle n'invita plus personne à White Acre. Elle n'en avait plus la volonté. Les conversations étaient invariablement lassantes ; et le silence pire. Ses pensées étaient un nuage infect qui ne lui faisait aucun bien. Si une servante ou un jardinier osait croiser son chemin, il y avait toutes les chances qu'elle s'écrie : « Pourquoi ne me laisse-t-on pas un peu d'intimité ? » et tourne les talons.

Cherchant à comprendre Ambrose, elle fouilla son bureau, qu'il avait laissé tel quel. Elle trouva un carnet rempli de notes de sa main dans le tiroir du haut de son bureau. Ce n'était pas à elle de lire un objet aussi personnel, elle en avait conscience, mais elle se dit que si Ambrose avait voulu garder secrètes ses pensées les plus intimes, il ne les aurait pas rangées dans un endroit aussi évident que le tiroir du haut de son bureau même pas fermé à clé. Cependant, le carnet n'apporta nulle réponse. Tout au plus la décontenança-t-il et l'inquiéta-t-il plus encore. Les pages n'étaient remplies ni de confessions ni de désirs, ni de listes de transactions quotidiennes, comme le journal que tenait son père. Aucun des paragraphes n'était même daté. Beaucoup des phrases n'en méritaient guère le nom – ce n'étaient que des fragments de pensée, entrecoupés de longues ellipses :

Quelle est ta volonté – ?… Un oubli éternel de tout conflit… désirer seulement ce qui est robuste et pur, n'aspirer qu'à la mesure divine de l'autonomie… Trouver partout contenu ce qui est attaché… Les anges se contorsionnent-ils si douloureusement entre eux et contre des chairs fétides ? Tout ce qui est gâché en moi pour être incessant et recouvré sous une nouvelle forme qui ne soit pas mutilée !… Être entièrement – régénéré ! – dans une fermeté bienveillante !… C'est seulement avec un feu volé ou une connaissance volée que la sagesse progresse !… Aucune force dans la science, mais dans la compilation des deux – l'axe où le feu donne naissance à l'eau… Christ, sois mon mérite, impose en moi l'exemple !… faim TORRIDE qui, nourrie, ne donne naissance qu'à une faim plus grande encore !

Il y avait des pages et des pages du même genre. C'étaient des confettis de réflexion. Cela ne commençait nulle part, ne menait à rien et ne concluait rien. Dans le monde de la botanique, un langage aussi confus aurait été qualifié de *nomina dubia* ou de *nomina ambigua* – c'est-à-dire des noms de plantes obscurs ou trompeurs qui rendent impossible la classification des spécimens.

Un après-midi, Alma céda finalement et brisa les cachets du morceau de papier méticuleusement plié qu'Ambrose lui avait offert le jour de leur mariage – l'objet, le message d'amour qu'il lui avait précisément demandé de ne jamais ouvrir. Elle défit les nombreux plis et l'étala bien à plat. Au milieu de la page figurait un mot, écrit de son élégante et très reconnaissable écriture : ALMA.

Inutile.

Qui était cette personne ? Ou plutôt, qui avait-il été ? Et qui était Alma, maintenant qu'il était parti ? Qu'était-elle ? se demanda-t-elle aussi. Une vierge mariée qui avait partagé chastement un lit avec un jeune époux exquis pendant plus d'un mois. Pouvait-elle même se qualifier d'épouse ? Elle ne le pensait pas. Elle ne pouvait supporter qu'on continue de l'appeler « Mrs Pike ». Le nom était une plaisanterie cruelle et elle aboyait sur quiconque osait l'utiliser. Elle était toujours Alma Whittaker, et elle l'avait toujours été.

Elle ne pouvait s'empêcher de penser que, si seulement elle avait été une femme plus belle ou plus jeune, elle aurait pu convaincre son époux de l'aimer ainsi qu'un mari se le doit. Pourquoi Ambrose l'avait-il même choisie comme candidate pour un *mariage blanc* ? Sûrement parce qu'elle avait le physique du rôle : une silhouette laide et sans séduction. Elle se tourmentait aussi avec une autre question : aurait-elle dû se forcer à supporter l'humiliation de son mariage comme son père le lui avait conseillé ? Peut-être aurait-elle dû accepter les conditions d'Ambrose. Si elle avait été capable de ravaler son orgueil ou de réprimer ses désirs, elle l'aurait encore auprès d'elle à présent, il serait le compagnon de ses jours. Une femme plus forte aurait peut-être pu le supporter.

L'année précédente seulement, elle avait été une femme satisfaite, utile et industrieuse, qui n'avait jamais même entendu parler d'Ambrose Pike, et désormais, il avait flétri son existence. Il était arrivé, il l'avait illuminée, ensorcelée avec des idées de miracle et de beauté, il l'avait à la fois comprise et incomprise, il l'avait épousée, il lui avait brisé le cœur, l'avait regardée avec ses yeux tristes et désespérés, avait accepté son bannissement et, à présent, il n'était plus là. Que la vie était étonnante et désolante pour qu'un tel cataclysme puisse arriver et repartir si vite en laissant derrière lui autant de ruines !

Les saisons passèrent, mais à contrecœur. Nous étions désormais en 1850. Par une nuit du début d'avril, Alma se réveilla d'un violent cauchemar sans visage. Elle serrait sa gorge entre ses mains et s'étouffait en avalant de travers les dernières miettes de terreur. Paniquée, elle eut une réaction des plus étranges. Elle quitta d'un bond le canapé dans les écuries et courut pieds nus dans la cour couverte de givre, traversa l'allée de graviers et le jardin à la grecque de sa mère en direction de la maison. Elle fit le tour pour gagner la porte de la cuisine et entra, le cœur battant et manquant d'air. Elle courut au sous-sol dans l'obscurité – ses pieds connaissaient par cœur la moindre des marches – et ne s'arrêta que lorsqu'elle eut atteint les barreaux qui entouraient la chambre de Hanneke de Groot, dans le coin le plus chaud du sous-sol. Elle les empoigna et les secoua comme une prisonnière en proie à la démence.

— Hanneke ! s'écria-t-elle. Hanneke, j'ai peur !

Si elle avait attendu un instant entre son réveil et sa course, elle se serait peut-être arrêtée. Elle était une femme de cinquante ans qui se précipitait dans les bras de sa vieille nourrice. C'était absurde. Mais elle ne s'arrêta pas.

— *Die is dat ?* s'écria Hanneke, réveillée en sursaut.

— *Het is Alma !* dit Alma en se réfugiant dans la chaleureuse familiarité du néerlandais. Aidez-moi ! J'ai fait un mauvais rêve !

Hanneke se leva et ouvrit la grille en grommelant, stupéfaite. Alma se précipita dans ses bras – dans ces grands jambons salés qui tenaient lieu de bras – et pleura comme une fillette. Surprise, mais s'adaptant à la situation, Hanneke guida Alma jusqu'au lit et l'assit en la prenant dans ses bras et en la laissant sangloter.

— Allons, allons, dit Hanneke. Cela ne te tuera pas.

Mais Alma croyait que cela *allait* la tuer, cet abîme de chagrin. Elle n'en voyait pas le fond. Elle y avait sombré depuis un an et demi et redoutait de continuer de s'y enfoncer. Elle pleura dans le cou de Hanneke, épanchant sa douleur avec ses sanglots. Elle dut répandre une chope de larmes dans le giron de Hanneke, mais la nourrice ne bougea ni ne parla, hormis pour répéter :

— Allons, allons, mon enfant. Cela ne te tuera pas.

Quand Alma se fut quelque peu ressaisie, Hanneke prit un linge propre et les essuya toutes les deux aussi sommairement qu'efficacement, comme elle l'aurait fait avec les tables des cuisines.

— On doit supporter ce à quoi on ne peut échapper, dit-elle à Alma en lui tamponnant le visage. Tu ne mourras pas de ton chagrin, pas plus qu'aucun de nous avant toi.

— Mais comment peut-on le supporter ? implora Alma.

— En s'acquittant avec dignité de ses devoirs, dit Hanneke. Ne crains pas de travailler, mon enfant. Tu trouveras là consolation. Si tu as assez de santé pour pleurer, tu en as assez pour travailler.

— Mais je l'aimais, dit Alma.

— Tu as commis une coûteuse erreur, soupira Hanneke. Tu as aimé un homme qui croyait que le monde était fait de beurre. Un homme qui voulait voir des étoiles en plein jour. Il était absurde.

— Il n'était pas absurde.

— Il *était* absurde, répéta Hanneke.

— Il était singulier, dit Alma. Il ne voulait pas vivre dans le corps d'un homme mortel. Il voulait être une créature céleste et voulait que j'en sois une aussi.

— Eh bien, Alma, tu m'obliges à le répéter : il était absurde. Cependant, tu l'as traité comme s'il était un visiteur venu des cieux. En vérité, c'est ce que vous avez tous fait !

— Penses-tu que c'était un brigand ? Qu'il avait l'âme mal tournée ?

— Non, mais ce n'était pas un visiteur venu des cieux non plus. Il était simplement un peu absurde, je te le répète. Il aurait dû être absurde et inoffensif, mais tu t'es laissé prendre. Enfin, nous nous laissons tous prendre aux absurdités de temps à autre, mon enfant, mais parfois nous sommes assez sots pour aimer cela.

— Aucun homme ne me possédera, dit Alma.

— Probablement pas, décréta fermement Hanneke. Mais à présent, tu dois l'endurer, et tu ne seras pas la première. Tu t'es laissée aller à la tristesse depuis un bon moment à présent et ta mère rougirait de toi. Tu t'amollis, et c'est honteux. Penses-tu être la seule à souffrir ? Lis la Bible, mon enfant ; ce monde n'est pas un paradis, mais une vallée de larmes. Penses-tu que Dieu aurait fait une exception pour toi ? Regarde autour de toi, que vois-tu ? Tout n'est que souffrance. Partout où tu te tournes, il y a du chagrin. Si tu ne le vois pas du premier regard, observe mieux. Tu l'apercevras bien assez tôt.

Hanneke parlait sévèrement, mais le simple son de sa voix était rassurant. La langue néerlandaise n'était pas mélodieuse comme le français, puissante comme le grec ou noble comme le latin, mais elle était aussi réconfortante qu'un bol de porridge pour Alma. Elle avait envie de poser sa tête sur les genoux de Hanneke et de se laisser gronder éternellement.

— Ressaisis-toi ! continua Hanneke. Ta mère viendra me hanter si je te laisse geindre constamment et pleurer jusqu'à plus soif, ainsi que tu le fais depuis des mois. Tu n'as pas eu les os brisés, alors lève-toi sur tes deux jambes. Tu veux que nous pleurions en chœur avec toi ? Quelqu'un t'a-t-il enfoncé un bâton dans l'œil ? Non, personne n'a rien fait, alors cesse de gémir ! Cesse de dormir comme un chien sur ce divan dans les écuries. Veille à tes devoirs. Occupe-toi de ton père – ne vois-tu pas qu'il est vieux et malade et qu'il va bientôt mourir ? Et laisse-moi tranquille. Je suis trop vieille pour ces sottises, tout comme toi. À ce stade de ta vie, après tout ce que l'on t'a enseigné, ce serait malheureux que tu ne puisses mieux te maîtriser. Retourne dans ta chambre, Alma – ta *vraie* chambre, dans cette maison. Tu prendras ton petit déjeuner demain matin à table avec nous, comme d'habitude, et en outre, j'attends que tu sois convenablement vêtue pour la journée quand tu t'assiéras. Et tu ne laisseras rien dans ton assiette, et tu remercieras le cuisinier. Tu es une Whittaker, mon enfant. Reprends-toi. Cela suffit.

Alma fit donc comme on lui demandait. Elle retourna, bien qu'épuisée et abattue, à sa chambre. Elle revint à la table du petit déjeuner, à ses responsabilités envers son père, à la gestion de White Acre. Du mieux qu'elle put, elle retourna à la vie telle qu'elle était avant la venue d'Ambrose. Il n'y avait pas de remède aux ragots des servantes et des jardiniers, mais – comme Henry l'avait prédit – ils finirent par s'occuper d'autres scandales et petits drames, et pour la plupart, cessèrent de parler des malheurs d'Alma.

Elle-même ne les oublia pas, mais elle ravauda les accrocs dans l'étoffe de sa vie du mieux qu'elle put et alla de l'avant. Elle remarqua pour la première fois que la santé de son père se dégradait en effet, et rapidement, comme l'avait fait remarquer Hanneke de Groot. Cela n'aurait pas dû la surprendre (l'homme avait quatre-vingt-dix ans !), mais elle l'avait toujours vu comme un tel colosse, un être si invincible, que cette fragilité soudaine la stupéfia et l'alarma. Henry restait alité pendant de plus longues périodes, et se désintéressait franchement des affaires importantes. Sa vue baissait et il devenait dur d'oreille. Il avait besoin d'un cornet pour entendre quoi que ce fût. Il avait besoin d'Alma à la fois plus et moins que jamais : plus comme infirmière, moins comme employée. Jamais il ne parlait d'Ambrose. Personne n'en parlait. Selon les rapports de Dick Yancey, la plantation de vanille de Tahiti donnait enfin des fruits. Ce fut tout ce qu'Alma eut comme nouvelles de son époux perdu.

Cependant, elle ne cessa jamais de penser à lui. Le silence de l'atelier d'imprimerie voisin de son bureau dans les écuries lui rappelait constamment son absence, tout comme l'état de négligence poussiéreuse de la serre aux orchidées et l'ennui à la table du dîner. Il y avait obligatoirement des conversations avec George Hawkes sur la publication prochaine du livre d'Ambrose sur les orchidées, qu'Alma supervisait désormais. Cela aussi lui rappelait Ambrose, et douloureusement. Mais il n'y avait rien à y faire. On ne peut effacer tout ce qui vous rappelle quelque chose. À vrai dire, on ne peut rien effacer. Sa tristesse était constante, mais elle la gardait en quarantaine dans un petit coin de son cœur qu'elle parvenait à gouverner. C'était le mieux qu'elle pouvait faire.

Une fois de plus, comme elle l'avait fait durant d'autres périodes solitaires de sa vie, elle se tourna vers son travail pour trouver consolation et oubli. Elle retourna à son labeur sur *Les Mousses d'Amérique du Nord*. Elle retourna à son champ de rochers et inspecta ses petits fanions et repères. Elle observa de nouveau la lente progression ou le recul de telle variété par rapport à telle autre. Elle repensa à l'inspiration qu'elle avait eue deux ans auparavant – à cette époque capiteuse, joyeuse, d'avant son mariage – sur les similitudes entre algues et mousses. Elle ne put retrouver sa folle certitude, mais il lui semblait toujours entièrement possible que la plante aquatique se fût transformée en plante terrestre. Il y avait quelque chose, une sorte de confluence ou de lien, mais elle ne parvenait pas à résoudre l'énigme.

Cherchant des réponses et désirant s'occuper l'esprit, elle s'intéressa de nouveau aux débats sur la mutation des espèces. Elle relut Lamarck, et méticuleusement. Lamarck avait avancé que la transformation biologique se produisait en raison de la surutilisation ou de la sous-utilisation d'une partie du corps. Par exemple, prétendait-il, les girafes avaient un cou démesuré car certains individus, au cours des temps, s'étaient tellement tendus vers le haut afin de manger les feuilles des cimes des arbres, que cela avait *provoqué* l'allongement de leur cou durant leur existence. Ce trait, l'élongation du cou, elles l'avaient ensuite transmis à leurs descendants. À l'inverse, les pingouins avaient des ailes inefficaces, car ils avaient cessé de les utiliser. Elles s'étaient racornies à force de négligence et ce trait – ces appendices réduits et incapables de voler – avait été transmis à leur descendance, ce qui avait façonné l'espèce en conséquence.

C'était une théorie séduisante, mais elle ne paraissait pas entièrement logique pour Alma. Selon le raisonnement de Lamarck, estima-t-elle, les transformations auraient dû être beaucoup plus nombreuses. Selon cette logique, conjectura-t-elle, le peuple juif, après avoir pratiqué la circoncision durant des siècles, aurait dû depuis longtemps donner naissance à des garçons dépourvus de prépuce. Les hommes qui se rasaient le visage toute leur vie auraient dû produire des fils imberbes. Les femmes qui se frisaient les cheveux chaque jour auraient dû donner des filles aux cheveux bouclés. Et à l'évidence, rien de tout cela ne s'était produit.

Cependant, les choses *changeaient* – Alma en était certaine. Elle n'était pas non plus la seule à le croire. Presque tout le monde dans le domaine des sciences discutait de la possibilité que les espèces puissent passer d'une chose à une autre – pas à vue d'œil, certes, mais au cours de longues périodes de temps. C'était extraordinaire, les théories et les batailles qui commençaient à faire rage sur le sujet. C'était seulement récemment que le mot « scientifique » avait été inventé, par le polymathe William Whewell. De nombreux érudits avaient fait objection à ce nouveau terme auquel ils préféraient celui déjà en vigueur de « philosophes naturels ». Cette désignation n'était-elle pas plus divine et plus pure ? Mais une séparation était à présent faite entre le monde de la nature et celui de la philosophie. Un religieux qui se doublait d'un botaniste ou d'un géologue était un personnage de plus en plus rare, car l'étude du monde naturel remettait en question trop de vérités bibliques. Autrefois, Dieu était révélé dans les merveilles de la nature ; à présent, Dieu était défié par ces mêmes merveilles. Les savants devaient désormais choisir un côté ou l'autre.

À mesure que les anciennes certitudes étaient ébranlées et tremblaient sur un sol de plus en plus érodé, Alma Whittaker – seule à White Acre – s'adonnait à ses propres dangereuses pensées. Elle réfléchissait à Thomas Malthus, avec ses théories sur l'accroissement des populations, les maladies, les catastrophes, la famine et l'extinction. Elle songeait aux splendides nouvelles photographies de la Lune prises par John William Draper. À la théorie de Louis Agassiz, selon qui le monde avait déjà connu un âge glaciaire. Elle fit un jour le long trajet à pied jusqu'au musée de Sansom Street pour voir le squelette entièrement reconstitué d'un gigantesque mastodonte, ce qui l'amena à nouveau à réfléchir à l'ancienneté de la planète – et à la vérité, de toutes les planètes. Elle repensa aux algues et aux mousses, à la manière dont l'une avait pu se transformer en l'autre. Elle se concentra une fois de plus sur le *Dicranum*, se demandant là encore comment ce genre de mousse pouvait exister sous des formes aux différences si infimes et ce qui l'avait façonnée en ces centaines et centaines de configurations.

À la fin de l'année 1850, George Hawkes mit au monde le livre d'Ambrose sur les orchidées – une publication aussi somptueuse que coûteuse intitulée *Les Orchidées du Guatemala et du Mexique*. Tous ceux qui virent le livre déclarèrent qu'Ambrose Pike était le meilleur peintre botanique de l'époque. Tous les plus grands jardins voulurent commander à Mr Pike des dessins de leurs collections, mais Ambrose Pike était parti – perdu de l'autre côté du monde, occupé à cultiver la vanille, totalement hors d'atteinte. Alma s'en sentit honteuse et coupable, mais elle ne sut quoi faire. Elle feuilletait le livre tous les jours. La beauté du travail d'Ambrose lui faisait de la peine, mais elle ne pouvait s'empêcher de le regarder. Elle fit en sorte que George Hawkes en envoie un exemplaire à Ambrose à Tahiti, mais elle ne sut jamais si le livre était arrivé. Elle prit les dispositions nécessaires pour que la mère d'Ambrose – la formidable Mrs Constance Pike – reçoive tous les revenus du livre. Cela amena à quelques échanges polis de lettres entre Alma et sa belle-mère. Mrs Constance Pike, fort malheureusement, crut que son fils avait fui sa nouvelle épouse afin de poursuivre ses rêves insensés – et Alma, encore plus malheureusement, ne la détrompa pas.

Une fois par mois, Alma allait voir sa vieille amie Retta à l'asile Griffon. Retta ne savait plus qui était Alma – ni, apparemment, qui elle était elle-même.

Alma ne voyait pas sa sœur Prudence, mais elle en avait des nouvelles de temps en temps : pauvreté et abolition, abolition et pauvreté, toujours le même refrain sinistre.

Alma songeait à toutes ces choses, mais elle ne savait qu'en déduire. Pourquoi leurs existences avaient-elles suivi ce cours et pas un autre ? Elle repensa aux quatre différentes espèces de temps, ainsi qu'elle les avait baptisées autrefois : le Temps divin, le Temps géologique, le Temps humain et le Temps de la mousse. Elle se rendit compte qu'elle avait passé la plus grande partie de sa vie à regretter de ne pas avoir vécu dans le microscopique et lent univers du Temps de la mousse. Cela avait été un assez étrange désir, mais ensuite, elle avait fait la connaissance d'Ambrose Pike, dont les désirs étaient encore plus extrêmes que les siens : il voulait vivre dans le vide éternel du Temps divin – c'est-à-dire qu'il voulait vivre entièrement en dehors du temps. Et il avait voulu qu'elle y vive avec lui.

Une chose était certaine : le Temps humain était l'espèce de temps la plus triste et la plus accablante qui fût. Elle s'efforçait de l'ignorer.

Malgré tout, les jours passaient.

Au début de mai 1851, par une matinée fraîche et pluvieuse, arriva à White Acre une lettre adressée à Henry Whittaker. Elle ne portait pas d'adresse d'expéditeur, mais la bordure était noire, ce qui signifiait le deuil. Comme Alma lisait tout le courrier de Henry, elle ouvrit aussi cette enveloppe, alors qu'elle traitait scrupuleusement la correspondance dans le bureau de son père.

> *Cher Mr Whittaker,*
>
> *Je vous écris aujourd'hui pour me présenter et vous faire part d'une malheureuse nouvelle. Je m'appelle révérend Francis Welles, et je suis le missionnaire de la baie de Matavai, à Tahiti, depuis trente-sept ans. Il m'arriva par le passé de faire affaire avec votre estimé représentant, Mr Yancey, qui me sait être un amateur passionné dans le domaine de la botanique. J'ai recueilli des échantillons pour Mr Yancey et je lui ai montré des lieux intéressants d'un point de vue botanique, etc., etc. En outre, je lui ai vendu des spécimens marins, coraux et coquillages – une passion personnelle.*
>
> *Récemment, Mr Yancey m'avait engagé afin de tenter de préserver votre plantation locale de vanille – une*

entreprise qui fut fort soutenue par l'arrivée, en 1849, d'un de vos jeunes employés du nom de Mr Ambrose Pike. J'ai le triste devoir de vous informer que Mr Pike est décédé, des suites de la sorte d'infection qui – trop facilement dans ce climat torride – peut amener sa victime à une mort précoce et rapide.

Vous désirerez peut-être informer sa famille qu'Ambrose Pike fut rappelé à notre Seigneur le 30 novembre 1850. Vous souhaiterez peut-être informer ceux qui lui étaient chers que Mr Pike a reçu une sépulture chrétienne que j'ai fait marquer d'une petite pierre. Je regrette considérablement son décès. C'était un gentleman de la plus grande moralité et du meilleur caractère comme on n'en trouve guère dans nos régions. Je doute de jamais en rencontrer d'autre comme lui.

Je ne puis offrir aucune consolation hormis la certitude qu'il est désormais dans un meilleur séjour et qu'il ne souffrira jamais les indignités de la vieillesse.

Très sincèrement vôtre,

Le révérend F. P. Welles

La nouvelle frappa Alma avec la force d'une cognée de hache heurtant le granit : elle résonna dans ses oreilles, ébranla ses os et fit jaillir des étincelles devant ses yeux. Elle arracha quelque chose en elle – un fragment de quelque chose de terriblement important – qui tourbillonna dans les airs et disparut à jamais. Si elle n'avait été assise, elle serait tombée. Pour le coup, elle s'effondra la tête la première sur le bureau de son père, le visage collé sur la lettre pleine de gentillesse et de sollicitude du révérend F. P. Welles, et pleura comme pour faire tomber tous les nuages de la voûte céleste.

Comment pouvait-elle pleurer Ambrose plus qu'elle ne l'avait déjà pleuré ? Pourtant, c'est ce qu'elle fit. Il y a un chagrin sous le chagrin, apprit-elle bientôt, tout comme il y a des strates sous les strates du plancher océanique, et d'autres encore dessous, si l'on continue de creuser. Ambrose l'avait quittée depuis si longtemps, et elle avait dû savoir qu'il ne reviendrait jamais, mais elle n'avait jamais envisagé qu'il pût mourir avant elle. La simple magie de l'arithmétique aurait dû empêcher cela d'arriver : il était beaucoup plus jeune qu'elle. Comment pouvait-il mourir le premier ? Il était l'image même de la jeunesse. Il était la compilation de toute l'innocence que la jeunesse eût connue. Pourtant, il était mort, et elle était vivante. Elle l'avait envoyé à la mort.

Il y a un niveau de chagrin si profond qu'il cesse de ressembler au chagrin. La douleur devient si sévère que le corps ne peut plus la ressentir. Le chagrin se cautérise, il cicatrise et empêche que l'on continue de sentir. Une telle anesthésie est une sorte de miséricorde. C'est ce niveau de chagrin qu'Alma atteignit, une fois qu'elle eut relevé la tête du bureau de son père et cessé de sangloter.

Elle avança comme manipulée par quelque force externe, brute et implacable. La première chose qu'elle fit fut d'annoncer la regrettable nouvelle à son père. Elle le trouva alité, les yeux clos, gris et las, comme s'il portait sur lui le masque de la mort. Piteusement, elle dut crier la nouvelle de la mort d'Ambrose dans le cornet acoustique de son père avant qu'il comprenne ce qui était arrivé.

— Eh bien, voilà qui est fait, dit-il avant de refermer les yeux.

Elle informa Hanneke de Groot, qui pinça les lèvres, porta les mains à sa poitrine et se contenta de dire : « *God !* » – un mot qui est le même en anglais et en néerlandais.

Alma écrivit à George Hawkes en lui expliquant ce qui était arrivé et en le remerciant pour la gentillesse qu'il avait témoignée à Ambrose, et d'avoir honoré la mémoire de Mr Pike en publiant l'exquis livre sur les orchidées. George répondit immédiatement avec un billet d'une parfaite tendresse et d'un chagrin poli.

Peu après, Alma reçut une lettre de sa sœur Prudence, exprimant ses condoléances pour le décès de son époux. Elle ne sut pas qui en avait informé Prudence. Elle ne le lui demanda pas. Elle écrivit à Prudence un petit mot de remerciement.

Elle écrivit une lettre au révérend Francis Welles, qu'elle signa du nom de son père, le remerciant d'avoir transmis la triste nouvelle de la mort de son plus respecté employé, et demandant s'il y avait quoi que ce fût que les Whittaker pussent faire pour lui en retour.

Elle écrivit un mot à la mère d'Ambrose, où elle copia mot à mot la lettre du révérend Francis Welles. Elle redoutait de l'envoyer. Alma savait qu'Ambrose avait été le fils préféré de sa mère, malgré ce que Mrs Pike qualifiait de « comportement indomptable ». Pourquoi n'aurait-il pas été son préféré ? Ambrose était le préféré de tout le monde. Cette nouvelle l'anéantirait. Pire, Alma ne pouvait s'empêcher de penser qu'elle avait assassiné le fils préféré de cette femme – le meilleur, le joyau, l'ange de Framingham.

En postant l'affreuse lettre, Alma ne put qu'espérer que la foi chrétienne de Mrs Pike la protégerait au moins un peu de ce choc.

Quant à Alma, elle n'avait pas le réconfort d'une telle foi. Elle croyait au Créateur, mais elle ne s'était jamais tournée vers Lui dans les moments de désespoir – et elle n'en ferait rien non plus cette fois. Ses croyances n'étaient pas de cette sorte. Alma acceptait et admirait le Seigneur comme le concepteur et principal moteur de l'univers, mais pour elle, Il était un personnage intimidant, lointain, voire sans pitié. Tout être qui pouvait créer un monde de souffrances aussi aiguës n'était *pas* l'être auprès duquel chercher consolation des peines de ce monde. Pour cela, on ne pouvait se tourner que vers les semblables de Hanneke de Groot.

Une fois que les tristes devoirs d'Alma eurent été accomplis – après qu'elle eut rédigé et posté toutes ces lettres concernant la mort d'Ambrose –, il ne lui resta plus rien à faire que s'installer dans son veuvage, sa honte et sa tristesse. Plus par habitude que par désir, elle retourna à ses études des mousses. Sans cette tâche, elle sentait qu'elle aurait pu mourir elle aussi. Son père fut de plus en plus malade. Ses responsabilités devinrent de plus en plus grandes. Le monde fut de plus en plus petit.

Et c'est à cela qu'aurait ressemblé la vie d'Alma, s'il n'y avait eu l'arrivée – seulement cinq mois plus tard – de Dick Yancey, qui monta les marches de White Acre par un beau matin d'octobre avec, à la main, le petit sac de voyage en cuir usé ayant autrefois appartenu à Ambrose Pike, et demanda à parler en privé à Alma Whittaker.

19

Alma mena Dick Yancey dans le bureau de son père et referma la porte derrière eux. Jamais elle ne s'était trouvée seule dans une pièce avec lui. Il avait été présent dans sa vie depuis ses premiers souvenirs, mais il l'avait toujours glacée et mise mal à l'aise. Sa taille de géant, sa peau d'une blancheur cadavérique, son crâne chauve luisant, son regard glacial, son profil taillé à la serpe – tout cela contribuait à en faire un personnage tout à fait menaçant. Même aujourd'hui, après l'avoir vu pendant presque cinquante ans, Alma n'aurait su déterminer son âge. Il était éternel. Cela même suffisait à le rendre encore plus effrayant. Le monde entier avait peur de Dick Yancey, exactement ainsi que le désirait Henry Whittaker. Alma n'avait jamais compris la loyauté de Yancey pour Henry, ni comment Henry parvenait à le gouverner, mais une chose était claire : la Compagnie Whittaker n'aurait pu fonctionner sans cet homme terrifiant.

— Mr Yancey, dit Alma en lui désignant un fauteuil. Je vous prie de vous installer à votre aise.

Il ne s'assit pas. Il resta debout au milieu de la pièce, tenant mollement le sac d'Ambrose à la main.

Alma essaya de ne pas regarder l'unique bien de son défunt époux. Elle ne s'assit pas non plus. De toute évidence, ils ne s'installeraient pas à leur aise.

— Y a-t-il quelque chose dont vous désiriez me parler, Mr Yancey ? Ou bien préféreriez-vous voir mon père ? Il ne se sent pas bien ces derniers temps, comme vous le savez certainement, mais aujourd'hui, il va un peu mieux et il a l'esprit clair. Il peut vous recevoir dans sa chambre, si cela vous convient.

Malgré cela, Dick Yancey ne parla pas. C'était une célèbre tactique de son cru : le silence comme arme. Quand Dick Yancey ne parlait pas, ceux qui étaient en sa présence, inquiets, remplissaient l'air de paroles. Les gens en disaient plus qu'ils n'auraient dû. Depuis ses fortifications muettes, Dick Yancey regardait les secrets voler en éclats. Puis il rapportait ces secrets à White Acre. C'était ainsi que fonctionnait son pouvoir.

Alma résolut de ne pas tomber dans son piège en parlant sans réfléchir. Ils restèrent donc en silence pendant deux autres bonnes minutes. Puis c'en fut trop pour Alma. Elle reprit la parole.

— Je vois que vous portez le sac de voyage de feu mon mari. Je suppose que vous êtes allé à Tahiti et que vous l'avez récupéré là-bas ? Êtes-vous venu me l'apporter ? (Il ne pipa mot ni ne bougea davantage. Alma continua.) Si vous vous demandez si je souhaite récupérer ce sac, Mr Yancey, la réponse est oui, je le souhaite ardemment. Mon défunt époux était un homme qui possédait peu de chose, et cela signifierait beaucoup pour moi de conserver l'unique objet qui était, je le sais, des plus précieux pour lui. (Il ne parla pas pour autant. Allait-il l'obliger à supplier ? Devait-elle le payer ? Voulait-il quelque chose en échange ? Ou bien – la pensée lui traversa l'esprit dans un bref éclair illogique – hésitait-il pour une raison quelconque ? Était-ce possible de sa part ? On ne pouvait savoir, avec Dick Yancey. Il était toujours imperturbable. Alma commença à être à la fois impatiente et inquiète.) Je dois vraiment insister, Mr Yancey, dit-elle, et vous demander de vous expliquer.

Dick Yancey n'était pas un homme qui s'était jamais expliqué. Alma le savait aussi bien que quiconque. Il ne gaspillait pas les mots pour des vétilles comme une explication. Il ne les gaspillait pas du tout. À vrai dire, depuis sa plus tendre enfance, Alma l'avait rarement entendu prononcer plus de trois mots de suite. Ce jour-là, cependant, Dick Yancey n'eut besoin pour se faire clairement comprendre que de deux mots qu'il gronda du coin des lèvres en ressortant, après lui avoir fourré au passage le sac dans les bras.

— Brûlez-le, dit-il.

Alma resta seule avec le sac dans le bureau de son père pendant une heure, fixant l'objet comme pour essayer de déterminer – d'après son extérieur en cuir usé et taché de sel – ce qui était tapi à l'intérieur. Pourquoi donc lui avait-il dit une chose pareille ? Pourquoi aurait-il pris la peine de lui rapporter ce sac depuis l'autre bout du monde pour simplement lui dire de le brûler ? Pourquoi ne l'avait-il pas fait lui-même s'il fallait le brûler ? Et cela voulait-il dire qu'elle devait le brûler *après* l'avoir ouvert et étudié son contenu, ou *avant* ? Pourquoi avait-il hésité si longtemps avant de le lui donner ?

Lui poser la moindre de ces questions était bien entendu tout à fait impossible : il était parti depuis longtemps. Dick Yancey se déplaçait à une vitesse incroyable ; il pouvait très bien être à mi-chemin sur la route de l'Argentine. Et même s'il était resté à White Acre, il n'aurait répondu à aucune question. Elle le savait. Ce genre de conversation ne ferait jamais partie des prestations de Dick Yancey. Tout ce qu'elle savait, c'est qu'elle avait désormais sur les bras le précieux sac de voyage d'Ambrose – ainsi qu'un dilemme.

Elle décida d'emporter l'objet dans son bureau des écuries afin de pouvoir s'en occuper en toute intimité. Elle le posa sur le canapé dans le coin – celui où Retta bavardait avec elle autrefois, où Ambrose s'étalait confortablement en laissant pendre ses longues jambes, et où elle-même avait dormi pendant les sombres mois qui avaient suivi son départ. Elle examina le sac. Il mesurait une soixantaine de centimètres de long et une quarantaine de large pour une quinzaine de profondeur. C'était un simple parallélépipède de cuir bon marché, couleur miel, élimé, éraflé et humble. La poignée avait été réparée plusieurs fois avec du fil de fer et des lanières de cuir. Les charnières étaient ternies par le temps et les embruns. On distinguait à peine, au-dessus de la poignée, les initiales estampées « A. P. » Deux courroies de cuir en faisaient le tour pour la maintenir fermée, comme des sous-ventrières sur un cheval.

Il n'y avait pas de serrure, ce qui semblait tout à fait typique d'Ambrose. Il était d'une nature si confiante – ou du moins il l'avait été. Peut-être que s'il y avait eu une serrure, elle n'aurait pas ouvert le sac. Peut-être qu'il aurait tout simplement suffi d'un infime signe de dissimulation pour qu'elle s'abstienne. Ou peut-être pas. Alma était le genre de personne née pour enquêter quelles que fussent les conséquences, même si cela impliquait de briser une serrure.

Elle ouvrit le sac sans aucune difficulté. À l'intérieur se trouvait une veste en velours côtelé brun, immédiatement reconnaissable, dont la vue lui serra la gorge d'émotion. Elle la souleva et la pressa contre son visage, espérant sentir un peu d'Ambrose dans ses fibres, mais tout ce qu'elle perçut, ce fut une faible odeur de moisi. Sous la veste, elle trouva une épaisse liasse de papiers : des croquis et des dessins sur de grandes feuilles de papier épais couleur coquille d'œuf. Celui du dessus représentait un *pandanus*, tout à fait reconnaissable aux volutes de ses feuilles et à ses épaisses racines. C'était l'exemple même du talent botanique d'Ambrose, avec un soin caractéristique du détail. Alma l'étudia et le posa de côté. Dessous s'en trouvait un autre – un détail de fleur de vanille, dessiné à l'encre et délicatement coloré, qui semblait presque palpiter sur la feuille.

Alma sentit un espoir monter en elle. Le sac contenait donc les impressions botaniques d'Ambrose dans le Pacifique Sud. C'était réconfortant à bien des égards. Pour commencer, cela voulait dit qu'Ambrose avait trouvé consolation dans son art pendant qu'il était à Tahiti, et qu'il ne s'était pas étiolé dans un désespoir oisif. Ensuite, en prenant possession de ces images, Alma aurait désormais *davantage* d'Ambrose – quelque chose d'exquis et de tangible pour se souvenir de lui. Et surtout, ces dessins seraient une fenêtre sur ses dernières années : elle pourrait voir ce qu'il avait vu, comme à travers ses propres yeux.

Le troisième dessin était un cocotier, simplement esquissé et inachevé. Le quatrième, cependant, l'arrêta tout net. C'était un visage. C'était surprenant, car Ambrose – à la connaissance d'Alma – n'avait jamais fait montre du moindre intérêt à représenter l'humain. Ambrose n'était pas un portraitiste et n'avait jamais prétendu l'être. Pourtant, il y avait là un portrait, dessiné à la mine et à l'encre de la main précise d'Ambrose. C'était le profil droit d'une tête de jeune homme. D'après ses traits, il était d'ascendance polynésienne. Larges pommettes, nez aplati, grosses lèvres. Attirant et robuste. Avec les cheveux courts, comme un Européen.

Alma s'intéressa au dessin suivant : un autre portrait du même jeune homme, du profil gauche. Le dessin d'après représentait un bras d'homme. Ce n'était pas celui d'Ambrose. L'épaule était plus large que la sienne et l'avant-bras plus massif. Ensuite, elle trouva le détail d'un œil humain. Ce n'était pas celui d'Ambrose (Alma l'aurait reconnu n'importe où). C'était l'œil de quelqu'un d'autre, comme l'indiquaient les longs cils.

Venait ensuite une étude en pied d'un jeune homme, entièrement nu, de dos, qui semblait s'éloigner de l'artiste. Il avait un dos large et musclé. Chaque vertèbre avait été méticuleusement représentée. Un autre nu représentait le jeune homme appuyé à un cocotier. Son visage était déjà familier à Alma – le même front fier, les mêmes grosses lèvres et les mêmes yeux en amande. Là, il paraissait un peu plus jeune que sur les autres dessins – un adolescent, tout au plus. De dix-sept ou dix-huit ans.

Il n'y avait plus d'autre étude botanique. Tout le reste des dessins, croquis et peintures contenus dans le sac était des nus. Il devait y en avoir plus d'une centaine, tous d'un même jeune indigène aux cheveux courts à l'européenne. Sur certains, il semblait dormir. Sur d'autres, il courait, portait une lance, soulevait une pierre ou tirait sur un filet de pêche – assez semblable aux athlètes et aux demi-dieux des poteries de la Grèce antique. Sur aucune de ces images, il ne portait le moindre vêtement – pas même une chaussure. Sur certaines études, son pénis était flaccide et inerte. Sur d'autres, il ne l'était clairement pas. (Sur celles-là, le jeune tournait vers le portraitiste un visage d'une innocence sincère et peut-être même amusée.)

— Mon Dieu, s'entendit murmurer Alma.

Puis elle se rendit compte qu'elle avait dit cela depuis le début, à chaque nouvelle et choquante image.

Mon Dieu, mon Dieu, mon Dieu.

Alma Whittaker était une femme à l'esprit vif et loin d'être sensuellement innocente. La seule conclusion possible au contenu de ce sac de voyage était celle-ci : Ambrose Pike – ce parangon de pureté, l'ange de Framingham – était un sodomite.

Elle retourna mentalement à la première soirée qu'il avait passée à White Acre. Au cours du dîner, il les avait éblouis, Henry comme Alma, avec ses idées de pollinisation manuelle des fleurs de vanille à Tahiti. Comment avait-il formulé cela ? Il avait promis que ce serait facile : *Il suffit de garçonnets avec du doigté et des bâtonnets.* La phrase avait paru amusante. À présent, elle semblait perverse. Elle expliquait aussi beaucoup de choses. Ambrose n'avait pas été incapable de consommer leur mariage parce qu'Alma était vieille, ou parce qu'elle était laide, ni parce qu'il voulait imiter les anges – mais parce qu'il voulait des garçonnets avec du doigté et des bâtonnets. Ou de grands garçons, à en juger par ces dessins.

Mon Dieu ! Que ne lui avait-il pas fait subir ! Quels mensonges lui avait-il racontés ! Quelles manipulations ! Quel dégoût il l'avait contrainte à éprouver pour ses propres désirs si naturels. Cette manière dont il l'avait regardée depuis la baignoire, l'après-midi où elle avait mis ses doigts dans sa bouche – comme si elle était une sorte de succube venue dévorer sa chair. Elle se rappela une phrase de Montaigne, quelque chose qu'elle avait lu des années plus tôt, qui était depuis restée en elle et qui lui paraissait désormais horriblement pertinente : « Ce sont choses que j'ai toujours vues de singulier accord : les opinions supercélestes et les mœurs souterraines. »

Elle s'était laissé duper par Ambrose et ses pensées supercélestes, par ses rêves grandioses, sa fausse innocence, sa prétendue divinité, ses nobles histoires de communion avec le divin – et voyez où il avait abouti !

Dans un paradis interlope, avec un catamite obligeant et un sexe fièrement dressé !

— Espèce de sournois fils de pute, dit-elle à voix haute.

Toute autre femme aurait suivi le conseil de Dick Yancey et brûlé le sac et tout son contenu. Cependant, il y avait beaucoup trop de la scientifique chez Alma pour qu'elle brûle les preuves de quoi que ce fût. Elle glissa le sac sous le divan de son bureau. Personne ne l'y trouverait. Personne ne venait dans cette pièce, en tout cas. Craignant qu'on dérange ses travaux en cours, elle n'avait jamais permis à quiconque d'autre qu'elle ne fût-ce que de faire le ménage dans la pièce. Personne ne se souciait de ce qu'une vieille fille comme Alma faisait dans son bureau rempli de stupides microscopes, de livres ennuyeux et de bocaux de mousses séchées. Elle était sotte. Sa vie était une comédie – une affreuse et triste comédie.

Elle alla dîner et ne prêta aucune attention à son assiette.

Qui d'autre avait été au courant ?

Elle avait entendu les pires ragots sur Ambrose dans les mois suivant leur mariage – du moins l'avait-elle cru – mais elle ne se rappelait pas que quiconque l'eût accusé d'être de la jaquette. Avait-il gitonné les garçons d'écurie, alors ? Ou les jeunes jardiniers ? Était-ce ce qu'il avait fait ? Mais dans ce cas, quand ? Quelqu'un aurait parlé. Ils étaient tout le temps ensemble, Alma et lui, et des secrets d'une telle salacité ne durent pas longtemps. Les secrets sont une monnaie brûlante qui troue les poches et que l'on finit toujours par dépenser. Pourtant, personne n'avait dit un mot.

Hanneke avait-elle su ? se demanda Alma en regardant la vieille gouvernante. Était-ce pour cela qu'elle était si opposée à Ambrose ? *Nous ne le connaissons pas,* avait-elle si souvent répété…

Et Daniel Tupper, à Boston – le plus cher ami d'Ambrose ? Avait-il été plus que cela ? Le télégramme qu'il avait envoyé le jour de leur mariage, « BRAVO, PIKE » – était-ce une sorte de message codé insolent ? Mais Daniel Tupper était un homme marié avec une tripotée d'enfants, se rappela Alma. Du moins était-ce ce qu'avait dit Ambrose. Encore que cela n'avait guère d'importance. Les gens pouvaient être bien des choses, apparemment, et tout cela en même temps.

Et sa mère ? Mrs Constance Pike avait-elle su ? Était-ce ce qu'elle voulait dire quand elle avait écrit : « *On prie qu'un mariage décent le guérisse de son désir de déserter la morale* » ? Pourquoi Alma n'avait-elle pas lu plus attentivement cette lettre ? Pourquoi n'avait-elle pas enquêté ?

Comment avait-elle pu ne pas voir cela ?

Après le dîner, elle fit les cent pas comme un lion en cage. Elle était partagée et bouleversée. À la fois débordante de curiosité et consumée par la colère. Incapable de se retenir, elle retourna aux écuries. Elle alla dans l'atelier d'imprimerie qu'elle avait méticuleusement (et coûteusement) équipé pour Ambrose plus de trois ans auparavant. Toutes les machines étaient à présent sous des bâches, ainsi que le mobilier. Elle retrouva le carnet d'Ambrose dans le tiroir du haut de son bureau. Elle l'ouvrit à une page au hasard et tomba sur un autre exemple de ses délires mystiques familiers :

> *Rien n'existe que l'ESPRIT, et il est mû par la FORCE... Ne pas assombrir la journée, ne pas étinceler dans le changement... Au diable l'apparence, au diable l'apparence !*

Elle referma le carnet et grimaça. Elle ne pouvait supporter d'en lire davantage. Pourquoi cet homme était-il incapable de *clarté* ?

Elle retourna dans son bureau et tira le sac de sous le canapé. Cette fois, elle en examina le contenu avec plus d'attention. Ce n'était pas une tâche plaisante, mais elle se disait qu'elle devait s'en acquitter. Elle fouilla les moindres recoins, cherchant un compartiment secret qui lui aurait échappé la première fois. Elle passa au peigne fin les poches de la veste élimée d'Ambrose, mais elle ne trouva qu'un bout de crayon.

Puis elle revint aux images – les trois jolis dessins de plantes et les dizaines de dessins obscènes du même beau jeune homme. Elle se demanda si, après un deuxième examen, elle parviendrait à quelque conclusion différente, mais non : les portraits étaient sans détours, si sensuels et si intimes. Il n'y avait aucune autre interprétation possible. Alma retourna l'un des nus et remarqua que quelque chose était inscrit au dos, de la charmante et gracieuse écriture d'Ambrose. Blotti dans un coin, comme une signature presque effacée. Mais ce n'était pas une signature.

C'étaient deux mots seulement, en minuscules : *demain matin*.

Alma retourna un autre nu et vit, dans le même coin inférieur droit, les deux mêmes mots : *demain matin*. L'un après l'autre, elle retourna les dessins. Tous disaient la même chose, de la même élégante écriture familière : *demain matin, demain matin, demain matin*…

Qu'était-ce censé vouloir dire ? Tout était-il donc un satané code ?

Elle prit un morceau de papier et sépara les lettres de « *demain matin* » pour y chercher des anagrammes :

Diamant Mine
Damnait Mien
Median Mitan
Daim Me Niant

Rien de tout cela n'avait de sens. La traduction des mots en néerlandais, en latin, en grec ou en allemand ne l'éclaira pas davantage. Ni de les lire à l'envers ou de leur attribuer un numéro selon la place des lettres dans l'alphabet. Peut-être que ce n'était pas un code. Peut-être que c'était un report. Peut-être que quelque chose devait toujours se passer avec ce garçon *demain matin*, ou du moins selon Ambrose. Eh bien, c'était tout à fait du genre d'Ambrose, en tout cas : mystérieux et déroutant. Peut-être qu'il remettait simplement à plus tard la consommation avec sa séduisante muse indigène : « Je ne te socratiserai pas maintenant, jeune homme, mais je m'y attellerai à la première heure *demain matin* ! » Peut-être était-ce ainsi qu'il se gardait pur, face à la tentation. Peut-être qu'il n'avait jamais touché le garçon. *Dans ce cas, pourquoi l'avoir dessiné nu ?*

Une autre pensée vint à Alma : ces dessins avaient-ils été une commande ? Quelqu'un – quelque autre sodomite, peut-être, et riche, en plus – avait-il payé Ambrose pour faire des dessins de ce garçon ? Mais pourquoi Ambrose aurait-il eu besoin d'argent, alors qu'Alma avait veillé à ce qu'il soit généreusement payé ? Et pourquoi aurait-il accepté une telle commande, alors que c'était une personne d'une sensibilité si délicate – ou prétendument telle ? Si sa moralité n'était qu'un faux-semblant, il était évident qu'il avait continué de jouer la comédie même après avoir quitté White Acre. Sa réputation à Tahiti n'avait pas été celle d'un dégénéré, sans quoi le révérend Francis Welles n'aurait pas pris la peine de faire l'éloge d'Ambrose Pike comme d'un « gentleman de la plus grande moralité et du meilleur caractère ».

Pourquoi, alors ? Pourquoi *ce* garçon ? Pourquoi un garçon nu et dans toute sa gloire ? Pourquoi un si beau jeune compagnon avec un visage aussi particulier ? Pourquoi s'être donné tant de mal pour faire *autant* d'images ? POURQUOI ne pas avoir dessiné des fleurs à la place ? Ambrose adorait les fleurs, et Tahiti en regorgeait ! Qui était cette muse ? Et pourquoi Ambrose était-il mort en prévoyant constamment de faire quelque chose avec ce garçon – et le faire, éternellement et irrévocablement, *demain matin* ?

20

Henry Whittaker se mourait. C'était un homme de quatre-vingt-onze ans, cela n'aurait donc pas dû être choquant, mais Henry était à la fois choqué et furieux de se trouver dans un état aussi diminué. Il ne marchait plus depuis des mois et respirait difficilement, mais il refusait toujours de croire à ce qui lui arrivait. Prisonnier de son lit, affaibli, il parcourait la chambre d'un regard éperdu, comme s'il cherchait un moyen de s'évader. Il avait l'air de chercher quelqu'un à persuader, par la violence, l'argent ou la flatterie, de le garder en vie. Il refusait de croire qu'il n'y avait aucun moyen d'y échapper. Il était atterré.

Plus il l'était, plus il devenait un tyran pour ses pauvres infirmières. Il voulait qu'on lui masse constamment les jambes et – craignant de suffoquer à cause de ses poumons enflammés – exigeait que le cadre de son lit soit redressé presque à la verticale. Il refusait les oreillers, de peur de s'y étouffer dans la nuit. Il était plus agressif de jour en jour, tout en continuant de décliner. « Quel misérable chantier vous avez fait de ce lit ! » braillait-il sur une pauvre fille effrayée qui s'enfuyait de sa chambre. Alma se demandait comment il pouvait trouver la force d'aboyer comme un chien enchaîné, alors qu'il n'était plus que l'ombre de lui-même. Il était difficile, mais il y avait quelque chose d'admirable dans son combat, aussi, quelque chose de royal dans son refus de mourir sans un mot.

Il ne pesait plus rien. Son corps était devenu une enveloppe lâche remplie de longs os pointus et recouvert de plaies. Il ne pouvait rien manger d'autre que du bouillon de bœuf, et fort peu. Mais malgré tout cela, la voix de Henry fut la dernière partie de son corps à lui faire défaut. C'était dommage, d'une certaine façon. La voix de Henry causait bien des peines aux gentilles bonnes et aux infirmières autour de lui, car – comme un brave marin anglais qui sombre avec son navire – il s'était mis à chanter des refrains paillards, comme pour garder courage face au destin. La mort le tirait à deux mains, mais il chantait.

J'ai fait trois fois le tour du monde,
Et n'ai rien vu d'aussi poilu,
Ni de plus belle chose au monde
Que le trou de mon cul !

— Ce sera tout, Kate, merci, disait Alma à la malheureuse jeune bonne qui se trouvait de service, avant de la conduire à la porte tandis que Henry entonnait : *Adieu, fais-toi putain. Va-t'en gagner ton pain. Adieu ! Ma fille, adieu ! À la grâce de Dieu !*

Henry n'avait jamais été très porté sur les politesses, mais à présent, il s'en souciait comme d'une guigne. Il disait ce qui lui chantait – et peut-être, se rendit compte Alma, même bien plus qu'il ne voulait dire. Il était d'une indiscrétion effarante. Il hurlait à propos d'argent, d'affaires qui avaient mal tourné. Il accusait, sondait, attaquait et esquivait. Il se chamaillait même avec des morts. Il débattait avec Sir Joseph Banks, tentant à nouveau de le convaincre de cultiver le quinquina dans l'Himalaya. Il radotait au père décédé depuis longtemps de feu son épouse : « Je vais te montrer, espèce de sale vieux porc de Hollandais, quel homme riche je compte bien devenir ! » Il accusait son propre défunt père d'être un lèche-bottes servile. Il exigeait qu'on convoque Beatrix pour qu'elle s'occupe de lui et lui apporte du cidre. *Où était son épouse ?* À quoi cela servait-il à un homme d'avoir une femme si elle ne venait pas à son chevet quand il était malade ?

Puis un jour, il regarda Alma droit dans les yeux et déclara :

— Et tu crois que je ne sais pas ce qu'était ton mari ! (Alma hésita un peu trop longtemps à renvoyer l'infirmière. Elle aurait dû le faire immédiatement, mais elle attendit, ne sachant pas ce que son père essayait de dire.) Tu crois que je n'ai pas été moi-même un de ceux-là ? Tu crois que l'on m'a pris sur le *Resolution* pour mes talents de navigateur ? J'étais un petit garçon imberbe, Prune – un petit gamin de la terre, avec un beau petit trou du cul. Il n'y a pas de honte à le dire !

Il l'avait appelée « Prune ». Cela faisait des années – des dizaines d'années – qu'il ne l'avait pas appelée ainsi. Il lui était même arrivé de ne pas la reconnaître ces derniers mois. Mais là, avec l'utilisation de l'ancien surnom chéri, il était évident qu'il savait très bien ce qu'il disait.

— Vous pouvez disposer, Betsy, ordonna Alma à l'infirmière, qui ne semblait pas très pressée de partir.

— Demande-toi ce qu'ils m'ont fait sur ce bateau, Prune ! Le plus jeune, que j'étais ! Oh, par Dieu, mais comme ils se sont bien amusés avec moi !

— Merci, Betsy, dit Alma en reconduisant elle-même l'infirmière. Vous pouvez refermer la porte derrière vous. Merci. Vous avez été fort utile. Merci. Allez.

À présent, Henry chantait un épouvantable couplet qu'Alma n'avait encore jamais entendu :

À mon dernier voyage en Chine,
Un mandarin gros et ventru,
Voulut me foutre le bout de sa pine,
Dans le trou de mon cul !

— Père, dit Alma, vous devez arrêter. (Elle s'approcha et posa les deux mains sur sa poitrine.) Vous *devez* arrêter.

Il se tut et la regarda d'un œil flamboyant, avant de lui saisir les poignets dans ses mains osseuses.

— Demande-toi pourquoi il t'a épousée, Prune, dit Henry d'une voix aussi claire et robuste que la jeunesse elle-même. Pas pour l'argent, je te parie ! Ni pour ton beau petit cul propre. Pour autre chose, c'est forcé. Cela ne tient pas debout pour toi, n'est-ce pas ? Pour moi non plus, cela ne tient pas debout.

Alma se dégagea. L'haleine de son père empestait la pourriture. Presque toute sa personne était déjà morte.

— Cessez de parler, père, et prenez un peu de bouillon de bœuf, dit-elle en portant le bol à ses lèvres et en évitant son regard.

Elle avait l'impression que l'infirmière écoutait derrière la porte. Il entonna :

Foutons, amis, qu'importe la manière,
Foutons, foutons,
C'est le plaisir des dieux.

Elle tenta de lui verser le bouillon dans la bouche – pour l'empêcher de chanter autant qu'autre chose – mais il recracha et repoussa sa main. Le bouillon ruissela sur les draps et le bol atterrit par terre. Il avait encore de la force en lui, le vieux bonhomme. Il tendit de nouveau les mains et réussit à lui saisir un poignet.

— Ne sois pas sotte, Prune, dit-il. Ne crois pas un mot de ce que te diront toutes les salopes et les salauds de ce monde. *Va voir par toi-même !*

Au cours de la semaine suivante, alors qu'il glissait de plus en plus vers la mort, Henry continua de dire et de chanter bien des choses – pour la plupart répugnantes et toutes malheureuses sans exception – mais Alma trouva cette phrase si convaincante et volontaire qu'elle en vint plus tard à la considérer comme les dernières paroles de son père : *Va voir par toi-même !*

Henry Whittaker mourut le 19 octobre 1851. Ce fut comme une tempête qui se déchaîne en pleine mer. Il se débattit jusqu'à la fin et lutta jusqu'à son dernier souffle. Le calme qui suivit, quand il quitta finalement ce monde, fut renversant. Personne n'en revenait de lui avoir survécu. Hanneke, en essuyant une larme d'épuisement autant que de tristesse, déclara : « Oh, à ceux qui sont déjà aux cieux, bon courage pour ce qui arrive ! »

Alma aida à laver le corps. Elle demanda à rester seule avec la dépouille. Elle ne désirait pas prier. Elle ne désirait pas pleurer. Il y avait quelque chose qu'elle avait besoin de découvrir. Soulevant le drap qui recouvrait le corps nu de son père, elle explora la peau autour de son ventre, cherchant du regard et du bout des doigts quelque chose comme une cicatrice, une bosse, quelque chose de bizarre, de petite taille et qui aurait été déplacé. Elle cherchait l'émeraude que Henry lui avait juré, des dizaines d'années auparavant quand elle était toute petite, s'être fait coudre sous la peau. Elle ne recula pas devant cette tâche. Elle était naturaliste. Si l'émeraude était là, elle la trouverait.

Tu dois toujours avoir de quoi payer en dernier recours, Prune.

Elle n'était pas là.

Elle fut stupéfaite. Elle avait toujours cru tout ce que son père lui disait. Mais alors, songea-t-elle, peut-être qu'il avait offert l'émeraude à la Mort, juste avant la fin. Quand les chansons n'avaient plus suffi, que le courage n'opérait plus et que malgré toutes ses ruses, il n'avait pu se soustraire à l'exécution de ce dernier et effrayant contrat, peut-être qu'il avait dit : « Prenez aussi ma plus belle émeraude ! » Et peut-être que la

Mort l'avait prise, songea Alma – mais qu'elle avait pris aussi Henry ensuite.

Même son père n'avait pas pu se sortir de là en payant.

Henry Whittaker était parti et son dernier petit tour avec lui.

Elle hérita de tout. Le testament – présenté seulement un jour après les funérailles par le vieil avoué de Henry – était le document le plus simple qui fût, pas plus de quelques phrases. À son « unique fille légitime », disait le document, Henry Whittaker léguait toute sa fortune. Toutes ses terres, ses affaires, ses richesses, ses entreprises – tout revenait exclusivement à Alma. Il n'y avait rien pour quiconque d'autre. Il n'était pas fait mention de sa fille adoptive, Prudence Whittaker Dixon, ni de son fidèle personnel. Hanneke ne recevrait rien ; Dick Yancey ne recevrait rien.

Alma Whittaker était désormais l'une des femmes les plus riches du Nouveau Monde. Elle était à la tête de la plus importante entreprise d'import-export botanique d'Amérique, qu'elle avait gérée toute seule ces cinq dernières années, et la copropriétaire de la prospère compagnie pharmaceutique Garrick & Whittaker. Elle était l'unique résidente de l'une des plus vastes demeures privées du Commonwealth de Pennsylvanie, elle détenait les droits de plusieurs brevets qui rapportaient beaucoup, et elle possédait des centaines d'hectares de terres productives. Sous son autorité directe, il y avait des dizaines de domestiques et employés, tandis que dans le monde entier, d'innombrables personnes travaillaient pour elle sous contrat. Ses serres et pépinières rivalisaient avec ce qui se faisait de mieux dans les meilleurs jardins botaniques d'Europe.

Cela ne lui apparut pas comme une bénédiction.

Alma était épuisée et attristée par la mort de son père, bien sûr, mais elle se sentait également accablée, plutôt qu'honorée, par ce legs monumental. Quel intérêt avait-elle pour une énorme entreprise d'import-export de botanique, ou un laboratoire pharmaceutique ? Quel besoin avait-elle de posséder une demi-douzaine de fabriques et de mines dans toute la Pennsylvanie ? Quelle utilité avait-elle d'un manoir de trente-quatre pièces rempli de trésors rares et d'un personnel innombrable ? Combien de serres fallait-il à une botaniste pour étudier les mousses ? (La réponse, au moins, était simple : aucune.) Et pourtant, tout était à elle.

Après le départ de l'avoué, Alma, abasourdie et accablée, alla trouver Hanneke de Groot. Elle avait besoin du réconfort de la personne la plus familière qui restait en ce monde. Elle trouva la vieille gouvernante debout dans l'immense âtre éteint de la cuisine, en train d'essayer de déloger dans la cheminée un nid d'hirondelles avec un manche à balai qui répandait sur elle une pluie de suie.

— Voyons, quelqu'un d'autre peut faire cela pour toi, Hanneke, dit Alma en néerlandais en guise de salut. Laisse-moi te trouver une fille.

Hanneke sortit de l'âtre en pestant.

— Crois-tu que je ne leur ai pas demandé ? dit-elle. Mais crois-tu qu'il y aurait dans cette maison une autre âme chrétienne que moi pour glisser son cou dans une cheminée ?

Alma apporta à Hanneke un linge humide pour se nettoyer le visage, et les deux femmes s'assirent à la table.

— L'avoué est déjà parti ? demanda Hanneke.

— Il y a cinq minutes.

— Cela aura été rapide.

— C'était une affaire simple.

— Alors il t'a tout laissé, n'est-ce pas ? se rembrunit Hanneke.

— En effet.

— Rien à Prudence ?

— Rien, dit Alma, remarquant que Hanneke ne s'était pas enquise de son propre sort.

— Maudit soit-il, alors, dit la gouvernante après un silence.

— Sois gentille, Hanneke, frémit Alma. Cela ne fait pas un jour que mon père est enterré.

— Maudit soit-il, je dis, répéta la gouvernante. Maudit soit-il comme un pécheur obstiné, de dédaigner son autre fille.

— Elle n'aurait pas accepté quoi que ce soit de lui, de toute façon, Hanneke.

— Rien ne te permet d'affirmer cela, Alma ! Elle fait partie de cette famille ou du moins, elle devrait. Ta très regrettée mère voulait qu'elle en fasse partie. Je suppose que tu veilleras sur Prudence toi-même, alors ?

Alma fut prise de court.

— De quelle manière ? Ma sœur désire à peine me voir et elle renvoie tous les cadeaux. Je ne peux même pas lui proposer un gâteau pour le thé sans qu'elle déclare que c'est plus qu'elle n'en a besoin. Tu ne peux pas sincèrement croire qu'elle me permettrait de partager avec elle la richesse de notre père ?

— C'est une fière, celle-ci, dit Hanneke, avec plus d'admiration que d'inquiétude.

Alma voulut changer de sujet.

— Que sera White Acre à présent, Hanneke, sans mon père ? Je n'ai guère hâte de diriger ce domaine sans sa présence. C'est comme si un immense cœur battant avait été arraché de cette demeure.

— Je ne te permettrai pas d'oublier ta sœur, dit Hanneke, comme si Alma n'avait rien dit du tout. C'est une chose pour Henry d'être un pécheur stupide et égoïste dans la tombe, mais tout autre pour toi de te conduire comme lui dans la vie.

— Je viens aujourd'hui chercher auprès de toi chaleur et conseil, Hanneke, et tu m'insultes, s'offusqua Alma en se levant comme pour quitter la cuisine.

— Oh, assieds-toi donc, mon enfant. Je n'insulte personne. Je veux simplement te dire que tu dois à ta sœur une dette importante et que tu dois veiller à ce qu'elle lui soit payée.

— Je n'ai aucune dette envers ma sœur.

Hanneke leva au ciel ses mains encore noires de suie.

— Mais ne vois-tu donc rien, Alma ?

— Si tu fais allusion, Hanneke, au manque de chaleur entre Prudence et moi, je te conjure de ne pas en faire reposer toute la responsabilité sur mes épaules.

La faute en revient tout autant à elle qu'à moi. Nous n'avons jamais été à l'aise en présence l'une de l'autre, et elle m'a tenue à l'écart pendant toutes ces années.

— Je ne parle pas de chaleur entre deux sœurs. C'est le cas de bien des sœurs. Je parle de sacrifice. Je sais tout ce qui se passe dans cette maison, mon enfant. Imagines-tu que tu es la seule qui soit jamais venue me trouver en larmes ? Imagines-tu être la seule à venir frapper à la porte de Hanneke noyée par le chagrin ? Je connais tous les secrets.

Stupéfaite, Alma essaya de se représenter sa farouche sœur Prudence en train de tomber en larmes dans les bras de la gouvernante. Non, c'était inimaginable. Prudence n'avait jamais eu la proximité d'Alma avec Hanneke. Prudence ne connaissait pas Hanneke depuis sa plus tendre enfance et Prudence ne parlait même pas néerlandais. Comment la moindre intimité pouvait-elle exister ?

Malgré tout, Alma ne put s'empêcher de demander :

— Quels secrets ?

— Pourquoi ne demandes-tu pas toi-même à Prudence ? répliqua Hanneke.

Voilà que la gouvernante faisait exprès de jouer les saintes-nitouches. Alma trouva cela insupportable.

— Je ne peux pas t'ordonner de me dire quoi que ce soit, Hanneke, dit-elle en passant à l'anglais, trop irritée à présent pour continuer dans le vieux néerlandais familier. Tes secrets t'appartiennent si tu décides de les garder. Mais je t'ordonne de cesser de jouer avec moi. Si tu as sur cette famille des informations que tu estimes que je devrais savoir, dans ce cas, j'aimerais que tu me les révèles. Mais si tout ce qui t'amuse est de rester là à te moquer de mon ignorance – mon ignorance de *quoi,* je ne pourrais le savoir –, je regrette tout simplement d'être venue te parler aujourd'hui. Je suis face à d'importantes décisions concernant tout le monde dans cette demeure et la mort de mon père me cause beaucoup de chagrin. J'ai de nombreuses responsabilités, désormais. Je n'ai ni le temps ni la force de jouer aux devinettes avec toi.

Hanneke la lorgna prudemment. Elle hocha la tête quand Alma eut terminé, comme si elle approuvait le ton et la teneur de ses paroles.

— Très bien, dit la gouvernante. T'es-tu jamais demandé pourquoi Prudence avait épousé Arthur Dixon ?

— Cesse de parler par énigmes, Hanneke, rétorqua sèchement Alma. Je te préviens, je ne le supporterai pas aujourd'hui.

— Je ne parle pas par énigmes, mon enfant. J'essaie de te dire quelque chose. Pose-toi la question : ce mariage ne t'a-t-il pas surprise ?

— Bien sûr que oui. Qui aurait épousé Arthur Dixon ?

— Qui, en effet ? Penses-tu que Prudence a jamais aimé son précepteur ? Tu les as vus pendant des années, quand il habitait ici et qu'il vous enseignait à toutes les deux. L'as-tu jamais observée lui témoigner le moindre signe d'amour ?

— Non, avoua Alma après réflexion.

— Parce qu'elle ne l'aimait pas. Elle en aimait un autre et cela depuis toujours. Alma, ta sœur aimait George Hawkes.

— George Hawkes ? Alma ne put que répéter le nom. Mentalement, elle revit brusquement l'éditeur botanique, non pas tel qu'il était aujourd'hui (un sexagénaire épuisé, au dos voûté, avec une épouse démente), mais tel qu'il était trente ans plus tôt quand elle-même en était amoureuse (une présence imposante et réconfortante, avec une houppe de cheveux bruns et un sourire timide et aimable). Georges *Hawkes* ? répéta-t-elle, tout à fait sottement.

— Ta sœur Prudence était amoureuse de George Hawkes, répéta Hanneke. Et je vais te dire autre chose : George Hawkes l'aimait lui aussi. Je parie qu'elle l'aime encore et lui aussi, à ce jour.

Cela ne tenait pas debout pour Alma. Ce fut comme si on lui avait dit que sa mère et son père n'étaient pas ses vrais parents, qu'elle ne s'appelait pas Alma Whittaker, ou qu'elle ne vivait pas à Philadelphie – comme si quelque grande et simple vérité volait en éclats.

— Pourquoi Prudence aurait-elle aimé George Hawkes ? demanda Alma, trop abasourdie pour poser une question plus intelligente.

— Parce qu'il était *gentil* avec elle. Crois-tu, Alma, que c'est un cadeau d'être aussi belle que ta sœur ? Te rappelles-tu de quoi elle avait l'air à seize ans ? Te souviens-tu de la manière dont les hommes la regardaient ? Jeunes, vieux, mariés, ouvriers, tous. Il n'y avait pas un homme qui mît le pied dans ce domaine et ne regardait pas ta sœur comme s'il avait voulu se la payer pour une nuit de divertissement. C'était ainsi pour elle depuis son enfance. Il en était de même pour sa mère, mais celle-ci était plus faible et elle se vendait. Mais Prudence était une fille décente et bonne. Pourquoi crois-tu qu'elle ne parlait jamais à table ? Penses-tu que c'était parce qu'elle était trop sotte pour avoir une opinion sur quoi que ce fût ? Pourquoi crois-tu qu'elle était constamment sans la moindre expression ? Penses-tu que c'était parce qu'elle n'éprouvait rien ? Tout ce que Prudence désirait, Alma, c'était passer inaperçue. Tu ne peux savoir ce que cela fait, Alma, que d'être regardée par des hommes toute sa vie comme si on était présentée pour être mise aux enchères. (Cela, Alma ne pouvait le nier. Elle *ignorait* très certainement ce que cela faisait.) George Hawkes était le seul homme qui regardait ta sœur gentiment, pas comme un objet, mais comme un être vivant. Tu connais très bien Mr Hawkes, Alma. Ne vois-tu pas comment un tel homme peut donner à une jeune femme le sentiment qu'elle est en sécurité ?

Oh, que oui, elle le voyait. George Hawkes avait toujours donné à Alma l'impression d'être en sécurité. Et reconnue.

— T'es-tu jamais demandé pourquoi Mr Hawkes était toujours ici, à White Acre, Alma ? Penses-tu qu'il venait aussi souvent pour voir ton père ? (Dieu merci, Hanneke n'ajouta pas : « Crois-tu qu'il venait si souvent pour te voir, *toi* ? » mais la question, même non formulée, plana entre elles.) Il aimait ta sœur, Alma. Il la courtisait, discrètement, à sa manière. Et qui plus est, elle l'aimait.

— Comme tu ne cesses de le répéter, coupa Alma. C'est difficile à entendre pour moi, Hanneke. Vois-tu, j'étais autrefois amoureuse de George Hawkes.

— Crois-tu que je ne le sais pas ? s'exclama Hanneke. Bien sûr que tu l'aimais, mon enfant, car il était poli avec toi. Tu as été assez innocente pour avouer ton amour à ta sœur. Crois-tu qu'une jeune femme avec autant de principes que Prudence aurait épousé George Hawkes, en sachant que tu avais des sentiments pour lui ? Penses-tu qu'elle t'aurait fait cela ?

— Désiraient-ils se marier ? demanda Alma, incrédule.

— Naturellement qu'ils désiraient se marier ! Ils étaient jeunes et amoureux ! Mais elle ne t'aurait pas fait cela, Alma. George lui a demandé sa main, peu avant la mort de ta mère. Elle a refusé. Il a demandé à nouveau. Elle l'a éconduit à nouveau. Il la lui a demandée plusieurs fois. Elle n'a pas voulu révéler pourquoi elle refusait, afin de te protéger, *toi*. Comme il continuait de la prier, elle s'est jetée sur Arthur Dixon, parce que c'était l'homme le plus proche et le plus facile à épouser. Elle le connaissait assez bien pour savoir qu'il ne lui ferait aucun mal, en tout cas. Jamais il ne la battrait ou ne la dégraderait. Elle avait même une certaine considération pour lui. Il lui avait fait connaître les idées abolitionnistes à l'époque où il était votre précepteur, et ces idées avaient considérablement affecté sa conscience, et continuent encore. Elle respectait donc Mr Dixon, mais elle ne l'aimait pas, et elle ne l'aime pas plus aujourd'hui. Elle avait simplement besoin d'épouser quelqu'un – *n'importe qui* – afin de se soustraire aux perspectives de George, dans l'espoir, je dois te le dire, que George t'épouserait, *toi*. Elle savait qu'il avait de l'affection et de l'amitié pour toi et elle espérait qu'il apprendrait à t'aimer en tant qu'épouse et t'apporterait le bonheur. Voilà ce que ta sœur Prudence a fait pour toi, mon enfant. Et tu oses prétendre devant moi que tu n'as aucune dette envers elle ?

Pendant un long moment, Alma resta le bec cloué. Puis stupidement, elle déclara :

— Mais George Hawkes a épousé Retta.

— Eh bien, c'est que cela n'a pas marché, n'est-ce pas, Alma ? demanda Hanneke d'un ton ferme. Le vois-tu ? Ta sœur a renoncé pour rien à l'homme qu'elle aimait. Il ne t'a pas épousée, finalement. Il a fait la même chose que Prudence : il s'est jeté à la tête de la première personne à sa portée, juste pour être marié à quelqu'un.

Il n'a même pas songé à moi, jamais, se rendit compte Alma. Honteusement, ce fut sa première pensée, avant même qu'elle commence à comprendre l'étendue du sacrifice de sa sœur.

Il n'a même pas songé à moi, jamais.

Mais George n'avait jamais vu Alma comme autre chose qu'une consœur botaniste et une bonne petite microscopiste. À présent, tout était clair. Pourquoi aurait-il remarqué Alma ? Pourquoi aurait-il vu en elle une femme, alors que l'exquise Prudence était si proche ? George n'avait jamais su un instant qu'Alma l'aimait, mais Prudence le savait. Prudence l'avait toujours su. Prudence avait aussi dû savoir, se rendit compte Alma avec un chagrin grandissant, qu'il n'y avait pas beaucoup d'hommes en ce monde qui pouvaient convenir comme époux pour Alma, et que George était probablement son meilleur espoir. Prudence, en revanche, aurait pu avoir n'importe qui. Ce devait être ainsi qu'elle avait vu la situation.

Prudence avait donc renoncé à George pour Alma – ou du moins avait-elle essayé. Mais elle avait fait tout cela pour rien. Sa sœur avait renoncé à l'amour, tout cela pour finir dans une vie de pauvreté et d'abnégation avec un professeur pingre et incapable de chaleur ou d'affection. Elle avait renoncé à l'amour, tout cela pour que George Hawkes se retrouve à vivre avec une jolie petite épouse démente qui n'avait jamais lu un livre et qui désormais résidait dans un asile. Elle avait renoncé à l'amour, tout cela pour qu'Alma mène sa vie dans une absolue solitude – et se retrouve à l'âge mûr vulnérable à la séduction d'un homme comme Ambrose Pike, que son désir répugnait, et qui désirait seulement être un ange (ou, ainsi qu'il apparaissait désormais, qui désirait seulement aimer des garçons tahitiens tout nus). Quel geste de bonté gâché cela avait été alors que le sacrifice de jeunesse de Prudence ! Quelle longue chaîne de chagrins cela avait causée à tout le monde. Quelle triste pagaille c'était, et quel amas d'erreurs.

Pauvre Prudence, songea Alma – enfin. Après un long moment, elle ajouta mentalement : *Pauvre George !* Puis : *Pauvre Retta !* Puis, pour le coup : *Pauvre Arthur Dixon !*

Pauvre de tous.

— Si ce que tu dis est vrai, Hanneke, dit Alma, c'est une bien mélancolique histoire que tu racontes.

— Ce que je dis *est* vrai.

— Pourquoi ne me l'avais-tu jamais raconté ?

— Dans quel but ? demanda Hanneke en haussant les épaules.

— Mais pourquoi Prudence aurait-elle fait une telle chose pour moi ? demanda Alma. Prudence n'a jamais eu ne fût-ce que de l'affection pour moi.

— Peu importe ce qu'elle pensait de toi. C'est une femme de bien et elle mène sa vie selon de bons principes.

— Elle avait pitié de moi, Hanneke ? C'était cela ?

— Si elle éprouvait quelque chose, c'était de l'admiration. Elle a toujours tenté de t'imiter.

— Sornettes ! Jamais de la vie.

— C'est toi qui n'es que sornettes, Alma ! Elle t'a toujours admirée, mon enfant. Imagine comment tu as dû lui apparaître quand elle est arrivée ici ! Pense à tout ce que tu savais, à toutes tes capacités. Elle a toujours tenté de gagner ton admiration. Mais jamais tu ne la lui as offerte. L'as-tu jamais complimentée ? As-tu jamais vu le mal qu'elle se donnait au travail pour te rattraper dans l'étude ? As-tu jamais admiré ses talents ou les considérais-tu avec mépris comme moins dignes que les tiens ? Comment se fait-il que tu sois restée obstinément aveugle face à ses admirables qualités ?

— Je n'ai jamais compris ses admirables qualités.

— Non, Alma, tu n'as jamais cru en elles. Concède-le. Tu penses que sa bonté est une posture. Tu as toujours considéré qu'elle faisait semblant.

— C'est seulement qu'elle porte un tel *masque*... murmura Alma, cherchant désespérément un terrain sur lequel se défendre.

— En vérité, elle en porte un, car elle préfère qu'on ne la voie ni ne la connaisse. Mais je la connais, et je te dis que derrière ce masque se trouve la meilleure, la plus généreuse et la plus admirable des femmes. Comment ne le vois-tu pas ? Ne vois-tu pas combien elle est digne d'éloges encore aujourd'hui, combien elle est sincère dans ses bonnes œuvres ? Que doit-elle faire de plus, Alma, afin de gagner ta considération ? Cependant, tu ne l'as jamais louée, et à présent, tu as l'intention de tenir ta sœur à l'écart, sans la moindre gêne, au moment où tu hérites un véritable monceau de richesses, un trésor de pirate, de ton imbécile de père défunt, un homme qui était aussi aveugle que tu l'as toujours été aux souffrances et aux sacrifices des autres.

— Prends garde, Hanneke, l'avertit Alma en luttant contre une nouvelle vague de chagrin. Tu m'as causé un grand choc et à présent tu m'attaques, alors que je suis encore abasourdie. Aussi dois-je te supplier de prendre des précautions avec moi aujourd'hui, Hanneke.

— Mais tout le monde a déjà pris des précautions avec toi, Alma, répliqua la vieille gouvernante sans céder d'un pouce. Peut-être en a-t-on pris pendant trop longtemps.

Alma, ébranlée, s'enfuit dans son bureau des écuries. Elle s'assit sur le canapé branlant dans le coin, incapable de supporter plus longtemps son propre poids sur ses deux jambes. Elle respirait difficilement.

Elle se sentait comme une étrangère à elle-même. Sa boussole intérieure – celle qui l'avait toujours orientée vers les vérités les plus simples de son monde – tournoyait en tous sens en cherchant un endroit à l'abri où aborder, mais sans rien trouver.

Sa mère était morte. Son père était mort. Son mari – quoi qu'il ait ou non été – était mort. Sa sœur Prudence avait ruiné sa propre vie pour Alma, sans que cela serve à quiconque. George Hawkes était une complète tragédie. Retta Snow était une petite épave blessée. Et à présent, il semblait que Hanneke de Groot – la dernière personne au monde qu'Alma aimait et admirait – n'avait pas le moindre respect pour elle. Et n'avait aucune raison d'en avoir.

Assise dans son bureau, Alma se força finalement à évaluer honnêtement son existence. Elle avait cinquante et un ans, elle était saine de corps et d'esprit, aussi robuste qu'une mule, instruite qu'un jésuite et riche qu'un pair du royaume. Elle n'était pas belle, certes, mais elle avait encore presque toutes ses dents et ne souffrait d'aucun mal. De quoi pourrait-elle jamais se plaindre ? Elle avait été baignée dans le luxe depuis la naissance. Elle était sans époux, certes, mais elle n'avait aussi ni enfant ni (désormais) parent à charge. Elle était compétente, intelligente, diligente et (elle l'avait toujours pensé, même si elle n'en était plus si certaine à présent) courageuse. Son imagination avait été exposée aux plus audacieuses idées de la science et de l'invention que le siècle pouvait offrir, et elle avait côtoyé, dans sa propre salle à manger, certains des esprits les plus raffinés de son temps. Elle possédait une bibliothèque qui aurait fait pleurer d'envie un Médicis, et elle l'avait lue et relue plusieurs fois.

Avec tout ce savoir et ces privilèges, qu'avait fait Alma de sa vie ? Elle était l'auteur de deux livres obscurs sur la bryologie – des ouvrages que le monde n'avait aucunement réclamés – et elle travaillait actuellement sur un troisième. Elle n'avait jamais consacré un instant au réconfort de quiconque, à l'exception de son égoïste père. Elle était à la fois une vierge, une veuve, une orpheline, une héritière, une vieille dame et une sotte absolue.

Elle croyait savoir beaucoup, mais elle ne savait rien.

Elle ne savait rien de sa sœur.

Elle ne savait rien du sacrifice.

Elle ne savait rien de l'homme qu'elle avait épousé.

Elle ne savait rien des forces invisibles qui avaient dicté sa vie.

Elle s'était toujours considérée comme une femme digne et savante, alors qu'en réalité, elle était une princesse capricieuse et vieillissante – plus brebis qu'agnelle, désormais – qui n'avait jamais risqué rien de valeur et qui n'avait jamais voyagé plus loin en dehors de Philadelphie qu'une institution pour aliénés de Trenton, dans le New Jersey.

Affronter un inventaire aussi navrant aurait dû être intolérable, mais pour une raison inconnue, ce ne le fut pas. En fait, étrangement, ce fut un soulagement. La respiration d'Alma ralentit. Sa boussole se calma. Elle resta assise sans rien dire, les mains sur les genoux. Elle ne bougea pas. Elle se laissa absorber cette nouvelle vérité tout entière, sans tressaillir.

Le lendemain matin, Alma se rendit seule à cheval au cabinet de l'avoué de son père, et elle passa les neuf heures suivantes avec cet homme à son bureau à rédiger des papiers, à exécuter des provisions et à balayer des objections. L'avoué n'approuvait pas ce qu'elle faisait. Elle n'écouta pas un mot de ce qu'il lui dit. Il secoua sa vieille tête jaunie à s'en faire trembler les bajoues, mais il ne l'ébranla aucunement. C'était à elle seule de décider, ainsi qu'ils en étaient tous les deux tout à fait conscients.

Cette affaire conclue, Alma se rendit à la 39e Rue, chez sa sœur. Le soir était venu et la famille Dixon terminait son repas.

— Venez vous promener avec moi, dit Alma à Prudence qui, si elle fut surprise de la visite soudaine de sa sœur, n'en laissa rien voir.

Les deux femmes descendirent Chestnut Street, marchant poliment bras dessus, bras dessous.

— Ainsi que vous le savez, dit Alma, notre père n'est plus.

— Oui, dit Prudence.

— Je vous remercie de votre lettre de condoléances.

— Je vous en prie, dit Prudence.

Elle n'était pas venue aux obsèques. Personne ne s'attendait à l'y voir.

— J'ai passé la journée avec l'avoué de notre père, continua Alma. Nous avons examiné le testament. Je l'ai trouvé plein de surprises.

— Avant que vous poursuiviez, coupa Prudence, je dois vous dire que je ne peux en bonne conscience accepter aucun argent de notre défunt père. Il y avait entre nous un fossé que je n'ai pu ou voulu combler et il ne serait pas moral de ma part de profiter de sa largesse maintenant qu'il nous a quittés.

— Vous n'avez pas besoin de vous inquiéter, dit Alma en s'immobilisant et en se tournant vers sa sœur. Il ne vous a rien laissé.

Prudence, comme toujours maîtresse d'elle-même, ne montra aucune réaction.

— Dans ce cas, c'est simple, dit-elle.

— Non, Prudence, dit Alma en prenant la main de sa sœur. C'est loin d'être simple. Ce que père a fait était plutôt surprenant, en fait, et je vous prie de m'écouter avec attention. Il a laissé la totalité du domaine de White Acre, ainsi que la vaste majorité de sa fortune, à la société abolitionniste de Philadelphie. (Prudence ne réagit ni ne répondit davantage. *Mon Dieu, mais qu'elle est forte*, s'émerveilla Alma, se retenant de s'incliner avec admiration devant la grande réserve de sa sœur. Beatrix aurait été fière.) Mais il y avait une réserve dans le testament. Il a stipulé qu'il laissait ses biens à la société abolitionniste à l'unique condition que la maison de White Acre devienne une école pour les enfants noirs et que ce soit vous, Prudence, qui l'administriez. (Prudence fixa sur Alma un regard pénétrant, comme si elle cherchait sur son visage la preuve d'une supercherie. Alma n'eut aucune peine à prendre une expression de sincérité, car c'était en effet ce qui était dit dans les documents – ou du moins, ce qui y était dit *à présent*.) Il a laissé une assez longue lettre d'explications, continua Alma, que je peux vous résumer ici. Il a dit qu'il estimait avoir fait assez peu le bien dans sa vie, alors qu'il avait magnifiquement prospéré. Il jugeait qu'il n'avait rien offert de valeur au monde en échange de cette extraordinaire bonne fortune. Il a pensé que vous seriez la meilleure personne pour veiller à ce que White Acre, à l'avenir, soit un siège de bonté humaine.

— Il a écrit ces mots ? demanda Prudence, toujours aussi rusée. Ces mots mêmes, Alma ? Notre père, Henry Whittaker, a parlé de « siège de bonté humaine » ?

— Ces mots mêmes, persista Alma. Les actes et instructions ont déjà été rédigés. Si vous n'acceptez pas ce legs – si vous ne voulez pas retourner à White Acre avec votre famille et y prendre la direction d'une école ainsi que le souhaitait notre père –, dans ce cas, tout l'argent et les biens nous reviendront simplement à toutes les deux, et nous devrons les vendre ou les répartir d'une autre manière. En tout état de cause, il me paraîtrait dommage de ne pas honorer ses dernières volontés.

Prudence scruta de nouveau Alma.

— Je ne vous crois pas, dit-elle enfin.

— Vous n'avez pas besoin de me croire, dit Alma. C'est pourtant ainsi. Hanneke restera pour diriger le personnel et faciliter votre installation à la tête de White Acre. Père lui a laissé un patrimoine généreux, mais je sais qu'elle désirera rester là-bas pour vous aider. Elle vous admire et elle aime demeurer utile. Les jardiniers et paysagistes resteront aussi pour entretenir le domaine. La bibliothèque restera intacte, pour l'instruction des élèves. Mr Dick Yancey continuera d'administrer les affaires de notre père à l'outremer ainsi que les parts du laboratoire pharmaceutique, et tous les bénéfices seront reversés à l'école, dans le salaire des ouvriers, et aux causes abolitionnistes. Vous comprenez ? (Prudence ne répondit pas. Alma continua.) Ah, mais il y a une autre disposition. Père a réservé une part généreuse pour payer les frais de séjour de notre amie Retta à l'asile Griffon jusqu'à son dernier jour, de façon à ce que George Hawkes n'ait pas à supporter le fardeau de son entretien.

C'est alors que Prudence sembla perdre le contrôle de son visage. Ses yeux se voilèrent et sa main devint moite dans celle d'Alma.

— Il n'y a rien que vous puissiez dire, déclara Prudence, qui me convaincra jamais que notre père désirait rien de tout cela.

Alma ne recula pas pour autant.

— N'en soyez pas aussi surprise. Vous savez combien c'était un homme imprévisible. Et vous verrez, Prudence – les actes de propriété et de transferts financiers sont tout à fait clairs et légaux.

— Je sais très bien, Alma, que vous avez vous-même une certaine facilité à rédiger des documents légaux clairs.

— Mais vous me connaissez depuis si longtemps, Prudence. M'avez-vous jamais vue faire quoi que ce soit dans la vie en dehors de ce que notre père me permettait ou m'ordonnait de faire ? Songez-y, Prudence ! M'avez-vous vue le faire ?

Prudence se détourna. Puis son visage s'effondra sur lui-même, sa réserve se fendit enfin et elle se répandit en larmes. Alma attira dans ses bras sa sœur – son extraordinaire et brave sœur qu'elle connaissait si mal – et les deux femmes restèrent dans cette silencieuse étreinte pendant que Prudence pleurait.

Finalement, Prudence se dégagea et s'essuya les yeux.

— Et que vous a-t-il laissé à *vous*, Alma ? demanda-t-elle d'une voix tremblante. Qu'est-ce que notre très généreux père vous a laissé, dans cet accès de bonté ?

— Ne vous inquiétez pas de cela pour l'instant, Prudence. J'ai bien plus qu'il ne me faudra jamais.

— Mais que vous a-t-il laissé *au juste* ? Vous devez me le dire.

— Un peu d'argent, dit Alma. Et les écuries, aussi, ou plutôt tous mes biens qui s'y trouvent.

— Êtes-vous censée vivre pour toujours dans les écuries ? demanda Prudence, bouleversée et déroutée, en se cramponnant de nouveau à la main d'Alma.

— Non, ma chère sœur. Je ne vivrai plus nulle part près de White Acre. C'est entièrement à vous, désormais. Mais mes livres et mes biens resteront dans les écuries, pendant que je m'absenterai un peu. Je finirai par m'établir quelque part et j'enverrai quelqu'un prendre ce dont j'aurai besoin.

— Mais où allez-vous ?

Alma ne put s'empêcher d'éclater de rire.

— Oh, Prudence, répondit-elle. Si je vous le disais, vous penseriez seulement que je suis folle !

IV

La conséquence des missions

21

Alma embarqua pour Tahiti le 13 novembre 1851.

Le Crystal Palace venait d'être érigé à Londres pour l'Exposition universelle. Le pendule de Foucault venait d'être mis en place au Panthéon de Paris. Le premier homme blanc avait entrevu la vallée de Yosemite. Un câble télégraphique sous-marin traversait l'océan Atlantique. John James Audubon était mort de vieillesse ; Richard Owen remportait la médaille Copley pour ses travaux de paléontologie ; le Collège médical féminin de Pennsylvanie était sur le point de diplômer sa première classe de huit femmes médecins ; et Alma Whittaker, âgée de cinquante et un ans, avait payé sa place sur un baleinier en partance pour les mers du Sud.

Elle voyagea sans femme de chambre, sans ami et sans guide. Hanneke de Groot avait pleuré sur son épaule en apprenant qu'elle partait, mais elle avait rapidement repris ses esprits et commandé pour Alma un ensemble de vêtements de voyage pratiques, dont deux humbles robes de lin et de laine, avec des boutons renforcés (guère différentes de ce que Hanneke avait toujours porté), qu'Alma pouvait mettre et enlever sans aide. Ainsi vêtue, Alma avait assez l'allure d'une domestique, mais elle était excessivement à son aise et pouvait bouger comme il lui chantait. Elle se demanda pourquoi elle ne s'était pas vêtue ainsi durant toute sa vie. Une fois les vêtements achevés, Alma demanda à Hanneke de coudre des logements secrets dans les ourlets, où elle cacha les pièces d'or et d'argent qui lui serviraient à payer ses voyages. Ces pièces constituaient une vaste portion de ce qui restait de richesses à Alma en ce monde. Ce n'était en aucun cas une fortune, mais c'était suffisant – Alma l'espérait fébrilement – pour permettre à une voyageuse frugale de subsister pendant deux ou trois ans.

— Tu as toujours été si bonne pour moi, dit Alma à Hanneke quand elle lui apporta les robes.

— Eh bien, tu me manqueras, répondit Hanneke, et je pleurerai encore quand tu partiras, mais avouons-le-nous, mon enfant, nous sommes toutes les deux trop vieilles à présent pour redouter les grands changements de la vie.

Prudence offrit à Alma un bracelet commémoratif fait de mèches tressées de ses propres cheveux (toujours aussi pâles et magnifiques que du sucre) et de ceux de Hanneke (gris comme de l'acier poli). Prudence le noua elle-même au poignet d'Alma, qui promit de ne jamais l'ôter.

— Je ne saurais imaginer cadeau plus précieux, dit Alma, et elle était sincère.

Juste après avoir pris la décision de partir à Tahiti, Alma avait écrit une lettre au missionnaire de la baie de Matavai, le révérend Francis Welles, le prévenant qu'elle venait et séjournerait pour une période indéfinie. Elle savait qu'elle avait de fortes chances d'arriver à Papeete avant la lettre, mais elle ne pouvait rien y faire. Elle devait partir avant que l'hiver s'installe. Elle ne voulait pas attendre trop longtemps et risquer de changer d'avis. Elle n'avait plus qu'à espérer qu'une fois arrivée à Tahiti, il y aurait un logement pour elle.

Il lui fallut trois semaines pour faire ses bagages. Elle savait précisément ce qu'elle devait emporter, puisqu'elle avait formé pendant des dizaines d'années des collecteurs botaniques à voyager utilement et sans risques. En conséquence, elle prit du savon à l'arsenic, de la cire de cordonnier, de la ficelle, du camphre, des brucelles, du liège, des boîtes à insectes, une presse à spécimens, plusieurs sacs en caoutchouc indien étanches, deux douzaines de crayons durables, trois flacons d'encre de Chine, une boîte de pigments à l'eau, des pinceaux, des épingles, des filets, des lentilles, du mastic, du fil de cuivre, de petits bistouris, des linges, du fil de soie, une trousse médicale et vingt-cinq rames de papier (buvard à lettres, kraft). Elle envisagea d'emporter une arme à feu, mais comme elle n'était pas une bonne tireuse, elle estima qu'un bistouri devrait faire l'affaire à bout portant.

Elle entendait la voix de son père tandis qu'elle se préparait, et se rappela toutes les fois où elle écrivait sous sa dictée ou l'entendait donner ses consignes aux jeunes botanistes. *Soyez attentifs et alertes,* l'entendait-elle dire. *Assurez-vous que vous n'êtes pas le seul dans l'expédition à savoir lire ou écrire. Si vous avez besoin de trouver de l'eau, suivez un chien. Si vous avez faim, mangez des insectes avant de gaspiller votre énergie à chasser. Tout ce qu'un oiseau peut manger, vous le pou-*

vez aussi. Les plus grands dangers pour vous ne sont pas les serpents, les lions ou les cannibales, mais les ampoules aux pieds, l'inattention et l'épuisement. Soyez certains de rédiger et de dessiner journaux et cartes lisiblement ; si vous mourez, vos notes pourront être utiles à un futur explorateur. En cas d'urgence, vous pouvez toujours écrire avec votre sang.

Alma savait qu'il fallait porter des couleurs claires sous les tropiques afin de ne pas avoir trop chaud. Qu'un tissu imprégné de mousse de savon et séché rapidement devenait parfaitement imperméable. Elle savait qu'il faut porter la flanelle à même la peau. Que l'on apprécierait qu'elle apporte des présents autant pour les missionnaires (journaux récents, semences, quinine, haches et bouteilles de verre) que pour les indigènes (calicot, boutons, miroirs et rubans). Elle emballa l'un de ses chers microscopes – le plus léger – tout en craignant qu'il soit cassé durant le voyage. Elle prit un chronomètre flambant neuf et un thermomètre de voyage assez petit.

Tout cela, elle le fit charger dans des malles et des caisses de bois (capitonnées amoureusement avec de la mousse sèche) qu'elle empila en une petite pyramide juste devant les écuries. Alma éprouva un frisson de panique quand elle vit son nécessaire vital réduit à une pile aussi modeste. Comment pourrait-elle survivre avec aussi peu ? Que ferait-elle sans sa bibliothèque ? Sans son herbier ? Quel effet cela ferait-il d'attendre parfois six mois des nouvelles de la famille, ou de la science ? Et si le navire sombrait et que tous ces biens essentiels étaient perdus ? Elle éprouva une soudaine compassion pour tous les jeunes gens intrépides que les Whittaker avaient autrefois envoyés en expédition – comme ils avaient dû être effrayés et hésitants, même s'ils faisaient montre d'assurance. On n'avait plus jamais entendu parler de certains d'entre eux.

En préparant son voyage et ses bagages, Alma veilla à se donner toutes les apparences d'une *botaniste voyageuse**, mais la vérité, c'est qu'elle n'allait pas à Tahiti en quête de plantes. La véritable raison se trouvait dans un objet enfoui au fond de l'une des plus grosses caisses : le sac de cuir d'Ambrose, solidement fermé et rempli des dessins du jeune Tahitien nu. Elle avait l'intention de se lancer à la recherche de ce garçon (qu'elle avait fini par appeler pour elle-même le Garçon) et elle était certaine de pouvoir le trouver. Elle entendait bien chercher le Garçon dans toute l'île de Tahiti si nécessaire, le chercher d'une manière presque *botanique*, comme s'il s'agissait d'un spécimen rare d'orchidée. Elle le reconnaîtrait dès qu'elle le verrait, elle en était convaincue. Elle reconnaîtrait son visage jusqu'à son dernier jour. Ambrose avait été un excellent dessinateur, après tout, et les traits étaient si vivants et si précis. C'était comme si Ambrose lui avait laissé une carte et qu'à présent, elle la suivait.

Elle ne savait pas ce qu'elle ferait du Garçon une fois qu'elle l'aurait trouvé. Mais elle le trouverait.

Alma prit le train pour Boston, passa trois nuits dans un hôtel bon marché du port (qui empestait le gin, le tabac et la sueur des précédents clients), puis elle embarqua de là-bas. Son navire était l'*Elliot* – un baleinier de trente-cinq mètres, large et solide comme une vieille jument – qui ralliait les Marquises pour la douzième fois depuis sa construction. Le capitaine avait accepté, moyennant une somme confortable, de faire un détour de sept cent quarante milles afin de la déposer à Tahiti.

Le capitaine était un certain Mr Terrence de Nantucket. C'était un marin très admiré de Dick Yancey, qui avait procuré à Alma son passage sur ce navire. Mr Terrence était aussi dur qu'un capitaine devait l'être, avait promis Yancey, et il était mieux obéi de ses hommes que bien d'autres. Terrence était connu pour être plus téméraire que prudent (il était célèbre pour hisser les voiles durant les tempêtes, plutôt qu'amener la toile, dans l'espoir de gagner de la vitesse dans les bourrasques), mais c'était un homme pieux et sobre, qui s'efforçait d'avoir une conduite d'une haute moralité en mer. Dick Yancey, qui était toujours pressé, préférait un capitaine qui allait vite et sans peur, et Terrence était précisément de ceux-là.

C'était la première fois qu'Alma montait sur un bateau. Ou plutôt, elle était montée sur bien des navires, quand elle accompagnait son père sur les quais de Philadelphie pour inspecter le fret à l'arrivée, mais elle n'avait encore jamais *voyagé*. Quand l'*Elliot* quitta son mouillage, elle resta sur le pont, le cœur battant à s'en rompre les côtes. Elle regarda les derniers piliers de la jetée s'avancer vers elle puis – avec une rapidité à couper le souffle – disparaître soudainement derrière elle. Puis le navire fila dans la rade de Boston, de petits chalutiers tressautant autour de lui dans son sillage. À la fin de l'après-midi, Alma était en pleine mer pour la première fois de sa vie.

« Je ferai tout ce qui est en mon pouvoir pour que votre voyage soit confortable », avait juré le capitaine Terrence à Alma quand elle était montée à bord. Alma avait apprécié cette sollicitude, mais il était vite apparu qu'il n'y aurait pas grand-chose de confortable dans ce voyage. Sa cabine, juste à côté de celle du capitaine, était petite et sombre et empestait les égouts. L'eau potable sentait la vase. Le navire transportait un chargement de mules jusqu'à La Nouvelle-Orléans et les bêtes se plaignaient sans relâche. La nourriture était à la fois désagréable et répétitive (navets et biscuits salés au petit déjeuner ; bœuf séché et oignons au dîner) et le temps était, au mieux, incertain. Durant les trois premières semaines du voyage, elle ne vit pas une fois le soleil. Immédiatement, l'*Elliot* rencontra des tempêtes qui brisèrent la vaisselle et assommèrent les marins à une allure tout à fait remarquable. Parfois, elle devait s'arrimer à la table du capitaine pour manger en toute sécurité son bœuf séché et ses oignons. Ce qu'elle faisait vaillamment, d'ailleurs, et sans se plaindre.

Il n'y avait pas d'autre femme à bord, ni d'homme instruit. Les marins jouaient aux cartes jusque tard dans la nuit, et leurs rires et leurs cris la tenaient éveillée. Parfois, les hommes dansaient sur le pont comme des possédés, jusqu'à ce que le capitaine Terrence menace de briser leurs violons s'ils ne cessaient pas. C'étaient des durs, à bord de l'*Elliot*. L'un des marins attrapa pour s'amuser un faucon au large de la côte de Caroline du Nord, lui coupa les ailes et le regarda sautiller sur le pont. Alma trouva cela barbare, mais elle ne dit rien. Le lendemain, les marins, qui s'ennuyaient, mirent en scène le mariage de deux mules en décorant les animaux de collerettes de papier pour l'occasion. Il y eut un joli tapage de cris et de sifflets. Le capitaine laissa faire ; il ne voyait nul mal à cela (peut-être, songea Alma, parce que c'était un mariage *chrétien*). Alma n'avait encore jamais vu de sa vie pareil comportement.

Comme il n'y avait personne avec qui Alma pouvait parler d'affaires sérieuses, elle décida de cesser de parler d'affaires sérieuses. Elle résolut d'être de bonne disposition et d'avoir des conversations simples avec tout le monde. Elle désirait ne se faire aucun ennemi. Comme ils devaient être ensemble en mer pendant les prochains cinq à sept mois, cela paraissait être une stratégie sensée. Elle se laissa même aller à rire à des plaisanteries, du moment que les hommes n'étaient pas trop grossiers. Elle ne s'inquiétait pas qu'il lui arrive du mal : le capitaine Terrence ne permettrait pas les familiarités et les hommes ne faisaient montre d'aucun comportement licencieux vis-à-vis d'Alma. (Cela ne la surprit pas. Si les hommes ne s'étaient pas intéressés à elle à dix-neuf ans, ils ne risquaient pas de la remarquer à cinquante et un.)

Son plus proche compagnon était le petit singe que le capitaine Terrence avait comme animal de compagnie. Il s'appelait Little Nick et restait avec Alma pendant des heures, la palpant doucement, toujours en quête de nouveautés et de curiosités. Il avait un tempérament des plus intelligents. Plus que tout, le singe était fasciné par le bracelet de cheveux tressés que portait Alma au poignet. Il n'arrivait pas à dissiper sa perplexité face au fait qu'elle n'en portait pas un à l'autre poignet – même si chaque matin, il vérifiait qu'aucun bracelet n'y avait poussé durant la nuit. Après quoi, il soupirait et regardait Alma d'un air résigné, comme pour dire : « Pourquoi ne peux-tu pas être *symétrique*, ne serait-ce qu'une fois ? » Avec le temps, Alma apprit à partager son tabac à priser avec Little Nick. Il s'en mettait un peu dans une narine, éternuait, puis s'endormait sur ses genoux. Elle se demandait ce qu'elle aurait fait sans sa compagnie.

Ils doublèrent la pointe de la Floride et firent escale à La Nouvelle-Orléans pour livrer les mules. Personne ne les regretta. À La Nouvelle-Orléans, Alma vit un brouillard des plus extraordinaires sur le lac Pontchartrain. Elle vit des balles de coton et des barils de sucre entassés sur les quais en attendant d'être chargés. Elle vit des bateaux à aubes en file indienne, aussi loin que portait le regard, qui attendaient pour remonter le Mississippi. Son français lui fut fort utile à La Nouvelle-Orléans, même si l'accent local était déroutant. Elle admira les petites maisons avec leurs jardins de coquillages et leurs buissons taillés, et elle fut éblouie par les femmes et leurs manières raffinées. Elle aurait bien aimé avoir plus de temps pour explorer, mais elle dut rapidement regagner le bord.

Ils mirent cap au sud en longeant la côte mexicaine. Des fièvres se déclarèrent sur le navire. Presque personne n'y échappa. Il y avait un médecin à bord, mais comme il était plus qu'inutile, Alma se retrouva rapidement à distribuer des traitements provenant de sa précieuse provision de purgatifs et d'émétiques. Elle ne se considérait pas comme une très bonne infirmière, mais c'était une pharmacienne assez compétente et son assistance lui valut de réunir un petit groupe d'admirateurs.

Bientôt, elle tomba malade et fut contrainte de rester sur sa couchette. Ses fièvres lui donnaient des rêves lointains et des terreurs bien tangibles. Elle ne pouvait s'empêcher de se toucher le con et se réveillait dans des paroxysmes de douleur et de plaisir. Elle rêvait constamment d'Ambrose. Elle avait fait un effort héroïque pour ne pas penser à lui, mais la fièvre avait affaibli les remparts de son esprit et son souvenir en avait forcé l'entrée, mais il était horriblement déformé. Dans ses rêves, elle le voyait dans la baignoire – ainsi qu'elle l'avait vu, nu, ce fameux après-midi – mais son pénis était magnifique et tendu, et il lui souriait lascivement en la forçant à le sucer jusqu'à ce qu'elle s'étouffe. Dans d'autres rêves, elle voyait Ambrose se noyer dans la baignoire et elle se réveillait en proie à la panique, certaine qu'elle l'avait tué. Une nuit, elle entendit sa voix chuchoter : « À présent, tu es l'enfant et c'est moi la mère » et elle se réveilla en poussant un hurlement et en agitant les bras. Mais il n'y avait personne. Il avait parlé en allemand. *Pourquoi en allemand ? Qu'est-ce que cela signifiait ?* Elle demeura éveillée le reste de la nuit, s'efforçant de comprendre le mot mère – *mutter*, en allemand –, un mot qui, en alchimie, signifie également « creuset ». Elle fut incapable d'interpréter le rêve, mais il lui donna l'impression d'être une malédiction.

Elle eut ses premiers regrets concernant ce voyage.

Le lendemain de Noël, l'un des marins mourut des fièvres. Il fut enveloppé dans une voile, lesté d'un boulet et on le fit glisser sans un bruit dans la mer. Les hommes accueillirent cette mort sans aucun signe de chagrin apparent, et se répartirent ses biens entre eux aux enchères. Le soir, c'était comme si l'homme n'avait jamais existé. Alma imagina ses affaires mises aux enchères parmi ces hommes. *Que feraient-ils des dessins d'Ambrose ?* Qui pouvait le dire ? Peut-être qu'un tel trésor de sensualité sodomite serait précieux pour certains de ces hommes. Toutes sortes d'hommes prenaient la mer. Alma savait très bien que c'était vrai.

Elle se remit de sa maladie. Un vent favorable les conduisit à Rio de Janeiro, où Alma vit des navires portugais chargés d'esclaves à destination de Cuba. Elle vit de magnifiques plages, où des pêcheurs risquaient leur vie sur des radeaux qui ne paraissaient pas plus solides que des toits de poulaillers. Elle fit de grands palmiers en éventail, plus hauts que tous ceux des serres de White Acre, et regretta douloureusement de ne pas pouvoir les montrer à Ambrose. Elle ne parvenait pas à le chasser de ses pensées. Elle se demanda s'il avait vu ces palmiers lui aussi quand il était passé par ici.

Elle se divertit en se promenant infatigablement. Elle vit des femmes qui ne portaient pas de coiffes et fumaient des cigares en pleine rue. Elle vit des réfugiés, des commerçants, des Créoles crasseux et des Noirs aristocratiques, des demi-sauvages et d'élégants quarterons. Elle vit des hommes qui vendaient de la viande de perroquet et de lézard. Elle se gava d'oranges et de citrons jaunes et verts. Elle mangea tant de mangues – elle en partagea quelques-unes avec Little Nick – qu'elle eut une allergie. Elle assista à des courses de chevaux et des bals. Elle séjourna dans un hôtel tenu par un couple mixte – le premier qu'elle eût jamais vu. (La femme était une aimable Noire compétente qui ne faisait rien lentement ; l'homme était un vieux Blanc qui ne faisait rien du tout.) Pas un jour ne passait sans qu'elle voie dans les rues de Rio des hommes traîner des files d'esclaves entravés qu'ils proposaient à la vente. Alma ne supportait pas ce spectacle. Il la rendait malade de honte, à cause de toutes ces années où elle n'avait pas remarqué cette abomination.

Repartis en mer, ils firent voile vers le cap Horn. Alors qu'ils approchaient du cap, le temps devint d'une inclémence si violente qu'Alma – déjà enveloppée dans plusieurs couches de flanelle et de laine – rajouta à sa tenue un manteau d'homme et une toque de fourrure russe qu'on lui prêta. Ainsi emmitouflée, elle était à présent impossible à distinguer des hommes du bord. Elle vit les montagnes de la Terre de Feu, mais le navire ne put accoster, tellement le temps était mauvais. Quinze jours de misère suivirent alors qu'ils doublaient le cap. Le capitaine persista à garder toute la voilure, et Alma se demanda comment les mâts parvenaient à résister. Le navire était couché tantôt d'un côté, tantôt de l'autre. L'*Elliot* semblait hurler de douleur, sa pauvre âme de bois frappée et fouettée par la mer.

— Si telle est la volonté de Dieu, nous en sortirons, dit Terrence, refusant d'amener la toile et tentant de faire encore vingt nœuds avant la tombée de la nuit.

— Mais… si quelqu'un trouve la mort ? cria Alma dans les rafales.

— Son corps sera jeté à la mer, répliqua le capitaine en poursuivant sa route.

Après cela, ils subirent quarante-cinq jours d'un froid âpre. Les vagues déferlaient sans cesse. Parfois, les tempêtes étaient si violentes que les plus vieux marins chantaient des psaumes pour se réconforter. D'autres juraient ou fanfaronnaient, et quelques-uns restaient silencieux, comme s'ils étaient déjà morts. Les tempêtes détachèrent les poulaillers et la volaille se répandit sur les ponts. Une nuit, la bôme vola en éclats comme du petit bois. Le lendemain, les marins tentèrent vainement d'en monter une neuve. L'un d'eux, renversé par une vague, tomba dans la cale et se brisa les côtes.

Durant tout ce temps, Alma oscilla entre espoir et terreur, certaine de mourir à tout instant, mais jamais elle ne poussa un cri de panique ni n'éleva la voix d'inquiétude. À la fin, quand le temps se leva, le capitaine Terrence déclara : « Vous êtes une vraie fille de Neptune, Miss Whittaker », et ce fut pour Alma le plus beau compliment de sa vie.

Finalement, à la mi-mars, ils accostèrent à Valparaíso, où les marins trouvèrent de nombreuses maisons de tolérance pour assouvir leurs besoins d'affection, pendant qu'Alma explorait cette cité complexe et accueillante. Le quartier voisin du port était un banc de vase, mais les maisons des hautes collines étaient magnifiques. Elle s'y promena pendant des jours et sentit ses jambes reprendre des forces. Elle vit à Valparaíso presque autant d'Américains qu'à Boston – tous des chasseurs d'or en route pour San Francisco. Elle se remplit le ventre de poires et de cerises. Elle vit une procession religieuse longue de huit cents mètres, en l'honneur d'un saint qui lui était inconnu, et elle la suivit jusqu'à une formidable cathédrale. Elle lut les journaux et envoya des lettres à Prudence et à Hanneke. Par une fraîche et claire journée, elle monta au sommet de la plus haute éminence de Valparaíso, et de là – dans le lointain brumeux – elle vit les pics couverts de neige des Andes. Elle eut un douloureux pincement de cœur en déplorant l'absence de son père. Ce fut un étrange soulagement que ce soit Henry qui lui manque, et non, pour une fois, Ambrose.

Puis ils refirent voile sur les vastes étendues du Pacifique. Le temps se fit plus chaud. Les marins se calmèrent. Ils nettoyèrent les ponts et récurèrent moisissures et vomissures. Ils fredonnaient tout en travaillant. Le matin, dans cette activité fébrile, le navire avait des allures de petit village campagnard. Alma s'était habituée à ce manque d'intimité, et elle était désormais réconfortée par la présence des marins. Ils lui étaient familiers et elle était heureuse qu'ils soient là. Ils lui enseignèrent les nœuds et leurs chansons, et elle nettoya leurs blessures et vida leurs abcès. Elle mangea un albatros abattu par un jeune marin. Ils croisèrent la carcasse enflée d'une baleine morte dont d'autres baleiniers avaient raclé tout le lard, mais ils ne virent aucune baleine vivante.

L'océan Pacifique était vaste et vide. Alma comprenait désormais pourquoi il avait fallu si longtemps aux Européens pour trouver la *Terra Australis* dans cette immense étendue. Les premiers explorateurs avaient estimé qu'il devait y avoir un continent austral aussi vaste que l'Europe quelque part là-bas, afin de préserver l'équilibre de la Terre. Mais ils s'étaient trompés. Il n'y avait pas grand-chose par ici hormis de l'eau. Pour le coup, l'hémisphère Sud était *l'envers* de l'Europe : un immense océan tenait lieu de continent, parsemé de loin en loin de minuscules lacs de terre.

Des jours et des jours de vide bleu s'enchaînèrent. De part et d'autre, Alma voyait des prairies d'eau, aussi loin que portait son imagination. Mais ils ne virent toujours pas de baleines. Ni d'oiseaux non plus, cependant ils voyaient le temps changer à une centaine de milles, et c'était souvent pour le pire. L'air était silencieux jusqu'à ce qu'arrivent les tempêtes, puis le vent poussait ses piaillements de détresse.

Au début du mois d'avril, ils subirent un très inquiétant changement de temps, qui assombrit le ciel sous leurs yeux. Le jour disparut en plein après-midi. L'air était lourd et menaçant. Ce brusque changement inquiéta assez le capitaine Terrence pour qu'il ramène les voiles – toutes sans exception – tandis que des éclairs déchiraient le ciel de toutes parts. Les vagues devinrent des montagnes déferlantes et noires. Puis, aussi vite qu'il était arrivé, l'orage se dissipa et le ciel s'éclaircit de nouveau. Mais ce furent des cris d'alarme au lieu de soulagement que poussèrent les hommes, car ils venaient de voir une trombe non loin de là. Le capitaine ordonna à Alma de descendre sous le pont, mais elle refusa de bouger : la trombe était un spectacle trop magnifique. Puis un autre cri retentit quand les hommes s'aperçurent qu'il y avait en réalité *trois* trombes autour du navire, et à une distance trop mince pour leur sécurité. Alma était comme hypnotisée. L'une des trombes jaillit si près qu'elle put voir les longs filets d'eau monter en spirale dans les airs en formant une grande colonne tourbillonnante. Jamais elle n'avait vu spectacle aussi majestueux, aussi sacré et aussi terrifiant. La pression de l'air était si forte qu'elle crut que ses tympans allaient exploser et qu'elle eut du mal à respirer. Durant les cinq minutes qui suivirent, elle fut si impressionnée qu'elle ne savait plus si elle était vivante ou morte. Elle ne savait plus dans quel monde elle était. Elle crut que son temps en ce monde était écoulé. Curieusement, cela ne lui fit rien. Il n'y avait personne qui lui manquait. Pas une seule âme qu'elle eut connue ne lui vint à l'esprit – ni Ambrose, ni personne. Elle n'avait aucun regret. Elle était en proie au ravissement, prête à n'importe quoi.

Quand les trombes s'éloignèrent et que la mer fut de nouveau sûre, Alma sentit que cela avait été l'expérience la plus heureuse de sa vie.

Ils poursuivirent leur route.

Au sud, lointain et impossible, se trouvait l'Antarctique glacé. Au nord, il n'y avait apparemment rien – ou du moins était-ce ce que disaient les marins blasés. Ils continuaient de faire cap vers l'ouest. Les plaisirs de la promenade et l'odeur de la terre manquaient à Alma. Faute de sujets botaniques à étudier, elle demanda aux hommes de pêcher des algues pour qu'elle les étudie. Elle ne connaissait pas bien le sujet, mais elle savait distinguer une chose d'une autre et elle apprit rapidement que certaines algues avaient des racines agglomérées, et d'autres compressées. Certaines étaient texturées, d'autres lisses. Elle se demanda comment les conserver afin de les étudier, sans qu'elles se transforment en pourriture ou en écailles noires et desséchées. Elle n'y parvint pas vraiment, mais cela lui donna quelque chose à faire. Elle fut également ravie de découvrir que les marins emballaient leurs pointes de harpons dans des tampons de mousse sèche : cela lui donna quelque chose de merveilleux et familier à étudier de nouveau.

Elle finit par admirer les marins. Elle était incapable de concevoir comment ils enduraient d'aussi longues périodes loin des conforts de la terre ferme. Comment ne devenaient-ils pas fous ? L'océan l'étonnait autant qu'il la troublait. Rien ne l'avait encore jamais autant impressionnée. Pour elle, il semblait être la quintessence même de la matière, le chef-d'œuvre des mystères. Une nuit, ils traversèrent un champ scintillant de phosphorescence liquide. Le navire soulevait d'étranges molécules vertes et violettes sur son passage, et au bout d'un moment, l'*Elliot* traînait dans son sillage un long voile de lumière sur la mer. C'était si beau qu'Alma se demanda comment les hommes ne se jetaient pas dans l'eau, attirés dans la mort par cette enivrante magie.

D'autres nuits, quand elle ne pouvait dormir, elle arpentait les ponts, pieds nus, afin d'endurcir la plante de ses pieds en prévision de Tahiti. Elle contemplait sur l'eau calme les reflets allongés des étoiles qui brillaient comme des torches. Le ciel au-dessus d'elle lui était aussi étranger que la mer qui l'entourait. Elle vit quelques constellations qu'elle connaissait – Orion et les Pléiades – mais l'étoile Polaire avait disparu et la Grande Ourse aussi. L'absence de ces trésors de la voûte céleste la désorientait et la désespérait. Mais d'autres présents célestes venaient compenser cette disparition. Elle voyait mieux désormais : la Croix du Sud, ainsi que les Gémeaux, et la vaste nébuleuse de la Voie lactée.

Fascinée par ces constellations, Alma déclara une nuit au capitaine Terrence :

— *Nihil astra praeter vidit et undas.*

— Qu'est-ce que cela veut dire ? demanda-t-il.

— C'est un vers des *Odes* d'Horace, dit-elle. Cela veut dire qu'il n'y a rien d'autre à voir que des étoiles et des vagues.

— Je ne connais hélas pas le latin, Miss Whittaker, s'excusa-t-il. Je ne suis pas catholique.

L'un des marins les plus âgés, qui avait vécu pendant des années dans le Pacifique Sud, raconta à Alma que lorsque les Tahitiens choisissaient une étoile comme repère pour naviguer, ils l'appelaient leur *aveia* – leur dieu guide. Mais en général, expliqua-t-il, le terme tahitien le plus commun pour une étoile est *feti'a*. Mars était l'étoile rouge, par exemple : la *feti'a ura.* L'étoile du matin était la *feti'a ao* : l'étoile de lumière. Les Tahitiens étaient des navigateurs extraordinaires, lui dit le marin avec une admiration non déguisée. Ils étaient capables de naviguer par une nuit sans étoiles ni lune, dit-il, en se repérant seulement à la sensation des courants marins. Ils connaissaient seize espèces différentes de vents.

— Je me suis toujours demandé s'ils sont jamais venus nous rendre visite dans le Nord avant que nous venions les voir dans le Sud, dit-il. Je me demande s'ils sont montés jusqu'à Liverpool ou Nantucket avec leurs pirogues. Ils auraient pu, vous savez. Ils auraient pu naviguer jusque là-haut et nous regarder tandis que nous dormions, puis être repartis avant qu'on ait pu les voir. Je ne serais pas du tout surpris qu'on me le dise.

À présent, Alma connaissait quelques mots de tahitien. Elle connaissait *étoile*, *rouge* et *lumière*. Elle demanda au marin de lui en enseigner d'autres. Il proposa ce qu'il put, essaya d'être utile, mais il connaissait surtout des termes nautiques, s'excusa-t-il, et toutes les choses que l'on dit à une jolie fille.

Malgré cela, ils ne virent toujours pas de baleines.

Les hommes étaient déçus. Ils s'ennuyaient et étaient énervés. On chassait trop en mer. Le capitaine craignait la banqueroute. Certains des marins – ceux auxquels Alma s'était liée, en tout cas – voulaient faire étalage devant elle de leurs talents de chasseurs.

— C'est plus excitant que tout ce que vous pouvez connaître, promettaient-ils.

Chaque jour, ils cherchaient les baleines. Alma aussi. Mais elle n'en vit jamais une seule, car ils abordèrent à Tahiti en juin 1852. Les marins partirent de leur côté et Alma du sien, et elle n'entendit plus jamais parler de l'*Elliot*.

22

Ce qu'Alma vit en premier de Tahiti, depuis le pont du navire, ce furent des pics montagneux abrupts qui s'élevaient dans un ciel céruléen sans nuages. Elle venait de se réveiller par cette belle et claire matinée et était sortie sur le pont pour voir où ils en étaient. Elle ne s'attendait pas à voir cela. Le spectacle de Tahiti lui coupa le souffle : non sa beauté, mais son étrangeté. Toute sa vie, elle avait entendu des histoires sur cette île et elle avait vu dessins et peintures, mais elle ne se doutait absolument pas que l'endroit serait si *haut*, si extraordinaire. Ces montagnes n'avaient rien à voir avec les collines de Pennsylvanie : c'étaient des pentes sauvages et verdoyantes, incroyablement abruptes, affreusement déchiquetées, vertigineusement hautes, et d'un vert aveuglant. À vrai dire, tout ici était noyé dans le vert. Jusqu'aux rivages, tout était excessif et vert. Les cocotiers semblaient pousser directement dans la mer.

Cela la troubla. Elle était là, très littéralement au milieu de nulle part – à mi-chemin entre l'Australie et le Pérou –, et elle ne put s'empêcher de se demander : *Pourquoi y a-t-il une île par ici ?* Tahiti semblait être une interruption mystérieuse de cette étendue plate et infinie qu'était le Pacifique – une cathédrale arbitraire et surnaturelle jaillissant du cœur de la mer sans aucune raison. Elle s'attendait à la voir comme une sorte de paradis, car c'était ainsi qu'on décrivait toujours Tahiti. Elle pensait qu'elle serait vaincue par sa beauté, comme si elle avait débarqué dans l'Éden. Bougainville n'avait-il pas appelé Tahiti *La Nouvelle Cythère**, en hommage à l'île de naissance d'Aphrodite ? Mais la première réaction d'Alma, pour être tout à fait honnête, fut la crainte. Par ce matin lumineux, dans ce climat doux, devant la soudaine apparition de cette célèbre utopie, elle ne fut consciente de rien d'autre que d'une sorte de menace. *Qu'avait pensé Ambrose de cela ?* se demanda-t-elle. Elle ne voulait pas qu'on la laisse seule ici.

Mais où d'autre pouvait-elle aller ?

Le vieux loup de mer de navire glissa lentement dans la rade de Papeete, entouré d'une douzaine d'espèces d'oiseaux de mer qui voletaient et tourbillonnaient autour de ses mâts, si vite qu'Alma ne put les compter ni les identifier. Ses bagages et elle furent débarqués sur le quai bigarré et débordant d'activité. Le capitaine Terrence, fort aimablement, alla voir s'il pouvait louer un attelage pour Alma afin qu'elle se rende à la mission de la baie de Matavai.

Alma avait les jambes tremblantes après ces mois en mer, et elle était presque à bout de nerfs. Elle voyait autour d'elle des gens de toutes espèces – des marins, des officiers de marine et des négociants, ainsi qu'un homme en sabots qui aurait pu être un marchand hollandais. Elle vit deux marchands de perles chinois, avec de longues tresses descendant dans leur dos. Elle vit des indigènes et des métis, et Dieu sait quoi d'autre. Elle vit un gros Tahitien vêtu d'un épais caban, qu'il avait manifestement acheté à un marin anglais, mais il ne portait pas de pantalon – juste un pagne d'herbes, et il offrait le spectacle déconcertant de sa poitrine nue sous sa veste. Elle vit des femmes indigènes vêtues de toutes sortes de façons. Certaines des plus âgées exhibaient audacieusement leurs seins, tandis que les plus jeunes tendaient à porter de longues robes qui ressemblaient à des chemises de nuit et avaient les cheveux pudiquement tressés. Ce devaient être les chrétiennes nouvellement converties, supposa-t-elle. Elle vit une femme enveloppée dans ce qui apparaissait comme une nappe, portant des chaussures d'homme européennes bien trop grandes pour elle, et qui vendait des fruits inconnus. Elle vit un homme à la tenue fantastique, portant un pantalon européen en guise de veste, et la tête couronnée de feuilles. Elle trouva qu'il faisait un spectacle des plus extraordinaires, mais personne d'autre ne faisait attention à lui.

Les indigènes étaient plus grands que les gens auxquels Alma était accoutumée. Certaines des femmes étaient presque aussi imposantes qu'Alma. Les hommes plus encore. Leur peau était cuivrée. Certains avaient de longs cheveux et l'air effrayant ; d'autres les portaient courts et paraissaient civilisés.

Alma vit un groupe de prostituées se précipiter vers les marins de l'*Elliot* avec des poses hardies et suggestives, à peine les hommes eurent-ils posé le pied à terre. Les cheveux de ces femmes leur descendaient jusqu'aux reins en luisantes vagues noires. De dos, elles se ressemblaient toutes. De face, on pouvait percevoir des différences d'âge et de beauté. Alma assista au début des négociations. Elle se demanda combien quelque chose de ce genre coûtait. Elle se demanda ce que les femmes proposaient, au juste. Combien de temps duraient ces transactions, et où elles se déroulaient. Elle se demanda où allaient les marins s'ils voulaient louer des garçons plutôt que des filles. Il n'y avait aucun signe de ce genre d'échange sur le quai. Sans doute se faisait-il dans un endroit plus discret.

Elle vit toutes sortes d'enfants de tous âges – nus et habillés, dans l'eau et en dehors, dans ses jambes et ailleurs. Les enfants se déplaçaient comme des bancs de poissons ou des volées d'oiseaux, chaque décision étant immédiatement exécutée collectivement. *Maintenant, sautons ! Maintenant, courons ! Maintenant, mendions ! Maintenant, raillons !* Elle vit un vieillard à la jambe si enflammée qu'elle avait doublé de volume. Ses yeux étaient couverts d'une taie laiteuse. Elle vit de minuscules attelages tirés par de petits poneys infiniment tristes. Un groupe de petits chiens tachetés entassés à l'ombre. Trois marins français, bras dessus, bras dessous, chantant avec entrain et déjà ivres par cette belle matinée. Elle vit des enseignes d'académies de billard, et, fait remarquable, une imprimerie. La terre ferme vacillait sous ses pieds. Elle avait chaud sous ce soleil.

Un magnifique coq noir repéra Alma et marcha vers elle avec empressement, comme s'il était un émissaire dépêché pour l'accueillir. Il avait une allure si digne qu'elle n'aurait pas été surprise qu'il porte une écharpe officielle sur sa poitrine. Le coq s'arrêta juste devant elle, magistral et attentif. Alma s'attendit presque à l'entendre parler ou exiger qu'elle présente ses papiers. Ne sachant quoi faire d'autre, elle se baissa et caressa l'élégant oiseau, comme si c'était un chien. Étonnamment, il se laissa faire. Elle le caressa encore et il gloussa d'un air satisfait. Il finit par s'installer à ses pieds et ébouriffa ses plumes avec une splendide sérénité. Il semblait estimer que leur rencontre s'était passée conformément à ce qui était prévu. Alma se sentit réconfortée, en quelque sorte, par ce simple échange. La quiétude et l'assurance du coq contribuèrent à la mettre à l'aise.

Ensuite, tous les deux, oiseau et femme, attendirent silencieusement sur le quai la suite des événements.

Il y avait trois lieues entre Papeete et la baie de Matavai. Alma eut tellement pitié du pauvre poney qui devait tirer ses bagages qu'elle descendit de l'attelage et marcha à côté. C'était exquis d'utiliser ses jambes après tant de mois d'inaction en mer. La route était charmante et ombragée par un treillage de palmes et d'arbres à pain. Le paysage était à la fois familier et déconcertant pour Alma. Elle reconnaissait bon nombre des variétés de palmes d'après les serres de son père, mais d'autres étaient de mystérieux mélanges de feuilles plissées et d'écorce luisante couleur de cuir. N'ayant connu les palmiers qu'en serre, Alma ne les avait encore jamais *entendus*. Le bruit du vent dans leurs frondes rappelait le froissement de la soie. Parfois, lors de rafales plus fortes, les troncs grinçaient comme de vieilles portes. Ils étaient si bruyants et vivants. Quant aux arbres à pain, ils étaient plus grandioses et élégants qu'elle l'aurait jamais imaginé. Ils ressemblaient aux ormes de chez elle : luisants et magnanimes.

Le cocher – un vieux Tahitien avec un troublant tatouage dans le dos et une poitrine huilée – fut étonné qu'Alma insiste pour marcher. Il sembla craindre que cela implique qu'il ne serait pas payé. Pour le rassurer, elle essaya de le payer à mi-chemin. Cela ne fit qu'ajouter à la confusion. Le capitaine Terrence avait négocié le prix à l'avance, mais cet arrangement semblait désormais nul et non avenu. Alma proposa de payer en pièces américaines, mais l'homme tenta de lui rendre la monnaie avec une poignée de pièces espagnoles crasseuses et de *soles* boliviens. Alma ne voyait pas comment il pouvait calculer le taux de change entre ces devises, puis elle comprit qu'il échangeait en fait ses pièces ternes contre les siennes, qui étaient neuves et brillantes.

Elle fut déposée à l'ombre d'un bosquet de bananiers au milieu de la mission de la baie de Matavai. Le cocher entassa ses bagages en une petite pyramide soignée ; on aurait dit celle qu'elle avait empilée sept mois auparavant devant les écuries de White Acre. Une fois seule, Alma balaya les alentours du regard. Elle trouva que c'était un endroit assez agréable, bien que plus modeste qu'elle ne l'avait imaginé. L'église de la mission était une humble petite bâtisse chaulée à toit de chaume, entourée d'un groupe de petits cottages également chaulés et chaumés. Il ne pouvait y avoir plus de quelques dizaines de personnes habitant ici.

La communauté était bâtie le long d'une petite rivière qui se jetait dans la mer. La rivière divisait la plage, qui était longue et incurvée, et constituée de sable noir d'origine volcanique. En raison de la couleur du sable, la baie n'était pas du bleu turquoise luisant que l'on associe habituellement avec les mers du Sud : au lieu de cela, c'était une anse remplie d'encre noire, lourde et imposante. À environ trois cents mètres au large, un récif calmait relativement la houle. Même à cette distance, Alma entendait les vagues s'abattre sur ce récif. Elle ramassa une poignée de ce sable couleur de suie et la laissa filer entre ses doigts. Ce fut comme du velours tiède et il laissa ses doigts parfaitement propres.

— La baie de Matavai, dit-elle à haute voix.

Elle n'en revenait pas d'être là. Tous les grands explorateurs du siècle précédent étaient venus ici. Wallis y était passé, ainsi que Vancouver et Bougainville. Le capitaine Bligh avait campé six mois sur cette plage même. Mais le plus impressionnant, pour Alma, c'était que le capitaine Cook eût abordé pour la première fois à Tahiti sur cette plage en 1769. À gauche d'Alma, à faible distance, se trouvait le haut promontoire où Cook avait observé le transit de Vénus – ce mouvement vital d'un minuscule disque noir sur la surface du Soleil qui l'avait poussé à traverser le monde pour l'observer. La charmante petite rivière à droite d'Alma avait naguère été la dernière frontière de l'histoire entre les Tahitiens et les Anglais. Directement après le débarquement de Cook, les deux peuples s'étaient observés de part et d'autre de la rivière avec une prudente curiosité pendant plusieurs heures. Les Tahitiens croyaient que les Anglais étaient venus du ciel et que leurs immenses et impressionnants vaisseaux étaient des îles – des *motu* – qui s'étaient décrochées des étoiles. Les Anglais essayaient de déterminer si ces Indiens seraient agressifs ou dangereux. Les femmes tahitiennes s'approchèrent du bord et aguichèrent les marins anglais sur l'autre rive avec des danses moqueuses et provocantes. Il semblait n'y avoir aucun danger ici, décida le capitaine Cook, et il lâcha ses hommes sur les filles. Les marins offrirent des clous en fer contre les faveurs sexuelles des femmes. Celles-ci les plantèrent dans le sol, espérant faire pousser de ce précieux fer, comme on fait pousser un arbre à partir d'un rameau.

Le père d'Alma n'était pas là lors de ce voyage. Henry Whittaker était venu à Tahiti huit ans plus tard, lors de la troisième expédition de Cook, en août 1777. Entre-temps, les Anglais et les Tahitiens étaient familiers les uns des autres – et s'appréciaient, aussi. Certains marins anglais avaient une épouse qui les attendait sur l'île, ainsi que des enfants. Les Tahitiens appelaient le capitaine Cook « Toote » parce qu'ils ne pouvaient pas prononcer son nom. Alma savait tout cela grâce aux récits de son père – des histoires auxquelles elle n'avait pas songé depuis des dizaines d'années. Elle se les rappelait toutes, désormais. Son père s'était baigné dans cette rivière étant jeune homme. Depuis cette époque, les missionnaires avaient commencé à s'en servir, Alma le savait, pour les baptêmes.

À présent qu'elle était enfin arrivée, Alma ne savait pas trop quoi faire. Il n'y avait pas âme qui vive en vue, à l'exception d'un enfant qui jouait tout seul dans la rivière. Il ne pouvait pas avoir plus de trois ans, il était absolument nu, et se comportait avec assurance bien qu'on l'eût laissé tout seul dans l'eau. Ne souhaitant pas laisser ses bagages sans surveillance, elle s'assit tout simplement dessus et attendit que quelqu'un arrive. Elle avait affreusement soif. Elle était trop excitée le matin pour prendre son petit déjeuner sur le bateau et par conséquent elle avait également faim.

Au bout d'un long moment, une grosse Tahitienne vêtue d'une longue et pudique robe et d'une coiffe sortit de l'un des cottages les plus éloignés, une houe à la main. Elle s'arrêta en voyant Alma. Alma se leva et rajusta sa robe.

— *Bonjour !** cria-t-elle.

Tahiti appartenait officiellement à la France, désormais. Alma imagina qu'il valait mieux parler en français.

La femme lui fit un magnifique sourire.

— Nous parlons anglais, ici ! cria-t-elle en réponse.

Alma voulut s'approcher afin qu'elles ne soient pas obligées de crier, mais, sottement, elle se sentait bloquée par ses bagages.

— Je cherche le révérend Francis Welles ! cria-t-elle.

— Il est dans le corral, aujourd'hui ! cria aimablement la femme.

Et sur ce, elle descendit vers la route de Papeete, laissant Alma seule une fois de plus avec ses malles.

Le corral ? Avaient-ils du bétail, ici ? Dans ce cas, Alma n'en voyait ni n'en sentait nulle part. Qu'avait bien pu vouloir dire la femme ?

Au cours des heures suivantes, d'autres Tahitiens passèrent devant Alma et son tas de malles et de caisses. Tous étaient aimables, mais aucun ne parut particulièrement intrigué par sa présence ni ne parla longtemps avec elle. Tous lui répétèrent la même chose : le révérend Francis Welles était dans le corral pour la journée. *Et à quelle heure reviendra-t-il du corral ?* Personne ne savait. Avant la nuit, espérait-on ardemment.

Quelques jeunes garçons s'attroupèrent autour d'Alma, s'amusèrent audacieusement à jeter des cailloux sur ses bagages et parfois à ses pieds, jusqu'à ce qu'une grosse vieille femme au visage furibard les chasse et qu'ils s'en aillent jouer dans la rivière. À mesure que passait la journée, des hommes avec de petites cannes à pêche passèrent près d'Alma et s'enfoncèrent dans la mer. Ils restèrent à pêcher avec de l'eau jusqu'au cou. Alma avait de plus en plus faim et soif. Malgré cela, elle n'osait s'aventurer nulle part en abandonnant ses affaires.

La nuit tombe vite, sous les tropiques. Alma avait déjà appris cela durant ses mois en mer. Les ombres s'allongèrent. Les enfants sortirent de la rivière et coururent chez eux. Alma regarda le soleil descendre rapidement au-dessus des pics de l'île de Moorea, loin de l'autre côté de la baie. Elle commença à paniquer. *Où allait-elle dormir ce soir ?* Des moustiques voletèrent autour de sa tête. À présent, elle était invisible pour les Tahitiens. Ils vaquaient à leurs occupations autour d'elle, comme si elle et ses bagages étaient un tas de pierres qui se dressait sur la plage depuis l'aube de l'Histoire. Les hirondelles sortirent du couvert des arbres pour se mettre en chasse. La lumière du couchant fit jaillir des éclairs éblouissants sur les vagues.

C'est alors qu'Alma vit quelque chose dans l'eau, quelque chose qui se dirigeait vers le rivage. C'était une petite pirogue à balancier étroite. Une main en visière, elle plissa les paupières, éblouie, essayant de distinguer les silhouettes qu'elle transportait. Non, il n'y avait qu'une seule personne, se rendit-elle compte, qui pagayait avec énergie. La pirogue vola sur la plage avec une force remarquable – une petite flèche parfaitement lancée – et il en sauta un elfe. Ce fut du moins la première pensée d'Alma : *Voilà un elfe !* Cependant, un examen plus approfondi révéla que l'elfe était un homme, un Blanc, avec une couronne hirsute de cheveux blancs et une barbe fleurie. Il était vif et minuscule avec les jambes arquées, et il hissa la pirogue sur la plage avec une force surprenante pour quelqu'un d'une si petite taille.

— Révérend Welles ? cria-t-elle, pleine d'espoir, en agitant les bras dans un geste qui manquait absolument de dignité.

L'homme s'approcha. Il était difficile de dire ce qu'il y avait de plus remarquable chez lui – sa stature minuscule ou sa silhouette décharnée. Il faisait la moitié de la taille d'Alma, avec un corps d'enfant, d'une constitution squelettique, en plus. Il avait les joues creuses et ses épaules pointues saillaient sous sa chemise. Son pantalon tenait sur sa taille étroite avec une double corde. Sa barbe descendait plus bas que sa poitrine. Il portait d'étranges sandales également en corde. Il n'avait pas de chapeau, et son visage était brûlé par le soleil. Ses vêtements n'étaient pas totalement en loques, mais ils n'en étaient pas loin. On aurait dit une ombrelle cassée. Un naufragé miniature et âgé.

— Révérend Welles ? répéta-t-elle en hésitant alors qu'il approchait.

Il leva vers elle – très haut vers elle – de grands yeux bleus clairs et sincères.

— Je suis le révérend Welles, dit-il. Du moins, je crois que je le suis encore, voyez-vous !

Il parlait avec un accent anglais indéterminable.

— Révérend Welles, je suis Alma Whittaker. J'espère que vous avez reçu ma lettre ?

Il inclina la tête comme un oiseau, intéressé, impassible.

— Votre lettre ?

C'était exactement ce qu'elle avait redouté. Elle n'était pas attendue. Elle prit une profonde inspiration et essaya de réfléchir à la meilleure manière de s'expliquer.

— Je suis venue en visite, révérend Welles, et je resterai peut-être un certain temps, comme vous le voyez probablement. (Elle désigna d'un geste désolé la pyramide de bagages.) J'ai un intérêt pour la botanique et j'aimerais étudier les plantes locales. Je sais que vous êtes un peu naturaliste vous-même. Je viens de Philadelphie, aux États-Unis. Je suis également venue inspecter la plantation de vanille que possède ma famille. Mon père était Henry Whittaker.

Il haussa ses sourcils blancs en broussaille.

— Votre père *était* Henry Whittaker, dites-vous ? Ce cher homme serait-il décédé ?

— Hélas, révérend Welles. C'est arrivé l'an dernier.

— Je regrette de l'entendre. Puisse le Seigneur l'accueillir en Son sein. J'ai travaillé pour votre père au cours des années, voyez-vous, fort modestement. Je lui ai vendu de nombreux spécimens qu'il a eu la bonté de bien me payer. Je n'ai jamais rencontré votre père, voyez-vous, mais j'ai travaillé avec son émissaire, Mr Yancey. Il a toujours été des plus droits et des plus généreux, votre bon père. À bien des reprises au cours des années, ce qu'il m'a payé a permis de sauver ce petit village. Nous ne pouvons pas toujours compter sur la London Missionary Society pour nous aider, n'est-ce pas ? Mais nous avons toujours pu compter sur Mr Yancey et Mr Whittaker, voyez-vous. Dites-moi, connaissez-vous Mr Yancey ?

— Je le connais bien, révérend Welles. Je l'ai toujours connu. C'est lui qui a organisé mon voyage ici.

— Certainement, certainement. Alors vous savez que c'est un homme de bien.

Alma n'aurait pu assurer qu'elle n'aurait jamais qualifié Dick Yancey d'« homme de bien », mais elle opina tout de même. De la même manière, elle n'avait encore jamais entendu qualifier son père de droit et de généreux, ni même de bon. Il allait lui falloir un peu de temps pour s'habituer à ces mots. Elle se rappela un homme de Philadelphie qui avait un jour qualifié son père de « bipède de proie ». Imaginez à quel point cet homme aurait été surpris à présent, de voir combien le nom du bipède était bien considéré ici, au milieu des mers du Sud ! Cette idée fit sourire Alma.

— Je serai très heureux de vous montrer la plantation de vanille, continua le révérend Welles. Un indigène de notre mission en a pris la direction, depuis que nous avons perdu Mr Pike. Connaissiez-vous Ambrose Pike ?

Le cœur d'Alma chavira dans sa poitrine, mais elle resta impassible.

— Oui, je l'ai un peu connu. Je travaillais étroitement avec mon père, révérend Welles, et c'est tous les deux, d'ailleurs, que nous avons décidé de dépêcher Mr Pike à Tahiti.

Alma avait décidé depuis des mois, avant même de quitter Philadelphie, qu'elle ne dirait rien à personne à Tahiti de sa relation avec Ambrose. Durant toute la traversée, elle avait voyagé sous le nom de « Miss Whittaker » et avait laissé tout le monde la prendre pour une vieille fille. Dans un sens, bien sûr, elle était *effectivement* une vieille fille. Personne de sensé n'aurait considéré son mariage à Ambrose comme une union d'aucune sorte. En outre, elle avait sans conteste l'air d'une vieille fille – et elle avait le sentiment d'en être une. D'une manière générale, elle n'aimait pas raconter des mensonges, mais elle était venue ici pour résoudre le puzzle de l'histoire d'Ambrose Pike et elle doutait fort que l'on se confie à elle si on savait qu'Ambrose avait été son époux. À condition qu'Ambrose ait honoré sa requête et n'ait parlé à personne de leur mariage, elle n'imaginait pas que quiconque puisse soupçonner un lien entre eux, hormis le fait que Mr Pike avait été l'employé de son père. Quant à

Alma, elle n'était rien de plus qu'une naturaliste en voyage, fille d'un importateur de botanique et magnat de la pharmacie assez connu ; il était tout à fait logique qu'elle vienne à Tahiti pour son propre compte – étudier les mousses et inspecter la plantation de vanille familiale.

— Eh bien, nous regrettons beaucoup Mr Pike, dit le révérend Welles avec un sourire suave. Peut-être est-ce à moi qu'il manque le plus. Sa mort a été une perte pour notre petit village, voyez-vous. Nous aimerions que tous les étrangers qui viennent ici donnent un aussi bon exemple aux indigènes que le faisait Mr Pike, qui était l'ami des déchus privés de père et l'ennemi de l'aigreur et de la méchanceté et de tout ce genre de choses, voyez-vous. C'était un brave homme, votre Mr Pike. Je l'admirais, voyez-vous, car je sentais qu'il était en mesure de montrer aux indigènes, contrairement à bien des chrétiens qui en sont *incapables*, ce que devrait être véritablement la conduite chrétienne. Le comportement de tant d'autres chrétiens en visite, voyez-vous, ne semble pas toujours en mesure d'élever l'estime de notre religion aux yeux de ces gens simples. Mais Mr Pike était un modèle de bonté. Qui plus est, il avait un don pour se lier avec les indigènes que j'ai rarement vu chez d'autres. Il parlait à tous d'une manière si simple et généreuse, voyez-vous. Il n'en est pas toujours ainsi, hélas, avec les hommes qui viennent de très loin sur cette île. Tahiti peut être un dangereux paradis, voyez-vous. Pour ceux qui sont accoutumés, disons, *au paysage moral plus rigoureux* de la société européenne, cette île et sa population peuvent présenter des tentations auxquelles il est difficile de résister. Les visiteurs en profitent, voyez-vous. Même certains missionnaires, je regrette de devoir le dire, exploitent parfois ce peuple enfantin et innocent, voyez-vous, bien qu'avec l'aide du Seigneur, nous essayions de leur enseigner à mieux se protéger. Mr Pike n'était pas de ceux-là – de ceux qui profitent, voyez-vous.

Alma fut proprement renversée. Elle trouva que c'était là le discours de présentation le plus remarquable qu'elle eût entendu (excepté, peut-être, sa rencontre avec Retta Snow). Le révérend Welles n'avait pas cherché à savoir pourquoi Alma Whittaker avait fait le voyage depuis Philadelphie pour finir assise sur un tas de caisses et de malles au milieu de sa mission, et pourtant, il était déjà là à parler d'Ambrose Pike ! Elle ne s'y attendait pas. Pas plus qu'elle ne s'était attendue à ce que son époux, avec sa sacoche remplie de dessins obscènes et secrets, soit loué avec autant d'enthousiasme comme un exemple moral.

— Oui, révérend Welles, parvint-elle à dire.

Étonnamment, le révérend Welles poursuivit encore sur le sujet :

— Qui plus est, voyez-vous, j'en suis venu à aimer Mr Pike comme mon plus cher ami. Vous n'imaginez pas le réconfort que peut être un compagnon intelligent dans un lieu aussi solitaire que celui-ci. En vérité, je serais prêt à faire des lieues pour revoir son visage ou prendre à nouveau amicalement sa main, si c'était seulement possible. Mais un tel miracle ne se réalisera jamais de mon vivant, voyez-vous, car Mr Pike a été rappelé au paradis, Miss Whittaker, et nous sommes restés seuls.

— Oui, révérend Welles, répéta Alma.

Que pouvait-elle dire d'autre ?

— Vous pouvez m'appeler frère Welles, dit-il. Si je puis vous appeler sœur Whittaker ?

— Certainement, frère Welles, dit-elle.

— Vous pouvez vous joindre à nous pour la prière du soir, sœur Whittaker. Nous sommes un peu pressés, voyez-vous. Nous commencerons plus tard que de coutume ce soir, car j'ai passé la journée dans le corail, voyez-vous, et j'ai oublié l'heure.

Ah, songea Alma – le *corail*. Bien sûr ! Il était parti toute la journée sur les récifs de corail, pas dans un corral pour s'occuper du bétail.

— Merci, dit-elle. (Elle jeta un regard à ses bagages et hésita.) Je me demandais où je pourrais placer mes affaires en attendant, afin qu'elles soient à l'abri ? Dans ma lettre, frère Welles, je vous demandais si je pouvais rester dans votre colonie quelque temps. J'étudie la mousse, voyez-vous, et j'espérais explorer l'île…

Elle n'acheva pas, désarçonnée par les grands yeux bleus qui la fixaient.

— Certainement ! dit-il.

Elle attendit qu'il poursuive, mais ce fut tout. Comme il était peu curieux ! Il n'aurait pas été moins gêné par sa présence s'ils avaient prévu ce rendez-vous depuis dix ans.

— Je suis financièrement à l'aise, dit Alma, hésitante, et je pourrai payer la mission en échange d'un logement…

— Certainement ! répéta-t-il.

— Je ne sais pas encore combien de temps je pourrai rester… Je ferai tout mon possible pour ne pas gêner… Je ne m'attends pas à tout le confort…

Elle n'acheva pas non plus. Elle répondait à des questions qu'il ne posait pas. Avec le temps, Alma apprendrait que le révérend Welles ne posait de questions à personne, mais pour le moment, elle trouvait cela extraordinaire.

— Certainement ! répéta-t-il pour la troisième fois. À présent, joignez-vous à nous pour la prière du soir, sœur Whittaker.

— Certainement, dit-elle sans insister.

Il l'entraîna vers l'église, loin de ses bagages – de tout ce qu'elle possédait et qui lui était précieux. Elle ne put que le suivre.

La chapelle ne faisait pas plus de six mètres de longueur. Elle était remplie de simples bancs et ses murs étaient chaulés et impeccables. Quatre lanternes à huile de baleine éclairaient faiblement la salle. Alma compta dix-huit fidèles, tous des Tahitiens indigènes. Onze femmes et sept hommes. Autant qu'elle le pouvait (elle ne voulait pas se montrer grossière), Alma examina les visages des hommes. Aucun d'eux n'était le Garçon des dessins d'Ambrose. Les hommes portaient de simples pantalons et chemises de style européen et les femmes ces longues chemises de nuit qu'Alma avait vues partout depuis son arrivée. La plupart portaient des coiffes, mais une – Alma reconnut la dame au visage sévère qui avait chassé les gamins – portait un chapeau de paille à large revers décoré d'une abondance de fleurs fraîches.

Ce qui suivit fut le service religieux le plus inhabituel qu'eût jamais vu Alma, et de loin le plus bref. D'abord, on chanta un hymne en langue tahitienne, alors que personne n'avait de livre de prières. Alma trouva la musique étrange – dissonante et aiguë, avec des voix superposées selon des motifs qu'elle ne put suivre, uniquement accompagnées d'un tambour dont jouait un garçon d'environ quatorze ans. Le rythme du tambour ne paraissait pas en harmonie avec le chant – du moins d'aucune manière que pût identifier Alma. Les voix des femmes s'élevaient en cris perçants au-dessus des psalmodies des hommes. Elle ne découvrit aucune mélodie cachée dans cette étrange musique. Elle tendit l'oreille, guettant un mot familier (Jésus, Christ, Dieu, Seigneur, Jéhovah), mais rien n'était discernable. Elle fut gênée de rester en silence pendant que les femmes autour d'elle chantaient si bruyamment. Elle ne pouvait rien apporter de plus à cette cérémonie.

Après le chant, Alma pensait que le révérend Welles prononcerait un sermon, mais il resta assis, la tête penchée dans une prière. Il ne leva même pas les yeux quand la grosse Tahitienne au chapeau fleuri se leva et gagna le pupitre. La femme lut un bref extrait en anglais de l'Évangile de Matthieu. Alma s'émerveilla que cette femme sache lire, si bien, et en anglais. Bien que n'ayant jamais été du genre à prier constamment, Alma trouva un réconfort dans ces paroles familières. Heureux soient les pauvres, les humbles, les miséricordieux, les purs de cœur, les injuriés et les persécutés. Heureux, heureux, heureux. Tant de bonheurs, si généreusement exprimés.

Puis la femme referma la Bible et – toujours en anglais – prononça rapidement un bruyant et étrange sermon.

— Nous sommes *nés* ! hurla-t-elle. Nous *rampons* ! Nous *marchons* ! Nous *nageons* ! Nous *travaillons* ! Nous donnons des *enfants* ! Nous *vieillissons* ! Nous marchons avec une *canne* ! Mais ce n'est qu'en Dieu que se trouve la *paix* !

— La *paix* ! répéta la congrégation.

— Si nous nous envolons aux cieux, Dieu est *là* ! Si nous prenons la mer, Dieu est *là* ! Si nous marchons sur la terre, Dieu est *là* !

— *Là !* répéta la congrégation.

La femme étendit les bras en ouvrant et fermant les mains rapidement et plusieurs fois. Puis elle ouvrit et ferma la bouche rapidement. Elle gesticula comme un pantin désarticulé. Une partie de la congrégation gloussa. La femme ne sembla pas s'en offusquer. Puis elle cessa de bouger et s'écria :

— Regardez-nous ! Nous sommes astucieusement *faits* ! Nous sommes pleins de *charnières* !

— *Charnières !* répéta la congrégation.

— Mais les charnières *rouilleront* ! Nous *mourrons* ! Seul Dieu *demeure* !

— *Demeure !* répéta la congrégation.

— Le roi des corps n'a pas de *corps* ! Mais il nous apporte la *paix* !

— *La paix !* répéta la congrégation.

— Amen ! dit la femme au chapeau fleuri, avant de retourner à sa place.

— *Amen !* répondit la congrégation.

Ensuite, le révérend Welles se posta à l'autel et offrit la communion. Alma se mit dans la file avec les autres. Le révérend était si minuscule qu'elle dut presque se plier en deux pour recevoir la communion. Il n'y avait pas de vin, mais le jus d'une noix de coco servit à incarner le sang du Christ. Quant au corps du Christ, c'était une petite bille d'une substance gluante et sucrée qu'Alma ne put identifier. Mais c'était bienvenu : elle mourait de faim.

Le révérend Welles conclut par une prière d'une brièveté impressionnante :

— Donne-nous la volonté, oh, Christ, d'endurer toutes les afflictions qui sont notre lot. Amen.

— Amen, dit la congrégation.

Cela conclut la messe, qui n'avait pas dû durer plus d'un quart d'heure. Mais ce fut une durée suffisante pour qu'Alma découvre – quand elle ressortit – que le ciel était devenu tout noir et que tous ses biens jusqu'au dernier avaient disparu.

— Emportés *où* ? demanda Alma. Et par qui ?

— Hum, fit le révérend Welles en se grattant le crâne et en regardant l'endroit où se trouvaient les bagages d'Alma si peu de temps auparavant. Là, ce n'est pas facile de répondre. Ce sont probablement les jeunes garçons. Ce sont généralement les jeunes garçons, pour ce genre de chose. Mais ils ont très certainement été emportés.

Cette confirmation ne l'aidait guère.

— Frère Welles ! dit-elle avec angoisse. Je vous ai demandé si nous devions les mettre en lieu sûr ! J'ai besoin de ces affaires de toute urgence ! Nous aurions pu tout mettre à l'abri quelque part dans une maison, derrière une porte verrouillée, peut-être ! Pourquoi ne l'avez-vous pas proposé ?

Il hocha la tête avec empressement, mais sans la moindre trace de consternation.

— Nous aurions pu mettre vos bagages dans une maison, oui. Mais voyez-vous, tout aurait tout de même été emporté. Ils auraient tout pris tôt ou tard.

Alma songea à son microscope, à ses rames de papier, à son encre, à ses crayons, remèdes et bocaux de collecte. Et ses vêtements ? Mon Dieu, et le sac de voyage d'Ambrose, rempli de ces dangereux et innommables dessins ? Elle crut qu'elle allait pleurer.

— Mais j'ai apporté des cadeaux pour les indigènes, frère Welles. Ils n'avaient pas besoin de me voler. Je leur aurais donné des choses. Je leur ai apporté des ciseaux et des rubans !

— Eh bien, dit-il avec un sourire rayonnant. Il semble que vos cadeaux aient été reçus, vous voyez !

— Mais il y a des objets dont j'ai besoin qui doivent m'être rendus, des objets d'une valeur indicible auxquels je tiens tendrement.

Il ne se montra pas totalement sans compassion. Elle dut le reconnaître. Il opina aimablement et prit note, en tout cas plus ou moins, de sa détresse.

— Cela doit vous chagriner, sœur Whittaker. Mais soyez assurée que rien de tout cela n'a été volé pour de bon. Cela a été simplement pris, peut-être seulement temporairement. Une partie sera peut-être rendue, si vous êtes patiente. S'il y a quelque chose de particulièrement précieux pour vous, je peux en faire la demande. Parfois, si je demande convenablement, des objets réapparaissent.

Elle songea à tout ce qu'elle avait emporté. De quoi avait-elle le plus désespérément besoin ? Elle ne pouvait demander le sac rempli des dessins sodomitiques d'Ambrose, bien que ce fût une torture de l'avoir perdu, car c'était son bien le plus important.

— Mon microscope, dit-elle d'une voix faible.

Il hocha de nouveau la tête.

— Ce sera peut-être difficile, voyez-vous. Un microscope serait un objet d'une considérable nouveauté par ici. Personne n'en aura jamais vu. Je ne crois pas en avoir jamais vu un moi-même ! Cependant, je vais immédiatement commencer à demander. Nous ne pouvons qu'espérer, voyez-vous ! Quant à ce soir, nous devons vous trouver un logement. Sur la plage, à quelques centaines de mètres, se trouve le petit cottage que nous avons aidé Mr Pike à construire quand il est venu vivre ici. Il a été laissé tel qu'il était quand il est décédé, Dieu le garde. J'avais pensé qu'un des indigènes s'y installerait, mais il semble que personne ne veuille y entrer. L'endroit est souillé par la mort, voyez-vous – dans leur esprit, je veux dire. C'est un peuple superstitieux, voyez-vous. Si vous n'êtes pas quelqu'un de superstitieux, vous devriez être à votre aise là-bas. Vous n'êtes pas superstitieuse, n'est-ce pas, sœur Whittaker ? Vous ne me donnez pas cette impression. Voulez-vous aller y jeter un coup d'œil ?

Alma crut qu'elle allait s'effondrer.

— Frère Welles, dit-elle en s'efforçant de ne pas trembler. Veuillez me pardonner. J'ai fait un très long voyage. Je suis loin de tout ce qui m'est familier. Je suis très choquée d'avoir perdu mes affaires, que j'ai réussi à protéger pendant treize mille milles et que je viens de voir disparaître il y a quelques minutes ! Je n'ai rien mangé, hormis votre aimable communion, depuis mon dîner sur le baleinier hier soir. Tout est nouveau et tout me laisse perplexe. Je suis très accablée et distraite. Je vous demande de me pardonner…

Alma se tut. Elle avait oublié où elle voulait en venir. Elle ignorait *de quoi* elle demandait à être pardonnée.

Il battit des mains.

— Manger ! Certes, vous devez manger ! Mes excuses, sœur Whittaker ! Voyez-vous, je ne mange pas moi-même – ou très rarement. J'oublie que les autres y sont obligés ! Ma femme me gronderait si elle savait combien je me conduis mal !

Sans un mot de plus, ni d'autre explication sur le sujet de son épouse, le révérend Welles courut frapper à la porte du cottage le plus proche de l'église. La grosse Tahitienne – celle qui avait prononcé le sermon en début de soirée – vint répondre. Ils échangèrent quelques mots. La femme jeta un regard à Alma et hocha la tête. Le révérend Welles revint précipitamment de sa démarche sautillante et arquée.

Était-ce possible que ce fût l'épouse du révérend ? se demanda Alma.

— Alors c'est fait ! dit-il. Sœur Manu s'occupera de vous. Nous mangeons simplement, ici, mais oui, vous devriez manger un minimum ! Elle va vous apporter quelque chose dans votre cottage. Je lui ai aussi demandé de vous apporter un *ahu ta'oto*, une couverture, c'est tout ce que nous utilisons par ici pour dormir. Je vous apporterai une lampe aussi. Allons-y à présent. Je ne vois vraiment pas de quoi d'autre vous pourriez avoir besoin.

Alma voyait beaucoup de choses dont elle avait besoin, mais la promesse d'un repas et de sommeil suffit à la faire tenir pour le moment. Elle suivit le révérend Welles le long de la plage de sable noir. Il marchait à une allure impressionnante pour quelqu'un qui avait des jambes aussi courtes et arquées. Même avec ses grandes enjambées, Alma devait presser le pas pour rester à sa hauteur. Il balançait sa lanterne à bout de bras, mais il ne l'alluma pas, car la lune s'était levée et brillait dans le ciel. Alma fut surprise par les grosses formes sombres qui détalaient sur le sable à leur arrivée. Elle pensa qu'il s'agissait de rats, mais en y regardant de plus près, elle découvrit que c'étaient des crabes. Ils la troublèrent. Ils étaient de bonne taille, avec une grosse pince qu'ils traînaient à côté d'eux et faisaient horriblement cliqueter en s'enfuyant. Ils s'approchèrent dangereusement de ses pieds. Elle songea qu'elle aurait préféré des rats et fut bien contente de porter des chaussures. Le révérend Welles avait Dieu sait comment perdu ses sandales entre la messe et maintenant, mais il ne se souciait pas des crabes et continuait de babiller tout en marchant.

— Cela m'intrigue de voir comment vous trouverez Tahiti, sœur Whittaker, d'un point de vue botanique, voyez-vous. Beaucoup sont déçus. C'est un climat luxuriant, voyez-vous, mais nous sommes une petite île et vous verrez qu'il y a plus d'abondance ici que de variété. Sir Joseph Banks trouva très certainement Tahiti décevante, d'un point de vue botanique, je veux dire. Il trouvait que les habitants étaient beaucoup plus intéressants que les plantes. Peut-être avait-il raison ! Nous n'avons que deux variétés d'orchidées – Mr Pike fut fort déçu de l'apprendre, mais il en chercha avidement d'autres – et une fois que vous connaissez les palmiers, ce qui ne vous prendra guère de temps, il n'y a pas grand-chose à découvrir. Il y a un arbre appelé *apage*, voyez-vous, qui vous rappellera le gommier, et qui s'élève à une douzaine de mètres – mais qui ne paraîtra guère magnifique à une femme élevée dans les profondes forêts de Pennsylvanie, je parie ! Ha ha ha ! (Alma n'eut pas l'énergie de dire au révérend Welles qu'elle n'avait pas été élevée dans une profonde forêt. Il continua :) Il y a une délicieuse espèce de laurier appelé *tamanu*, bonne et utile. Votre mobilier en est fait. Il résiste aux insectes, voyez-vous. Et aussi une sorte de magnolia appelé *hutu*, que j'ai envoyé à votre très regretté père en 1838. On trouve hibiscus et mimosa partout le long des rivages. Vous aimerez le châtaignier tahitien, le *mape*, peut-être en avez-vous vu près de la rivière ? C'est pour moi le plus bel arbre de l'île. Les femmes fabriquent leurs vêtements à partir de l'écorce d'une sorte de mûrier à papier (elles l'appellent *tapa*) mais aujourd'hui, elles sont nombreuses à préférer le coton et le calicot qu'apportent les marins.

— J'ai apporté du calicot, murmura tristement Alma. Pour les femmes.

— Oh, cela leur fera plaisir ! dit le révérend Welles d'un ton désinvolte, comme s'il avait déjà oublié que les biens d'Alma avaient été volés. Avez-vous apporté du papier ? Des livres ?

— Oui, répondit Alma, de plus en plus accablée de minute en minute.

— Eh bien, c'est difficile, ici, pour le papier, vous verrez. Le vent, le sable, le sel, la pluie, les insectes – jamais il n'y a eu un climat moins propice pour les *livres* ! J'ai vu tous mes papiers disparaître sous mes yeux, voyez-vous !

Tout comme moi les miens à l'instant, faillit dire Alma. Jamais elle n'avait été aussi affamée ou fatiguée de sa vie.

— J'aimerais avoir une *mémoire* tahitienne, continua le révérend Welles. Là, il n'y aurait plus aucun besoin de papier ! Ce que nous conservons dans des bibliothèques, ils le conservent dans leur esprit. Je me sens tellement sot, en comparaison. Le plus jeune pêcheur local connaît les noms de deux cents étoiles ! Ce que connaissaient les plus âgés, vous ne pouvez l'imaginer. Auparavant, je conservais des documents, mais c'était trop décourageant de les voir partir en poussière alors même que j'écrivais. Le climat qui fait mûrir ici fleurs et fruits en abondance, voyez-vous, est aussi propice à la moisissure et à la pourriture. Ce n'est pas une contrée pour les érudits ! Mais qu'est-ce que l'Histoire pour nous, vous demanderai-je ? Notre séjour en ce monde est si bref ! Pourquoi prendre autant la peine de consigner nos pauvres existences ? Si les moustiques vous ennuient trop le soir, vous pouvez demander à sœur Manu de vous montrer comment faire brûler des bouses de porc séchées devant votre porte : cela les éloigne un peu. Vous trouverez sœur Manu fort utile. C'était moi qui prêchais, avant, mais comme cela lui plaît plus qu'à moi, et que les indigènes préfèrent ses sermons aux miens, c'est elle qui prêche désormais. Elle n'a pas de famille et elle s'occupe donc des cochons. Elle les nourrit à la main, voyez-vous, pour les encourager à rester près du village. Elle est riche, à sa manière. Elle peut troquer un seul cochonnet contre un mois de poisson et d'autres trésors. Les Tahitiens apprécient beaucoup le cochonnet rôti. Ils croyaient que l'odeur de la chair attirait les dieux et les esprits. Bien sûr, certains le croient encore, même s'ils sont chrétiens, ha ha ha ! En tout cas, sœur Manu vaut la peine d'être connue. Elle a un joli filet de voix. Pour une oreille européenne, la musique de Tahiti est dénuée de toutes les qualités qui pourraient la rendre agréable, mais vous apprendrez peut-être à la supporter avec le temps.

Ainsi sœur Manu n'était *pas* l'épouse du révérend Welles, se dit Alma. Qui était-elle, alors ? Et où était-elle ?

Il continuait de parler sans relâche :

— Si vous voyez des lumières dans la baie la nuit, ne vous alarmez pas. Ce ne sont que des hommes partis pêcher avec des lanternes. C'est tout à fait pittoresque. Les poissons volants sont attirés par la lumière et ils atterrissent dans les pirogues. Certains garçons sont capables de les attraper à la main. Je vous le dis : toute la variété dont est dépourvue la terre de Tahiti est plus que compensée par l'abondance des merveilles de la mer ! Si vous voulez, je vous montrerai les jardins de corail demain, près des récifs. Vous y verrez d'incontestables preuves de l'inventivité du Seigneur. Eh bien, nous y sommes : la maison de Mr Pike ! À présent, ce sera la vôtre ! Ou, dois-je dire, votre *faré* ! En tahitien, nous appelons une maison un *faré*. Il n'est pas trop tôt pour commencer à apprendre quelques mots, voyez-vous.

Alma répéta mentalement le mot : *faré*. Elle le grava dans sa mémoire. Elle était épuisée, mais malgré tout, il aurait fallu qu'elle le soit bien davantage pour ne pas dresser les oreilles devant une nouvelle langue étrangère. À la faible lueur du clair de lune, juste en haut de la plage, Alma distingua le minuscule *faré* caché sous les palmiers. Il n'était pas plus grand que le plus petit appentis de jardin de White Acre, mais il était assez joli. En tout cas, il ressemblait à un bungalow de bord de mer anglais, mais en plus réduit. Un insensé petit sentier semé de coquillages brisés serpentait de la plage jusqu'à la porte.

— C'est un sentier étrange, je sais, mais ce sont les Tahitiens qui l'ont fait, dit le révérend Welles en riant. Ils ne voient aucun intérêt à tracer un sentier droit, même sur une courte distance ! Vous vous habituerez à ce genre de merveilles ! Mais c'est une bonne chose d'être un peu éloigné de la plage. Vous êtes à quatre mètres au-dessus de la plus haute marée, voyez-vous.

Quatre mètres. Cela ne faisait pas beaucoup.

Alma et le révérend Welles approchèrent du cottage en remontant le sentier en zigzag. Alma vit que ce qui tenait lieu de porte était une simple natte de palmes tissées, que le révérend Welles poussa sans peine. Manifestement, il n'y avait pas de verrou, ici. Une fois à l'intérieur, il alluma la lampe. Ils se retrouvèrent dans une petite pièce ouverte. Il y avait des poutres au plafond et le toit était couvert d'un chaume maintenu par des cordelettes rouges. Alma pouvait à peine tenir debout sans se cogner la tête à la poutre la plus basse. Un lézard détala sur le mur. Le sol était recouvert d'herbe sèche qui crissait sous les pieds d'Alma. Il y avait un petit banc grossier en bois sans coussins, mais au moins avec un dossier et des accoudoirs. Il y avait également une table avec trois chaises, dont l'une était cassée et renversée. On aurait dit un mobilier pour enfants dans une nursery pauvre. Des fenêtres sans vitres ni rideaux s'ouvraient de tous côtés. Il y avait un petit lit – à peine plus grand que le banc – avec une mince paillasse qui semblait faite d'une ancienne voile avec un rembourrage quelconque. Toute la pièce, apparemment, semblait plus adaptée à quelqu'un de la taille du révérend Welles qu'à la sienne.

— Mr Pike vivait comme les indigènes, dit-il. C'est-à-dire qu'il n'avait qu'une seule pièce. Mais si vous voulez des cloisons, je pense que nous pourrions vous en fabriquer. (Alma ne voyait absolument pas où on pouvait mettre une séparation dans un endroit aussi minuscule. Comment divise-t-on rien en parties ?) Vous voudrez peut-être retourner à un moment ou un autre à Papeete, sœur Whittaker. C'est le cas de la plupart des gens. Il y a plus de civilisation dans la capitale, je suppose. Plus de vice, aussi, et plus de mal. Mais vous pourriez y trouver un Chinois qui ferait votre linge et ce genre de choses. Il y a toutes sortes de Portugais et de Russes là-bas, de ceux qui débarquent des baleiniers et ne repartent jamais. Non que les Portugais et les Russes constituent une civilisation, mais c'est plus de variété d'humanité que vous n'en trouverez dans notre petit village, voyez-vous ! (Alma hocha la tête, mais elle savait qu'elle ne quitterait pas la baie de Matavai. Cela avait été le lieu de bannissement d'Ambrose : désormais, ce serait le sien.) Vous trouverez un endroit où faire la cuisine, à l'arrière, près du jardin, continua le révérend Welles. N'attendez pas trop de votre jardin, toutefois, même si Mr Pike tenta noblement de le cultiver. Tout le monde essaie, mais une fois que les cochons et les chèvres sont passés, il ne reste plus guère de potirons pour nous ! Nous pouvons vous obtenir une chèvre, si vous désirez du lait frais. Vous pouvez demander à sœur Manu.

Comme si elle avait entendu qu'on l'appelait, sœur Manu apparut sur le seuil. Elle avait dû les suivre. Il n'y avait presque pas de place pour qu'elle entre, avec Alma et le révérend Welles déjà à l'intérieur. Alma n'était même pas sûre que sœur Manu puisse franchir la porte, avec son grand chapeau fleuri sur la tête. Mais tout réussit à passer. Sœur Manu ouvrit un baluchon et déposa de la nourriture sur la petite table, en usant de feuilles de bananier en guise d'assiettes. Il fallut à Alma toute sa réserve pour ne pas se jeter immédiatement sur son repas. Sœur Manu lui tendit un morceau de bambou muni d'un bouchon de liège.

— De l'eau pour *boire*, dit-elle.

— Merci, dit Alma. Vous êtes bien aimable.

Ils se dévisagèrent tous les trois un moment : Alma avec lassitude, sœur Manu avec circonspection, le révérend Welles avec entrain.

Puis le révérend Welles inclina la tête et dit :

— Nous vous remercions, Seigneur Jésus-Christ et Dieu Notre Père, pour avoir permis à sœur Whittaker d'arriver ici saine et sauve. Nous vous demandons qu'elle demeure en Votre sainte garde. Amen.

Puis sœur Manu et lui s'en allèrent enfin et Alma se jeta sur la nourriture à deux mains, engloutissant le tout goulument et rapidement sans même prendre le temps de déterminer ce dont il s'agissait au juste.

Elle se réveilla au milieu de la nuit avec un goût de fer tiède dans la bouche. Elle sentit une odeur de sang et de fourrure. Il y avait un animal dans la pièce. Un mammifère. Elle nota cela avant même de se rappeler où elle était. Son cœur se mit à battre la chamade tandis qu'elle se creusait la tête pour essayer d'en savoir plus. Elle n'était pas sur le navire. Elle n'était pas à Philadelphie. Elle était à Tahiti – voilà, elle s'était orientée. Elle était à Tahiti dans le cottage où Ambrose avait vécu et était mort. Quel était le mot pour cottage ? *Faré.* Elle était dans son *faré,* et il y avait un animal avec elle.

Elle entendit un geignement suraigu et irréel. Elle se redressa sur le petit lit inconfortable et regarda autour d'elle. Le rayon de lune qui passait par la fenêtre était suffisant pour qu'elle distingue à présent le chien qui était au milieu de la pièce. C'était un petit chien, d'une dizaine de kilos tout au plus. Les oreilles rabattues en arrière, il lui montrait les dents. Elle le regarda droit dans les yeux. Le geignement du chien devint un grondement. Alma n'avait pas envie de se battre avec un chien. Pas même un petit chien. Cette pensée lui vint simplement, calmement, même. À côté de son lit était posé le morceau de bambou que sœur Manu lui avait apporté, rempli d'eau douce. C'était la seule chose à sa portée qui pût servir d'arme. Elle essaya de déterminer si elle pourrait s'en emparer sans alerter davantage l'animal. Non, elle ne voulait certainement pas se battre avec un chien, mais si elle y était contrainte, elle voulait que la lutte soit égale. Elle tendit le bras lentement vers le sol sans quitter l'animal des yeux. Le chien aboya et s'approcha. Elle retira le bras. Elle essaya de nouveau. Le chien aboya encore, plus hargneux, cette fois. Elle n'aurait aucune chance de trouver une arme.

Eh bien tant pis. Elle était trop fatiguée pour avoir peur.

— Qu'est-ce que tu me reproches ? demanda-t-elle au chien d'un ton las.

En entendant sa voix, le chien déversa un torrent d'accusations en aboyant avec une telle force que tout son corps sautillait à chaque cri. Elle le regarda sans broncher. C'était le cœur de la nuit. Il n'y avait pas de serrure à sa porte. Elle n'avait pas d'oreiller dans son lit. Elle avait perdu toutes ses affaires et elle dormait dans une robe de voyage crasseuse, aux ourlets remplis de pièces – tout l'argent qui lui restait, maintenant que ses biens avaient été volés. Elle n'avait rien d'autre qu'un petit morceau de bambou pour se défendre et elle ne pouvait même pas l'attraper. Sa maison était entourée de crabes et infestée de lézards. Et maintenant, voilà qu'elle avait un chien tahitien enragé dans sa maison. Elle était si épuisée qu'elle en éprouvait presque de l'ennui.

— Va-t'en, lui dit-elle.

Le chien aboya de plus belle. Elle renonça. Elle lui tourna le dos, roula sur le côté et tenta une fois de plus de trouver une position confortable sur la mince paillasse. Il continua d'aboyer. Son indignation n'avait pas de limite. *Attaque-moi, alors*, songea-t-elle. Elle s'endormit tandis qu'il continuait de s'indigner.

Quelques heures plus tard, elle se réveilla. La lumière avait changé : c'était presque l'aube. À présent, c'était un garçon qui était assis en tailleur au milieu de la pièce et la fixait. Elle cligna des yeux et soupçonna un tour de magie : *quel sorcier était venu pour transformer le petit chien en petit garçon ?* L'enfant avait de longs cheveux et un visage solennel. Il paraissait avoir huit ans. Il ne portait pas de chemise, mais Alma fut soulagée de constater qu'il possédait un pantalon, même si une des jambes, déchirée, était plus courte que l'autre, comme s'il s'était dégagé d'un piège en y laissant un morceau de son vêtement.

Il se leva d'un bond comme s'il avait attendu qu'elle s'éveille. Il s'approcha du lit. Elle recula, inquiète, mais elle vit qu'il tenait quelque chose et, qui plus est, qu'il le lui offrait. L'objet luisait dans la lumière matinale au creux de sa paume. C'était un objet fuselé en laiton. Il le posa sur le bord de son lit. C'était l'oculaire de son microscope.

— Oh ! s'exclama-t-elle.

En entendant sa voix, il s'enfuit. Le vague pan de feuilles tissées qui tenait lieu de porte se referma derrière lui sans un bruit.

Alma ne put se rendormir après cela, mais elle ne se leva pas immédiatement. Elle était en tout point aussi épuisée à présent que la veille. Qui allait arriver ensuite dans sa maison ? Quel genre d'endroit était-ce ? Il fallait qu'elle trouve le moyen de bloquer la porte – mais avec quoi ? Elle pouvait pousser la petite table devant la porte la nuit, mais elle était très facile à écarter. Et avec des fenêtres qui n'étaient rien d'autre que des trous percés dans les murs, à quoi cela servait-il de bloquer la porte ? Elle tripota pensivement l'oculaire de laiton, déroutée et mélancolique. Où était le reste de son cher microscope ? Qui était cet enfant ? Elle aurait dû le pourchasser pour voir où il cachait tout le reste de ses biens.

Elle ferma les yeux et écouta les bruits si peu familiers autour d'elle. Elle avait l'impression de pouvoir presque entendre l'aube se lever. En tout cas, elle entendait nettement les vagues retomber sur le rivage. Elles semblaient d'une inquiétante proximité. Elle aurait préféré être un peu plus loin de la mer. Tout semblait trop proche, trop dangereux. Un oiseau perché sur le toit juste au-dessus de sa tête poussa un cri étrange. On aurait dit qu'il lui disait : « *Pense ! Pense ! Pense !* »

Comme si elle n'avait jamais rien fait d'autre !

Elle finit par se lever, résignée à être réveillée. Elle se demanda où trouver des toilettes ou quelque chose qui en tiendrait lieu. La nuit précédente, elle s'était accroupie derrière le *faré*, mais elle espérait trouver mieux non loin. Elle sortit et faillit trébucher sur quelque chose. Elle baissa les yeux et vit – posé sur son perron, si tant est qu'on pouvait appeler cela ainsi – le sac de voyage d'Ambrose qui l'attendait poliment, intact et aussi solidement fermé que jamais. Elle s'agenouilla, défit les attaches et l'ouvrit pour en inspecter rapidement le contenu : tous les dessins y étaient.

De part et d'autre de la plage, aussi loin que portait son regard dans la faible clarté, elle ne vit aucun signe de vie – homme, femme, garçon ou chien.

— *Pense !* piailla l'oiseau au-dessus de sa tête. *Pense !*

23

Comme le temps ne voit pas d'objection à passer – même dans les situations les plus étranges et les moins familières –, il passa pour Alma à la baie de Matavai. Lentement, par à-coups, elle commença à comprendre son nouvel univers.

Tout comme durant son enfance, quand elle s'était pour la première fois éveillée à la perception du monde, Alma commença à examiner son logis. Cela ne prit pas longtemps, car son minuscule *faré* tahitien n'était pas vraiment White Acre. Il n'y avait qu'une seule pièce, une porte sans conviction, trois fenêtres nues, un mobilier grossier en bois et un toit de feuilles infesté de lézards. Ce premier matin, Alma fouilla la maison de fond en comble pour trouver quelque vestige d'Ambrose, mais il n'y avait rien. Elle chercha des signes du passage d'Ambrose avant même de commencer la quête (entièrement vaine) de ses propres bagages perdus. Qu'espérait-elle trouver ? Un message pour elle, inscrit sur le mur ? Une provision de dessins ? Peut-être un paquet de lettres ou un journal qui aurait révélé quelque chose d'autre que d'insondables désirs mystiques ? Mais il n'y avait rien de lui ici.

Résignée, elle emprunta un balai à sœur Manu et enleva les toiles d'araignées des murs. Elle remplaça les vieilles herbes sèches par terre par de nouvelles. Elle rembourra son matelas et accepta le *faré* comme son logis. Elle accepta aussi, comme le lui avait recommandé le révérend Welles, cette réalité frustrante : ses affaires réapparaîtraient un jour, ou pas, et il n'y avait rien, absolument rien à y faire. Bien que désemparée par cet état de fait, elle trouva cependant que c'était étrangement bien trouvé, voire justice. Être dépouillée de tout ce qui était précieux était une sorte de pénitence immédiate. Cela la rendait en quelque sorte plus proche d'Ambrose. Tahiti était l'endroit où ils étaient tous les deux venus pour tout perdre.

Vêtue de la seule robe qui lui restait, elle continua d'explorer les alentours.

Derrière la maison se trouvait ce que l'on appelait un *hima*, un four ouvert, où elle apprit à faire bouillir de l'eau et à cuire un assortiment limité de plats. Sœur Manu lui apprit à utiliser les fruits et légumes locaux. Alma pensait que le résultat de sa cuisine n'était pas censé avoir autant que cela le goût de suie et de sable, mais elle persévéra et elle était fière de pouvoir se nourrir toute seule, ce qu'elle n'avait jamais eu à faire de sa vie entière. (Elle était autotrophe, songea-t-elle avec un triste sourire. Comme Retta Snow aurait été fière d'elle !) Il y avait un pauvre lopin de jardin, mais pas grand-chose à en tirer ; Ambrose avait construit sa maison sur le sable brûlant et il était vain d'insister. Il n'y avait rien à faire non plus concernant les lézards, qui grouillaient sur les poutres la nuit. En tout cas, comme ils chassaient les moustiques, Alma essaya de ne pas leur prêter attention. Elle savait qu'ils étaient inoffensifs, même si elle ne voulait pas qu'ils galopent sur elle dans son sommeil. Elle était tout simplement heureuse qu'il n'y ait pas de serpents. Dieu merci, Tahiti n'était pas un pays à serpents.

En revanche, c'était un pays à crabes, mais Alma apprit bien vite à ne pas s'occuper des crabes de toutes tailles qui grouillaient autour de ses pieds sur la plage. Eux non plus ne lui voulaient aucun mal. À peine ils l'apercevaient de leurs yeux sur pivots qu'ils filaient dans l'autre direction en cliquetant de panique. Elle prit l'habitude de marcher pieds nus dès qu'elle comprit combien c'était plus sûr. Tahiti était un endroit trop chaud, trop humide, trop sablonneux et trop glissant pour les chaussures. Heureusement, l'endroit était bienveillant pour les pieds nus : il n'y avait pas une seule plante épineuse et la plupart des chemins étaient de pierres lisses ou de sable.

Alma apprit la forme et le caractère de la plage et les habitudes générales de la marée. Ce n'était pas une nageuse, mais elle s'encouragea à patauger un peu plus loin chaque semaine dans les eaux calmes et sombres de la baie de Matavai. Grâce au récif, la baie était relativement peu agitée.

Elle apprit à se baigner dans la rivière le matin avec les autres femmes du village, toutes aussi robustes et fortes qu'elle. C'étaient des maniaques de la propreté, ces Tahitiennes, qui se lavaient de la tête aux pieds avec la sève moussante du gingembre qui poussait sur les rives. Alma, qui n'avait pas l'habitude de prendre un bain chaque jour, se demanda bientôt pourquoi elle ne faisait pas cela depuis toujours. Elle apprit à ignorer le groupe de garçonnets qui s'attroupait au bord de la rivière en riant des femmes dans leur nudité. Cela ne servait à rien d'essayer de se cacher : il n'y avait pas une heure du jour ou de la nuit où les enfants ne savaient pas où vous trouver.

Les Tahitiennes ne trouvaient rien à redire aux rires des enfants. Elles paraissaient bien plus inquiètes des cheveux frisés et rudes d'Alma, dont elles venaient s'occuper avec une sollicitude consternée. Elles avaient toutes de si beaux cheveux qui retombaient en longs pans noirs dans leur dos, et elles éprouvaient tout simplement une peine énorme qu'Alma ne partage pas cette spectaculaire caractéristique. Elle-même éprouvait tout simplement autant de peine. L'une des premières choses qu'elle apprit à exprimer en tahitien, ce fut des excuses pour ses cheveux. Elle se demanda cependant s'il y avait un endroit au monde où on ne considérerait pas ses cheveux comme une tragédie. Sans doute pas.

Alma apprit autant de tahitien qu'elle put auprès de quiconque voulait bien lui parler. Elle trouva les gens chaleureux et serviables, et ils encourageaient ses efforts comme si c'était une sorte de jeu. Elle commença avec les mots pour les choses les plus communes aux alentours de la baie de Matavai : les arbres, les lézards, les poissons, le ciel et les charmantes petites tourterelles appelées *uuairao* (un mot qui sonnait exactement comme leur délicat roucoulement). Elle passa à la grammaire aussi vite qu'elle put. Les indigènes de la mission parlaient anglais à des niveaux différents – certains couramment, d'autres étaient simplement inventifs – mais Alma, en linguiste invétérée, était bien décidée à interagir en tahitien chaque fois qu'elle en avait l'occasion.

Mais le tahitien, découvrit-elle, n'était pas une langue simple. À ses oreilles, il sonnait davantage comme un chant d'oiseau qu'une langue, et elle n'était pas assez mélomane pour la maîtriser. Alma se rendit compte que le tahitien n'était même pas une langue fiable. Elle n'avait pas les solides règles du latin ou du grec. Les gens de la baie de Matavai étaient particulièrement joueurs et coquins avec les mots – ils les changeaient de jour en jour. Parfois, ils y ajoutaient des bouts d'anglais ou de français pour former de nouveaux mots imaginatifs. Les Tahitiens adoraient les jeux de mots compliqués qu'Alma n'aurait jamais pu comprendre sauf si ses aïeux étaient nés ici. En outre, les gens de Matavai parlaient une langue différente des habitants de Papeete, qui n'était qu'à trois lieues de là, et *ceux-là* parlaient encore différemment des Tahitiens de Taravao ou Teahupoo. Vous ne pouviez estimer qu'une phrase signifierait la même chose d'un côté de l'île et de l'autre, ni qu'elle aurait le même sens un jour et le lendemain.

Alma étudia minutieusement les gens autour d'elle, essayant d'apprendre les usages de ce curieux endroit. Sœur Manu était la plus importante, car non seulement elle s'occupait des cochons, mais elle faisait régner l'ordre sur tout le village. C'était une maîtresse stricte du protocole, celle-ci, toujours à surveiller manières et faux pas. Alors que tout le monde dans le village adorait le révérend Welles, on craignait sœur Manu. Sœur Manu – dont le nom signifiait « oiseau » – était aussi grande qu'Alma et aussi musclée qu'un homme. Elle aurait pu porter Alma sur son dos. Il n'y avait pas beaucoup de gens dont on pouvait dire cela.

Sœur Manu portait toujours son grand chapeau de paille, orné de fleurs fraîches différentes chaque jour, mais Alma avait vu durant le bain à la rivière que le front de Manu était couvert d'une hachure de cicatrices blanches. Deux ou trois autres des plus vieilles femmes avaient le même genre de marques mystérieuses sur le front, mais Manu avait une autre marque : il lui manquait la dernière phalange de chaque petit doigt. Cela parut une étrange blessure à Alma, si nette et symétrique. Elle ne voyait absolument pas ce qu'on aurait pu faire pour se couper si proprement l'extrémité des deux auriculaires. Elle n'osa pas demander.

C'était sœur Manu qui sonnait la cloche de la messe chaque matin et chaque soir et tout le monde – les dix-huit habitants du village – venait docilement. Même Alma n'essaya jamais de se dérober aux offices religieux de la baie de Matavai, car cela aurait offensé sœur Manu et Alma n'aurait pu survivre longtemps en disgrâce. En tout cas, Alma trouva que les messes n'étaient pas très difficiles à respecter. Elles duraient rarement plus d'un quart d'heure et les sermons de sœur Manu dans un anglais buté étaient toujours divertissants. Si les réunions luthériennes de Philadelphie avaient été aussi simples et distrayantes que cela, songea Alma, elle serait peut-être devenue une meilleure luthérienne. Elle redoubla d'attention et finit par saisir les mots et les phrases des chants en tahitien.

Te rima atua : la main de Dieu.

Te mau pure atua : le peuple de Dieu.

Quant au garçon qui avait apporté à Alma l'oculaire de son microscope le premier soir, elle apprit qu'il faisait partie d'un groupe de cinq garçonnets qui rôdaient dans la mission sans aucune autre occupation que jouer sans relâche jusqu'à s'effondrer d'épuisement sur le sable et – tels des chiens – s'endormir là où ils s'étaient affalés. Il fallut des semaines à Alma pour les distinguer. Celui qui était venu chez elle et lui avait tendu l'oculaire s'appelait, apprit-elle, Hiro. C'est lui qui avait les cheveux les plus longs et qui semblait avoir le statut le plus élevé de la bande. (Elle apprit plus tard que dans la mythologie tahitienne, Hiro était le roi des voleurs. Cela l'amusa que sa première rencontre avec le petit roi des voleurs de la baie de Matavai ait eu lieu quand il lui avait personnellement rendu quelque chose qu'on lui avait volé.) Hiro était le frère d'un garçon nommé Makea, mais peut-être qu'ils n'étaient pas vraiment frères. Ils prétendaient aussi être frères avec Papeiha, Tinomana et un autre Makea, mais Alma estima que ce ne pouvait pas être vrai, puisque les cinq garçons semblaient avoir le même âge et que deux d'entre eux portaient le même nom. Elle était absolument incapable de déterminer qui pouvaient être leurs parents. Il n'y avait pas le moindre signe que quiconque s'occupait de ces enfants hormis eux-mêmes.

Il y avait d'autres enfants à la baie de Matavai, mais ils avaient à l'égard de la vie une attitude bien plus sérieuse que les cinq garçons qu'Alma finit par surnommer pour elle-même « le contingent Hiro ». Ces autres enfants venaient à l'école de la mission suivre des cours d'anglais et de lecture tous les après-midi, même si leurs parents ne résidaient pas dans le village du révérend Welles. C'étaient de petits garçons aux cheveux coupés court et de petites filles aux magnifiques tresses, avec de longues robes et des sourires éclatants. Ils suivaient leurs cours dans l'église sous la férule de la jeune femme rayonnante qui avait crié à Alma le premier jour : « Nous parlons anglais, ici ! » Cette femme s'appelait Etini – « fleurs blanches semées le long de la route » – et elle parlait parfaitement l'anglais avec un accent britannique distingué. Elle avait reçu étant enfant l'enseignement de l'épouse du révérend Welles et était à présent considérée comme la meilleure professeur d'anglais de toute l'île.

Alma fut impressionnée par les écoliers soigneux et disciplinés, mais elle était beaucoup plus intriguée par les cinq sauvageons sans instruction du contingent Hiro. Elle n'avait encore jamais vu d'enfants aussi libres que Hiro, Makea, Papeiha, Tinomana et l'autre Makea. De petits seigneurs de la liberté, voilà ce qu'ils étaient, et pleins d'entrain, avec cela. Tel quelque mélange mythique de poisson, d'oiseau et de singe, ils semblaient autant à l'aise dans la mer, les arbres que sur la terre. Ils se suspendaient aux lianes et se jetaient dans la rivière en poussant des cris intrépides. Ils pagayaient jusqu'au récif sur de petites planches de bois et ensuite, exploit incroyable, ils se *relevaient* sur ces planches et glissaient sur les vagues tourbillonnantes et couronnées d'écume qui déferlaient. Ils appelaient cette activité *faahee*, et Alma ne pouvait imaginer l'agilité et l'assurance qu'ils devaient avoir en eux pour glisser sur les vagues avec autant d'aisance. Revenus sur la plage, ils se bagarraient et luttaient infatigablement. Un autre de leurs jeux préférés était de se fabriquer des échasses, de se couvrir le corps d'une sorte de poudre blanche, de se maintenir les paupières ouvertes avec de minuscules bâtonnets et de se poursuivre sur le sable comme de grands monstres étranges. Ils faisaient voler le *u'o* – un cerf-volant fait de palmes séchées. Dans des moments plus calmes, ils jouaient à une sorte de jeu d'osselets, mais avec de petits cailloux. Ils avaient comme animaux familiers une ménagerie changeante de chats, de chiens, de perroquets et même d'anguilles (elles étaient enfermées dans des enclos de briques dans la rivière et sortaient surnaturellement leur tête quand les gamins les sifflaient, prêtes à engloutir les morceaux de fruits qu'ils leur donnaient). Parfois, le contingent Hiro mangeait ses petits compagnons, les écorchait et les faisait rôtir sur une broche improvisée. Manger du chien était courant ici. Le révérend Welles déclara à Alma que le chien tahitien était tout aussi savoureux que l'agneau anglais – mais il faut dire que, l'homme n'ayant pas mangé d'agneau anglais depuis bien longtemps, elle n'était pas sûre qu'il fût digne de foi. Alma espérait que personne ne mangerait Roger.

Roger, avait appris Alma, était le petit chien orange qui lui avait rendu visite la première nuit dans son *faré*. Roger ne semblait appartenir à personne, mais apparemment, il avait eu de l'affection pour Ambrose, qui l'avait affublé de ce nom robuste et digne. Sœur Etini avait expliqué tout cela à Alma, assorti d'un troublant conseil : « Roger ne vous mordra jamais, sœur Whittaker, sauf si vous essayez de lui donner à manger. »

Durant les premières semaines du séjour d'Alma, Roger vint dans son petit logis nuit après nuit, pour lui aboyer dessus de tout son cœur. Pendant longtemps, elle ne le vit jamais en plein jour. Petit à petit, et avec une réticence visible, son indignation décrut, et ses crises outragées se firent plus courtes. Un matin, Alma trouva en se réveillant Roger endormi sur le sol près de son lit, ce qui signifiait qu'il était entré durant la nuit sans aboyer du tout. Cela lui parut significatif. En entendant Alma bouger, Roger grogna et s'enfuit, mais il revint le soir, et fut silencieux à partir de ce moment. Avec le temps, elle essaya effectivement de lui donner à manger, et il essaya effectivement de la mordre. En dehors de cela, ils s'entendaient assez bien. Roger n'était pas exactement devenu amical, mais il ne semblait plus désireux de lui arracher la gorge, et c'était un progrès.

Roger était un chien à l'allure épouvantable. Il n'était pas seulement orange et moucheté, boiteux et avec une mâchoire à la forme irrégulière, mais il semblait que quelqu'un s'était donné beaucoup de mal pendant des années pour déchiqueter de larges portions de sa queue. En outre, il était *tua pu'u* – bossu. Malgré cela, Alma finit par apprécier la présence du chien. Ambrose avait dû l'aimer pour une raison quelconque, se disait-elle, et cela l'intriguait. Elle regardait l'animal pendant des heures et se demandait ce qu'il savait sur son mari. Sa compagnie devint réconfortante avec le temps. Si elle ne pouvait prétendre que Roger était protecteur et fidèle envers *elle*, il semblait avoir une sorte de lien avec la maison. Grâce à cela, elle avait moins peur de s'endormir seule le soir, sachant qu'il venait.

C'était une bonne chose, car Alma avait abandonné tout espoir de jouir d'un peu de sécurité ou d'intimité. Il n'y avait rien à gagner à tenter de définir des limites autour de sa maison ou des rares affaires qui lui restaient. Adultes, enfants, animaux, intempéries – à toute heure du jour et de la nuit, sans aucune raison, tout et tout le monde à la baie de Matavai s'estimait tout à fait libre d'entrer dans le *faré* d'Alma. Soyons justes, ils ne venaient pas toujours les mains vides. Quelques-uns de ses biens réapparurent avec le temps, en morceaux. Elle ne sut jamais qui les lui avait rapportés. Elle n'était jamais témoin de la visite. C'était comme si l'île elle-même régurgitait lentement des bouts de ses bagages engloutis.

Au cours de la première semaine, elle récupéra du papier, un jupon, un flacon de remède, un rouleau de tissu, une pelote de ficelle et une brosse à cheveux. *Si j'attends assez longtemps, tout me sera rendu,* se dit-elle. Mais ce n'était pas vrai, car certains objets avaient autant de chances de disparaître que de réapparaître. Elle récupéra son autre robe de voyage – dont les ourlets n'avaient étonnamment subi aucun dommage –, ce qui fut une vraie bénédiction, même si elle ne recouvra jamais aucune de ses autres coiffes. Une partie de son papier à lettres revint, mais en faible quantité. Elle ne revit jamais sa trousse médicale, mais plusieurs bocaux de collecte botanique apparurent bien rangés sur son seuil. Un matin, elle trouva qu'une chaussure avait disparu – une seule ! – même si elle ne voyait pas ce que quelqu'un pouvait faire d'une unique chaussure, en même temps qu'on lui rendait une utile boîte d'aquarelles. Un autre jour, elle retrouva la base de son précieux microscope, mais découvrit que quelqu'un avait maintenant pris l'oculaire en échange. C'était comme si une marée entrait et refluait de sa maison en déposant et en emportant les épaves de son ancienne vie. Elle n'avait d'autre possibilité que de l'accepter et de s'émerveiller, jour après jour, de ce qu'elle trouvait et perdait, puis trouvait et perdait de nouveau.

Cependant, jamais on ne lui reprit le sac de voyage d'Ambrose. Le matin même où il lui avait été rendu, elle le déposa sur la petite table dans son logis, et il y demeura, sans que personne n'y touche jamais, comme s'il était gardé par un Minotaure polynésien invisible. En outre, pas un seul des dessins du garçon ne disparut. Elle ignorait pourquoi ce sac et son contenu étaient traités avec autant de révérence, alors que rien d'autre n'était à l'abri à la baie de Matavai. Elle n'aurait pas osé demander à quiconque : *pourquoi ne touchez vous pas à cet objet ou ne volez-vous pas ces dessins ?* Mais comment aurait-elle expliqué ce qu'étaient ces dessins ou ce que le sac signifiait pour elle ? Elle ne pouvait que se taire et ne rien comprendre.

Alma pensait à tout instant à Ambrose. Il n'avait laissé aucune trace à Tahiti, en dehors d'un reste d'affection que tout le monde éprouvait pour lui, mais elle en cherchait des signes sans relâche. Tout ce qu'elle faisait, tout ce qu'elle touchait soulevait des questions : *A-t-il fait cela aussi ?* Comment passait-il son temps ici ? Qu'avait-il pensé de sa minuscule maison, de la curieuse nourriture, de la langue difficile, de la mer omniprésente, du contingent Hiro ? Avait-il aimé Tahiti ? Ou, comme Alma, l'avait-il trouvée trop étrange et particulière pour l'aimer ? Avait-il brûlé sous le soleil, comme Alma brûlait sur cette plage de sable noir ? Les fraîches violettes et les discrètes grives du pays natal lui manquaient-elles, comme à Alma, alors même qu'il admirait les luxuriants hibiscus et les bruyants perroquets verts ? Avait-il été mélancolique et chagrin, ou bien plein de joie d'avoir découvert l'Éden ? Avait-il pensé à Alma ne fût-ce qu'une fois quand il était ici ? Ou bien l'avait-il promptement oubliée, soulagé d'être débarrassé de ses gênants désirs ? L'avait-il oubliée parce qu'il était tombé amoureux du Garçon ? Et ce Garçon, où était-il, à présent ? Ce n'était pas véritablement un *garçon* – Alma devait se l'avouer, surtout quand elle regardait de nouveau les dessins. La silhouette était plus celle d'un garçon qui touche à l'âge adulte. Désormais, des années plus tard, ce devait être un homme. Mais dans l'esprit d'Alma, il demeurait le Garçon, et elle ne cessa jamais de le chercher.

Mais Alma ne trouva ni trace ni mention du Garçon à la baie de Matavai. Elle le chercha sur les visages de tous les hommes qui passaient par le village, et de tous les pêcheurs qui accostaient sur la plage. Quand le révérend Welles expliqua à Alma qu'Ambrose avait appris à un indigène tahitien le secret des soins aux fleurs de vanille (*garçonnets, doigté, bâtonnets*), Alma songea : *Ce doit être lui.* Mais quand elle alla à la plantation se renseigner, ce n'était pas le Garçon : c'était un type râblé, plus âgé, avec un léger strabisme. Alma se rendit plusieurs fois à la plantation de vanille, prétendant s'intéresser aux opérations en cours, mais jamais elle ne vit personne qui ressemblât même de loin au Garçon. Tous les quatre ou cinq jours, elle déclarait aller botaniser mais, en réalité, elle se rendait à Papeete sur un poney qu'elle empruntait à la plantation. Une fois sur place, elle arpentait les rues toute la journée jusque tard dans la soirée, dévisageant chaque passant. Elle était suivie du poney – une version tropicale squelettique de Soames, son ancien ami d'enfance. Elle chercha le Garçon sur les quais, devant les bordels, dans les hôtels remplis d'élégants colons français, dans la nouvelle cathédrale catholique, au marché. Parfois, voyant un grand indigène bien bâti avec des cheveux courts marcher devant elle, elle courait à lui et lui tapait sur l'épaule, prête à lui poser n'importe quelle question, simplement pour qu'il se retourne. Chaque fois, elle en était certaine : *Ce sera lui.*

Ce n'était jamais lui.

Elle sut que bientôt, elle devrait étendre ses recherches au-delà des environs de Papeete et de la baie de Matavai, mais elle ne savait pas très bien par où commencer. L'île de Tahiti mesurait quatorze lieues de longueur sur cinq de largeur. Elle avait une forme qui rappelait un chiffre huit écrasé. De vastes portions étaient difficiles ou impossibles à traverser. Une fois que l'on quittait la route sablonneuse et ombragée qui longeait en partie la côte, le terrain représentait un impressionnant défi. Des plantations d'ignames en terrasse s'étendaient sur les collines, avec des bosquets de cocotiers et des vagues de broussailles, puis tout à fait soudainement, il n'y avait plus rien que de hautes falaises et une jungle inaccessible. Peu de gens vivaient dans les hauteurs, apprit Alma, hormis les habitants des falaises – qui étaient presque mythiques et avaient d'extraordinaires talents de grimpeurs. Ces gens étaient des chasseurs et non des pêcheurs. Certains n'avaient jamais effleuré la mer. Les Tahitiens des falaises et ceux des côtes s'étaient toujours considérés avec méfiance et il y avait des frontières que ni les uns ni les autres n'étaient censés franchir. Peut-être que le Garçon appartenait aux tribus des falaises ? Mais les dessins d'Ambrose le montraient en bord de mer, chargé de filets de pêche. Alma ne parvenait pas à élucider ce mystère.

Il se pouvait aussi que le Garçon soit un marin – un manœuvre descendu d'un baleinier de passage. Si tel était le cas, elle ne le trouverait jamais. Il pouvait être n'importe où dans le monde, à présent. Il pouvait tout aussi bien être mort. Mais Alma savait que l'absence de preuve ne constituait pas une preuve de l'absence.

Elle serait forcée de continuer sa quête.

Elle ne glana en tout cas aucune information au sein du village. Il n'y eut jamais le moindre ragot désobligeant concernant Ambrose – pas même au bain à la rivière pendant lequel les femmes bavardaient librement. Personne n'avait fait ne fût-ce qu'une allusion sur le très regretté et pleuré Mr Pike.

Alma était allée jusqu'à demander au révérend Welles :

— Mr Pike s'était-il lié à quelqu'un de particulier quand il était ici ? Quelqu'un à qui il aurait tenu plus qu'aux autres ?

Il s'était contenté de poser ses grands yeux francs sur elle et de répondre :

— Mr Pike était aimé de tous.

C'était le jour où ils étaient allés voir la tombe d'Ambrose. Alma avait demandé au révérend Welles de l'y amener, afin qu'elle puisse rendre hommage à l'employé décédé de son père. Par un après-midi frais et couvert, ils étaient montés ensemble jusqu'à la colline du Tahara'a, où se trouvait un petit cimetière près du sommet de la crête. Le révérend Welles était un fort agréable compagnon de marche, trouva Alma, car il se déplaçait rapidement et avec agilité sur n'importe quel terrain et faisait toutes sortes de commentaires passionnants en chemin.

— Quand je suis arrivé ici, dit-il ce jour-là alors qu'ils gravissaient la pente raide, j'ai essayé de déterminer lesquelles de ces plantes étaient originaires de Tahiti et lesquelles avaient été apportées par d'anciens colonisateurs et explorateurs, mais c'était affreusement difficile à déterminer, voyez-vous. Les Tahitiens eux-mêmes ne m'aidèrent guère dans cette entreprise, car ils disent que toutes les plantes – même celles qui sont cultivées – ont été placées ici par les dieux.

— Les Grecs disaient la même chose, répondit Alma, hors d'haleine. Ils disaient que les vignes et les oliviers avaient été plantés par les dieux.

— Oui, dit le révérend Welles. Il semble que les gens oublient ce qu'ils ont eux-mêmes créé, n'est-ce pas ? Nous savons désormais que tous les peuples de Polynésie apportent racine de taro, noix de coco et fruit de l'arbre à pain quand ils s'installent sur une nouvelle île, mais ils vous diront que ce sont les dieux qui ont tout planté. Certaines de leurs histoires sont tout à fait fabuleuses. Ils disent que l'arbre à pain a été sculpté par les dieux pour ressembler au corps humain, afin que les hommes devinent que l'arbre était utile. Ils disent que c'est pour cela que ses feuilles ressemblent aux mains, pour montrer aux hommes qu'ils doivent tendre les bras vers cet arbre qui leur offrira subsistance. En définitive, les Tahitiens disent que *toutes* les plantes utiles de cette île ressemblent à des parties du corps humain et que c'est un message des dieux, voyez-vous. C'est pourquoi l'huile de coco, qui est bonne contre les maux de tête, provient de la coco, qui ressemble à une tête. Les châtaignes du *mape* sont connues pour soulager les maux de reins, car elles en ont la forme, ou du moins est-ce ce qu'on m'a dit. La sève pourpre du plantain, l'arbre appelé *fe'i*, est censée être bonne pour les maladies du sang.

— L'empreinte de toute chose, murmura Alma.

— Oui, oui, dit le révérend Welles, sans qu'Alma soit sûre qu'il l'eût entendue. On dit aussi que les branches du plantain, comme celles que vous voyez ici, sœur Whittaker, sont symboliques du corps humain. En raison de cette forme, les plantains sont utilisés comme gestes de paix – comme gestes *d'humanité*, pourrait-on dire. Vous en jetez une au sol aux pieds de votre ennemi pour montrer que vous vous rendez ou que vous êtes disposé à envisager un compromis. Cela me fut fort utile de le découvrir quand j'arrivai à Tahiti, je vous assure ! Je jetais des branches de plantain dans toutes les directions, voyez-vous, en espérant ne pas être tué et dévoré !

— Auriez-vous vraiment été tué et dévoré ? demanda Alma.

— Très probablement pas, bien que les missionnaires aient toujours peur de ce genre de chose. Savez-vous qu'il y a un bel exemple d'humour et d'esprit missionnaire dans cette question : « Si un missionnaire est dévoré par un cannibale, que le missionnaire est digéré et que le cannibale meurt, le corps digéré du missionnaire sera-t-il ressuscité au Jugement dernier ? Sinon, comment saint Pierre saurait-il quels morceaux doivent aller en enfer et lesquels au paradis ? » Ha ha ha !

— Mr Pike vous a-t-il jamais entretenu de la notion dont vous avez parlé tout à l'heure ? demanda Alma qui n'avait écouté la plaisanterie du missionnaire que d'une oreille. Le fait que les dieux donnent aux plantes des formes variées et particulières afin de rendre évidente à l'homme leur utilité ?

— Mr Pike et moi parlions de tant de choses, sœur Whittaker !

Alma ne sut comment poser des questions plus précises sans trop révéler d'elle-même. Pourquoi se serait-elle tant intéressée à l'employé de son père ? Elle ne voulait pas éveiller les soupçons. Mais c'était un homme si bizarrement constitué ! Elle le trouvait à la fois franc et insondable en même temps. Chaque fois qu'il était question d'Ambrose, Alma scrutait attentivement le visage du révérend Welles, guettant le moindre indice, mais le missionnaire était indéchiffrable. Il considérait toujours le monde avec le même regard impassible. Son esprit restait inchangé quelle que fût la situation. Il avait la régularité d'un phare et sa sincérité était si complète et parfaite qu'elle en était presque un masque.

Ils parvinrent enfin au cimetière avec ses petites pierres tombales blanches, dont certaines étaient taillées en forme de croix. Le révérend Welles amena Alma devant la tombe d'Ambrose, qui était soignée et marquée d'une petite pierre. C'était un endroit délicieux qui dominait toute la baie de Matavai et la mer éclatante au-delà. Alma avait craint de ne pouvoir contenir ses émotions une fois sur place, quand elle verrait la sépulture, mais elle se sentit distante. Elle ne percevait rien d'Ambrose ici. Elle ne l'imaginait pas enseveli sous cette terre. Elle se rappela comment il s'étalait dans l'herbe avec ses longues jambes magnifiques et qu'il lui parlait de merveilles et de mystères tandis qu'elle étudiait ses mousses. Elle eut l'impression qu'il existait moins ici qu'à Philadelphie et dans son souvenir. Elle était incapable d'imaginer ses os tomber en poussière sous ses pieds. Ambrose n'appartenait pas à la terre ; il appartenait à l'air. Il avait à peine les pieds sur terre de son *vivant*, songea-t-elle. Comment aurait-il pu être enfoui six pieds dessous à présent ?

— Comme nous n'avions pas de bois pour faire un cercueil, dit le révérend Welles, nous avons enveloppé Mr Pike dans un tissu indigène et nous l'avons enseveli dans la coque d'une ancienne pirogue comme on le fait parfois ici. Fabriquer des planches est un travail fort difficile ici sans les outils adéquats, et quand les indigènes se procurent du bois convenable, ils préfèrent ne pas le gâcher dans une tombe et nous nous contentons d'anciennes pirogues. Mais les indigènes montraient une telle tendresse et une telle considération pour les croyances chrétiennes de Mr Pike, voyez-vous. Ils ont orienté sa sépulture d'est en ouest, voyez-vous, afin qu'il soit face au levant, comme les églises chrétiennes. Ils l'aimaient beaucoup, comme je vous l'ai dit. Je prie pour qu'il soit mort heureux. C'était le meilleur des hommes.

— Vous a-t-il paru heureux quand il était ici, frère Welles ?

— Il a trouvé beaucoup de choses agréables sur cette île, comme c'est le cas pour nous tous. Je suis certain qu'il aurait voulu qu'il y ait plus d'orchidées, voyez-vous ! Tahiti peut être décevante, comme je l'ai dit, pour ceux qui viennent étudier l'histoire naturelle.

— Mr Pike vous a-t-il jamais paru dérangé ? osa demander Alma.

— Les gens viennent sur cette île pour bien des raisons, sœur Whittaker. Mon épouse disait qu'ils échouent sur nos rivages, ces étrangers bousculés par la vie, et que la plupart ignorent où ils ont abordé ! Certains semblent être de parfaits gentlemen, mais plus tard, vous découvrez que ce sont des repris de justice dans leur pays d'origine. En revanche, voyez-vous, certains sont de parfaits gentlemen dans leur existence en Europe, mais ils viennent ici pour se conduire comme des criminels ! On ne connaît jamais l'état du cœur de notre prochain.

Il n'avait pas répondu à sa question.

Et Ambrose, avait-elle envie de demander. *Quel était l'état de son cœur ?*

Elle tint sa langue.

C'est alors que le révérend Welles déclara, de son ton enjoué habituel :

— Vous verrez les tombes de mes filles là-bas, de l'autre côté de ce muret. (La phrase réduisit Alma au silence. Elle ignorait que le révérend Welles avait eu des filles, et encore moins qu'elles étaient mortes ici.) Ce ne sont que de minuscules tombes, voyez-vous, continua-t-il, car les filles n'ont pas vécu longtemps. Aucune n'a vu le terme de sa première année. Il y a Helen, Eleanor et Laura à gauche. Penelope et Theodosia sont à côté d'elles, à droite. (Les cinq pierres tombales étaient minuscules, plus petites que des briques. Alma ne trouva pas de mots de réconfort. Jamais elle n'avait vu spectacle aussi triste. Le révérend Welles, voyant son expression affligée, sourit aimablement.) Mais il y a une consolation. Leur plus jeune sœur Christina est vivante, voyez-vous. Le Seigneur nous a donné une seule fille qui vit encore. Elle réside en Cornouailles, où elle est elle-même mère de trois petits garçons. Mrs Welles demeure avec elle. Mon épouse habite en compagnie de notre enfant vivante, voyez-vous, tandis que je réside ici, pour tenir compagnie aux défuntes. (Il jeta un coup d'œil pardessus l'épaule d'Alma.) Oh, voyez ! dit-il. Les frangipaniers sont en fleur ! Nous en cueillerons quelques-unes et les rapporterons à sœur Manu. Elle pourra changer celles de son chapeau pour la messe de ce soir. Ne sera-t-elle pas heureuse ?

Le révérend Welles ne laissait jamais de stupéfier Alma. Jamais elle n'avait rencontré un homme aussi jovial, qui se plaignît aussi peu alors qu'il avait tant perdu, et qui se contentait de si peu dans la vie. Avec le temps, elle découvrit qu'il n'avait même pas de maison. Il n'y avait pas de *faré* qui lui appartenait. Il dormait dans l'église de la mission, sur l'un des bancs. Souvent, il n'avait même pas d'*ahu ta'oto* pour se couvrir. Comme un chat, il était capable de sommeiller n'importe où. Il n'avait aucun effet personnel en dehors de sa bible – et même cela disparaissait parfois pendant des semaines d'affilée avant que quelqu'un finisse par lui rendre. Il n'avait pas d'animaux à lui ni de jardin. La petite pirogue qu'il aimait prendre pour aller sur le récif de corail appartenait au garçon de quatorze ans assez généreux pour la lui prêter. Il n'y avait pas un prisonnier, un moine ou un mendiant au monde, songeait Alma, qui possédât moins que cet homme.

Mais il n'en avait pas toujours été ainsi, apprit Alma. Francis Welles avait grandi en Cornouailles, à Falmouth, au bord de la mer, dans une grande et prospère famille de pêcheurs. S'il ne voulut pas confier à Alma les détails précis de sa jeunesse (« Je ne voudrais pas baisser dans votre estime si vous connaissiez les actes que j'ai commis »), il laissa entendre qu'il avait été un voyou. Un coup sur la tête lui avait fait rencontrer le Seigneur – ou du moins, ce fut ainsi que le révérend Welles raconta cette conversion : une taverne, une bagarre, « une bouteille sur le crâne », puis… la révélation !

Dès lors, il se tourna vers l'étude et une vie de piété. Peu après, il épousa une fille nommée Edith, enfant instruite et vertueuse d'un pasteur méthodiste local. Grâce à elle, il apprit à s'exprimer, à réfléchir et à se comporter d'une manière plus docile et honorable. Il s'enticha des livres et eut « toutes sortes de pensées élevées », selon son expression. Il fut bientôt ordonné. Le nouveau révérend Francis Welles – jeune et sensible aux idéaux chimériques – et son épouse Edith s'engagèrent dans la London Missionary Society, demandant à être dépêchés dans les contrées païennes les plus lointaines, afin d'apporter à l'étranger la parole du Rédempteur. La London Missionary Society accueillit Francis à bras ouverts, car il était peu courant de trouver un homme de Dieu qui fût également un marin aussi robuste que capable. Pour ce genre de travail, on ne désire pas un délicat gentleman de Cambridge.

Le révérend Francis Welles et son épouse arrivèrent à Tahiti en 1797, sur le premier navire missionnaire à aborder l'île, avec quinze autres évangélisateurs anglais. À l'époque, le dieu des Tahitiens était incarné par une pièce de bois de deux mètres de longueur, enveloppé de *tapa* et de plumes rouges.

— Quand nous abordâmes, raconta-t-il à Alma, les indigènes firent montre du plus grand émerveillement devant nos vêtements. L'un d'eux retira ma chaussure et, voyant ma chaussette, recula d'un bond, terrifié. Il croyait que je n'avais pas d'orteils, voyez-vous ! Eh bien, il ne fallut guère longtemps pour que je n'aie plus de chaussures, car il les avait prises !

Francis Welles apprécia immédiatement les Tahitiens. Il aimait leur esprit, déclara-t-il. C'étaient des mimes de talent, qui adoraient taquiner. Cela lui rappelait l'humour et les tours sur les quais de Falmouth. Il aimait, lorsqu'il portait un chapeau de paille, que les enfants le suivent en criant : « Tu as un toit de chaume sur la tête ! »

Il aimait les Tahitiens, oui, mais il n'eut guère de succès pour les convertir. Comme il le raconta à Alma :

— Ainsi que nous le dit la Bible : « À peine entendront-ils parler de moi qu'ils m'obéiront : les étrangers se soumettront à moi. » Eh bien, sœur Whittaker, peut-être que deux mille ans plus tôt, il en était ainsi ! Mais ce fut fort différent quand nous arrivâmes à Tahiti ! Nonobstant sa douceur, voyez-vous, ce peuple résista à tous nos efforts de conversion, et avec quelle vigueur ! Nous ne pûmes même ébranler les enfants ! Mrs Welles organisa une école pour les jeunes, mais leurs parents se plaignirent : « Pourquoi emprisonnez-vous mon fils ? Quelles richesses gagnera-t-il grâce à votre Dieu ? » Ce qui était charmant avec nos élèves tahitiens, voyez-vous, c'est qu'ils étaient si bons, si gentils et polis. L'ennui, c'est qu'ils ne s'intéressaient pas à notre Seigneur ! Ils riaient de la pauvre Mrs Welles, quand elle tentait de leur enseigner le catéchisme.

La vie fut difficile pour les premiers missionnaires. Malheurs et perplexité rabaissaient leurs ambitions.

Leur parole divine était accueillie par les rires ou l'indifférence. Deux de leurs membres moururent la première année. Les missionnaires furent accusés de toutes les calamités qui frappaient Tahiti, et ne furent remerciés d'aucun bienfait. Leurs biens personnels pourrissaient, étaient rongés par les rats ou pillés sous leur nez. L'épouse du révérend Welles n'avait apporté qu'un seul trésor familial d'Angleterre : un magnifique coucou qui sonnait chaque heure. La première fois que les Tahitiens l'entendirent sonner, ils s'enfuirent, terrorisés. La seconde fois, ils apportèrent des fruits à l'horloge et se prosternèrent devant pour l'implorer. La troisième fois, ils la volèrent.

— Il est difficile de convertir quiconque est moins intrigué par votre Dieu que par vos ciseaux ! dit-il. Ha ha ha ! Mais comment pouvez-vous en vouloir à quelqu'un de convoiter des ciseaux, quand il n'en a encore jamais vu ? Une paire de ciseaux n'aurait-elle pas des allures de miracle en comparaison d'une lame façonnée dans une dent de requin ?

Pendant presque vingt ans, apprit Alma, ni le révérend Welles ni quiconque sur l'île ne fut en mesure de convaincre un seul Tahitien d'embrasser le christianisme. Alors que nombre d'autres îles de Polynésie venaient volontiers au Vrai Dieu, Tahiti restait obstinée. Charmante, mais obstinée. Les îles Sandwich, les Gambier, Hawaii – et même les redoutables Marquises ! – avaient toutes embrassé le Christ, mais pas Tahiti. Les Tahitiens étaient aussi charmants et gais que têtus. Ils souriaient, riaient et dansaient, et refusaient tout simplement d'abandonner leur existence hédoniste. « Leur âme est fondue dans le fer et le bronze », se plaignaient les Anglais.

Épuisés et frustrés, certains membres du premier groupe de missionnaires retournèrent à Londres, où ils se trouvèrent rapidement en mesure de fort bien gagner leur vie en relatant leurs aventures dans les mers du Sud dans des discours ou des livres. Un missionnaire fut chassé de Tahiti à la pointe des sagaies pour avoir tenté de démanteler l'un des temples les plus sacrés de l'île afin de construire une église avec ses pierres. Quant à ces hommes de Dieu qui demeurèrent à Tahiti, certains obliquèrent vers des carrières plus simples. L'un devint négociant en mousquets et en poudre à canon. Un autre ouvrit un hôtel à Papeete et prit non pas une, mais deux jeunes indigènes comme épouses pour réchauffer sa couche. Un autre – le jeune et charmant cousin d'Edith Welles, James – perdit tout bonnement la foi, sombra dans le désespoir, prit la mer comme simple marin et nul n'entendit plus jamais parler de lui.

Morts, bannis, défroqués ou épuisés – c'est ainsi que disparurent tous les premiers missionnaires, à l'exception de Francis et Edith Welles, qui demeurèrent à la baie de Matavai. Ils apprirent le tahitien et vécurent sans confort. Au début, Edith fut enceinte de leurs trois premières filles – Eleanor, Helen et Laura – qui moururent l'une après l'autre encore bébés. Malgré tout, les Welles ne renoncèrent pas. Ils construisirent leur petite église, en grande partie par eux-mêmes. Le révérend Welles comprit comment fabriquer de la chaux avec de la roche corallienne, en la cuisant dans un four rudimentaire jusqu'à ce qu'elle se réduise en poudre. Cela donnait un air plus accueillant à l'église. Il fabriqua des soufflets avec des peaux de chèvre et des bambous. Il tenta de planter un jardin avec de pauvres graines anglaises détrempées. (« Après trois ans d'efforts, nous parvînmes enfin à produire une unique fraise, raconta-t-il à Alma, et nous nous la partageâmes, Mrs Welles et moi. Sa saveur suffit à faire pleurer ma bonne épouse. Je ne pus jamais en faire pousser d'autre depuis. Bien que j'aie eu une certaine chance, parfois, avec les choux ! ») Il acquit – et perdit à la suite de vols – un troupeau de quatre vaches. Il tenta de faire pousser du café et du tabac, et échoua. Il en fut de même avec les pommes de terre, le blé et le raisin. Les cochons de la mission se portaient bien, mais aucun autre animal de ferme ne supportait le climat.

Mrs Welles enseigna l'anglais aux indigènes de la baie de Matavai, qu'elle trouva vifs et doués pour les langues. Elle apprit à des dizaines d'enfants à lire et à écrire. Certains vinrent habiter avec les Welles. Il y avait un petit garçon qui passa – en l'espace de dix-huit mois – de l'illettrisme absolu à la capacité de lire le Nouveau Testament sans trébucher sur un seul mot, mais il ne devint pas chrétien. Aucun ne le devint.

Le révérend Welles raconta à Alma :

— Les Tahitiens me demandaient souvent : *Quelle est la preuve de ton Dieu ?* Ils voulaient que je parle de miracles, sœur Whittaker. Ils voulaient des preuves de bienfaits pour les méritants, voyez-vous, ou de châtiments pour les coupables. Un homme à qui il manquait une jambe voulait que je demande à mon Dieu de lui en refaire pousser une nouvelle. Je lui répondis : « Où puis-je te trouver une nouvelle jambe, dans ce pays ou un autre ? » Ha ha ha ! Comme je ne pouvais faire de miracles, voyez-vous, ils n'étaient guère impressionnés. Je vis un jeune Tahitien devant la tombe de sa petite sœur demander : « Pourquoi le dieu Jésus a-t-il planté ma sœur dans la terre ? » Il voulait que je demande au dieu Jésus de ressusciter cette enfant, mais moi qui ne pouvais même pas le faire avec les miens, voyez-vous, comment aurais-je pu accomplir une telle merveille ? Je ne pouvais offrir aucune preuve de mon Sauveur, sœur Whittaker, hormis ce que ma bonne épouse Mrs Welles appelle ma *preuve intérieure.* Je savais alors, et je sais maintenant seulement ce que mon cœur sent être vrai, voyez-vous : je sais que sans l'amour de notre Seigneur, je suis une épave. C'est le seul miracle dont je puis fournir la preuve, et ce miracle me suffit. Pour les autres, peut-être n'est-il pas suffisant. Je ne peux guère leur en vouloir, car ils ne peuvent voir dans mon cœur. Ils ne peuvent voir les ténèbres qui y furent autrefois, ni ce qui les a remplacées. Mais à ce jour, c'est le seul miracle que je puis offrir, voyez-vous, et il est fort humble.

En outre, apprit Alma, il régnait une grande confusion chez les indigènes concernant l'espèce de dieu dont il s'agissait – le Dieu de l'Anglais – et l'endroit où il résidait. Pendant longtemps, les indigènes de la baie de Matavai crurent que la bible que portait le révérend Welles était en réalité son dieu.

— Ils trouvaient fort troublant que je porte mon Dieu si nonchalamment sous mon bras, ou que je le laisse sur une table sans m'en occuper, voire que je le prête parfois à d'autres ! Je tentai de leur expliquer que mon Dieu était partout, voyez-vous. Ils voulurent savoir : « Dans ce cas, pourquoi ne pouvons-nous Le voir ? » Je répondais : « Parce que mon Dieu est invisible. » Et ils disaient : « Alors comment fais-tu pour ne pas trébucher sur Lui ? » Et je répondais : « En vérité, mes amis, cela m'arrive parfois ! »

La London Missionary Society n'envoya rien en matière d'assistance. Pendant presque dix ans, le révérend Welles n'eut aucune nouvelle de Londres – ni instructions ni aide ni encouragement. Il prit les décisions lui-même. Pour commencer, il entreprit de baptiser quiconque le désirait. C'était fort peu conforme avec les consignes de la London Missionary Society, qui stipulait qu'aucun individu ne devait recevoir le baptême tant qu'il n'était pas *tout à fait certain* qu'il avait renoncé à ses anciennes idoles et embrassé le Vrai Rédempteur. Mais les Tahitiens *voulaient* être baptisés, parce que c'était très divertissant – tout en désirant conserver leurs anciennes croyances. Le révérend Welles céda. Il baptisa des centaines d'incroyants et de demi-croyants, aussi.

— Qui suis-je pour empêcher un homme de recevoir le baptême ? demanda-t-il, à la stupéfaction d'Alma. Mrs Welles n'étaient guère d'accord, je dois le dire. Elle pensait que les chrétiens potentiels devaient être soumis à une épreuve de foi très stricte avant le baptême, voyez-vous. Mais pour moi, cela ressemblait à l'Inquisition ! Elle me rappela souvent que nos collègues de Londres désiraient que nous entretenions une uniformité dans la foi. Mais il n'y a même pas d'uniformité dans la foi entre Mrs Welles et moi ! Comme je le disais si souvent à ma bonne épouse : « Ma chère Edith, sommes-nous venus aussi loin pour devenir des Espagnols ? Si un homme veut qu'on le plonge dans la rivière, je le lui accorderai ! Si un homme doit jamais rejoindre le Seigneur, voyez-vous, ce sera par la volonté du Seigneur – et non par le biais de ce que je ferai ou non. Alors quel mal peut faire le baptême ? L'homme ressort de la rivière un peu plus propre qu'il n'y est entré, et peut-être un peu plus proche du ciel, aussi. »

Dans certains cas, avoua le révérend Welles, il baptisait des gens plusieurs fois par an, ou des dizaines de fois de suite. Il n'y voyait tout bonnement aucun mal.

Au cours des deux années suivantes, les Welles eurent deux autres filles : Penelope et Theodosia. Elles aussi moururent précocement et furent ensevelies sur la colline, auprès de leurs sœurs.

De nouveaux missionnaires arrivèrent à Tahiti. Ils avaient tendance à rester à distance de la baie de Matavai, et des dangereuses idées libérales du révérend Welles. Ces nouveaux missionnaires furent plus fermes avec les indigènes. Ils établirent des lois contre l'adultère et la polygamie, le viol de la propriété, le non-respect du sabbat, le vol, l'infanticide et le catholicisme. Pendant ce temps, le révérend Welles s'éloigna encore plus des pratiques missionnaires orthodoxes. En 1810, il traduisit la Bible en tahitien sans demander l'approbation de Londres.

— Je n'ai pas traduit toute la Bible, voyez-vous, mais seulement les passages qui, selon moi, plairaient aux Tahitiens. Ma version est beaucoup plus courte que la Bible qui vous est familière, sœur Whittaker. J'ai omis toute mention de Satan, par exemple. J'en suis venu à penser qu'il n'est pas souhaitable de discuter ouvertement de Satan, voyez-vous, car plus les Tahitiens entendront parler du Prince des Ténèbres, plus ils seront intrigués et respectueux de lui. J'ai vu une jeune femme mariée s'agenouiller dans mon église et prier ardemment Satan de lui donner un garçon comme premier-né. Quand j'ai voulu la détourner de cette triste direction, elle m'a dit : « Mais je désire obtenir la faveur du seul dieu que craignent tous les chrétiens ! » Aussi ai-je renoncé à parler de Satan. Il faut s'adapter, Miss Whittaker. Il faut s'adapter !

La London Missionary Society finit par entendre parler de ces adaptations et, fort contrariée, fit savoir que les Welles devaient cesser de prêcher et rentrer en Angleterre immédiatement. Mais la London Missionary Society étant de l'autre côté du globe, comment pouvait-elle faire appliquer quoi que ce fût ? Entre-temps, le révérend Welles avait cessé de prêcher et laissait la femme nommée sœur Manu prononcer les sermons, malgré le fait qu'elle n'eût pas encore *tout à fait* renoncé aux autres dieux. Mais elle aimait Jésus-Christ et en parlait fort éloquemment. Apprendre cela ne fit qu'irriter plus encore Londres.

— Mais je ne peux tout simplement pas répondre à la London Missionary Society, expliqua-t-il à Alma sur un ton d'excuse. Leur loi est restée en Angleterre, voyez-vous. Ils n'ont aucune idée de la situation. Ici, je ne peux répondre qu'à l'Auteur de toutes nos miséricordes, et j'ai toujours cru que l'Auteur de toutes nos miséricordes a de l'affection pour sœur Manu.

Cependant, pas un seul Tahitien n'embrassa entièrement le christianisme jusqu'en 1815, quand le roi de Tahiti, Pomaré, envoya toutes ses idoles sacrées à un missionnaire anglais de Papeete, avec une lettre, en anglais, disant qu'il désirait que ses anciens dieux fussent jetés au feu : il voulait enfin devenir chrétien. Pomaré espérait que sa décision sauverait son peuple, car Tahiti était en grand désarroi. Avec chaque nouveau navire arrivaient de nouvelles maladies. Des familles entières étaient décimées – par la rougeole, la variole, les affreux maux de la prostitution. Là où le capitaine Cook avait estimé la population tahitienne à deux cent mille âmes en 1772, elle était tombée rapidement à huit mille en 1815. Personne n'était épargné par la maladie – ni les grands chefs ni les propriétaires terriens ni les gens du commun. Le propre fils du roi était mort de consomption.

Dès lors, les Tahitiens se mirent à douter de leurs dieux. Quand la mort s'abat sur tant de foyers, toutes les certitudes sont remises en question. Alors que les maladies se répandaient, il en allait de même de rumeurs selon lesquelles le Dieu des Anglais punissait les Tahitiens d'avoir rejeté Son fils Jésus-Christ. Cette peur prépara les Tahitiens pour le Seigneur et le roi Pomaré fut le premier à se convertir. Son premier geste de chrétien fut de préparer un banquet et de manger devant tout le monde sans avoir d'abord fait une offrande aux anciens dieux. Une foule se rassembla, autour de son roi, paniquée, certaine qu'il serait foudroyé sous leurs yeux par les divinités courroucées. Il n'en fut rien.

Après cela, ils se convertirent tous. Tahiti, affaiblie, humiliée et décimée, devint enfin chrétienne.

— N'eûmes-nous pas de la chance ? demanda le révérend Welles à Alma. N'eûmes-nous pas de la chance, en vérité ?

Il dit cela du même ton ensoleillé qui était toujours le sien. C'était ce qui était le plus intrigant chez le révérend Welles. Alma ne parvenait pas à comprendre ce qu'il y avait derrière cette éternelle bonne humeur – s'il y avait toutefois quelque chose. Était-ce un cynique ? Un hérétique ? Un simple d'esprit ? Son innocence était-elle artificielle ou naturelle ? On ne pouvait jamais deviner d'après son visage, qui était toujours baigné de la clarté de l'ingénuité. Il y avait chez lui une franchise à faire honte au soupçonneux, au cupide et au cruel. Un tel visage faisait honte au menteur. Ce visage faisait parfois honte à Alma, car elle n'avait jamais été franche avec lui sur son histoire et les raisons de sa venue. Parfois, elle avait envie de prendre sa petite main dans sa poigne de géante et – oubliant leurs respectables titres de frère Welles et sœur Whittaker – lui dire simplement : « Je n'ai pas été sincère avec vous, Francis. Laissez-moi vous conter mon histoire. Laissez-moi vous parler de mon époux et de notre mariage si peu naturel. Aidez-moi s'il vous plaît à comprendre qui était Ambrose. Veuillez me dire ce que vous savez de lui, et dites-moi ce que vous savez du Garçon. »

Mais elle n'en fit rien. C'était un ministre du Seigneur et un chrétien honorable et marié. Comment pouvait-elle lui parler de telles choses ?

Le révérend Welles raconta à Alma toute son histoire, cependant, sans dissimuler grand-chose. Il lui raconta que, quelques années seulement après la conversion du roi Pomaré, Mrs Welles et lui eurent, de manière tout à fait inattendue, une autre petite fille. Cette fois, l'enfant vécut. Mrs Welles vit cela comme une approbation du Seigneur – pour avoir contribué à christianiser Tahiti. C'est pourquoi ils baptisèrent l'enfant Christina. À cette époque, la famille habitait dans le plus joli cottage du village, juste à côté de l'église, celui-là même où vivait désormais sœur Manu, et ils étaient heureux en effet. Mrs Welles et sa fille plantèrent des gueules-de-loup et des pieds-d'alouette et firent de l'endroit un vrai petit jardin anglais. La fillette apprit à nager avant de savoir marcher, comme n'importe quel enfant de l'île.

— Christina était ma joie et ma récompense, dit le révérend Welles. Mais Tahiti n'est pas un endroit, estimait mon épouse, pour élever une fillette anglaise. Il y a trop d'influences corruptrices, voyez-vous. Je ne suis pas d'accord, mais c'est ce que pensait Mrs Welles. Quand Christina devint une jeune femme, Mrs Welles la ramena en Angleterre. Je ne les ai pas revues depuis. Je ne les reverrai plus.

Ce destin sembla non seulement solitaire à Alma, mais affreusement injuste. Aucun bon Anglais, songea-t-elle, ne devait être laissé ici, sans personne, au milieu des mers du Sud, à affronter la vieillesse et la solitude.

Elle songea à son père dans ses dernières années : qu'aurait-il fait sans elle ?

Comme s'il lisait sur son visage, le révérend Welles reprit :

— Je me languis de ma bonne épouse et de Christina, mais je ne suis pas totalement sans la compagnie d'une famille. Je considère sœur Manu et sœur Etini comme mes sœurs et pas seulement de nom. À l'école de notre mission, aussi, nous avons eu la chance au cours des années de former de brillants et généreux élèves que je considère comme mes propres enfants, et certains d'entre eux sont désormais devenus missionnaires à leur tour, voyez-vous. Ils sont partis dans les îles extérieures, ces indigènes qui étaient nos élèves. Il y a Tamatoa Mare, qui apporte l'Évangile à la grande île de Raiatea. Il y a Patii, qui étend le Royaume du Rédempteur jusqu'à l'île de Huahine. Il y a Paumoana, infatigable au nom du Seigneur à Bora Bora. Tous sont mes fils et tous sont fort admirés. Il y a quelque chose à Tahiti qui s'appelle *taio*, voyez-vous, qui est une sorte d'adoption, un moyen de faire entrer des étrangers dans votre famille. Quand vous faites une *taio* avec un indigène, vous échangez vos généalogies, voyez-vous, et vous devenez une portion de la lignée de chacun des deux. La lignée est des plus importantes ici. Il y a des Tahitiens qui sont capables de réciter leur généalogie sur trente générations – ce n'est pas sans rappeler les générations de la Bible, voyez-vous. Entrer dans une lignée est un noble honneur. Aussi ai-je mes fils tahitiens avec moi, pour ainsi dire, qui vivent sur ces îles et sont un réconfort pour le vieillard que je suis.

— Mais ils ne sont *pas* avec vous, ne put s'empêcher de répondre Alma, qui savait précisément à quelle distance se trouvait Bora Bora. Ils ne sont pas là pour vous aider ni prendre soin de vous en cas de nécessité.

— Vous dites vrai, mais c'est réconfortant de savoir simplement qu'ils existent. Vous pensez que ma vie est tout à fait triste, je le crains. Ne vous méprenez pas. Je vis là où je suis censé vivre. Je ne pourrais jamais quitter ma mission, voyez-vous. Mon travail ici n'est pas une corvée, sœur Whittaker. Mon travail ici n'est pas un métier, voyez-vous, dont on peut prendre sa retraite dans un confortable gâtisme. Mon travail consiste à garder en vie cette petite église jour après jour, tel un radeau contre les vents et les chagrins du monde. Quiconque désire embarquer sur mon radeau peut le faire. Je ne force personne à y monter, voyez-vous, mais comment puis-je abandonner le radeau ? Ma bonne épouse m'accuse d'être meilleur chrétien que missionnaire. Peut-être a-t-elle raison ! Je ne suis pas certain d'avoir converti quiconque. Pourtant, l'Église est ma tâche, sœur Whittaker, et en conséquence, je dois rester.

Il avait soixante-dix-sept ans, apprit Alma.

Il habitait à la baie de Matavai depuis plus longtemps qu'elle n'avait vécu.

24

Octobre arriva.

L'île entra dans la saison que les Tahitiens appellent *hia'ai* – la saison de la disette, quand le fruit de l'arbre à pain est difficile à trouver et que les gens ont parfois faim. Par bonheur, il n'y eut pas de famine à la baie de Matavai. L'abondance ne régnait pas, certes, mais personne ne mourait de faim non plus. Le poisson et la racine de taro y veillaient.

Oh, le taro ! L'insipide et ennuyeux taro ! Pilé et écrasé, bouilli et gluant, cuit sur des charbons, roulé en boulettes humides appelées *popoi*, et qui servait à tout depuis le petit déjeuner jusqu'à la communion et à l'alimentation des cochons. La monotonie du taro était parfois interrompue par l'ajout de minuscules bananes au menu – de merveilleuses bananes sucrées que l'on pouvait avaler presque d'une seule bouchée –, mais même cela était difficile à trouver. Alma regardait avec envie les cochons, mais apparemment, sœur Manu les réservait pour un autre jour, une période de famine plus prononcée. Il n'y avait donc pas de porc à savourer, mais seulement du taro à chaque repas et parfois, si l'on avait de la chance, un poisson de belle taille. Alma aurait donné n'importe quoi pour une journée sans taro – mais un jour sans taro, c'était un jour sans nourriture. Elle commença à comprendre pourquoi le révérend Welles avait renoncé complètement à manger.

Les journées étaient silencieuses, torrides et calmes. Tout le monde était apathique et paresseux. Roger le chien avait creusé un trou dans le jardin d'Alma et y dormait plus ou moins toute la journée, langue pendante. Des poulets chauves grattaient la terre pour trouver à manger, renonçaient et s'accroupissaient à l'ombre, découragés. Même le contingent Hiro – ces petits garnements si agités – sommeillait l'après-midi à l'ombre comme de vieux chiens. Parfois, ils se lançaient dans des activités inutiles. Hiro avait trouvé une cognée de hache qu'il accrochait à une corde et frappait avec un caillou comme un gong. L'un des Makea tapait sur un ancien cercle de tonneau avec une pierre. Ce qu'ils faisaient était plus ou moins de la musique, supposait Alma, mais elle la trouvait sans inspiration et fatigante. Tout Tahiti était plongé dans l'ennui et la fatigue.

Du temps de son père, cet endroit avait été éclairé par les torches de la guerre et de la débauche. Les beaux et jeunes Tahitiens et Tahitiennes avaient dansé d'une manière si obscène et déchaînée autour des feux sur cette même grève que Henry Whittaker – alors jeune et innocent – avait dû détourner la tête. À présent, tout était morne. Les missionnaires, les Français, les baleiniers, avec leurs sermons, leur bureaucratie et leurs maladies, avaient chassé le diable de Tahiti. Les puissants guerriers étaient tous morts.

À présent, il n'y avait que des enfants indolents assoupis à l'ombre, pour qui taper sur une cognée de hache et un cercle de tonneau était une distraction suffisante. Que pouvaient faire désormais les jeunes de leur sauvagerie ?

Alma continua de chercher le Garçon, faisant des promenades de plus en plus lointaines, seule, avec Roger le chien ou avec le poney efflanqué sans nom. Elle explora de petits villages et colonies sur le rivage autour de l'île dans les deux directions à partir de Matavai. Elle vit toutes sortes d'hommes et de garçons. Elle vit de beaux jeunes hommes, oui, avec ces nobles physiques que les premiers visiteurs européens avaient admirés, mais elle vit aussi de jeunes hommes affligés d'éléphantiasis ou de scrofule aux yeux provoqués par les maladies vénériennes de leurs mères. Elle vit des enfants voûtés et tordus par la tuberculose osseuse. Elle vit des jeunes gens qui auraient dû être avenants, mais qui étaient marqués par la variole et la rougeole. Elle trouva des villages presque déserts, vidés au cours des années par la maladie et la mort. Elle vit des missions considérablement plus strictes que la baie de Matavai. Il lui arrivait d'assister aux messes de ces autres missions, où personne ne chantait en tahitien ; là, on chantait d'anodins hymnes presbytériens avec un accent prononcé. Elle ne vit le Garçon dans aucune de ces congrégations. Elle croisa des travailleurs fatigués, des vagabonds perdus, des pêcheurs taciturnes. Elle vit un homme âgé assis sous le soleil torride qui jouait de la flûte tahitienne à la façon traditionnelle, en soufflant dedans par une narine – un son si mélancolique qu'Alma eut le cœur serré par le mal du pays. Mais elle ne vit toujours pas le Garçon.

Ses quêtes étaient vaines, elle revenait chaque jour bredouille de son recensement, mais elle était toujours heureuse de retourner à la baie de Matavai et aux habitudes de la mission. Elle était toujours reconnaissante quand le révérend Welles l'invitait à l'accompagner dans les jardins de corail. Elle se rendit compte qu'ils étaient assez semblables à ses colonies de mousses à White Acre – des choses denses qui poussaient lentement et que l'on pouvait étudier pendant des années d'affilée pour passer les décennies sans sombrer dans la solitude. Elle appréciait beaucoup leurs conversations lors de leurs excursions sur le récif. Il avait demandé à sœur Manu de tresser pour Alma une paire de sandales exactement comme les siennes, avec d'épaisses frondes de pandanus, afin qu'elle puisse marcher sur le corail tranchant sans se couper les pieds. Il montra à Alma la ménagerie d'éponges, d'anémones et de coraux – toute la beauté fascinante des eaux tropicales limpides et peu profondes. Il lui enseigna les noms des poissons multicolores et lui raconta des anecdotes sur Tahiti. Jamais il ne lui posa aucune question sur sa propre vie. Elle en était soulagée : elle n'avait pas à lui mentir.

Alma s'éprit aussi de la petite église de la baie de Matavai. Le bâtiment était clairement dépourvu d'ornement et de splendeur (Alma vit de bien plus jolies églises partout ailleurs sur l'île) mais elle appréciait toujours les sermons de sœur Manu, brefs, emphatiques et inventifs. Elle apprit du révérend Welles que – pour l'esprit tahitien – il y avait des éléments familiers dans l'histoire de Jésus et que cela avait aidé les premiers missionnaires à présenter le Christ aux indigènes. À Tahiti, les gens croyaient que le monde était divisé entre le *pô* et l'*ao,* l'obscurité et la lumière. Leur grand seigneur Taroa, le créateur, était né dans le *pô* – né la nuit, né dans les ténèbres. Les missionnaires, une fois qu'ils connurent cette mythologie, expliquèrent aux Tahitiens que Jésus-Christ, lui aussi, était né dans le *pô* – né la nuit, issu des ténèbres et de la douleur. Cela avait éveillé l'attention des Tahitiens. C'était une dangereuse et puissante destinée que de naître la nuit. Le *pô* était le monde des morts, de l'incompréhensible et de l'effrayant. Le *pô* était fétide, en putréfaction et terrifiant. Notre Seigneur, enseignaient les Anglais, était venu pour guider l'humanité hors du *pô* vers la lumière.

Tout cela avait une certaine logique pour les Tahitiens. À tout le moins, cela les amena à admirer le Christ, puisque la frontière entre le *pô* et l'*ao* était un territoire dangereux et que seule une âme notoirement brave pouvait traverser d'un monde vers l'autre. Le *pô* et l'*ao* étaient semblables au paradis et à l'enfer, expliqua le révérend Welles à Alma, mais il y avait plus de relations entre eux, et dans les endroits où ils se mélangeaient régnait la folie. Les Tahitiens avaient toujours eu peur du *pô*.

— Quand ils croient que je ne les vois pas, dit-il, ils continuent de faire des offrandes aux dieux qui résident dans le *pô.* Ils font ces offrandes, voyez-vous, non parce qu'ils honorent ou adorent ces dieux des ténèbres, mais pour les amadouer afin qu'ils restent dans le monde des fantômes et ne s'approchent pas du monde de la lumière. Le *pô* est une notion assez difficile à vaincre, voyez-vous. Le *pô* ne cesse pas d'exister dans l'esprit des Tahitiens simplement parce que le jour est arrivé.

— Sœur Manu croit-elle au *pô* ? demanda Alma.

— Absolument pas, dit le révérend Welles, plus imperturbable que jamais. C'est une parfaite chrétienne, comme vous le savez. Mais elle respecte le *pô*, voyez-vous.

— Croit-elle aux fantômes, alors ? insista Alma.

— Certainement pas, dit le révérend Welles. Ce serait fort peu chrétien de sa part. Mais elle *n'aime pas* les fantômes non plus et comme elle ne veut pas qu'ils rôdent autour du village, il arrive qu'elle n'ait d'autre choix que de leur faire des offrandes, voyez-vous, pour les tenir à distance.

— Donc elle *croit* aux fantômes, dit Alma.

— Bien sûr que non, la corrigea le révérend Welles. Elle s'en occupe, simplement, voyez-vous. Vous découvrirez qu'il y a aussi certaines parties de l'île où sœur Manu n'approuve pas que l'on aille se promener. Dans les lieux les plus hauts et les plus inaccessibles de Tahiti, voyez-vous, on dit que quelqu'un peut pénétrer dans une nappe de brouillard et s'y dissoudre à jamais pour sombrer dans le *pô*.

— Mais sœur Manu croit-elle réellement que cela pourrait arriver ? demanda Alma. Que quelqu'un puisse se dissoudre ?

— Pas du tout, dit le révérend Welles avec entrain. Mais elle le désapprouve tout à fait.

Alma se demanda : *le Garçon avait-il simplement disparu dans le* pô *? Et Ambrose ?*

Alma n'avait aucune nouvelle du monde extérieur. Aucune lettre ne lui arriva à Tahiti, alors qu'elle écrivait souvent à Prudence et à Hanneke, et parfois même à George Hawkes. Elle confiait diligemment ses lettres aux baleiniers sachant que la probabilité qu'elles parviennent jamais à Philadelphie était mince. Elle avait appris que parfois le révérend Welles n'avait pas de nouvelles de son épouse et de sa fille en Cornouailles pendant deux ans de suite. Parfois, quand les lettres arrivaient, elles étaient détrempées et illisibles après leur long voyage en mer. Alma trouvait cela plus tragique que de ne jamais avoir de nouvelles de sa famille, mais son ami acceptait cet état de fait comme il acceptait toutes les contrariétés : avec sérénité.

Alma se sentait seule, et la chaleur insupportable ne diminuait même pas la nuit. La maisonnette d'Alma devint un four suffocant. Elle fut réveillée une nuit par une voix d'homme qui chuchotait dans son oreille : « *Écoute !* » Mais quand elle se redressa, il n'y avait personne dans la chambre, ni un membre du contingent Hiro, ni Roger le chien. Il n'y avait même pas un soupçon de vent. Elle sortit, le cœur battant la chamade. Il n'y avait personne. Elle vit que la baie de Matavai était devenue, dans la nuit tiède et silencieuse, aussi lisse qu'un miroir. Toute la voûte céleste étoilée se reflétait dans l'eau comme s'il y avait deux ciels à présent : un au-dessus, un dessous. Le silence et la pureté étaient formidables. La plage semblait chargée de présences.

Ambrose avait-il vu une telle chose pendant son séjour ici ? Deux ciels lors d'une unique nuit ? Avait-il ressenti cette crainte et cet émerveillement, cette impression à la fois de solitude et de présence ? Était-ce lui qui venait de la réveiller avec cette voix dans son oreille ? Elle tenta de se rappeler si cela ressemblait à la voix d'Ambrose, mais elle n'aurait su le dire. Aurait-elle pu encore reconnaître la voix d'Ambrose si elle l'avait entendue ?

Cela aurait été tout à fait le genre d'Ambrose, cependant, de la réveiller et de l'encourager à *écouter*. Certainement, oui. Si jamais un mort essayait de parler aux vivants, ce serait bien Ambrose Pike – lui, avec toutes ses grandioses idées métaphysiques et miraculeuses. Il avait même à moitié convaincu Alma de l'existence des miracles, elle qui n'était pas sensible à de telles croyances. N'avaient-ils pas été comme des sorciers, cette nuit-là dans le cabinet de reliure – à se parler sans mots, par la plante des pieds et la paume des mains ? Il voulait dormir à côté d'elle, avait-il dit, pour pouvoir écouter ses pensées. Elle voulait dormir à côté de lui pour pouvoir enfin forniquer, mettre un membre d'homme dans sa bouche – mais lui ne voulait rien de plus qu'écouter ses pensées. Pourquoi n'avait-elle pas pu l'autoriser à les écouter simplement ? Pourquoi n'avait-il pas pu la laisser tendre la main vers lui ?

Avait-il jamais pensé à elle, ne fût-ce qu'une fois, quand il était ici à Tahiti ?

Peut-être qu'il tentait de lui faire parvenir des messages à présent, mais que le fossé était trop vaste. Peut-être que les mots étaient détrempés et indéchiffrables après avoir traversé l'immense abîme entre la mort et la terre – tout comme ces tristes lettres abîmées que le révérend Welles recevait parfois de son épouse repartie en Angleterre.

— Qui *étiez*-vous ? demanda Alma à Ambrose dans la nuit de plomb, en contemplant la baie miroitante et silencieuse. Sa voix retentit si fort sur la plage qu'elle sursauta. Elle guetta une réponse, tendant l'oreille à en avoir mal, mais elle n'entendit rien. Il n'y avait même pas une vaguelette qui lapait le sable. L'eau aurait aussi bien pu être de l'étain en fusion, et l'air aussi.

— Où êtes-vous désormais, Ambrose ? demanda-t-elle, baissant la voix. (Pas un bruit.) Montrez-moi où je peux trouver le Garçon, demanda-t-elle dans un chuchotement sourd.

Ambrose ne répondit pas.

La baie de Matavai ne répondit pas.

Le ciel ne répondit pas.

Elle soufflait sur des braises glacées ; il n'y avait rien ici.

Elle s'assit et attendit. Elle songea à l'histoire que le révérend Welles lui avait racontée sur Taroa, le dieu originel des Tahitiens. Taroa le créateur. Taroa, né dans un coquillage. Taroa était resté ainsi dans le silence pendant un temps infini, seule créature vivante de l'univers. Le monde était si vide que lorsqu'il appela dans les ténèbres, il n'y eut pas même un écho. Il mourut presque de solitude. Et de cette solitude et de ce vide inestimables, Taroa fit naître notre monde.

Alma s'allongea dans le sable et ferma les yeux. C'était plus confortable ici que sur son matelas dans son *faré* étouffant. Peu lui importaient les crabes, qui trottinaient et couraient fébrilement autour d'elle. Dans leur coquille, ils étaient les seules choses qui bougeaient sur la plage, les seules choses vivantes dans l'univers. Elle attendit sur cette petite langue de terre entre deux ciels que le soleil se lève et que toutes les étoiles disparaissent du ciel et de la mer, mais personne ne lui dit rien.

Arrivèrent Noël et la saison des pluies. La pluie apporta un soulagement après la chaleur infernale, mais aussi des escargots d'une taille stupéfiante et des plaques de moisissures qui grandirent dans les plis des jupes de plus en plus élimées d'Alma. La plage de sable noir de Matavai était détrempée comme un pudding. Les averses confinaient Alma toute la journée dans sa maison, où elle s'entendait à peine penser dans le tintamarre de la pluie sur le toit. La nature envahit encore plus son minuscule espace de vie. La population de lézards au plafond tripla du jour au lendemain – confinant à la plaie biblique – et se mit à laisser de gros tas d'excréments et d'insectes à demi digérés dans tout le *faré*. Des champignons se mirent à pousser dans les tréfonds infects de l'unique chaussure qui restait à Alma. Elle suspendit ses régimes de bananes aux solives, pour empêcher des rats trempés et acharnés de les lui voler.

Roger le chien apparut un soir, comme chaque fois qu'il terminait sa patrouille nocturne, et il resta pendant des jours ; il n'avait tout simplement pas le courage d'affronter la pluie. Alma aurait bien aimé qu'il s'en prenne aux rats, mais il ne semblait pas non plus avoir le cœur à cela. Roger ne permettait toujours pas à Alma de lui donner à manger à la main sans tenter de la mordre, mais il lui arriva d'accepter de partager de la nourriture avec elle si elle la déposait sur le sol et tournait le dos. Parfois, il lui permettait de lui caresser la tête quand il sommeillait.

Des orages survenaient par périodes irrégulières. On les entendait se former au loin de l'autre côté de la mer – des vents rugissants au sud-ouest qui devenaient de plus en plus bruyants, comme un train qui arrive. Si l'orage promettait d'être d'une violence inhabituelle, les oursins sortaient de la baie pour chercher un abri en hauteur. Parfois, ils se réfugiaient dans la maison d'Alma – une raison de plus pour regarder où elle mettait les pieds. La pluie s'abattait comme des volées de flèches. La rivière de l'autre côté de la plage charriait de la boue et la surface de la baie bouillonnait, criblée de gouttes. À mesure que l'orage se faisait plus menaçant, Alma voyait son monde se refermer sur elle. Brouillard et obscurité arrivaient de la mer. D'abord, l'horizon disparaissait, puis c'était l'île de Moorea au loin qui se volatilisait, puis le récif, puis la plage, et Roger et elle se retrouvaient tout seuls dans la brume. Le monde était désormais aussi minuscule que la petite maison pas très étanche d'Alma. Le vent soufflait de biais, le tonnerre grondait d'effrayants roulements et la pluie se déchaînait.

Puis elle s'arrêtait un moment et un soleil aveuglant revenait – soudain, stupéfiant, éclatant – mais jamais assez longtemps pour qu'Alma puisse faire convenablement sécher sa paillasse. De la vapeur s'élevait du sable en vagues tourbillonnantes. Des bourrasques de vent humide descendaient des flancs de la montagne. Sur la plage, l'air claquait et tremblait comme un drap qu'on secoue, comme si la plage elle-même se débarrassait de la violence qui venait de s'abattre sur elle. Puis c'était un calme humide pendant quelques heures ou quelques jours, jusqu'à ce qu'un nouvel orage survienne.

C'étaient des jours à regretter une bibliothèque et grande demeure chaude et sèche. Alma aurait pu sombrer dans un horrible désespoir durant la saison des pluies à Tahiti si elle n'avait fait une curieuse découverte : les enfants de la baie de Matavai adoraient la pluie. Le contingent Hiro plus encore que tous les autres – et ils avaient toutes les raisons pour cela, car c'était la saison des coulées de boue, des sauts dans les flaques et des dangereuses glissades sur les flots torrentiels de la rivière en crue. Les cinq petits garçons se transformaient en autant de loutres qui, loin d'être rebutées par l'humidité, en étaient ravies. Toute l'indolence dont ils avaient fait montre durant la saison sèche et torride de la disette avait maintenant disparu, remplacée par une *vie* soudaine et bondissante. Le contingent Hiro était comme les mousses, se rendit compte Alma : ils pouvaient sécher et se ramollir dans la chaleur, mais ils étaient aussitôt ranimés quand on les faisait bien tremper. Des machines à résurrection, voilà ce qu'étaient ces extraordinaires enfants ! Ils avaient tant de détermination, de vigueur et d'exubérance quand ils se remettaient en branle dans ce monde détrempé que cela rappela à Alma son enfance. La pluie et la boue ne l'avaient jamais empêchée d'explorer, elle non plus. Cette pensée souleva une brusque question : *dans ce cas, pourquoi se terrait-elle dans sa petite maison maintenant ?* Elle n'avait jamais fui les intempéries étant enfant, alors pourquoi les fuir aujourd'hui, en tant qu'adulte ? S'il n'y avait nulle part sur cette île où l'on pouvait rester au sec, pourquoi ne pas tout simplement se mouiller ? Cette question, curieusement, conduisit Alma à en soulever une autre : pourquoi n'avait-elle pas engagé le contingent Hiro pour l'aider à chercher le Garçon ? Qui pouvait mieux retrouver un jeune Tahitien que d'autres jeunes Tahitiens ?

S'étant rendu compte de cela, Alma courut hors de la maison et héla les cinq petits démons qui – en cet instant – étaient en train de se lancer de la boue les uns sur les autres avec une merveilleuse détermination. Ils accoururent vers Alma en une seule masse gluante de boue et de rires. Cela les amusait de voir une blanche sur leur plage en plein orage avec sa robe trempée ruisseler devant eux. C'était très divertissant et cela ne coûtait rien du tout.

Alma attira à elle les enfants et leur parla dans un mélange de tahitien, d'anglais et de gestes passionnés. Plus tard, elle ne se rappela plus très bien comment elle avait réussi à présenter l'idée, mais son message était en gros celui-ci : *C'est la saison idéale pour l'aventure, les enfants !* Elle leur demanda s'ils connaissaient les endroits au cœur de l'île où sœur Manu n'aimait pas qu'aillent les villageois. Connaissaient-ils *tous* ces endroits interdits, où demeurait le peuple des falaises et où se trouvaient les plus lointains villages païens ?

Cela leur plairait-il d'y emmener sœur Whittaker, pour une grande aventure ?

Si cela leur plairait ? Mais bien sûr que oui ! C'était une idée si divertissante qu'ils s'y mirent le jour même. À vrai dire, ce fut sur-le-champ, et Alma les suivit sans hésitation. Sans chaussures, sans cartes, sans nourriture, sans parapluies – surtout pas –, les garçons emmenèrent Alma dans les collines derrière la mission, loin des petits villages côtiers qu'elle avait déjà explorés toute seule. Ils montèrent tout droit, dans la brume, dans les nuages de pluie, jusqu'aux sommets de la jungle qu'Alma avait aperçus depuis le pont de l'*Elliot* et qui lui avaient paru si terrifiants et étranges à l'époque. Ils montèrent, et pas seulement ce jour-là, mais chacun de ceux du mois qui suivit. Chaque jour, ils exploraient des sentiers encore plus éloignés et des destinations encore plus sauvages, souvent sous une pluie battante, et toujours avec Alma Whittaker sur leurs talons.

Au début, Alma redouta de ne pas pouvoir les suivre, mais elle finit par s'apercevoir de deux choses rapidement : que ses années de cueillettes botaniques l'avaient rendue exceptionnellement leste et que ces enfants tenaient assez gentiment compte des limites de leur invitée. Ils ralentissaient pour Alma dans les endroits les plus périlleux et ne lui demandaient pas de sauter par-dessus de profondes crevasses comme eux, ou d'escalader des falaises trempées à mains nues, comme ils le faisaient sans la moindre peine.

Parfois, le contingent Hiro se mettait derrière elle quand la pente était particulièrement rude et la poussait d'une manière assez ignoble, les mains sur ses larges fesses, mais Alma n'y trouvait rien à redire : ils essayaient simplement de l'aider. Ils étaient généreux avec elle. Ils l'acclamaient quand elle arrivait au sommet, et si jamais la nuit tombait quand ils étaient encore dans la jungle, ils lui tenaient la main pour la guider vers la sécurité de la mission. Lors de ces marches nocturnes, ils lui enseignèrent des chants guerriers en tahitien – ceux que chantent les hommes pour se donner du courage devant le danger.

Les Tahitiens étaient connus dans toutes les mers du Sud comme d'habiles grimpeurs et d'intrépides randonneurs (Alma avait entendu parler d'insulaires qui pouvaient marcher douze lieues par jour sur un terrain inaccessible sans hésiter), mais Alma n'était pas non plus du genre qui hésite, surtout quand elle était en chasse et qu'elle sentait bien que c'était la chasse de sa vie. C'était sa meilleure chance de trouver le Garçon. S'il était quelque part sur cette île, ces infatigables enfants le trouveraient.

Les absences de plus en plus nombreuses d'Alma loin de la mission n'étaient pas passées inaperçues.

Quand la gentille sœur Etini finit par demander avec inquiétude à Alma où elle passait ses journées, celle-ci répondit simplement :

— Je cherche des mousses, avec l'aide de vos cinq jeunes naturalistes les plus agiles !

Personne ne douta d'elle, car c'était la saison idéale pour la mousse. D'ailleurs, Alma repéra au passage toutes sortes d'intrigants bryophytes sur les rochers et les arbres, mais elle ne s'arrêtait pas pour les observer de plus près. Les mousses seraient toujours là. Elle cherchait quelque chose de plus éphémère, de plus urgent : un homme. Un homme qui connaissait des secrets. Pour le trouver, elle devait se déplacer dans le Temps humain.

De leur côté, les garçons adoraient ce jeu inattendu consistant à guider cette étrange vieille dame dans tout Tahiti pour aller voir tout ce qui était interdit et rencontrer les peuples les plus lointains. Ils emmenèrent Alma jusqu'aux temples abandonnés et aux grottes sinistres dans les recoins desquelles on trouvait encore des ossements humains. Il y avait parfois des Tahitiens vivants qui hantaient ces lieux lugubres, mais le Garçon n'en faisait jamais partie. Ils l'emmenèrent jusqu'à un petit village sur les rives du lac Maeva, où les femmes portaient encore des pagnes en fibres végétales, et où les hommes avaient le visage couvert de tatouages macabres, mais le Garçon n'était pas là-bas non plus. Le Garçon n'était pas en compagnie des chasseurs qu'ils croisaient sur les pistes glissantes, non plus, ni sur les pentes du mont Orohena ou du mont Aorai ni dans les longs tunnels de lave. Le contingent Hiro l'emmena jusqu'à une crête émeraude au sommet du monde, si haute qu'elle semblait diviser le ciel même – car il pleuvait sur un versant et le soleil brillait sur l'autre. Alma se trouvait sur ce sommet précaire avec les ténèbres sur sa gauche et la clarté sur sa droite, mais même là – au plus haut point imaginable, à la collision de la pluie et du soleil, à l'intersection du *pô* et de l'*ao* –, le Garçon restait invisible.

Parce qu'ils étaient intelligents, les enfants finir par déduire qu'Alma cherchait quelque chose, mais ce fut

Hiro, toujours le plus finaud, qui comprit qu'elle cherchait quelqu'*un*.

— Lui pas là ? lui demandait Hiro avec sollicitude à la fin de chaque journée.

Il s'était mis à parler anglais et s'imaginait y exceller.

Alma ne confirma jamais qu'elle cherchait quelqu'un, mais elle ne le nia jamais non plus.

— Nous trouver demain ! jurait Hiro chaque jour, mais janvier passa, puis février, et Alma ne trouva pas le Garçon.

— Nous trouver sabbat prochain ! promit Hiro, car « sabbat » était le terme local pour « une semaine ».

Mais quatre sabbats de plus passèrent et jamais Alma ne trouva le Garçon. À présent, nous étions déjà en avril. Hiro commença à s'inquiéter et à devenir morose. Il ne voyait aucun nouvel endroit de l'île où emmener Alma dans leurs expéditions sauvages. Ce n'était plus une amusante diversion ; c'était d'évidence devenu une campagne sérieuse et Hiro savait qu'il échouait. Les autres membres du contingent, sentant son état d'esprit, perdirent leur entrain à leur tour. C'est là qu'Alma décida de libérer les cinq garçons de leurs responsabilités. Ils étaient trop jeunes pour porter le fardeau de *son* fardeau ; elle ne voulait pas les voir accablés par l'inquiétude simplement parce qu'ils pourchassaient un fantôme pour elle. Alma libéra le contingent Hiro de ce jeu et jamais elle ne repartit en randonnée avec eux. En remerciement, elle leur donna à chacun un morceau de son précieux microscope – qu'ils lui avaient eux-mêmes rapporté *presque* intact au cours des derniers mois – et elle leur serra la main. En tahitien, elle leur dit qu'ils étaient les plus grands guerriers de tous les temps. Elle les remercia de leur courageux tour du monde connu. Elle leur déclara qu'elle avait trouvé tout ce dont elle avait besoin. Puis elle les renvoya reprendre leurs jeux incessants et sans but.

La saison des pluies se termina. Cela faisait presque un an qu'Alma était à Tahiti. Elle enleva l'herbe moisie qui tapissait le sol de sa maison et rapporta de l'herbe fraîche. Elle rembourra son matelas avec de la paille sèche. Elle vit la population de lézards diminuer à mesure que les jours étaient plus secs et lumineux. Elle fabriqua un balai neuf et débarrassa les murs des toiles d'araignées. Un matin, vaincue par le besoin de retrouver sa motivation, elle ouvrit le sac de voyage d'Ambrose pour regarder une fois encore les dessins du Garçon et découvrit que durant la saison des pluies, ils avaient été totalement dévorés par les moisissures. Elle essaya de séparer les pages, mais elles tombèrent en morceaux verdâtres entre ses doigts. Une sorte de mite s'y était attaquée aussi et avait mangé les miettes. Elle ne put rien en sauver. Elle ne pouvait plus voir une seule trace du visage du Garçon, ni les magnifiques lignes dessinées par la main d'Ambrose. L'île avait englouti l'unique preuve qui restait de l'existence de son inexplicable époux et de son incompréhensible et chimérique muse.

La désintégration des dessins fut comme une deuxième mort pour Alma : à présent, même le fantôme avait disparu. Elle eut envie de pleurer et cela la fit certainement douter de son discernement. Elle avait vu tant de visages à Tahiti au cours des dix derniers mois, mais à présent, elle se demandait si elle aurait pu identifier véritablement le Garçon, même s'il avait été devant elle. Peut-être qu'elle l'avait vu, après tout ? N'aurait-il pas pu être l'un de ces jeunes hommes sur les quais de Papeete le jour de son arrivée ? N'aurait-elle pu le croiser, plusieurs fois ? Aurait-il été possible qu'il habite ici, dans ce village, et qu'elle soit simplement devenue insensible à son visage ? Elle n'avait plus rien à quoi confronter ses souvenirs. Le Garçon avait à peine existé et, à présent, il n'existait plus du tout. Elle referma le sac de voyage comme on laisse retomber le couvercle d'un cercueil.

Alma ne pouvait rester à Tahiti. Elle n'avait aucun doute là-dessus. Jamais elle n'aurait dû y venir. Quelle affreuse quantité d'énergie et de résolution il avait fallu pour parvenir à cette île d'énigmes et, désormais, elle était échouée ici sans aucune bonne raison. Pire, elle était devenue un fardeau pour ce petit hameau d'âmes honnêtes, dont elle avait mangé la nourriture, épuisé les ressources, utilisé les enfants pour ses irresponsables menées personnelles. C'était du joli, tout cela ! Alma avait l'impression d'avoir totalement perdu le fil de sa vie, si tant est qu'il y en avait jamais eu un, si ténu fût-il. Elle avait interrompu sa morne mais honorable étude des mousses pour se livrer à cette piètre quête d'un fantôme – ou plutôt de *deux* fantômes : Ambrose et le Garçon, tous les deux. Et pour quoi ? Elle n'en savait pas davantage sur

Ambrose à présent qu'elle n'en savait avant d'arriver ici. Tous les récits à Tahiti déclaraient que son mari avait été précisément l'homme qu'il avait toujours semblé : une âme gentille, vertueuse, incapable de malfaisance, trop bonne pour ce monde.

Il commençait à lui venir à l'idée que, très probablement, le Garçon n'avait jamais existé du tout. Sinon, Alma l'aurait découvert depuis, ou quelqu'un lui aurait parlé de lui – même d'une manière très détournée. Ambrose avait dû l'inventer. Cette idée était plus triste que tout ce qu'Alma avait jamais pu imaginer. Le Garçon avait été le produit de l'imagination d'un homme esseulé à l'esprit dérangé. Ambrose avait tellement envie d'un compagnon qu'il s'en était dessiné un. À travers cette illusion d'un ami – un magnifique amant fantôme –, il avait trouvé le mariage spirituel qu'il désirait depuis toujours. Il y avait là une certaine logique. L'esprit d'Ambrose n'avait jamais été solide, même dans les meilleures circonstances ! C'était un homme que son plus cher ami avait fait interner dans une institution pour aliénés et qui avait cru être capable de voir les empreintes de Dieu sur la botanique. Ambrose était un homme qui voyait des anges dans les orchidées et qui avait naguère cru être un ange lui-même – il ne fallait pas l'oublier ! Elle était venue de l'autre bout du monde chercher une apparition inventée par l'imagination fragile et démente d'un homme seul.

C'était une histoire simple, mais elle l'avait compliquée avec ses vaines investigations. Peut-être qu'elle aurait aimé que l'histoire soit plus sinistre, ne fût-ce que pour que son histoire à elle soit plus tragique.

Peut-être aurait-elle voulu qu'Ambrose soit coupable d'abominations, de pédérastie et de dépravation, de manière à pouvoir le mépriser plutôt que le regretter. Peut-être aurait-elle voulu trouver la preuve non pas d'un seul Garçon à Tahiti, mais de *nombreux* garçons – une bande de catamites, qu'Ambrose avait violés et disgraciés l'un après l'autre. Mais il n'y avait aucune preuve de ce genre de chose. La vérité était tout au plus ceci : Alma avait été assez écervelée et libidineuse pour épouser un jeune homme innocent à l'esprit vacillant. Quand ce jeune homme l'avait déçue, elle avait été assez fâchée et cruelle pour le chasser dans les mers du Sud, où il était mort seul et l'esprit dérangé, dérivant dans ses imaginations, perdu dans un petit hameau sans espoir gouverné – si on pouvait appeler cela gouverner ! – par un vieux missionnaire naïf et velléitaire.

Quant à savoir pourquoi nul n'avait touché (hormis la nature) au sac de voyage d'Ambrose et à ses dessins pendant presque un an dans le *faré* d'Alma ouvert à tous les vents, alors que toutes ses autres affaires avaient été empruntées, pillées, démontées, dévastées… Eh bien, elle n'avait tout simplement pas assez d'imagination pour résoudre ce mystère. Qui plus est, elle n'avait plus assez de volonté pour se battre avec une nouvelle question impossible.

Il n'y avait rien de plus à apprendre ici.

Elle ne put trouver d'autres raisons de rester. Elle allait devoir échafauder un projet pour les années qui lui restaient à vivre. Elle avait été impulsive et elle avait manqué de jugement, mais elle allait devoir partir avec le prochain baleinier à destination du nord, et trouver un endroit où vivre. Elle savait simplement qu'elle ne pouvait pas retourner chez elle à Philadelphie. Elle avait renoncé à White Acre et il lui était impossible d'y revenir ; ce serait injuste pour Prudence, qui avait le droit de prendre possession de la propriété sans qu'Alma y rôde comme une nuisance. Quoi qu'il arrive, ce serait une humiliation de rentrer. Elle devrait tout recommencer à partir de rien. Il faudrait aussi qu'elle trouve un moyen de gagner sa vie. Elle enverrait dès demain à Papeete un message pour faire savoir qu'elle cherchait une place sur un bon navire avec un capitaine respectable qui avait entendu parler de Dick Yancey.

Elle n'était pas en paix, mais au moins, elle était décidée.

25

Quatre jours plus tard, Alma fut réveillée à l'aube par les cris joyeux du contingent Hiro. Elle sortit sur le seuil de son *faré* pour découvrir la raison de cette agitation. Ses cinq petits garnements parcouraient la plage en faisant des roues et des saltos dans les premières lueurs du matin et en poussant des cris enthousiastes en tahitien. Quand Hiro la vit, il remonta à toute allure l'insensé sentier en zigzag qui menait à sa porte.

— Demain matin être là ! cria-t-il.

Il avait les yeux pétillants d'excitation comme elle ne l'avait jamais vu, même si c'était un enfant des plus agités. Stupéfaite, Alma lui prit le bras, tentant de le ralentir et de comprendre.

— Que dis-tu, Hiro ? demanda-t-elle.

— Demain matin être là ! cria-t-il en sautillant, incapable de se contenir.

— Dis-le-moi en tahitien, ordonna-t-elle.

— *Teie o demain matin !* cria-t-il en réponse.

Ce qui n'avait pas plus de sens.

Alma leva les yeux et vit un attroupement sur la plage – tous les habitants de la mission ainsi que ceux des villages voisins. Tous étaient aussi excités que les garçonnets. Elle vit le révérend Welles courir vers le rivage de sa drôle de démarche sautillante. Elle vit sœur Manu courir, puis sœur Etini et les pêcheurs des environs.

— Regarde ! dit Hiro en désignant la mer à Alma. Demain matin être arrivé !

Alma regarda vers la mer et vit – mais comment ne l'avait-elle pas remarquée immédiatement ? – une flotte de longues pirogues fendre les flots vers la plage avec une incroyable rapidité, mues par des dizaines de rameurs à la peau mate. Durant tout son séjour à Tahiti, elle n'avait jamais cessé de s'émerveiller devant la puissance et la maniabilité de ces pirogues. Quand des flottilles telle que celle-ci surgissaient dans la baie, elle avait l'impression de voir l'arrivée de Jason et des Argonautes ou la flotte d'Ulysse. Plus que tout, elle adorait le moment où, à l'approche du rivage, les rameurs donnaient un dernier coup de pagaie et où la pirogue jaillissait de la mer comme une flèche tirée par un immense arc invisible pour atterrir sur la plage dans une théâtrale et exubérante arrivée.

Alma avait des questions, mais Hiro s'était déjà précipité pour accueillir les pirogues, comme le reste de la foule. Alma n'avait encore jamais vu autant de monde sur la grève. Gagnée par l'excitation, elle se mit elle aussi à courir vers les bateaux. Ceux-là étaient des pirogues exceptionnellement raffinées, voire majestueuses. La plus grande devait mesurer vingt mètres, et à la proue se tenait un homme d'une taille et d'une carrure impressionnantes – de toute évidence le chef de l'expédition. Il était tahitien, mais, en s'approchant, elle vit qu'il était impeccablement vêtu d'un costume européen. Les villageois se rassemblèrent autour de lui avec des chants de bienvenue et le hissèrent hors de la pirogue comme un roi.

Ils le portèrent jusqu'au révérend Welles. Alma se fraya un chemin dans la cohue et s'approcha autant qu'elle put. L'homme se baissa vers le révérend Welles et les deux hommes se frottèrent le nez dans ce salut témoignant de la plus grande affection. Elle entendit le révérend Welles dire d'une voix mouillée par les larmes :

— Bienvenue en ta maison, fils béni de Dieu.

L'inconnu se redressa. Il se tourna pour sourire à la foule et Alma put voir son visage directement pour la première fois. Si elle n'avait été soulevée par la cohue, elle serait tombée à la renverse sous le choc.

Les mots « demain matin » – qu'Ambrose avait écrits au dos de tous ses dessins du Garçon – n'étaient pas un code. « Demain matin » n'était pas une sorte d'aspiration pour un utopique avenir, ou une anagramme, ou quelque artifice occulte pour dissimuler quelque chose. Pour une fois dans sa vie, Ambrose Pike avait été parfaitement clair : « Demain Matin » était simplement le nom d'un homme.

Et là, en effet, Demain Matin était arrivé.

Cela la mit en rage.

Ce fut sa première réaction. Elle eut l'impression – peut-être irrationnelle – d'avoir été piégée. Pourquoi, pendant tous ces mois de recherche et de privation, n'avait-elle jamais entendu parler de lui – ce personnage royal, ce visiteur adoré, cet homme que tout le nord de Tahiti venait en courant acclamer jusqu'au rivage ? Comment avait-on pu ne jamais faire allusion à son nom ou son existence, même en passant ? Personne n'avait jamais prononcé les mots « Demain Matin » avec Alma, sauf pour parler littéralement de quelque chose qui était prévu pour le jour suivant, et en tout cas, personne n'avait jamais mentionné l'adoration universelle de l'île pour un bel indigène insaisissable qui pouvait surgir un jour de nulle part et être adoré. Jamais il n'y avait même eu une rumeur concernant un tel personnage. Comment quelqu'un d'une telle importance pouvait-il simplement *apparaître* ?

Pendant que le reste de la foule se dirigeait vers l'église dans un déchaînement de chants et d'acclamations, Alma resta sans un mot sur la grève, s'efforçant de comprendre tout cela. De nouvelles questions remplacèrent ses anciennes croyances. Les quelques certitudes qu'elle éprouvait rien que la semaine dernière se fracassaient comme la glace sur un étang au début du printemps. L'apparition qu'elle était venue chercher ici existait réellement, mais ce n'était pas un Garçon. Il semblait plutôt être une sorte de roi. Quel lien avait Ambrose avec un roi insulaire ? Comment s'étaient-ils connus ? Pourquoi Ambrose avait-il représenté Demain Matin comme un simple pêcheur, alors que c'était de toute évidence un homme jouissant d'un considérable pouvoir ?

La mécanique de spéculation intérieure d'Alma, entêtée et implacable, se remit en branle. Cette sensation ne fit que l'irriter plus encore. Elle était si lasse de spéculer. Elle ne supportait plus d'inventer de nouvelles théories. Elle avait l'impression que toute sa vie, elle avait vécu dans un état de spéculation. Elle avait toujours voulu *savoir des choses,* pourtant, encore maintenant – après toutes ces années d'inlassables questionnements –, elle continuait de réfléchir, de s'interroger et de supputer.

C'en était fini de la spéculation. Il n'en était plus question. À présent, il faudrait qu'elle sache tout. Elle ferait tout pour savoir.

Alma entendit l'église avant d'y arriver. Les chants qui provenaient de l'humble bâtiment ne ressemblaient à rien qu'elle eût entendu jusque-là. C'était un rugissement de jubilation. Il n'y avait pas de place à l'intérieur pour elle, mais elle resta dehors avec la foule qui se bousculait en psalmodiant, et elle écouta. Les hymnes qu'Alma avait naguère entendus dans cette église – les voix des dix-huit paroissiens de la mission du révérend Welles – étaient de faibles piaillements en comparaison de ce qu'elle entendait maintenant. Pour la première fois, elle put comprendre ce qu'était vraiment censée être la musique tahitienne, et pourquoi elle avait besoin de centaines de voix qui grondent et braillent ensemble afin de parvenir à ses fins : couvrir le chant de l'océan. C'était ce que faisaient ces gens en cet instant, dans une retentissante expression de vénération, à la fois belle et dangereuse.

Finalement, les chants se turent et Alma put entendre un homme qui parlait – d'une voix claire et puissante – à la congrégation. Il s'exprimait en tahitien, avec une élocution qui, parfois, était presque un chant. Elle se rapprocha de la porte et jeta un coup d'œil à l'intérieur : c'était Demain Matin, grand et splendide, au pupitre, les bras levés, qui s'adressait à la congrégation. Alma ne maîtrisait pas suffisamment bien le tahitien pour suivre tout le sermon, mais elle comprit que cet homme parlait avec passion du Christ vivant. Et ce n'était pas tout : il virevoltait avec cette assemblée, tout comme Alma avait bien des fois vu les garçons du contingent Hiro virevolter dans les vagues. Il était animé d'une fougue et d'un toupet inébranlables. Il tirait de l'assistance larmes comme rires et solennité comme débordements de joie. Elle-même sentait ses propres émotions agitées par le timbre et l'intensité de sa voix, alors que les mots demeuraient en grande partie incompréhensibles.

Le numéro de Demain Matin dura bien plus d'une heure. Il les fit chanter, puis prier ; c'était à croire qu'il les préparait pour attaquer à l'aube. *Ma mère aurait détesté cela*, songea Alma. Beatrix Whittaker n'avait jamais apprécié la passion évangélique ; elle estimait que les agités risquent dangereusement d'oublier leurs manières et leur raison et dès lors, où allait la civilisation ? En tout cas, le monologue rugissant de Demain Matin ne ressemblait à rien de ce qu'Alma avait jamais entendu dans l'église du révérend Welles – ni *où que ce fût*, d'ailleurs. Ce n'était pas un pasteur luthérien de Philadelphie qui dispensait docilement les saints enseignements, ni sœur Manu et ses homélies simples et monosyllabiques ; c'était une oraison. C'étaient les tambours de guerre. C'était Démosthène défendant Ctésiphon. C'était Périclès honorant les morts d'Athènes. C'était Cicéron accusant Catilina.

Ce que le discours de Demain Matin n'évoqua certainement *pas* à Alma, c'était la gentillesse et l'humilité qu'elle avait fini par associer à la modeste petite mission de bord de mer du révérend Welles. Il n'y avait rien d'humble ou de gentil chez Demain Matin. À la vérité, elle n'avait jamais vu un personnage aussi audacieux et assuré. Un adage de Cicéron lui vint dans ce bon vieux latin puissant et familier (la seule langue, se dit-elle, qui pouvait tenir tête au grondement d'éloquence indigène auquel elle assistait en cet instant) : *Nemo umquam neque poeta neque orator fuit, qui quemquam meliorem quam se arbitraretur.*

Il n'y a jamais eu de poète ou d'orateur qui pense qu'un autre puisse le surpasser.

À partir de là, la journée ne fut plus que ferveur.

Grâce au système télégraphique indigène terriblement efficace de Tahiti (des garçonnets aux pieds agiles et à la voix qui porte), la nouvelle de l'arrivée de Demain Matin se répandit rapidement et la plage de la baie de Matavai fut de plus en plus peuplée et exubérante d'heure en heure. Alma voulait trouver le révérend Welles, pour lui poser maintes questions, mais sa minuscule silhouette ne cessait de disparaître dans la foule et elle ne faisait que l'apercevoir brièvement, ses cheveux blancs flottant dans la brise, rayonnant de bonheur. Elle ne put non plus s'approcher de sœur Manu, si galvanisée qu'elle perdit son gigantesque chapeau à fleurs, et qui pleurait comme une écolière dans la foule de femmes euphoriques qui babillaient. Le contingent Hiro n'était visible nulle part – ou plutôt, il était visible de toutes parts, mais il se déplaçait bien trop rapidement pour qu'Alma puisse les attraper et les interroger.

Puis la foule réunie sur la plage – comme sur une décision unanime – se lança dans une orgie de réjouissances. On fit de la place pour des matchs de lutte et de boxe. De jeunes hommes arrachèrent leurs chemises, s'enduisirent d'huile de noix de coco et se jetèrent dans des corps-à-corps. Des enfants se mirent à galoper le long de la plage dans des courses spontanées. Une arène apparut sur le sable et soudain, ce fut un combat de coqs. À mesure que passait la journée, des musiciens arrivèrent, apportant toutes sortes d'instruments, depuis les tambours et flûtes indigènes jusqu'aux cors et violons européens. À un autre bout de la plage, des hommes creusaient industrieusement une fosse à feu qu'ils tapissaient de pierres en vue d'un énorme banquet. Puis Alma vit sœur Manu surgir de nulle part, attraper un cochon, le plaquer au sol et le tuer – à la grande consternation de l'animal. Alma ne put s'empêcher d'éprouver une certaine aigreur à ce spectacle. (Depuis combien de temps attendait-elle que l'on prépare du porc ? Apparemment, il suffisait que Demain Matin arrive pour qu'on le fasse.) Avec un long coutelas et d'une main sûre, Manu désossa joyeusement le cochon. Elle sortit les entrailles comme une femme qui étire de la pâte à berlingots. Avec quelques-unes des femmes les plus robustes, elle passa la carcasse de l'animal sur les flammes de la fosse pour le débarrasser de ses soies. Après quoi, elles l'enveloppèrent dans des feuilles et le déposèrent sur les pierres brûlantes. Quelques poulets, impuissants devant ce déchaînement de festivités, accompagnèrent le cochon dans la mort.

Alma vit la jolie sœur Etini passer en courant, les bras chargés de fruits d'arbre à pain. Alma bondit derrière elle, lui frappa l'épaule et demanda :

— Sœur Etini, veuillez me dire : qui est Demain Matin ?

Etini se retourna avec un grand sourire :

— C'est le fils du révérend Welles, dit-elle.

— Le *fils* du révérend Welles ? répéta Alma.

Le révérend Welles n'avait que des filles – et une seule encore en vie, d'ailleurs. Si sœur Etini n'avait pas parlé aussi bien l'anglais, Alma aurait pensé qu'elle s'était mal exprimée.

— Son fils par *taio*, expliqua Etini. Demain Matin est son fils adoptif. C'est aussi mon fils, et celui de sœur Manu. C'est le fils de tout le monde à la mission ! Nous formons tous une famille par *taio.*

— Mais d'où vient-il ? demanda Alma.

— Il vient d'ici, dit Etini, incapable de pouvoir dissimuler son immense fierté. Demain Matin est des nôtres, voyez-vous.

— Mais d'où est-il arrivé aujourd'hui ?

— Il venait de Raiatea, où il habite désormais. Il a une mission là-bas. Il a fort réussi à Raiatea, une île qui était autrefois la plus hostile au Vrai Dieu. Les gens qu'il a amenés avec lui aujourd'hui, ce sont ses convertis – une partie d'entre eux. Il est sûr d'en avoir beaucoup plus.

Il était certain qu'Alma avait encore beaucoup d'autres questions, mais comme sœur Etini était pressée de s'occuper du banquet, Alma la remercia et la laissa repartir. Elle alla s'installer à l'ombre près d'un goyavier en bord de rivière, afin de réfléchir. Il y avait beaucoup d'éléments à analyser et à comprendre. Cherchant désespérément à trouver du sens dans ces nouvelles informations pour le moins étonnantes, elle se remémora une conversation qu'elle avait eue avec le révérend Welles il y a des mois. Elle se rappela vaguement qu'il lui avait parlé de ses trois fils adoptifs – les trois produits les plus exemplaires de l'école de la mission de la baie de Matavai – qui dirigeaient des missions respectées dans différentes autres îles. Elle s'efforça de se souvenir des détails de cette discussion lointaine, mais sa mémoire était d'une confusion frustrante. Raiatea pouvait être l'une des îles dont il avait parlé, se dit Alma, mais elle était certaine qu'il n'avait jamais prononcé les mots Demain Matin. Alma aurait noté ce nom, si elle l'avait entendu. Non, il ne l'avait jamais prononcé auparavant. Le révérend Welles l'avait appelé autrement.

Sœur Etini repassa en courant, les mains vides, cette fois, et là encore, Alma s'élança et la retint. Elle avait bien conscience d'être agaçante, mais elle ne put s'en empêcher.

— Sœur Etini ? demanda-t-elle. Quel est le nom de Demain Matin ?

Sœur Etini eut l'air interloqué.

— Son nom est Demain Matin, dit-elle simplement.

— Mais comment l'appelle frère Welles ?

— Ah ! (Le visage de sœur Etini s'éclaira.) Frère Welles l'appelle par son nom tahitien, qui est Tamatoa Mare. Mais « Demain Matin » est un surnom qu'il s'est inventé tout seul quand il était petit ! Il préfère qu'on l'appelle ainsi. Il a toujours été si doué avec les langues, sœur Whittaker – c'était le meilleur élève que Mrs Welles et moi ayons jamais eu et vous verrez qu'il parle bien mieux anglais que moi – et tout petit, déjà, il avait compris que la sonorité de son nom tahitien ressemblait à « *tomorrow morning* », « demain matin » en anglais. Il a toujours été si malin. En plus, le nom lui va bien, nous le pensons tous, car il apporte tellement d'espoir, vous comprenez, à tous les gens qu'il croise. C'est comme une nouvelle journée.

— Comme une nouvelle journée, répéta Alma.

— Exactement, oui.

— Sœur Etini, dit Alma. Pardonnez-moi, mais j'ai une dernière question. Quelle est la dernière fois où Tamatoa Mare était à la baie de Matavai ?

— En novembre 1850, répondit sœur Etini sans aucune hésitation.

Sœur Etini s'en alla rapidement. Alma se rassit à l'ombre et regarda le joyeux désordre se poursuivre. Elle le regardait sans aucune joie. Une douleur l'oppressait, comme si on avait lourdement appuyé sur son cœur avec le pouce.

Ambrose Pike était mort ici en novembre 1850.

Il fallut un certain temps à Alma pour qu'elle puisse approcher Demain Matin. Cette nuit était une grande fête – un banquet digne d'un monarque, car c'était manifestement ainsi que l'on considérait cet homme. Des centaines de Tahitiens avaient envahi la plage et mangeaient cochon rôti, poisson et fruit de l'arbre à pain, purée de dictame, patates douces et innombrables noix de coco. On alluma des feux de joie et tout le monde dansa – pas les danses affreusement obscènes, bien sûr, pour lesquelles Tahiti était autrefois connue, mais la danse traditionnelle la moins choquante, celle que l'on appelle *hura*. Même cela n'aurait pas été permis dans aucune autre mission de l'île, mais Alma savait que le révérend Welles l'autorisait parfois. (« Je ne vois tout bonnement pas ce qu'il y a de mal là-dedans », avait-il dit un jour à Alma, qui avait commencé à considérer cette phrase, qu'il répétait constamment, comme la devise parfaite du révérend Welles.)

C'était la première fois qu'Alma assistait à cette danse et elle fut aussi captivée que tout le monde. Les jeunes danseuses avaient les cheveux ornés de triples rangs de jasmin et de fleurs de tiaré, avec des colliers de fleurs au cou. La musique était lente et chaloupée. Certaines filles avaient le visage marqué par la vérole, mais à la lueur des flammes, elles étaient toutes aussi belles les unes que les autres. On sentait le mouvement des membres et des hanches des femmes même sous les informes robes à longues manches rendues obligatoires par les missionnaires. C'était la danse la plus provocante qu'Alma eut jamais vue (les mains à elles seules étaient provocantes, s'émerveilla-t-elle). Et elle osa à peine imaginer l'effet qu'elle avait dû produire sur son père en 1777, quand les femmes dansaient vêtues en tout et pour tout de pagnes d'herbes. Cela avait dû être un sacré spectacle, pour un jeune homme de Richmond qui tentait de conserver sa vertu.

De temps en temps, des hommes athlétiques sautaient dans le cercle des danseuses pour interrompre le *hura* par des bouffonneries comiques. Le but de ces interruptions, crut d'abord Alma, était de briser l'ambiance sensuelle avec des intermèdes pleins de gaieté, mais ils ne tardèrent pas eux aussi à frôler par leurs gestes les limites de l'obscène. Un tour récurrent consistait pour les hommes à chercher à s'emparer des danseuses, qui esquivaient gracieusement sans cesser de danser. Même les plus jeunes enfants semblaient comprendre l'allusion au désir et à la rebuffade, car ils riaient à gorge déployée avec un humour qui montrait qu'ils étaient bien plus raffinés que leur âge. Même sœur Manu – ce resplendissant exemple de réserve chrétienne – se jeta dans la mêlée à un moment et rejoignit les danseuses de *hura* en agitant son imposante personne avec une surprenante agilité. Quand l'un des jeunes danseurs s'approcha d'elle, elle se laissa attraper, au grand plaisir de la foule. Le danseur se colla contre sa hanche, dans une série de mouvements dont la franche grivoiserie ne faisait aucun doute pour personne. Sœur Manu se contenta de lui lancer un regard enjôleur comiquement exagéré et de continuer à danser.

Alma gardait un œil sur le révérend Welles, qui paraissait simplement charmé par tout ce qu'il voyait. À côté de lui était assis Demain Matin, dans une posture parfaite, impeccablement vêtu comme un gentleman londonien. Durant toute la soirée, les gens venaient s'asseoir à côté de lui, frotter leur nez contre le sien et le saluer. Il recevait chacun avec délicatesse et largesse. Vraiment, fut-elle forcée de reconnaître, Alma n'avait jamais vu de toute sa vie être humain aussi beau. Bien sûr, la beauté physique était partout à Tahiti et on s'y habituait au bout d'un moment. Les hommes étaient beaux, ici, les femmes l'étaient encore plus et les enfants plus que tout. Comme la plupart des Européens devaient ressembler à des bossus dégingandés en comparaison des extraordinaires Tahitiens ! Cela avait été mille fois répété par mille étrangers stupéfaits. Alors, oui, la beauté n'était pas rare ici, et Alma en avait beaucoup vu – mais Demain Matin était le plus beau de tous.

Il avait la peau mate et cuivrée et son sourire était un lent lever de lune. Quand il regardait quelqu'un, c'était un geste de générosité, de luminescence. Il était impossible de ne pas le regarder. Outre son beau visage, sa taille à elle seule attirait l'attention. Il était d'une stature véritablement prodigieuse ; c'était Achille réincarné. À n'en pas douter, on aurait suivi cet homme dans la bataille. Le révérend Welles avait un jour dit à Alma que, dans l'ancien temps dans les mers du Sud, quand les insulaires partaient en guerre contre une autre tribu, les vainqueurs cherchaient parmi les cadavres de leurs adversaires la dépouille la plus grande et la plus sombre. Une fois qu'ils avaient trouvé ces mastodontes abattus, ils ouvraient leur cadavre et en ôtaient les os afin d'en façonner des hameçons, des burins et des armes. Les os des plus grands hommes, croyait-on, étaient chargés d'un immense pouvoir – on en tirait des outils et des armes qui rendaient invincible celui qui les détenait. En ce qui concernait Demain Matin, songea Alma, morbide, on aurait pu fabriquer toute une armurerie avec son corps – à condition de réussir à le tuer, bien sûr.

Alma rôdait en bordure de la clarté du feu, afin de passer inaperçue. Personne ne la remarqua, tant ils étaient tous ivres de joie. Les réjouissances se poursuivirent tard dans la nuit. Les feux brûlaient, vifs et hauts, projetant des ombres si noires et si dansantes qu'on craignait presque qu'elles vous fassent trébucher ou vous saisissent pour vous entraîner dans le *pô*. Les danses devinrent de plus en plus sauvages et les enfants se comportèrent comme s'ils étaient possédés. Alma aurait pu penser que la visite d'un important missionnaire chrétien n'aurait pas suscité *tout à fait* autant de vacarme et de gambades, mais il faut dire qu'elle était encore novice à Tahiti. Rien de tout cela ne dérangeait le révérend Welles, qui n'avait jamais eu l'air aussi heureux et pétillant.

Longtemps après minuit, le révérend Welles finit par remarquer Alma.

— Sœur Whittaker ! appela-t-il. Mais quel rustre je suis ! Vous devez faire la connaissance de mon fils !

Alma s'approcha des deux hommes qui étaient assis si près des flammes qu'ils paraissaient en feu eux aussi. Ce fut une rencontre embarrassante, car Alma était debout et les hommes – conformément à la coutume locale – restaient assis. Elle n'allait pas s'asseoir. Elle n'allait frotter son nez contre le nez de personne. Mais Demain Matin tendit son long bras et lui serra aimablement la main.

— Sœur Whittaker, dit le révérend Welles, voici mon fils, dont vous m'avez entendu parler. Et mon cher fils, voici sœur Whittaker, vois-tu, qui nous rend visite depuis les États-Unis d'Amérique. C'est une naturaliste d'un certain renom.

— Une naturaliste ? répéta Demain Matin avec un bel accent britannique et un air intéressé. Enfant, j'avais une certaine affection pour l'histoire naturelle. Mes amis me prenaient pour un fou d'accorder autant de prix à ce qui n'avait de valeur pour personne – feuilles, insectes, corail, etc. Mais c'était un plaisir et cela m'a instruit. Quelle digne existence que celle qui se consacre à l'étude du monde. Comme vous avez de la chance dans votre vocation !

Alma baissa les yeux vers lui. Voir son visage d'aussi près et aussi longuement – ce visage indélébile, ce visage qui l'avait tant troublée et fascinée pendant si longtemps, ce visage qui l'avait fait venir de l'autre côté du globe, qui avait si obstinément aiguillonné son imagination, qui l'avait assiégée jusqu'à l'obsession – était tout bonnement renversant. Cela eut un effet si irrésistible sur elle qu'il lui parut incroyable qu'en retour, il ne soit pas tout aussi étonné de la voir, *elle* : comment pouvait-elle le connaître aussi intimement et lui absolument pas ?

Mais pourquoi diantre l'aurait-il reconnue ?

Il lui rendit placidement son regard. Ses cils étaient si longs que c'en était absurde. Ils ne semblaient pas seulement excessifs, c'était presque un affront, cette débauche de cils, cette frange inutilement luxuriante. Elle sentit l'irritation monter en elle. Personne n'avait besoin de cils comme les siens.

— C'est un plaisir de faire votre connaissance, dit-elle.

Avec une grâce royale, Demain Matin affirma que tout le plaisir était pour lui. Puis il lâcha sa main, Alma prit congé et Demain Matin retourna son attention au révérend Welles – son bienheureux petit lutin blanc de père.

Il resta à la baie de Matavai quinze jours.

Elle le quitta rarement des yeux, désireuse d'apprendre tout ce qu'elle pouvait en l'observant et en restant à proximité de lui. Ce qu'elle apprit, et rapidement, c'était que Demain Matin était adoré. C'en était presque exaspérant, d'ailleurs, qu'il soit adoré à ce point. Elle se demanda s'il trouvait parfois cela exaspérant lui-même. Jamais il n'avait un moment à lui, même si Alma en guettait un afin de pouvoir lui parler en privé. Apparemment, jamais elle n'en aurait l'occasion. Autour de lui, ce n'étaient que repas, réunions, assemblées et cérémonies, à toute heure. Il dormait dans la maison de sœur Manu, qui bourdonnait constamment de visiteurs. La reine Aïmata Pomaré IV Vahine de Tahiti invita Demain Matin à venir prendre le thé dans son palais de Papeete. Tous voulaient entendre – en anglais ou en tahitien, ou les deux – l'histoire de l'extraordinaire succès de Demain Matin comme missionnaire à Raiatea.

Personne ne voulait l'entendre davantage qu'Alma et durant tout le séjour de Demain Matin, elle réussit à reconstituer toute l'histoire grâce à différents témoins et admirateurs du Grand Homme. Raiatea, apprit-elle, était le berceau de la mythologie polynésienne et par conséquent l'endroit le moins susceptible d'embrasser la religion chrétienne. L'île – vaste et accidentée – était le lieu de naissance et la résidence d'Oro, le dieu de la guerre, dont les temples, qui étaient le théâtre de sacrifices humains, étaient jonchés de crânes. Raiatea était un endroit sérieux (sœur Etini utilisait le mot « pesant »). Le mont Temehani était considéré comme la résidence éternelle de tous les morts de Polynésie. Un voile permanent de brume enveloppait le plus haut sommet de la montagne, car, disait-on, les morts n'aimaient pas la lumière du soleil. Les habitants de Raiatea n'étaient pas un peuple rieur ; c'était un peuple solide – un peuple de sang et de grandeur. Ce n'étaient pas les Tahitiens. Ils avaient résisté aux Anglais. Ils avaient résisté aux Français. Ils n'avaient pas résisté à Demain Matin. Il était arrivé là-bas six ans auparavant de la manière la plus spectaculaire qui fût : seul dans une pirogue, qu'il avait abandonnée alors qu'il approchait de l'île. Il s'était entièrement dévêtu et avait nagé jusqu'au rivage, franchissant sans peine les rouleaux rugissants, sa bible au-dessus de sa tête et psalmodiant : « Je chante la parole de Jéhovah, le seul Vrai Dieu ! Je chante la parole de Jéhovah, le seul Vrai Dieu ! »

Ils l'avaient remarqué.

Depuis lors, Demain Matin avait bâti un empire évangélisateur. Il avait érigé une église – juste à côté du temple mère païen de Raiatea – que l'on aurait sans peine pu qualifier de palais, si ce n'avait été un lieu de culte. C'était à présent le plus grand bâtiment de Polynésie. Il était soutenu par quarante-six colonnes taillées dans les troncs d'arbres à pain et polies avec de la peau de requin.

Demain Matin avait quelque trois milliers et demi de convertis à son actif. Il avait vu le peuple jeter ses idoles dans le feu. Il avait vu les anciens temples subir une rapide transformation et les autels de sanglants sacrifices devenir des tas d'inoffensives pierres moussues. Il avait vêtu les habitants de Raiatea de la tenue pudique des Européens : les hommes en pantalons, les femmes en longues robes et coiffes. Les jeunes garçons faisaient la queue pour qu'il leur fasse une coupe de cheveux courte et respectable. Il avait supervisé la construction d'un village de cottages blancs soignés. Il enseigna l'écriture et la lecture à un peuple qui, avant son arrivée, n'avait jamais vu l'alphabet. Quatre cents enfants fréquentaient à présent l'école et apprenaient leur catéchisme. Demain Matin veillait à ce que son peuple ne se contente pas d'ânonner les paroles de l'Évangile, mais comprenne ce qu'il disait. Ainsi, il avait déjà formé de son côté sept missionnaires qu'il avait envoyés dans des îles encore plus lointaines ; eux aussi nageraient jusqu'au rivage en brandissant leur bible et en chantant le nom de Jéhovah. Les jours de troubles, de mensonges et de superstition étaient révolus. L'infanticide était révolu. La polygamie était révolue. Certains qualifiaient Demain Matin de prophète ; on disait qu'il préférait le mot « serviteur ».

Alma apprit que Demain Matin avait épousé à Raiatea une femme, Temanava, dont le nom signifiait « l'accueillante ». Il avait deux filles là-bas, nommées Frances et Edith, en hommage au révérend et à Mrs Welles. C'était l'homme le plus honoré des îles de la Société, apprit Alma. Elle l'entendit dire tant de fois qu'elle commençait à s'en lasser.

— Et quand on pense, dit sœur Etini, qu'il venait de notre petite école de la baie de Matavai !

Alma ne trouva un moment pour parler avec Demain Matin que fort tard une nuit, dix jours après son arrivée, quand elle le surprit en train de marcher seul entre la maison de sœur Etini, où il venait de dîner, et celle de sœur Manu, où il devait dormir.

— Puis-je vous parler ? lui demanda-t-elle.

— Certainement, sœur Whittaker, répondit-il, se rappelant son nom sans peine.

Il ne semblait pas du tout étonné de la voir surgir de l'ombre et venir à lui.

— Y a-t-il un endroit plus discret où nous pouvons bavarder ? demanda-t-elle. Je préférerais cela, étant donné ce dont je voudrais discuter avec vous.

— Si vous avez jamais réussi à trouver quoi que ce soit qui ressemble à de l'intimité à Matavai, sœur Whittaker, je vous tire ma révérence, dit-il en riant de bon cœur. Tout ce que vous souhaitez me dire, vous pouvez le faire ici.

— Très bien, alors, dit-elle sans pouvoir s'empêcher de vérifier autour d'elle si personne ne les épiait. Demain Matin, commença-t-elle, nos destinées à vous et à moi sont, je crois, plus intimement liées que l'on pourrait le penser. Je vous ai été présentée comme sœur Whittaker, mais je dois vous faire savoir que durant une brève période de ma vie, j'ai été connue comme Mrs Pike.

— Je ne vous laisserai pas poursuivre, dit-il aimablement en levant la main. Je sais qui vous êtes, Alma.

Ils se dévisagèrent en silence pendant un temps qui sembla très long.

— Ah bon, dit-elle finalement.

— Tout à fait, répondit-il.

De nouveau, un long silence.

— Je sais qui vous êtes aussi, dit-elle.

— Vraiment ? (Il n'eut pas l'air inquiet.) Qui suis-je, alors ?

Mais là – une fois acculée –, elle se rendit compte qu'elle ne pouvait répondre facilement à la question. Mais comme il fallait bien dire quelque chose, elle déclara :

— Vous avez bien connu mon mari.

— Plus encore, il me manque.

Cette réponse choqua Alma, mais elle préféra cela – le choc de cet aveu – à une dispute ou une dénégation. Anticipant cette conversation les jours précédents, elle avait cru qu'elle se mettrait peut-être en colère, si jamais Demain Matin l'accusait d'infâmes mensonges, ou prétendait n'avoir jamais entendu parler d'Ambrose. Mais il ne semblait disposé ni à résister ni à réfuter. Elle le scruta, cherchant sur son visage quelque chose d'autre qu'une assurance détendue, mais elle ne trouva rien de louche.

— Il vous manque, répéta-t-elle.

— Et il me manquera toujours, car Ambrose Pike était le meilleur des hommes.

— C'est ce que tout le monde dit, répondit Alma, un peu piquée d'avoir été déjouée.

— Car c'était vrai.

— L'aimiez-vous, Tamatoa Mare ? demanda-t-elle, guettant de nouveau une faille sur son visage impassible. Elle voulait le prendre par surprise, comme il l'avait fait avec elle. Il ne cilla même pas quand elle utilisa son vrai nom.

— Tous ceux qui l'ont connu l'aimaient, répondit-il.

— Mais l'aimiez-vous de manière *particulière* ?

Demain Matin mit ses mains dans ses poches et leva les yeux vers la lune. Il n'était pas pressé de répondre. Il considérait le monde comme un homme qui attend paisiblement un train. Au bout d'un moment, il reposa son regard sur le visage d'Alma. Ils avaient à peu près la même taille, remarqua-t-elle. Elle n'avait pas les épaules tellement plus étroites que les siennes.

— Sans doute vous interrogez-vous, dit-il en guise de réponse.

Elle sentit qu'elle perdait du terrain. Elle allait devoir être plus directe.

— Demain Matin, demanda-t-elle, puis-je vous parler franchement ?

— Je vous en prie, l'encouragea-t-il.

— Permettez-moi de vous dire quelque chose sur mon compte, car cela pourra peut-être vous aider à parler plus librement. J'ai, enraciné dans mon tempérament, bien que je ne considère pas toujours que ce soit une vertu ou un avantage, un désir de comprendre la nature des choses. Ainsi, j'aimerais comprendre qui était mon époux. J'ai fait tout ce voyage pour mieux le comprendre, mais cela a été presque vain. Le peu que l'on m'a donné à entendre sur Ambrose n'a pour l'instant fait que me dérouter plus encore. Je reconnais que notre mariage ne fut certes ni ordinaire ni bien long, mais cela n'enlève rien à l'amour et à la sollicitude que j'éprouvais envers mon mari. Je ne suis pas une innocente, Demain Matin. Je n'ai pas besoin d'être protégée de la vérité. Comprenez bien, je vous prie, que je ne désire ni vous agresser ni faire de vous mon ennemi. Vos secrets ne sont pas en danger si vous me les confiez. J'ai cependant des raisons de penser que vous en détenez sur mon époux. J'ai vu les dessins qu'il a faits de vous. Ces dessins, je ne doute pas que vous le comprendrez, me contraignent à vous demander la véritable teneur de vos relations avec Ambrose. Pouvez-vous honorer la requête d'une veuve et me dire ce que vous savez ? Mes sentiments ne demandent pas à être ménagés.

Demain Matin acquiesça.

— Avez-vous la liberté de passer la journée de demain avec moi ? demanda-t-il. Peut-être aussi une partie de la soirée. (Elle hocha la tête.) Quelles sont vos capacités physiques ? demanda-t-il. (La question et son incongruité la troublèrent. Remarquant sa gêne, il expliqua :) Je voulais seulement savoir si vous étiez en mesure de marcher sur une longue distance. Je suppose qu'en tant que naturaliste, vous en êtes capable, mais je dois vous le demander tout de même. Je voudrais vous montrer quelque chose, mais je ne désire pas vous épuiser. Pouvez-vous gravir une pente raide, ce genre de chose ?

— Je le pense, répondit Alma, de nouveau irritée. J'ai sillonné toute cette île au cours de l'année passée. J'ai vu tout ce qu'il y a à voir à Tahiti.

— Pas tout, Alma, corrigea Demain Matin avec un sourire bienveillant. Pas la totalité.

Juste après l'aube le lendemain, ils partirent. Demain Matin s'était procuré une pirogue pour leur expédition. Pas un petit esquif comme celui que prenait le révérend Welles pour aller au jardin de corail, mais une pirogue plus rapide, solide et bien faite.

— Nous allons aller à Tahiti-iti, expliqua-t-il. Il nous faudrait des jours pour y parvenir par voie de terre, mais nous pouvons la gagner en cinq ou six heures en naviguant sur le littoral. Êtes-vous à l'aise sur l'eau ?

Elle hocha la tête. Elle avait du mal à déterminer s'il était attentionné ou condescendant. Elle avait pris un bambou rempli d'eau pour elle et un peu de *popoi* pour le déjeuner, enveloppé dans un carré de mousseline qu'elle pouvait nouer à sa ceinture. Elle portait sa robe la plus usée, celle qui avait déjà connu les pires outrages sur l'île. Demain Matin jeta un œil à ses pieds nus, qui, après un an à Tahiti, étaient aussi durs et calleux que ceux d'un employé de plantation. Il n'en dit rien, mais elle vit qu'il l'avait remarqué. Lui aussi avait les pieds nus. Mais au-dessus des chevilles, en revanche, c'était un parfait gentleman anglais. Il portait son costume habituel et sa chemise blanche, mais il ôta la veste, la plia soigneusement et s'en servit comme d'un coussin dans la pirogue.

Il ne servait à rien de converser durant le trajet jusqu'à Tahiti-iti – la petite presqu'île arrondie, accidentée et lointaine de l'autre côté de l'île. Demain Matin devait se concentrer, et Alma n'avait pas envie de se retourner chaque fois qu'elle voulait lui parler. Ils avancèrent donc en silence. Suivre la côte était difficile dans certaines zones, et Alma regretta que Demain Matin n'ait pas pris une pagaie pour elle afin qu'elle puisse avoir l'impression de contribuer à ses efforts – même si, à dire vrai, il n'avait pas l'air d'avoir besoin d'elle. Il filait dans l'eau avec une efficacité élégante, prenant récifs et chenaux sans aucune hésitation, comme s'il avait fait ce voyage des centaines de fois – ce qui, soupçonna-t-elle, était probablement le cas. Elle était contente d'avoir pris son chapeau à larges bords, car le soleil était sans pitié et les reflets sur l'eau faisaient danser des taches devant ses yeux.

Au bout de cinq heures, les falaises de Tahiti-iti apparurent sur leur droite. Avec inquiétude, Alma eut l'impression que Demain Matin se dirigeait droit sur elles. Allaient-ils se fracasser sur les rochers ? Était-ce la fin morbide de ce voyage ? Mais soudain, Alma aperçut une ouverture sombre et voûtée dans la roche, l'entrée d'une grotte ouvrant sur la mer. Demain Matin engagea la pirogue sur une puissante vague et, sans peur, la laissa les projeter par cette ouverture. Alma crut qu'ils allaient être de nouveau aspirés vers le jour par le reflux, mais il pagaya avec force, presque debout dans la pirogue, si bien qu'ils arrivèrent sur le lit de graviers d'une plage rocheuse tout au fond de la grotte. Ce n'était pas loin d'être un prodige. Même le contingent Hiro, songea-t-elle, n'aurait pas risqué une telle manœuvre.

— Sautez, je vous prie, ordonna-t-il.

Bien qu'il ait été courtois, elle comprit qu'elle devait agir vite, avant qu'arrive la vague suivante. Elle sauta et courut vers les hauteurs – qui, en toute franchise, ne lui parurent guère suffisantes. Une grosse vague, se dit-elle, et ils seraient emportés. Demain Matin ne semblait pas inquiet. Il hissa la pirogue derrière lui sur la grève.

— Puis-je vous demander de m'aider ? dit-il poliment.

Il désigna une saillie rocheuse au-dessus de leurs têtes et elle vit qu'il entendait y déposer la pirogue en sûreté. Elle l'aida à la soulever et ils la poussèrent au fond de la saillie, bien au-dessus des vagues. Elle s'assit et il prit place à côté d'elle, hors d'haleine.

— Êtes-vous à votre aise ? demanda-t-il finalement.

— Oui.

— À présent, nous devons attendre. Quand la marée aura entièrement baissé, vous verrez une sorte de route étroite sur laquelle nous pouvons marcher le long de la falaise afin de monter ensuite vers un plateau. De là, je vous mènerai à l'endroit que je désire vous montrer. Si vous pensez pouvoir y parvenir, bien sûr.

— Je peux y arriver, dit-elle.

— Bien. Pour l'instant, nous allons nous reposer un peu.

Il s'adossa au coussin de sa veste et étendit les jambes. Quand les vagues déferlaient, elles atteignaient presque ses pieds – mais pas tout à fait. Il devait connaître parfaitement les marées dans cette grotte, observa-t-elle. C'était tout à fait extraordinaire. En regardant Demain Matin étendu à côté d'elle, elle se rappela soudainement comment Ambrose s'étalait si confortablement n'importe où – sur l'herbe, un canapé, par terre dans le salon de White Acre.

Elle laissa à Demain Matin dix minutes pour se reposer, puis elle ne put se retenir plus longtemps.

— Comment l'avez-vous connu ? demanda-t-elle.

La grotte n'était pas l'endroit le plus calme pour parler, avec l'eau qui se fracassait sur les rochers et toutes les variations d'échos humides. Mais il y avait quelque chose dans cette pulsation qui donnait à Alma l'impression que c'était l'endroit le plus sûr du monde pour poser des questions et voir des secrets révélés. Qui pouvait les entendre ? Qui pouvait les voir ? Personne hormis des esprits. Leurs paroles seraient aspirées hors de cette caverne par la marée et entraînées vers la mer, brisées dans le fracas des vagues et dévorées par les poissons.

Demain Matin répondit sans se redresser.

— Je suis revenu à Tahiti voir le révérend Welles en août 1850 et Ambrose était là, tout comme vous y êtes maintenant.

— Qu'avez-vous pensé de lui ?

— J'ai pensé que c'était un ange, dit-il sans la moindre hésitation et sans même ouvrir les yeux.

Il répondait à ses questions presque trop vite, songea-t-elle. Elle ne voulait pas d'une réponse passe-partout : elle voulait connaître toute l'histoire. Elle ne voulait pas entendre uniquement les conclusions ; elle voulait les *entre-deux*. Elle voulait voir Demain Matin et Ambrose tels qu'ils s'étaient rencontrés. Elle voulait observer leurs échanges. Savoir ce qu'ils avaient pensé, ce qu'ils avaient ressenti. Et elle voulait plus que tout savoir ce qu'ils avaient fait. Elle attendit, mais il n'en disait pas plus. Après un long silence, Alma toucha le bras de Demain Matin. Il ouvrit les yeux.

— Je vous en prie, dit-elle. Continuez.

Il se redressa et se tourna vers elle.

— Le révérend Welles vous a-t-il jamais raconté comment je suis arrivé à la mission ? demanda-t-il.

— Non.

— Je n'avais que sept ans. Peut-être huit. Mon père est mort, puis ma mère et enfin mes deux frères. L'une des épouses survivantes de mon père se chargea de moi, mais elle aussi mourut. Il y avait une autre mère – une autre des épouses de mon père – mais elle mourut à son tour. Tous les enfants des autres épouses de mon père moururent, rapidement, l'un après l'autre. Il y avait des grands-mères, aussi, mais elles moururent. (Il marqua une pause, réfléchit, puis il reprit en se corrigeant :) Non, je me trompe dans l'ordre des décès, Alma. Veuillez m'excuser. Ce furent les grands-mères qui moururent les premières, étant les plus faibles de la famille. Donc oui, ce furent les grands-mères qui moururent, puis mon père, et ainsi de suite comme je vous l'ai raconté. Je fus moi aussi malade pendant un temps, mais je ne mourus pas, comme vous pouvez le constater. Mais de telles histoires sont courantes à Tahiti. Vous en avez sans doute déjà entendu ? (Alma ne sut que répondre et préféra ne rien dire. Si elle était au courant des nombreux décès survenus en Polynésie durant les cinquante dernières années, personne ne lui avait rien raconté directement.) Vous avez vu les cicatrices sur le front de sœur Manu ? demanda-t-il. Personne ne vous en a expliqué l'origine ? (Elle secoua la tête. Elle ne voyait pas ce que tout cela avait à voir avec Ambrose.) Ce sont des cicatrices de chagrin, dit-il. Quand les femmes de Tahiti sont en deuil, elles se font des entailles à la tête avec des dents de requin. C'est affreux, je le sais, pour un esprit européen, mais c'est un moyen pour une femme d'exprimer et de libérer son chagrin. Sœur Manu a plus de cicatrices que la plupart, car elle a perdu toute sa famille, y compris plusieurs enfants. C'est peut-être pour cela qu'elle et moi avons toujours eu beaucoup d'affection l'un pour l'autre.

Alma fut frappée par l'utilisation du terme « affection » pour exprimer le lien entre une femme qui avait perdu tous ses enfants et un enfant qui avait perdu toutes ses mères. Le mot ne lui paraissait pas assez fort.

Puis Alma pensa à l'autre anomalie physique de sœur Manu.

— Et ses doigts ? demanda-t-elle en levant ses mains. Les phalanges manquantes ?

— C'est une autre marque du chagrin. Parfois, les gens d'ici se coupent la dernière phalange pour exprimer leur peine. C'est devenu plus facile quand les Européens nous ont apporté le fer et l'acier. (Il sourit tristement. Alma ne sourit pas : c'était trop affreux. Il poursuivit.) En ce qui concerne mon grand-père, dont je n'ai pas encore parlé, c'était un *rauti*. Savez-vous ce qu'est un *rauti* ? Le révérend Welles m'a demandé durant des années de l'aider à traduire ce terme, mais c'est difficile. Mon bon père use du terme « harangueur », mais cela n'exprime pas la dignité de la fonction. « Historien » s'en rapproche, mais ce n'est pas non plus très juste. La tâche du *rauti* est de courir aux côtés des hommes qui se jettent dans la bataille afin de raviver leur courage en leur rappelant qui ils sont. Le *rauti* chante les lignées de chaque homme et rappelle aux guerriers la gloire de l'histoire de leur famille. Il s'assure qu'ils n'oublient pas l'héroïsme de leurs aïeux. Le *rauti* connaît la lignée de chaque homme de l'île, remontant jusqu'aux dieux, et il chante pour eux leur courage. On pourrait dire qu'il s'agit d'une sorte de sermon, mais violent.

— À quoi cela ressemble-t-il ? demanda Alma, reprenant intérêt pour cette longue histoire incongrue. Il l'avait amenée ici pour une raison, se dit-elle, et il devait lui raconter tout cela pour une raison.

Demain Matin tourna le visage vers l'entrée de la grotte et réfléchit un moment.

— En anglais ? Cela n'a pas la même puissance, mais ce serait quelque chose comme : *Offre toute ta vigilance jusqu'à ce que leur volonté soit tranchée ! Sois suspendu au-dessus d'eux telle la foudre ! Tu es Arava, le fils de Hoani, le petit-fils de Paruto, qui était né de Pariti, qui naquit de Tapunui, qui ravit la tête du puissant Anapa, le père des anguilles – tu es cet homme ! Brise-toi sur eux comme la mer !* clama Demain Matin. (Les paroles résonnèrent sur les parois et noyèrent le fracas des vagues. Il se retourna vers Alma – qui avait la chair de poule et imaginait à peine ce que cela aurait été en tahitien, si c'était déjà aussi bouleversant en anglais – et ajouta de son ton habituel :) Les femmes aussi combattaient, parfois.

— Merci, dit-elle, sans vraiment comprendre pourquoi elle disait cela. Qu'est devenu votre grand-père ?

— Il mourut avec les autres. Une fois ma famille morte, je fus seul. À Tahiti, ce n'est pas un destin aussi grave pour un enfant que cela pourrait l'être à Londres ou à Philadelphie, par exemple. Ici, les enfants sont indépendants dès un très jeune âge, et quiconque peut grimper à un arbre ou jeter une ligne de pêche peut se nourrir. Personne ne meurt de froid la nuit. J'étais comme ces jeunes garçons que vous voyez sur la plage de la baie de Matavai et qui sont eux aussi sans famille, mais peut-être n'étais-je pas aussi heureux qu'ils paraissent l'être, car je n'avais pas une petite bande de camarades. Le problème pour moi n'était pas une famine physique, mais une famine de l'esprit, voyez-vous ?

— Oui, dit Alma.

— Je trouvai donc mon chemin jusqu'à la baie de Matavai, où il y avait un village. Pendant plusieurs semaines, j'observai la mission. Même s'ils vivaient humblement, je vis qu'ils possédaient des choses bien meilleures que le reste de l'île. Ils avaient des couteaux assez aiguisés pour tuer un cochon d'un coup, et des haches qui pouvaient abattre facilement un arbre. À mes yeux, leurs cottages étaient luxueux. Je vis le révérend Welles, qui était si blanc qu'il me parut un fantôme, mais pas malveillant. Il parlait la langue des fantômes, oui, mais il parlait aussi un peu ma langue. Je le vis faire ses baptêmes, qui étaient divertissants pour tous. Sœur Etini s'occupait déjà de l'école, avec Mrs Welles, et je vis des enfants entrer et sortir. Je m'allongeai sous les fenêtres et écoutai les cours. Je n'étais pas totalement sans instruction. J'étais capable de donner les noms de cent cinquante sortes de poissons, voyez-vous, et je pouvais dessiner une carte des étoiles dans le sable, mais je n'avais pas d'instruction à la façon européenne. Certains de ces enfants avaient de petites ardoises pour leurs leçons. Je tentai de m'en façonner une avec un éclat de lave que je polis avec du sable. Je la rendis encore plus noire avec la sève du plantain des montagnes et j'écrivis dessus avec un morceau de corail blanc. C'était presque une invention réussie – seulement, malheureusement, cela ne s'effaçait pas ! (Il sourit à ce souvenir.) Vous aviez une grande bibliothèque étant enfant, je crois ? Et Ambrose m'a dit que vous parliez plusieurs langues dès votre plus jeune âge ?

Alma hocha la tête. Ainsi, Ambrose avait parlé d'elle. Elle eut un petit frisson de plaisir à cette révélation (*il ne l'avait pas oubliée !*) mais auquel se mêlait une inquiétude : que savait Demain Matin d'autre sur elle ? Bien plus, manifestement, qu'elle n'en savait de lui.

— C'est un de mes rêves de voir un jour une bibliothèque, continua-t-il. J'aimerais aussi voir des vitraux. En tout cas, un jour, le révérend Welles me vit et vint me parler. Il était gentil. Je suis certain que vous n'aurez pas de mal à imaginer combien il l'était, Alma, puisque vous connaissez l'homme. Il me donna une tâche. Il avait besoin de faire parvenir un message, déclara-t-il, à un missionnaire de Papeete. Il me demanda si je pouvais porter le message à son ami. Naturellement, j'acceptai. Je lui demandai : « Quel est le message ? » Il me tendit une ardoise où étaient inscrites quelques lignes et me répondit en tahitien : « Le voici. » J'étais sceptique, mais je partis en courant. Quelques heures plus tard, j'avais trouvé l'autre missionnaire à son église auprès des quais. L'homme ne parlait pas tahitien du tout. Je ne compris pas comment je pourrais lui transmettre un message, alors que je ne savais même pas ce qu'était ce message et que nous ne pouvions communiquer ! Mais je lui tendis l'ardoise. Il la regarda et rentra dans son église. Quand il en sortit, il me tendit une petite liasse de papier à lettres. C'était la première fois que je voyais du papier, Alma, et je trouvai que c'était l'étoffe de *tapa* la plus fine et la plus blanche qui fût, bien que je ne comprisse pas quel genre de vêtements on pouvait faire des morceaux aussi petits. Je supposai que l'on pouvait les coudre ensemble et façonner quelque habit. Je retournai au plus vite à la baie de Matavai en courant sur toute la distance, et donnai le papier au révérend Welles, qui fut enchanté, car – me dit-il – c'était cela le message : il voulait emprunter un peu de papier. J'étais un enfant tahitien, Alma, ce qui signifiait que je connaissais la magie et les miracles, mais je ne compris pas la magie de ce tour. En quelque sorte, il me semblait que le révérend Welles avait convaincu l'ardoise de *dire quelque chose* à l'autre missionnaire. Il avait dû ordonner à l'ardoise de parler pour lui, et ainsi, son vœu avait été exaucé ! Oh, je voulais connaître cette magie ! Je chuchotai un ordre à ma piètre imitation d'ardoise et y griffonnai quelques lignes avec du corail. Mon ordre était : « Ramène mon frère d'entre les morts. » Je me demande aujourd'hui avec perplexité pourquoi je ne demandai pas ma mère, mais mon frère devait me manquer davantage à l'époque. Peut-être parce qu'il était protecteur. J'avais toujours admiré mon frère, qui était bien plus courageux que moi. Vous ne serez pas surprise, Alma, d'apprendre que ma tentative de magie ne fonctionna pas. Cependant, quand le révérend Welles me vit faire, il s'assit et me parla, et ce fut le début de ma nouvelle instruction.

— Que vous enseigna-t-il ? demanda Alma.

— La miséricorde du Christ, d'abord. Ensuite, l'anglais. Puis la lecture. (Après un long silence, il reprit enfin :) J'étais un bon élève. Je crois savoir que vous étiez aussi une bonne élève ?

— Oui, toujours, dit Alma.

— Les choses de l'esprit m'étaient aisées, comme je crois qu'elles l'étaient pour vous ?

— Oui, dit Alma.

Mais que lui avait raconté d'autre Ambrose ?

— Le révérend Welles devint mon père, et depuis, j'ai toujours été le préféré de mon père. Il m'aime plus, je crois, que sa propre fille et son épouse. Il m'aime certainement plus que ses autres fils adoptifs. Je crois savoir, d'après ce qu'Ambrose m'a dit, que vous étiez la préférée de votre père aussi – que Henry vous aimait plus, peut-être, qu'il n'aimait son épouse ?

Alma fut saisie. C'était une déclaration choquante. Elle se sentit totalement incapable de répondre. Quelle fidélité éprouvait-elle pour sa mère et Prudence par-delà toutes ces années et cette distance – et même par-delà l'abîme de la mort – pour ne pouvoir se résoudre à répondre sincèrement à cette question ?

— Mais nous avons conscience d'être les préférés de nos pères, Alma, n'est-ce pas ? insista doucement Demain Matin. Cela nous confère un pouvoir unique en son genre, n'est-ce pas ? Si la personne qui compte le plus au monde a choisi de nous préférer par-dessus tous les autres, nous avons l'habitude d'obtenir ce que nous désirons. Cela ne fut-il pas aussi le cas pour vous ? Comment les gens comme vous et moi ne peuvent-ils pas penser qu'ils sont puissants ?

Alma réfléchit pour décider si c'était vrai.

Mais bien sûr que cela l'était.

Son père lui avait tout laissé – l'entièreté de sa fortune, à l'exclusion de quiconque. Il ne l'avait jamais autorisée à quitter White Acre, non seulement parce qu'il avait besoin d'elle, se rendit-elle brusquement compte, mais aussi parce qu'il l'aimait. Elle se souvint quand il la prenait sur ses genoux lorsqu'elle était petite et lui racontait de fantastiques histoires. Elle se le rappela disant : « À mon avis, la laide vaut dix fois la jolie. » Elle se rappela la nuit du bal de White Acre en 1808, quand l'astronome italien avait disposé les invités en un *tableau vivant** des cieux et les avait entraînés dans un splendide ballet. Son père – le Soleil, le centre de tout – avait crié à travers l'univers : « Donnez-lui une *place* ! » et avait encouragé Alma à courir. Pour la première fois de sa vie, elle se rendit compte que cela avait dû être Henry qui lui avait fourré la torche dans les mains cette nuit-là, qui lui avait confié le feu et l'avait lancée telle une comète prométhéenne sur la pelouse et dans l'immensité du monde. Personne d'autre n'aurait eu l'autorité de confier du feu à une enfant. Personne d'autre n'aurait accordé à Alma le droit d'avoir une *place*.

Demain Matin poursuivit :

— Mon père m'a toujours considéré comme une sorte de prophète, vous savez.

— Est-ce ainsi que vous vous considérez ? demanda-t-elle.

— Non. Je sais ce que je suis. Pour commencer, je suis un *rauti*, je suis un harangueur, comme l'était mon grand-père avant moi. Je viens vers le peuple et je chante mes encouragements. Mon peuple a beaucoup souffert, et je le pousse à être de nouveau fort – mais au nom de Jéhovah, car le nouveau dieu est plus puissant que nos anciens dieux. Si ce n'était pas vrai, Alma, tous les miens seraient encore en vie. C'est ainsi que j'accomplis mon ministère : par la force. Je crois que sur ces îles, la parole du Créateur et de Jésus-Christ doit être communiquée non par la douceur et la persuasion, mais par la force. C'est pour cela que j'ai trouvé le succès là où d'autres ont échoué. (Il révélait cela à Alma d'un ton tout à fait désinvolte. Comme si c'était très simple.) Mais ce n'est pas tout, dit-il. Dans l'ancienne tradition, il y avait des êtres intermédiaires – des messagers, pour ainsi dire, entre les dieux et les hommes.

— Comme des prêtres ? demanda Alma.

— Comme le révérend Welles, vous voulez dire ? sourit Demain Matin sans quitter des yeux l'entrée de la grotte. Non. Mon père est un homme de bien, mais il n'est pas le genre de créature auquel je fais allusion ici. Ce n'est pas un messager divin. Je pense à autre chose qu'un prêtre. Je suppose que l'on pourrait dire... Quel est le mot ? Un *émissaire*. Selon la tradition, chaque dieu avait son propre émissaire. En cas d'urgence, le peuple de Tahiti priait pour que ces émissaires les délivrent. « Viens en ce monde, priaient-ils. Viens à la lumière et aide-nous, car nous connaissons la guerre et la faim et la peur et nous souffrons. » Les émissaires n'étaient ni de ce monde ni de l'autre, mais ils se déplaçaient entre les deux.

— Est-ce ainsi que vous vous considérez ? demanda de nouveau Alma.

— Non, dit-il. C'est ainsi que je considérais Ambrose Pike.

Il se tourna vers elle aussitôt après avoir dit cela et son visage, l'espace d'un bref instant, fut accablé de chagrin. Elle eut le cœur serré et dut faire un effort pour se ressaisir.

— Vous le considériez ainsi vous aussi ? demanda-t-il en la scrutant.

— Oui, dit-elle.

Enfin ils y arrivaient. Enfin ils parlaient d'Ambrose.

Demain Matin hocha la tête et parut soulagé.

— Il était capable d'entendre mes pensées, vous savez.

— Oui, dit Alma. C'était quelque chose dont il était capable.

— Il voulait que j'écoute les siennes, dit Demain Matin, mais je n'ai pas cette capacité.

— Oui, dit Alma. Je comprends. Moi non plus.

— Il pouvait voir le mal, le mal qui s'accumule en amas. C'était ainsi qu'il me l'expliquait, comme un amas d'une couleur sinistre. Il pouvait voir la fatalité. Il voyait aussi le bien. Des nuées de bonté qui environnaient certaines personnes.

— Je sais, dit Alma.

— Il entendait les voix des morts. Alma, il entendait mon frère.

— Oui.

— Il m'a dit un soir qu'il pouvait entendre la lumière des étoiles, mais ce ne fut que cette nuit-là. Il était très triste de n'avoir jamais pu l'entendre de nouveau. Il pensait que si lui et moi tentions ensemble de l'entendre, si nous unissions nos esprits, nous pourrions recevoir un message.

— Oui.

— Il était solitaire sur la terre, Alma, car personne n'était comme lui. Il n'était chez lui nulle part.

Alma eut de nouveau le cœur serré – par la honte, la culpabilité et le regret. Elle serra les poings et les porta à ses yeux. Elle s'efforça de ne pas pleurer. Quand elle baissa les mains et rouvrit les yeux, Demain Matin la regardait comme s'il guettait un signe, comme s'il attendait de voir s'il devait cesser de parler. Mais elle ne voulait qu'une chose : qu'il continue.

— Que souhaitait-il, avec vous ? demanda-t-elle.

— Il désirait un compagnon, dit Demain Matin. Il voulait un jumeau. Il voulait que nous soyons une seule et même personne. Il se trompait sur mon compte, comprenez-vous. Il croyait que j'étais meilleur que lui.

— Il s'est trompé sur le mien aussi, dit Alma.

— Vous voyez donc comment c'est.

— Que souhaitiez-vous, avec lui ?

— Je voulais m'accoupler avec lui, Alma, dit Demain Matin tristement, mais sans se troubler.

— Moi aussi, dit-elle.

— Nous sommes donc semblables vous et moi, dit Demain Matin.

Cependant, cette pensée ne semblait pas lui apporter de réconfort. Elle n'en apportait pas à Alma non plus.

— Vous êtes-vous accouplé avec lui ? demanda-t-elle.

Demain Matin soupira.

— Je l'ai laissé croire que j'étais aussi un innocent. Je crois qu'il me voyait comme le Premier Homme, comme une sorte de nouvel Adam, et je l'ai laissé le croire. Je l'ai laissé faire ces dessins de moi – non, je l'ai *encouragé* à dessiner ces portraits, car je suis vaniteux. Je lui ai dit de me dessiner comme il aurait dessiné une orchidée, dans une irréprochable nudité. Car quelle différence y a-t-il aux yeux de Dieu entre un homme nu et une fleur ? C'est ce que je lui ai dit. C'est ainsi que je l'ai approché de moi.

— Mais vous êtes-vous accouplé avec lui ? répéta-t-elle, s'armant de courage pour obtenir une réponse plus directe.

— Almà, dit-il. Vous m'avez permis de comprendre quel genre de personne vous êtes. Vous avez expliqué que vous étiez mue par un désir irrépressible de comprendre. À présent, laissez-moi vous permettre de comprendre quel genre de personne je suis : je suis un conquérant. Je ne m'en vante pas. C'est simplement ma nature. Peut-être n'avez-vous encore jamais connu de conquérant et que ce sera difficile pour vous à comprendre.

— Mon père était un conquérant, dit-elle. Je le comprends plus que vous ne pourriez l'imaginer.

Demain Matin acquiesça, reconnaissant la justesse de l'argument.

— Henry Whittaker. Certainement. Vous avez peut-être raison. Peut-être alors pourrez-vous me comprendre. La nature d'un conquérant, ainsi que vous le savez sûrement, est d'acquérir tout ce qu'il désire acquérir.

Pendant un long moment après ces mots, ils se turent. Alma avait une autre question, mais elle osait à peine la poser. Mais si elle ne la posait pas maintenant, elle ne saurait jamais, et la question la rongerait pendant tout le reste de sa vie. Elle rassembla de nouveau tout son courage et demanda :

— Comment est mort Ambrose, Demain Matin ? (Comme il ne répondait pas immédiatement, elle ajouta :) Le révérend Welles m'a dit qu'il était mort d'une infection.

— Il est en effet mort d'une infection, je suppose, d'après la manière dont cela s'est fini. C'est ce qu'un médecin vous aurait dit.

— Mais comment est-il vraiment mort ?

— Ce n'est pas un sujet dont il est agréable de parler, dit Demain Matin. Il est mort de chagrin.

— Qu'entendez-vous par chagrin ? Mais comment ? insista Alma. Vous devez me le dire. Je ne suis pas venue ici pour avoir un échange agréable, et je vous assure que je suis capable de supporter ce que vous me direz, quoi que ce soit. Dites-moi, quel a été le mécanisme ?

Demain Matin soupira.

— Ambrose s'est entaillé, très gravement, quelques jours avant sa mort. Vous vous rappelez que je vous ai dit que les femmes d'ici – quand elles perdent un être cher – s'entaillent la tête avec une dent de requin tranchante ? Mais ce sont des Tahitiennes, Alma, et c'est une coutume tahitienne. Les femmes ici savent comment faire cette chose affreuse sans risque. Elles savent précisément comment se couper profondément pour faire saigner leur peine sans se causer de grand péril. Après, elles pansent aussitôt leur blessure. Ambrose, hélas, n'était pas formé à ce genre de pratique. Il était fort désemparé. Le monde l'avait déçu. Je l'avais déçu. Pire que tout, je crois, il s'était déçu lui-même. Il n'a pas su retenir sa main. Quand nous l'avons trouvé dans son *faré*, il ne pouvait plus être sauvé.

Alma ferma les yeux et vit son amour, son Ambrose – sa belle et bonne tête ruisselante du sang de sa mortification. Elle aussi avait déçu Ambrose. Tout ce qu'il voulait, c'était de la pureté et tout ce qu'elle désirait, c'était du plaisir. Elle l'avait banni dans ce lieu solitaire et il y était mort, d'une manière horrible.

Elle sentit Demain Matin lui toucher le bras et elle ouvrit les yeux.

— Ne souffrez pas, dit-il calmement. Vous n'auriez pas pu empêcher cela d'arriver. Vous ne l'avez pas mené à la mort. Si quelqu'un l'a mené à la mort, ce fut moi.

Elle resta tout de même incapable de parler. Puis une autre affreuse question lui vint et elle n'eut d'autre choix que de la poser :

— S'est-il aussi coupé le bout des doigts ? À la manière de sœur Manu ?

— Pas tous, répondit Demain Matin avec une louable délicatesse.

Alma ferma de nouveau les yeux. Ces mains d'artiste ! Elle se rappela – même si elle ne désirait pas s'en souvenir – la nuit où elle avait mis ses doigts dans sa bouche pour essayer de l'amener en elle. Ambrose avait tressailli de peur et s'était recroquevillé. Il était si fragile. Comment avait-il réussi à s'infliger cette affreuse violence ? Elle crut qu'elle allait vomir.

— C'est le fardeau que je dois porter, Alma, dit Demain Matin. J'ai assez de force pour ce fardeau. Laissez-moi le porter.

Quand elle eut retrouvé sa voix, elle déclara :

— Ambrose s'est suicidé. Pourtant, le révérend Welles lui a donné une sépulture chrétienne.

Ce n'était pas une question, mais l'expression de son émerveillement.

— Ambrose était un chrétien exemplaire, dit Demain Matin. Quant à mon père, Dieu le préserve, c'est un homme d'une compassion et d'une générosité peu communes.

Alma, qui réunissait lentement les pièces du puzzle, demanda :

— Votre père sait-il qui je suis ?

— Nous devrions estimer que oui, dit Demain Matin. Mon bon père sait tout ce qui se passe sur cette île.

— Cependant, il a été si bon avec moi. Jamais il n'a cherché à savoir…

— Cela ne devrait pas vous surprendre, Alma. Mon père est la bonté incarnée.

Un autre long silence. Puis :

— Mais cela signifie-t-il qu'il sait, vous concernant ? Sait-il ce qui s'est passé entre vous et mon mari ?

— Là aussi, nous pouvons raisonnablement estimer que oui.

— Pourtant, il continue d'admirer tant…

Alma ne put achever sa pensée, et Demain Matin ne prit pas la peine de répondre. Alma resta dans un silence stupéfait pendant un long moment. D'évidence, l'immense capacité à compatir et à pardonner de l'âme du révérend Francis Welles n'était pas de ces choses auxquelles on pouvait appliquer la logique, ni même des mots.

Mais une autre terrible question finit par lui venir à l'esprit. Elle lui donna le sentiment d'être une folle furieuse et aigrie, mais – là aussi – elle avait besoin de savoir.

— Vous êtes-vous imposé à Ambrose par la force ? demanda-t-elle. Lui avez-vous fait du mal ?

Demain Matin ne s'offensa pas de l'accusation implicite, mais il parut soudain vieilli.

— Oh, Alma, dit-il tristement. Il semble que vous ne compreniez pas vraiment ce qu'est un conquérant. Il ne m'est pas nécessaire de forcer les choses – mais une fois que je suis décidé, les autres n'ont pas le choix. Ne le voyez-vous pas ? Ai-je forcé le révérend Welles à m'adopter et à m'aimer plus encore que sa chair et son sang ? Ai-je forcé l'île de Raiatea à embrasser Jéhovah ? Vous êtes une femme intelligente, Alma. Essayez de saisir cela.

Alma porta de nouveau ses poings à ses yeux. Elle ne voulait pas se laisser aller à pleurer, mais à présent, elle connaissait l'horrible vérité : Ambrose avait *permis* à Demain Matin de le toucher, alors qu'il s'était recroquevillé devant elle, dégoûté. Le savoir l'accabla peut-être plus que tout ce qu'elle avait appris aujourd'hui. Elle avait honte de se soucier d'une question aussi mesquine et égoïste après avoir entendu de telles horreurs, mais elle ne put s'en empêcher.

— Qu'y a-t-il ? demanda Demain Matin en voyant son expression désemparée.

— Je brûlais du désir de m'accoupler à lui aussi, avoua-t-elle enfin. Mais il n'a pas voulu.

Demain Matin la regarda avec une infinie tendresse.

— C'est là que vous et moi sommes différents, dit-il. Car vous avez renoncé.

La marée avait enfin baissé et Demain Matin déclara :

— Partons rapidement, pendant que nous en avons l'occasion. Si nous devons le faire, il faut y aller maintenant.

Ils laissèrent la pirogue sur la saillie, hors de portée, et sortirent de la grotte. Comme l'avait promis Demain Matin, au bas de la falaise courait une route étroite sur laquelle ils pouvaient marcher sans risque. Ils parcoururent une centaine de mètres et commencèrent leur ascension. Depuis la pirogue, la falaise avait paru abrupte, verticale et impossible à escalader, mais à présent, alors qu'elle suivait Demain Matin et mettait ses pas dans les siens, elle vit qu'il y avait en effet un chemin qui montait. C'était presque comme si des marches avaient été taillées, avec des prises pour les pieds et les mains placées précisément là où elles étaient nécessaires. Elle ne baissa pas les yeux vers les vagues au-dessous, mais se fia – ainsi qu'elle avait appris à faire confiance au contingent Hiro – à la compétence de son guide et à son propre sens de l'équilibre.

Une quinzaine de mètres au-dessus, ils parvinrent à une crête. De là, ils pénétrèrent dans une épaisse ceinture de jungle humide et gravirent une pente raide encombrée de racines et de lianes. Après avoir passé des semaines en compagnie du contingent Hiro, Alma était en excellente condition pour randonner, avec un cœur digne d'un poney des Highlands, mais c'était là une ascension traîtresse. Les feuilles humides sous les pieds menaçaient dangereusement de la faire glisser et même pieds nus, il était difficile d'avoir prise. Elle fatiguait. Elle ne voyait aucun signe d'un sentier. Elle ignorait comment Demain Matin pouvait savoir où il allait.

— Prenez garde, dit-il par-dessus son épaule. *C'est glissant**.

Il devait être fatigué aussi, songea-t-elle, car il n'avait même pas semblé se rendre compte qu'il venait de lui parler en français. Elle ignorait qu'il connaissait cette langue. Qu'avait-il d'autre dans son esprit ? Elle en fut émerveillée. Il avait si bien réussi pour un orphelin.

La pente était un peu moins raide et, à présent, ils longeaient un ruisseau. Bientôt, elle entendit un faible grondement au loin. Pendant un moment, ce ne fut qu'une rumeur, mais ils passèrent un virage et elle la vit – une cascade de vingt mètres de hauteur, un ruban d'écume blanche qui se déversait bruyamment dans un bassin bouillonnant. La puissance de la cascade provoquait des rafales de vent que la brume matérialisait, comme des fantômes rendus visibles.

Alma voulut s'arrêter, mais la cascade n'était pas la destination de Demain Matin. Il se pencha vers elle pour qu'elle l'entende, désigna le ciel et cria :

— À présent, nous allons continuer à monter.

Lentement, ils grimpèrent le long de la cascade. La robe d'Alma fut rapidement trempée. Elle s'agrippa à des touffes de plantain des montagnes et des bambous en priant qu'elles tiennent. Près du sommet de la cascade se trouvait un amas de pierres lisses et confortables et de hautes herbes. Alma supposa qu'il s'agissait du plateau dont il lui avait parlé – leur destination – bien qu'elle ne comprît pas, à première vue, ce que l'endroit avait de si spécial. Puis Demain Matin passa derrière le plus gros rocher et elle le suivit. Et là, tout à fait soudainement, apparut l'entrée d'une petite grotte – aussi proprement taillée dans la falaise qu'une pièce dans une maison, avec des parois de deux mètres de haut de part et d'autre. La grotte était fraîche et silencieuse et sentait la terre et la pierre. Et elle était couverte, entièrement tapissée du plus luxuriant manteau de mousse qu'eut jamais vu Alma Whittaker.

La grotte n'était pas simplement moussue : elle palpitait de mousses. Elle n'était pas simplement verte, elle était frénétiquement verte. Sa verdeur était si lumineuse que c'était comme si la couleur parlait, comme si – fracassant le monde de la vision – elle voulait migrer dans le monde du son. La mousse était une épaisse fourrure vivante qui donnait à toutes les surfaces rocheuses la forme de monstres mythiques endormis. Étrangement, les recoins les plus profonds de la grotte étaient les plus lumineux. Ils étincelaient de mille feux, se dit-elle, bouche bée, incrustés du filigrane de *Schistotega pennata*. Or des gobelins, des dragons, des elfes, *Schistotega pennata* était la plus légendaire des mousses, faux joyau qui perce le crépuscule géologique, plante souterraine pailletée qu'un rai furtif suffit à parer de gloire éternelle, perfide tentatrice qui depuis toujours berne les voyageurs égarés croyant à sa vue découvrir un trésor. Mais pour Alma, cette mousse était un trésor, plus étourdissant que des richesses, car elle nimbait toutes les parois d'un halo émeraude troublant, somptueux, halo qu'elle n'avait aperçu que brièvement, dans son microscope… et voici qu'elle se tenait tout entière dedans.

La première réaction d'Alma en entrant fut de fermer les yeux devant toute cette beauté. Elle était insoutenable. Elle avait l'impression que c'était quelque chose qu'elle n'avait pas le droit de voir sans permission, sans quelque espèce de dispense religieuse. Elle avait l'impression de ne pas le mériter. Les yeux fermés, elle se détendit et s'autorisa à croire qu'elle avait rêvé cette vision. Cependant, quand elle les rouvrit, la vision était toujours là. La grotte était si belle qu'elle avait mal jusqu'à la moelle de ses os à force de désir. Jamais elle n'avait rien convoité autant que le spectacle de ces mousses. Elle voulait qu'il l'engloutisse. Déjà – alors qu'elle était au beau milieu – l'endroit commençait à lui manquer. Elle était certaine qu'il lui manquerait jusqu'à la fin de ses jours.

— Ambrose avait toujours pensé que cet endroit vous plairait, dit Demain Matin.

C'est seulement à ce moment qu'elle se mit à sangloter. Elle sanglota si violemment qu'elle ne fit pas un bruit – elle était incapable de faire un bruit – et son visage se tordit en un masque tragique. Quelque chose se brisa en elle, faisant voler en éclats son cœur et ses poumons. Elle s'effondra sur Demain Matin, comme un soldat touché par une balle tombe dans les bras de son camarade. Il la soutint. Elle tremblait comme un squelette disloqué. Les sanglots ne diminuèrent pas. Elle se cramponnait tellement à lui qu'elle aurait brisé les côtes d'un homme moins robuste. Elle voulait s'imprimer en lui et ressortir de l'autre côté – ou mieux encore, être épongée par lui, absorbée dans ses intestins, effacée, niée.

Dans ce paroxysme de chagrin, elle ne s'en rendit pas immédiatement compte, mais elle finit par s'apercevoir que lui aussi pleurait – pas un grand déferlement de sanglots, mais des larmes qui coulaient lentement. Elle le soutenait tout autant que lui la soutenait. Et ils restèrent ainsi ensemble dans ce tabernacle de mousses et pleurèrent son nom.

Ambrose, se lamentaient-ils. *Ambrose.*

Jamais il ne reviendrait.

Ils finirent par s'écrouler à terre, comme des arbres abattus. Leurs vêtements étaient trempés et ils claquaient des dents, de froid et d'épuisement. Sans un mot ni la moindre gêne, ils ôtèrent leurs vêtements mouillés. Il fallait le faire, sans quoi ils mourraient de froid. À présent, ils étaient non seulement épuisés et trempés, mais totalement nus. Ils s'allongèrent sur la mousse et se regardèrent. Pas pour se jauger. Pas pour se séduire. Le corps de Demain Matin était beau – mais c'était évident, sans surprise, indiscutable et sans importance. Celui d'Alma n'était pas beau – mais cela aussi était évident, sans surprise, indiscutable et sans importance.

Elle lui prit la main et enfonça ses doigts dans sa bouche, comme un enfant. Il la laissa faire. Il ne se déroba pas. Puis elle prit son pénis, qui avait été – comme celui de tout garçon tahitien – circoncis dans sa jeunesse avec une dent de requin. Elle avait besoin de le toucher plus intimement ; c'était la seule personne au monde qui eût jamais touché Ambrose. Elle ne demanda pas à Demain Matin la permission de le toucher ; elle se dégageait de lui, tacitement. Tout était clair. Elle glissa le long de son grand corps chaud et mit son membre dans sa bouche.

Ce geste était le seul de sa vie qu'elle ait vraiment eu envie de faire. Elle avait renoncé à tant de choses et sans jamais se plaindre – ne pouvait-elle pas au moins une fois avoir cela ? Elle n'avait pas besoin d'être mariée. Elle n'avait pas besoin d'être belle ou désirée par des hommes. Elle n'avait pas besoin d'être entourée d'amis et de frivolité. Elle n'avait pas besoin d'une propriété, d'une bibliothèque, d'une fortune. Il y avait tant de choses dont elle n'avait pas besoin. Pas même que son antique virginité inexplorée soit enfin exhumée, à l'ennuyeux âge de cinquante-trois ans – même si elle savait que Demain Matin lui aurait fait cette faveur, si elle l'avait demandée.

Mais – ne fût-ce que pour un instant de sa vie – elle avait besoin de *cela*.

Demain Matin n'hésita pas, et il ne la pressa pas non plus. Il la laissa l'explorer et engloutir ce qu'elle pouvait engloutir dans sa bouche. Il la laissa le sucer comme si elle respirait à travers lui, comme si elle avait été sous l'eau et qu'il avait été son unique lien vers l'air. Agenouillée dans la mousse, le visage dans son nid secret, elle le sentit s'alourdir dans sa bouche, se réchauffer, devenir plus permissif.

C'était tel qu'elle avait toujours imaginé que ce serait. Non, c'était plus qu'elle avait jamais imaginé.

Puis il se déversa dans sa bouche et elle reçut cela comme une offrande dédicatoire, comme une aumône.

Elle était reconnaissante.

Après cela, ils ne pleurèrent plus.

Ils passèrent la nuit ensemble dans cette grotte tapissée de mousse. Il était vraiment trop dangereux, à présent, dans l'obscurité, de retourner à la baie de Matavai. Si Demain Matin ne voyait pas d'objection à prendre la pirogue de nuit (en fait, il prétendait le préférer, car l'air était plus frais), il n'estimait pas sûr de descendre le long de la cascade et de la falaise sans lumière. Connaissant l'île comme il la connaissait, il avait dû savoir depuis le début qu'ils devraient dormir là. Cela ne la gêna pas qu'il l'ait prévu.

Dormir en pleine nature ne promettait pas une bonne nuit de sommeil, mais ils s'accommodèrent au mieux de la situation. Ils bâtirent un petit foyer avec des pierres de la taille de boules de billard. Ils rassemblèrent des hibiscus secs que Demain Matin parvint à enflammer en quelques minutes. Alma cueillit des fruits d'arbre à pain qu'elle enveloppa dans des feuilles de banane et qu'ils firent cuire jusqu'à ce qu'ils s'ouvrent. Ils se firent une paillasse de tiges de plantain des montagnes, qu'ils battirent à coups de pierre pour les ramollir et en faire une sorte d'étoffe. Ils dormirent ensemble sous cette paillasse de plantain, serrés l'un contre l'autre pour se tenir chaud. Il faisait humide, mais ce n'était pas insupportable. Ils étaient tapis comme deux frères renards dans leur terrier. Au matin, en se réveillant, Alma découvrit que la sève des tiges de plantain avait laissé des taches bleu sombre sur sa peau – mais qu'il n'y en avait pas sur celle de Demain Matin, dont la peau avait absorbé les taches, alors que la sienne les exhibait.

Il paraissait sage de ne pas parler des événements de la veille. Ils se turent non pas par honte, mais à cause de quelque chose qui était plus proche de la considération. Et aussi parce qu'ils étaient épuisés. Ils se vêtirent, mangèrent le reste de fruits d'arbre à pain, descendirent le long de la cascade et de la falaise, rentrèrent dans la grotte où la pirogue était toujours au sec en hauteur, et ils retournèrent à la baie de Matavai.

Six heures plus tard, alors que la familière plage noire de la mission apparaissait, Alma se tourna vers Demain Matin et posa la main sur son genou. Il cessa de pagayer.

— Pardonnez-moi, dit-elle. Puis-je vous poser une dernière question ?

Il y avait une dernière chose qu'elle avait besoin de savoir, et comme elle n'était pas certaine qu'ils se reverraient, elle devait le lui demander maintenant.

Il hocha la tête respectueusement en l'invitant à poursuivre.

— Pendant presque un an maintenant, le sac de voyage d'Ambrose – rempli de dessins de vous – était dans mon *faré* sur la plage. N'importe qui aurait pu le prendre. N'importe qui aurait pu distribuer ces dessins de vous dans toute l'île. Pourtant, personne n'y a jamais touché. Comment se fait-il ?

— Oh, c'est très simple, dit Demain Matin avec désinvolture. C'est parce que je les terrifie tous.

Puis Demain Matin se remit à pagayer et les amena vers la plage. C'était presque l'heure de l'office du soir. Ils furent accueillis avec joie et chaleur. Il prononça un magnifique sermon.

Personne n'osa leur demander où ils étaient allés.

26

Demain Matin quitta Tahiti trois jours plus tard, pour rentrer à sa mission de Raiatea et retrouver son épouse et ses enfants. Durant la majeure partie de ces trois jours, Alma resta à l'écart. Elle passa beaucoup de temps dans son *faré*, avec Roger le chien pour seule compagnie, à réfléchir à tout ce qu'elle avait appris. Elle se sentait simultanément soulagée et accablée : soulagée de toutes ses anciennes questions ; accablée par les réponses.

Elle n'alla pas se baigner le matin à la rivière avec sœur Manu et les autres femmes, car elle ne voulait pas qu'elles voient la teinture bleue qui marquait encore un peu sa peau. Elle alla aux offices à l'église, mais elle resta au fond et se fit discrète. Demain Matin et elle n'eurent plus un seul instant en tête à tête. À vrai dire, d'après ce qu'elle put voir, jamais il n'eut un moment à lui non plus. C'était un miracle qu'elle ait pu s'isoler une fois avec lui.

La veille du départ de Demain Matin, il y eut une autre fête en son honneur – une réplique des remarquables festivités données deux semaines plus tôt. De nouveau, il y eut des danses et un banquet. De nouveau, il y eut des musiciens, des combats de lutte et de coqs. De nouveau, il y eut des feux et des cochons égorgés. Alma voyait plus clairement désormais à quel point Demain Matin était *vénéré*, plus encore qu'il était aimé. Elle vit aussi la fonction et la responsabilité qu'il détenait et avec quelle compétence il s'en acquittait. Les gens lui passèrent d'innombrables colliers de fleurs qui pendaient lourdement à son cou, comme des chaînes. On lui offrit des cadeaux : deux colombines turverts dans une cage, une horde de porcelets piaillards, un fusil hollandais décoré du XVIIIe siècle qui ne marchait plus, une bible reliée en cuir de chèvre, des bijoux pour son épouse, des rouleaux de calicot, des sacs de sucre et de thé et une belle cloche de fer pour son église. On déposa les présents à ses pieds et il les reçut gracieusement.

Au crépuscule, un groupe de femmes armées de balais descendit sur la grève et commença à balayer la plage en vue d'une partie de *haru raa puu*. Alma n'avait jamais vu jouer personne au *haru raa puu,* mais elle savait ce que c'était, car le révérend Welles le lui avait expliqué. Le jeu – dont le nom signifiait grosso modo « attraper la balle » – se jouait traditionnellement avec deux équipes de femmes face à face sur une portion de plage d'une longueur d'environ trente mètres. À chaque extrémité de ce terrain improvisé, une ligne était tracée dans le sable pour figurer le but. Ce qui tenait lieu de ballon était une grosse boule de frondes de plantain tressées de la taille d'un potiron moyen, mais pas aussi lourde. Le but du jeu, comme Alma l'avait appris, était de prendre la balle à l'équipe adverse et de retourner jusqu'à l'autre bout du terrain sans être attrapé par l'une de ses adversaires. Si le ballon tombait dans la mer, le jeu continuait dans les vagues. Les joueuses avaient le droit de faire tout ce qu'elles voulaient pour empêcher l'équipe adverse de marquer.

Le *haru raa puu* étant considéré par les missionnaires anglais comme indigne des dames et obscène, il était interdit dans tous les autres villages. En vérité, rendons cette justice aux missionnaires, le jeu était même plus qu'indigne des dames. Les femmes étaient communément blessées dans les parties de *haru raa puu* – fractures des membres, du crâne, sang répandu. C'était, comme l'avait dit avec admiration le révérend Welles, « une abasourdissante démonstration de sauvagerie ». Mais la violence était tout à fait le but du jeu. Dans l'ancien temps, alors que les hommes s'entraînaient pour la guerre, les femmes s'entraînaient pour le *haru raa puu*. Ainsi, les dames, aussi, seraient prêtes, lorsque viendrait le moment de se battre. Pourquoi le révérend Welles avait-il autorisé le *haru raa puu* à continuer, alors, quand les autres missionnaires avaient interdit cette expression de pure sauvagerie bien peu chrétienne ? Eh bien, pour la même raison que toujours : il ne voyait tout bonnement pas le mal qu'il y avait.

Une fois la partie commencée, cependant, Alma ne put s'empêcher de penser que le révérend Welles s'était gravement trompé sur ce point : il y avait des risques de se faire extrêmement mal dans une partie de *haru raa puu*. Dès l'instant que la balle était en jeu, les femmes se transformaient en créatures aussi formidables qu'effrayantes. Ces charmantes et hospitalières

Tahitiennes – dont Alma avait vu le corps le matin au bain, dont elle avait partagé les repas, fait sauter les enfants sur ses genoux, dont elle avait entendu les voix entonner gravement la prière et dont les cheveux étaient si joliment ornés de fleurs – formaient immédiatement deux bataillons rivaux de démons infernaux. Alma ne sut déterminer si le but du jeu était de s'emparer de la balle ou de démembrer ses adversaires – ou peut-être un mélange des deux. Elle vit la douce sœur Etini (*sœur Etini !*) empoigner les cheveux d'une autre femme et la projeter à terre – alors que son adversaire n'était même pas proche de la balle !

Sur la plage, l'assistance adorait le spectacle et acclamait les joueuses. Le révérend Welles applaudissait aussi, et Alma vit pour la première fois le voyou des quais de Cornouailles qu'il avait été autrefois, avant que le Christ et Mrs Welles le sauvent en le remettant dans le droit chemin. Quand il regardait les femmes attaquer le ballon et se jeter les unes sur les autres, le révérend Welles ne ressemblait plus à un inoffensif petit elfe : on aurait plutôt dit un intrépide petit chien ratier.

C'est alors que soudain, Alma fut renversée par un cheval surgi de nulle part.

C'est du moins l'effet que cela lui fit. Cependant, ce n'était pas un cheval qui l'avait renversée, mais sœur Manu, qui s'était précipitée hors du terrain pour se jeter sur Alma de tout son poids. Elle l'empoigna par le bras et l'entraîna sur le terrain. L'assistance fut ravie. Les clameurs redoublèrent. Alma aperçut le visage du révérend Welles, enchanté de la surprenante tournure que prenaient les événements, pousser des cris enthousiastes. Elle jeta un coup d'œil à Demain Matin, qui gardait une posture courtoise et réservée. C'était un personnage bien trop majestueux pour rire devant une telle exhibition, mais il ne la désapprouvait pas non plus.

Alma ne voulait pas jouer au *haru raa puu*, mais personne ne l'avait consultée sur ce sujet. Elle se retrouva dans la partie avant de s'en rendre compte. Elle eut l'impression d'être attaquée de toutes parts, mais c'était surtout parce qu'elle était *effectivement* attaquée de toutes parts. Quelqu'un lui fourra la balle entre les mains et la poussa. C'était sœur Etini.

— Courez ! cria-t-elle.

Alma s'élança. Elle ne put aller bien loin avant de se faire renverser de nouveau. Quelqu'un lui avait donné un coup en pleine gorge et elle se retrouva étalée sur le dos. Sous le choc, elle se mordit la langue et sentit le goût du sang dans sa bouche. Elle songea à rester simplement allongée dans le sable pour éviter d'autres coups, mais elle craignit d'être piétinée par la horde sans pitié. Elle se releva. L'assistance poussa une clameur. Elle n'eut pas le temps de réfléchir. Elle fut entraînée dans la mêlée des femmes et n'eut d'autre choix que de suivre le mouvement. Elle n'avait pas la moindre idée de l'endroit où se trouvait le ballon. C'était impossible que quelqu'un sache où il était. Elle se retrouva dans l'eau. Elle reçut un autre coup. Elle se releva en suffoquant, de l'eau dans les yeux et la gorge. Quelqu'un la poussa plus loin, plus profond.

Là, elle commença à s'alarmer vraiment. Ces femmes, comme toutes les Tahitiennes, avaient appris à nager avant de marcher, mais Alma n'avait ni confiance ni l'habitude de l'eau. Ses jupes étaient trempées et lourdes, ce qui l'alarma plus encore. Les vagues n'étaient pas hautes, mais c'étaient tout de même des vagues, et elles déferlaient sur elle. La balle la frappa à l'oreille ; elle ne sut qui la lui avait lancée. Quelqu'un la traita de *poreito* – ce qui se traduisait à strictement parler par « coquillage », mais qui était aussi un terme d'argot pour les parties génitales féminines. Qu'avait-elle fait pour mériter d'être traitée de *poreito* ?

Elle se retrouva de nouveau sous l'eau, renversée par trois femmes qui tentaient de lui marcher dessus. Et qui y parvinrent. L'une d'elles écrasa la poitrine d'Alma, comme si elle avait été un rocher sur lequel on monte pour passer à gué. Une autre lui donna un coup de pied au visage, et elle fut certaine d'avoir eu le nez cassé. Alma s'efforça de remonter à la surface, suffoquant et crachant du sang. Elle entendit quelqu'un la traiter de *pua'a* – de cochon. Elle fut de nouveau envoyée sous l'eau. Cette fois, elle fut certaine que c'était intentionnel ; sa tête avait été poussée par-derrière par deux robustes mains. Elle refit surface et vit la balle passer près d'elle. Elle entendit vaguement les acclamations des spectateurs. Une fois encore, elle se retrouva piétinée, et une fois encore, elle se retrouva sous l'eau. Quand elle voulut ressortir, elle en fut incapable : quelqu'un s'était assis sur elle.

Ce qui arriva ensuite fut quelque chose d'impossible : le temps s'arrêta totalement. Les yeux ouverts, la bouche ouverte, le sang coulant de son nez dans la baie de Matavai, immobilisée et réduite à l'impuissance sous l'eau, Alma pris conscience qu'elle allait mourir. On s'en étonnera, mais elle se détendit. Ce n'était pas si mal, songea-t-elle. Ce serait facile, en réalité. La mort – que l'on craint et fuit tant – était, une fois qu'on était devant elle, ce qu'il y avait de plus simple. Il suffisait d'accepter de disparaître. Si Alma restait tout simplement immobile, clouée au fond par la masse imposante de son adversaire inconnue, elle serait effacée sans effort. Avec la mort, toute souffrance serait terminée. C'en serait fini du doute. Fini de la honte et de la culpabilité. De toutes ses questions. Et Dieu merci, surtout, de ses souvenirs. Elle pourrait prendre discrètement congé de la vie. C'est ce qu'avait fait Ambrose, après tout. Quel soulagement avait-il dû ressentir ! Elle avait eu pitié du suicide d'Ambrose, mais quelle délivrance cela avait dû être pour lui ! Elle aurait dû l'envier ! Elle pouvait le suivre là-bas, droit dans la mort. Quelle raison avait-elle de chercher de l'air ? À quoi cela servait-il de se battre ?

Elle se détendit plus encore.

Elle vit une pâle clarté.

Elle se sentit invitée vers quelque chose d'agréable. Elle se sentit convoquée. Elle se rappela les derniers mots de sa mère : *Is het prettig*.

C'est agréable.

Puis – dans les secondes qui restaient avant qu'il soit trop tard pour revenir en arrière – Alma eut soudain une certitude. Elle le sut dans chaque fibre de son être, et c'était absolument sans équivoque : elle sut qu'elle, la fille de Henry et Beatrix Whittaker, n'était pas venue au monde pour se noyer dans un mètre vingt d'eau. Elle sut aussi cela : si elle allait devoir tuer quelqu'un afin de sauver sa propre peau, elle le ferait sans hésiter. Enfin, elle sut autre chose, et ce fut la prise de conscience la plus importante : elle sut que le monde était clairement divisé entre ceux qui luttaient constamment pour vivre, et ceux qui se rendaient et mouraient. C'était une vérité toute simple. Une vérité qui s'appliquait non seulement aux êtres humains, mais à toute créature sur la terre, depuis la plus énorme jusqu'à la plus humble. C'était même vrai des mousses. C'était le mécanisme même de la nature – la force derrière toute existence, derrière toute transformation, derrière toute variation – et c'était l'explication du monde entier. C'était l'explication qu'Alma cherchait depuis toujours.

Elle sortit de l'eau. Elle se débarrassa de la personne assise sur elle comme d'un rien. Le nez en sang, des larmes dans les yeux, le poignet foulé, la poitrine endolorie, elle sortit de l'eau et reprit son souffle. Elle se retourna pour voir qui l'avait maintenue sous l'eau. C'était sa chère amie, cette géante intrépide, sœur Manu, dont la tête était couverte des cicatrices de tous les affreux combats de sa propre vie. Manu rit en voyant l'expression d'Alma. Le rire était affectueux – peut-être même l'expression d'une camaraderie – mais cela n'en restait pas moins un rire. Alma empoigna son amie par le cou. Elle l'agrippa comme pour lui broyer la gorge. Et à pleins poumons, Alma hurla, ainsi que le contingent Hiro le lui avait enseigné : « *Ovau teie ! Toa hau a'e tau metua i ta'oe ! E'ore tau'somore e mae qe ia'eo !* »

« Me voici ! Mon père était un plus grand guerrier que ton père ! Tu ne peux même pas soulever ma lance ! »

Puis elle la lâcha. Sans hésiter un instant, Manu poussa au nez d'Alma un magnifique rugissement approbateur.

Alma regagna à grands pas le rivage.

Elle ne prêta aucune attention à ce qui se passait autour d'elle. Que les cris qui s'élevaient de la plage aient été pour elle ou contre elle, elle n'aurait pu les remarquer.

Elle sortait de la mer comme si elle en était née.

V

La conservatrice des mousses

27

Alma Whittaker arriva en Hollande à la mi-juillet 1854.

Elle était restée en mer pendant plus d'un an. Cela avait été un voyage absurde – ou plutôt, une *série* de voyages absurdes. Elle avait quitté Tahiti à la mi-avril de l'année précédente, à bord d'un navire de fret français à destination de la Nouvelle-Zélande. Elle avait été forcée d'attendre deux mois à Auckland avant de trouver un navire marchand hollandais qui accepte de la prendre à son port jusqu'à Madagascar, qu'elle avait rallié en compagnie d'un imposant chargement de vaches et de moutons. De Madagascar, elle avait fait voile vers Le Cap sur un *fluyt* hollandais, une véritable antiquité qui incarnait la perfection de la technologie marine du XVIIe siècle. (Cela avait été la seule partie du voyage où elle avait vraiment cru frôler la mort.) Depuis Le Cap, elle avait lentement remonté la côte occidentale de l'Afrique en faisant étape pour changer de navire dans les ports d'Accra et de Dakar. À Dakar, elle trouva un autre navire marchand hollandais qui allait d'abord à Madère, puis à Lisbonne, et traversait le golfe de Gascogne et la Manche jusqu'à

Rotterdam. À Rotterdam, elle acheta un billet sur un paquebot à vapeur (le premier vapeur sur lequel elle était jamais montée), qui longea la côte hollandaise et descendit jusqu'au bout du Zuiderzee pour gagner Amsterdam. Et c'est là, le 18 juillet 1854, qu'elle débarqua enfin.

Son voyage aurait pu être plus rapide et plus facile, si elle n'avait pas eu Roger le chien avec elle. Mais elle l'avait emmené, car lorsque le moment était venu de quitter enfin Tahiti, elle s'était trouvée moralement incapable de le laisser. Qui prendrait soin du désagréable Roger, si elle n'était plus là ? Qui prendrait le risque de se faire mordre, afin de le nourrir ? Elle ne pouvait être entièrement certaine que le contingent Hiro ne mangerait pas Roger une fois qu'elle serait partie. (Roger n'aurait pas donné grand-chose à manger ; cependant, elle ne supportait pas de l'imaginer tournant sur une broche.) Mais surtout, c'était le dernier lien tangible avec son mari. Roger s'était probablement trouvé dans le *faré* quand Ambrose était mort. Alma imaginait le fidèle petit chien montant la garde au milieu de la pièce durant les dernières heures d'Ambrose, repoussant de ses aboiements les fantômes et démons et toutes les horreurs qui accompagnent un extraordinaire désespoir. Rien que pour cela, elle était tenue par l'honneur de le garder.

Malheureusement, peu de capitaines de navires accueillent avec bienveillance à leur bord les désagréables petits chiens insulaires affligés et bossus. La plupart avaient purement et simplement refusé et étaient partis sans Alma, la retardant considérablement dans son voyage. Même quand ils n'avaient pas refusé, Alma avait parfois dû payer la place de Roger. Elle l'avait fait. Elle avait fendu un ourlet de plus de sa robe de voyage et sorti les pièces d'or, une à une. Il fallait toujours avoir de quoi payer en dernier recours.

Alma ne se plaignit pas de la pesante longueur de son voyage, pas le moins du monde. En fait, chaque heure en fut bienvenue, et elle accueillit avec bonheur ces longs moins d'isolement sur des navires inconnus et dans des ports étrangers. Après avoir manqué de mourir noyée dans la baie de Matavai durant cette violente partie de *haru raa puu*, Alma avait entrevu une idée très particulière et elle ne voulait pas être dérangée dans ses réflexions. L'idée l'avait frappée quand elle était sous l'eau avec une telle force qu'elle s'était ancrée en elle et refusait d'en partir. Alma n'aurait su dire si c'était l'idée qui la poursuivait ou l'inverse. Parfois, l'idée ressemblait à une créature dans le recoin d'un rêve – qui se rapproche, disparaît, puis réapparaît. Elle s'occupait de l'idée toute la journée, en griffonnant vigoureusement des notes page après page. Même la nuit, son esprit suivait la piste de cette idée si inlassablement qu'elle se réveillait d'heure en heure avec le besoin de s'asseoir dans son lit et d'écrire encore.

Il convient de préciser que l'écriture n'était pas le fort d'Alma, même si elle avait déjà publié deux – presque trois – livres. Elle n'avait jamais prétendu avoir de talent littéraire. Ses livres sur les mousses n'étaient pas quelque chose que l'on puisse lire par plaisir, et ils n'étaient même pas à proprement parler *lisibles*, sauf pour un petit cercle de bryologistes. Son grand talent était celui de taxonomiste, avec une mémoire infinie pour la différenciation des espèces et un violent souci du détail. Décidément, elle n'était pas une conteuse. Mais depuis cet après-midi où elle avait lutté pour regagner la surface à la baie de Matavai, Alma était convaincue qu'elle avait désormais une histoire importante à raconter. Ce n'était pas une histoire joyeuse, mais elle expliquait beaucoup de choses sur le monde naturel. D'ailleurs, croyait-elle, elle expliquait tout.

Voici l'histoire qu'Alma voulait raconter : le monde naturel est le théâtre d'une épuisante brutalité où les espèces, grandes comme petites, rivalisent pour survivre. Dans cette lutte pour l'existence, les forts subsistent, les faibles sont éliminés.

En soi, ce n'était pas une idée originale. Des scientifiques utilisaient l'expression « lutte pour la vie » depuis de nombreuses décennies. Thomas Malthus s'en était servi pour décrire les forces qui façonnaient les explosions et effondrements démographiques à travers l'histoire. Owen et Lyell l'avaient aussi utilisée dans leurs travaux sur l'extinction et la géologie. La lutte pour la vie était, en tout cas, une évidence. Mais l'histoire d'Alma avait un petit quelque chose en plus. Alma formulait l'hypothèse – et elle en était venue à la croire – que la lutte pour la vie ne se contentait pas de *caractériser* la vie sur terre : elle l'avait *créée.* Elle avait incontestablement créé l'éblouissante diversité de vie sur terre. La lutte était le mécanisme. La lutte était l'explication derrière tous les mystères biologiques les plus troublants : différenciation, extinction et transformation des espèces. La lutte expliquait tout.

La planète était un lieu aux ressources limitées. La compétition pour ces ressources était fébrile et constante. Les individus qui parvenaient à supporter les épreuves de la vie y arrivaient généralement en raison de quelque trait ou mutation qui les avait rendus plus hardis, plus astucieux, plus inventifs ou résistants que d'autres. Une fois cette avantageuse différentiation atteinte, les individus survivants étaient capables de transmettre leurs traits bénéfiques à leur descendance, qui était dès lors en mesure de savourer les conforts de la domination – du moins jusqu'à ce que quelque concurrent supérieur entre en lice ou qu'une ressource nécessaire disparaisse. Durant le cours de cette lutte sans fin pour la survie, la forme même des espèces changeait inévitablement.

L'idée d'Alma s'apparentait à ce que l'astronome William Herschel avait appelé « création continue » – la notion de quelque chose d'à la fois éternel et en développement. Mais Herschel avait cru que la création ne pouvait être continue qu'à l'échelle du cosmos, alors qu'Alma pensait désormais que la création était continue *partout*, à tous les niveaux de la vie, même microscopique, même humain. Les défis étaient omniprésents et, à chaque instant, les conditions du monde naturel changeaient. Des avantages étaient obtenus, d'autres perdus. Il y avait des périodes d'abondance, suivies de périodes de *hia'ai* – la saison de la disette. Dans des circonstances défavorables, n'importe quoi était susceptible d'extinction. Mais dans les bonnes circonstances, tout était susceptible de transformation.

Extinction et transformation avaient lieu depuis l'aube de la vie, elles continuaient de se produire en ce moment, et continueraient jusqu'à la fin des temps – et si ce n'était pas cela, une « création continue », Alma ne savait pas ce que c'était.

Le combat pour l'existence, elle en était certaine, avait aussi façonné la biologie et la destinée humaines. Il n'y avait pas de meilleur exemple, estimait Alma, que Demain Matin, dont toute la famille avait été anéantie par des maladies inconnues importées par les Européens à Tahiti. Sa lignée avait *failli* s'éteindre mais, pour une raison quelconque, Demain Matin n'était pas mort. Quelque chose dans sa constitution lui avait permis de survivre, alors même que la Mort venait faucher à tours de bras et prenait tous ceux qui l'entouraient. Demain Matin avait tenu bon, cependant, et il avait donné naissance à une descendance qui hériterait certainement de ses forces et de son extraordinaire résistance à la maladie. Tel est le genre d'événement qui façonne une espèce.

Qui plus est, se disait Alma, la lutte pour la vie définissait aussi la vie *intérieure* d'un être humain. Demain Matin était un païen qui s'était transformé en chrétien dévot – car, astucieux et doué d'instinct de survie, il avait vu la direction que prenait le monde. Il avait choisi l'avenir au lieu du passé. En raison de cette prévoyance, les enfants de Demain Matin s'épanouiraient dans un monde nouveau où leur père était révéré et puissant. (Ou du moins, ses enfants s'épanouiraient jusqu'à ce qu'une nouvelle vague de défis déferle sur eux. Là, ils devraient se débrouiller par eux-mêmes. Ce serait leur combat et personne ne pourrait le leur épargner.)

D'un autre côté, il y avait Ambrose Pike, un homme que Dieu avait quatre fois béni du génie, de l'originalité, de la beauté et de la grâce – mais qui n'avait simplement pas le don de résistance. Ambrose avait mal interprété le monde. Il aurait voulu que le monde soit un paradis, alors que c'est en réalité un champ de bataille. Il avait passé sa vie à désirer l'éternel, le constant et le pur. Il désirait une alliance éthérée d'anges, mais il était lié – comme chacun et chaque chose – par les dures lois de la nature. En outre, comme le savait fort bien Alma, ce n'était pas toujours celui qui était le plus beau, brillant, original ou gracieux qui survivait dans la lutte pour l'existence : parfois, c'était le plus dénué de scrupules, le plus chanceux ou peut-être simplement le plus têtu.

L'astuce, à chaque tournant, était d'endurer l'épreuve de la vie le plus longtemps possible. Les chances de survie étaient effroyablement minces, car le monde n'était rien d'autre qu'une horde de calamités et un chaudron d'épreuves qui bouillonnait sans fin. Mais ceux qui survivaient à ce monde le façonnaient – en même temps que le monde les façonnait.

Alma baptisa son idée « théorie de l'altération compétitive » et elle crut qu'elle pourrait la prouver. Naturellement, elle ne pouvait pas le faire en usant des exemples de Demain Matin et d'Ambrose Pike, même s'ils allaient en demeurer éternellement dans son imaginaire les personnages romantiques et démesurés qui l'illustraient. Le simple fait de les mentionner aurait été antiscientifique.

Cependant, elle pouvait y parvenir avec les mousses.

Alma écrivait copieusement et rapidement. Elle ne perdait pas de temps à corriger, mais déchirait simplement les anciens brouillons et recommençait du début, presque tous les jours. Elle ne pouvait pas ralentir l'allure ; cela ne l'intéressait pas de ralentir l'allure. Comme l'ivrogne – capable de courir sans tomber, mais pas de *marcher* sans tomber –, Alma ne pouvait progresser dans son idée qu'à toute allure et à l'aveuglette. Elle avait peur de ralentir et d'écrire plus précautionneusement, car elle craignait de trébucher, de perdre son courage ou – pire ! – de perdre son idée.

Pour raconter son histoire – celle de la transformation des espèces, telle qu'elle était démontrable à travers l'histoire des mousses –, Alma n'avait pas besoin de notes ni d'accéder à son ancienne bibliothèque de Whittaker ni à son herbier. Elle n'avait besoin de rien de tout cela, car elle avait dans l'esprit un vaste panorama de la taxonomie des mousses qui remplissait jusqu'aux tréfonds de son crâne de faits et de détails parfaitement enregistrés. Elle connaissait aussi sur le bout des doigts (ou plutôt sur le bout des doigts de son esprit) tout ce qui avait déjà été écrit au cours du siècle précédent sur le sujet de la métamorphose des espèces et de l'évolution géologique. Son esprit était un impressionnant entrepôt où s'alignaient d'interminables rayonnages envahis de milliers de livres et de caisses rangées jusqu'à l'infini par ordre alphabétique.

Elle n'avait pas besoin de bibliothèque ; elle *était* une bibliothèque.

Durant les premiers mois de son voyage, elle rédigea et re-rédigea les principes fondamentaux qui guidaient sa théorie, avant d'estimer qu'elle l'avait correctement et irréductiblement distillée dans les dix suivants :

1) La distribution des terres et des eaux à la surface de la terre n'a pas toujours été ce qu'elle est aujourd'hui.

2) D'après les fossiles, les mousses semblent avoir traversé toutes les ères géologiques depuis l'aube de la vie.

3) Les mousses semblent avoir traversé toutes ces ères géologiques à travers un processus de changement adaptatif.

4) Les mousses peuvent modifier leur destinée soit en modifiant leur emplacement (c'est-à-dire en se déplaçant vers un climat plus favorable), soit en modifiant leur structure interne (c'est-à-dire par transformation).

5) La transformation des mousses s'est exprimée dans le temps par une appropriation et un abandon quasi infini de caractéristiques, menant à des adaptations telles que : résistance accrue à la sécheresse, dépendance réduite au rayonnement solaire direct et capacité à revivre après des années de sécheresse.

6) La vitesse de changement au sein des colonies de mousses et l'étendue de ce changement sont telles qu'elles tendent à indiquer un changement perpétuel.

7) La compétition et la lutte pour l'existence est le mécanisme qui sous-tend cet état de changement perpétuel.

8) La mousse était certainement une créature différente avant d'être mousse (très probablement une algue).

9) La mousse – alors que le monde continue de se transformer – pourrait devenir une créature tout à fait différente avec le temps.

10) Ce qui est vrai des mousses doit être vrai de toutes les créatures vivantes.

La théorie d'Alma paraissait audacieuse et dangereuse – même à ses propres yeux : elle savait qu'elle était dans un territoire traître – non seulement d'un point de vue religieux (bien que cela ne la préoccupât guère), mais aussi d'un point de vue scientifique. Alors qu'elle avançait vers sa conclusion comme une alpiniste, elle savait qu'elle courait le risque de tomber dans le piège qui avait englouti tant de grands penseurs français au cours des siècles – nommément le piège de *l'esprit de système**, où l'on rêve quelque gigantesque et étourdissante explication universelle et où l'on s'efforce ensuite de plier faits et raison à cette explication, que ce soit logique ou non. Mais Alma était certaine que sa théorie *était* logique. Le tout serait de le prouver dans son texte.

Un navire était un endroit aussi bien qu'un autre pour écrire – et plusieurs navires successifs se déplaçant lourdement sur les mers désertes, c'était encore mieux. Rien ne dérangeait Alma. Roger le chien dormait dans le coin de sa cabine et la regardait travailler, haletant, se grattant, l'air souvent affreusement déçu par l'existence – mais il aurait fait la même chose où qu'ils se fussent trouvés. La nuit, il lui arrivait de grimper sur son lit et de dormir contre ses jambes. Parfois, il réveillait Alma avec ses petits geignements.

Il arrivait qu'Alma aussi laisse échapper de petits geignements dans la nuit. Tout comme lors de son premier voyage en mer, elle se rendit compte que ses rêves avaient toute la force de la vérité et qu'Ambrose Pike y occupait une grande place. Mais désormais, Demain Matin y faisait lui aussi de fréquentes apparitions – se fondant même parfois avec Ambrose pour former d'étranges et sensuelles chimères : la tête d'Ambrose sur le corps de Demain Matin ; la voix de Demain Matin dans la bouche d'Ambrose ; l'un, durant l'acte sexuel avec Alma, se transformant soudain en l'autre. Mais ce n'étaient pas seulement Ambrose et Demain Matin qui se mélangeaient dans ces rêves étranges – *tout* semblait fusionner. Dans les rêveries nocturnes les plus saisissantes d'Alma, le vieux cabinet de reliure de White Acre se transformait en une caverne moussue, ses écuries devenaient une minuscule mais agréable chambre de l'asile Griffon ; les prairies parfumées de Philadelphie devenaient des champs de sable noir et chaud ; Prudence était soudain revêtue des habits de Hanneke ; sœur Manu s'occupait des buis du jardin euclidien de Beatrix Whittaker ; Henry Whittaker pagayait sur la Schuylkill dans une minuscule pirogue polynésienne.

Si surprenantes qu'aient pu être ces images, ces rêves ne dérangeaient pas Alma. Au contraire, ils lui procuraient une sensation tout à fait étonnante de synthèse – comme si tous les éléments les plus disparates de sa biographie se raccordaient enfin les uns aux autres. Toutes les choses qu'elle avait connues ou aimées dans le monde s'unissaient en *une*. Se rendre compte de cela la soulagea et lui procura un sentiment de triomphe. Elle eut de nouveau la sensation qu'elle n'avait connue qu'une seule fois jusque-là, dans les semaines précédant son mariage avec Ambrose – de vivre tout à fait intensément. Pas seulement de vivre, mais d'être dotée d'un esprit qui fonctionnait au summum de sa capacité – un esprit qui voyait tout et comprenait tout, comme si elle contemplait tout depuis la plus haute crête du monde.

Elle se réveillait, hors d'haleine, et se remettait aussitôt à écrire.

Ayant déjà fixé les dix principes guidant son audacieuse théorie, Alma mobilisa toute son énergie et écrivit l'histoire des guerres des mousses de White Acre. Elle rédigea l'histoire des vingt-six ans qu'elle avait passés à observer l'avancée et le recul de colonies de mousses concurrentes sur un affleurement de rochers à l'orée de la forêt. Elle s'attacha plus particulièrement au genre *Dicranum*, qui faisait montre de l'éventail de variations le plus large dans la famille des mousses. Alma connaissait des espèces de *Dicranum* qui étaient courtes et simples, et d'autres qui étaient ornées de franges exotiques. Il y avait des espèces à feuilles droites, d'autres qui étaient tordues, d'autres qui ne vivaient que sur des souches pourries près des pierres, d'autres qui réclamaient les sommets les plus ensoleillés des hauts rochers, d'autres qui proliféraient dans les flaques d'eau, et une qui poussait avec le plus grand entrain près des crottes de cerfs de Virginie.

Au cours de ses dizaines d'années d'observation, Alma avait remarqué que les espèces de *Dicranum* les plus semblables étaient celles qui se trouvaient à proximité l'une de l'autre. Elle avançait que ce n'était pas accidentel – que les rigueurs de la concurrence pour la lumière solaire, la terre et l'eau avaient forcé les plantes, au cours des millénaires, à évoluer en d'infimes adaptations qui les avantageaient imperceptiblement par rapport à leurs voisines. C'est pourquoi trois ou quatre variétés de *Dicranum* pouvaient exister simultanément sur un même rocher ; elles avaient trouvé leur propre niche dans cet environnement confiné et comprimé et elles défendaient désormais leur territoire individuel avec de légères adaptations. Ces adaptations n'avaient pas à être extraordinaires (les mousses n'avaient pas besoin de se faire pousser des fleurs, des fruits ou des ailes ; elles avaient simplement besoin d'être *assez* différentes pour dominer les rivales – et aucun rival sur terre n'est plus menaçant que celui qui vous frôle). La guerre la plus urgente est celle que l'on mène chez soi.

Alma raconta avec un luxe de détails des batailles dont les victoires et les défaites se mesuraient en pouces et qui se déroulaient sur des dizaines d'années. Elle raconta comment des modifications météorologiques sur ces périodes avaient donné l'avantage à une variété sur une autre, comment des oiseaux avaient changé la destinée de la mousse et comment, quand le vieux chêne près de la clôture de la prairie était tombé et que le cycle d'ombre et de lumière avait été modifié du jour au lendemain, tout l'univers de l'affleurement rocheux avait changé.

Elle écrivit : « Plus grande est la crise, plus rapide est, semble-t-il, l'évolution. »

Elle écrivit : « Toutes les transformations semblent être mues par le désespoir et l'urgence. »

Elle écrivit : « La beauté et la variété du monde naturel sont tout au plus les témoignages visibles d'une guerre infinie. »

Elle écrivit : « Le vainqueur gagne – jusqu'au moment où il ne gagne plus. »

Elle écrivit : « Cette existence est une expérience hésitante et difficile. Parfois, il y aura une victoire après la souffrance, mais rien n'est promis. L'individu le plus précieux ou le plus beau peut ne pas être le plus résistant. Le combat de la nature n'est pas marqué par le mal, mais par cette unique loi naturelle, puissante et indifférente : il y a simplement trop de formes de vie et pas assez de ressources pour qu'elles survivent toutes. »

Elle écrivit : « Un combat continuel entre espèces et en leur sein est inévitable, comme l'est la mort, comme l'est la modification biologique. L'évolution est une mathématique brutale et la longue route du temps est jonchée des restes fossiles d'incalculables expériences qui ont échoué. »

Elle écrivit : « Ceux qui sont mal préparés à mener cette lutte pour la survie ne devraient, pour commencer, peut-être jamais avoir tenté de vivre. L'unique crime impardonnable est de couper court à l'expérience de sa vie avant sa fin naturelle. Agir ainsi est une faiblesse regrettable, car l'expérience de la vie s'interrompt déjà assez vite, dans tous les cas, et on peut tout aussi bien avoir le courage et la curiosité de demeurer dans la bataille jusqu'à ce que survienne l'inévitable décès. Tout ce qui est moins qu'un combat pour survivre est lâche. Tout ce qui est moins qu'un combat pour survivre est un refus de la grande alliance de la vie. »

Parfois, elle devait raturer des pages entières de son travail, quand elle levait le nez de sa table et qu'elle se rendait compte que des heures avaient passé et qu'elle n'avait pas cessé un instant de griffonner, mais qu'elle ne parlait plus vraiment des mousses.

Alors, elle allait faire un rapide tour sur le pont du navire – quel qu'il fût – avec Roger le chien sur ses talons. Ses mains tremblaient et son cœur battait d'émotion. Elle s'éclaircissait l'esprit et les poumons, puis elle réfléchissait à sa situation. Après quoi, elle retournait dans sa cabine, s'asseyait devant une nouvelle feuille vierge et commençait à tout réécrire.

Elle répéta cet exercice des centaines de fois, pendant près de quatorze mois.

Quand Alma arriva à Rotterdam, sa thèse était quasiment achevée. Elle ne la considérait pas comme entièrement terminée, car quelque chose y manquait encore. La créature des recoins de son rêve continuait de la regarder fixement, insatisfaite et troublée. Cette impression d'inachevé la rongeait et elle résolut de ne pas renoncer à cette idée tant qu'elle ne l'aurait pas conquise. Cela dit, elle était convaincue que la majeure partie de sa théorie était d'une irréfutable justesse. Si elle ne se trompait pas dans ses réflexions, elle avait dans la main un texte scientifique de quarante pages plutôt révolutionnaire. Et si elle se trompait ? Eh bien, dans ce cas, elle avait – à tout le moins – rédigé une description de la vie et de la mort d'une colonie de mousses de Philadelphie plus détaillée que n'en verrait jamais le monde scientifique.

À Rotterdam, elle se reposa quelques jours dans l'unique hôtel qu'elle trouva qui acceptât la présence de Roger. Le chien et elle avaient arpenté la ville presque tout l'après-midi dans la vaine quête d'un logement. Au fur et à mesure, elle s'était de plus en plus irritée des regards aigres que leur jetaient les employés des hôtels. Elle ne pouvait s'empêcher de penser que si Roger avait été un chien plus beau, ou plus charmant, elle n'aurait pas eu autant de problèmes à trouver une chambre. Alma trouva cela terriblement injuste, car elle en était venue à considérer le petit bâtard orange comme noble à sa manière. Ne venait-il pas de traverser le monde ? Combien de ces sourcilleux employés d'hôtels pouvaient en dire autant ? Mais sans doute en allait-il ainsi de la vie : préjugés, ignominie et autres.

Quant à l'hôtel qui les accepta, c'était un endroit sordide, tenu par une vieille femme aux yeux chassieux, qui jeta un regard à Roger par-dessus son comptoir et déclara :

— J'ai eu autrefois un chat qui lui ressemblait. (*Doux Jésus !* songea Alma horrifiée à l'idée d'un pareil bestiau.) Vous n'êtes pas une putain, n'est-ce pas ? demanda la femme, préférant être certaine.

Cette fois, Alma prononça son « Doux Jésus ! » à voix haute. Elle ne put tout bonnement s'en empêcher. Sa réponse sembla satisfaire la tenancière.

Le miroir terni de la chambre révéla à Alma qu'elle n'avait pas l'air beaucoup plus civilisée que Roger. Elle ne pouvait pas arriver à Amsterdam avec cette allure. Sa garde-robe tombait en ruine. Ses cheveux, qui n'avaient cessé de blanchir, étaient eux aussi une pitoyable ruine. Il n'y avait rien à faire pour les cheveux, mais au cours des jours suivants, elle se fit rapidement faire plusieurs robes neuves. Elles n'avaient rien de raffiné (elle fit copier le modèle original de Hanneke, si pratique) mais au moins, elles étaient neuves, propres et intactes. Elle acheta des souliers neufs. Elle s'assit dans un parc et écrivit de longues lettres à Prudence et à Hanneke, les prévenant qu'elle avait atteint la Hollande et qu'elle avait l'intention d'y demeurer indéfiniment.

Elle n'avait presque plus d'argent. Il lui restait encore un peu d'or cousu dans ses ourlets déchirés, mais pas beaucoup. Elle n'avait gardé que très peu de l'héritage de son père et, à présent, après ces dernières années de voyage, la majeure partie de son modeste pécule avait été dépensée, une précieuse pièce après l'autre. Ce qui lui restait était à peine suffisant pour payer les plus simples exigences de la vie. Bien sûr, elle savait qu'elle pouvait obtenir davantage d'argent, en cas d'urgence. Elle pouvait entrer dans n'importe quelle agence des quais de Rotterdam et – grâce au nom de Dick Yancey et à l'héritage de son père – obtenir un prêt garanti par la fortune Whittaker. Mais elle ne désirait pas faire cela. Elle n'avait pas l'impression que cette fortune était légitimement la sienne. Elle s'en faisait une affaire personnelle de la plus haute importance : elle devait faire son chemin seule dans le monde.

Les lettres ayant été postées et une nouvelle garde-robe acquise, Alma et Roger quittèrent Rotterdam en bateau à vapeur – de loin la partie la plus facile de leur voyage – pour gagner le port d'Amsterdam. À leur arrivée, Alma laissa ses bagages dans un modeste hôtel près des quais et engagea un cocher (qui, pour la somme supplémentaire de vingt *stuivers*, fut finalement persuadé de prendre Roger comme passager). La voiture les conduisit jusqu'au calme quartier de Plantage, devant les grilles du Hortus botanicus.

Alma descendit dans les rayons obliques du soleil couchant devant les hauts murs de brique du jardin botanique. Roger était à ses côtés ; sous son bras, elle avait un paquet enveloppé de papier kraft. Un jeune homme en uniforme de garde se tenait devant la grille et Alma s'approcha, lui demandant dans son néerlandais courant si le directeur était là aujourd'hui. Le jeune homme confirma que le directeur était en effet là, car il venait travailler tous les jours de l'année.

Alma sourit. *Naturellement que oui,* songea-t-elle.

— Serait-il possible de lui parler ? demanda-t-elle.

— Puis-je vous demander qui vous êtes et ce que cela concerne ? demanda le jeune homme en leur jetant à l'un et à l'autre un regard réprobateur.

Elle ne trouva rien à redire à ses questions, mais elle n'apprécia certainement pas son ton.

— Je m'appelle Alma Whittaker et cela concerne l'étude des mousses et la transformation des espèces, dit-elle.

— Et pourquoi le directeur désirerait-il vous voir ? demanda le garde.

Elle se redressa de toute sa formidable hauteur et, comme une *rauti*, se lança avec prestance dans une récitation de sa lignée.

— Mon père était Henry Whittaker, que certains dans votre pays appelaient le Prince du Pérou. Mon grand-père paternel était le Magicien des pommes de Sa Majesté le roi George III d'Angleterre. Mon grand-père maternel était Dirk van Devender, un maître en matière d'aloès d'agrément, et le directeur de ces jardins pendant trente et quelques années – une fonction qu'il avait héritée de son père, qui l'avait héritée du sien, et ainsi de suite depuis la fondation originelle de *cette* institution en 1638. Votre actuel directeur est, je crois, un homme du nom de Dr Dees van Devender. C'est mon oncle. Sa sœur aînée s'appelait Beatrix van Devender. C'était ma mère, et une virtuose en matière de botanique euclidienne. Ma mère est née, si je ne m'abuse, juste au coin de l'endroit où vous vous tenez, dans une maison privée hors les murs du Hortus, où sont nés tous les Devender depuis le milieu du XVIIe siècle. (Le garde resta bouche bée.) Si cela représente un trop grand nombre d'informations à retenir, jeune homme, conclut-elle, vous pouvez simplement dire à mon oncle Dees que sa nièce d'Amérique aimerait beaucoup faire sa connaissance.

28

Dees van Devender fixa Alma depuis l'autre côté d'une table encombrée dans son bureau.

Alma le laissa faire. Son oncle ne lui avait pas dit un mot depuis qu'elle avait été introduite dans son bureau quelques minutes plus tôt, pas plus qu'il ne l'avait invitée à prendre un siège. Il n'était pas impoli ; il était simplement hollandais et en conséquence prudent. Il la jaugeait. Roger, assis à côté d'Alma, avait l'air d'une petite hyène cagneuse. Oncle Dees considéra également le chien. D'une manière générale, Roger n'aimait pas qu'on le regarde. Normalement, quand des inconnus regardaient Roger, il leur tournait le dos, baissait la tête et soupirait d'un air souffreteux. Mais soudain, Roger eut le plus étrange comportement qui fût. Il quitta le côté d'Alma, passa sous la table et posa le menton sur les pieds du Dr van Devender. Alma n'avait jamais rien vu de tel. Elle allait faire une remarque sur la question, mais son oncle – qui se souciait bien peu du cabot reposant sur ses souliers – prit la parole.

— *Je hoeft er niet uit als je moeder.*

Vous ne ressemblez pas à votre mère.

— Je sais, répondit Alma en hollandais.

— Vous ressemblez exactement à cet homme qui était votre père.

Alma hocha la tête. Elle comprit à son intonation que ce n'était pas un argument en sa faveur, cette ressemblance avec Henry Whittaker. Cela dit, cela ne l'avait jamais été.

Il continua de la dévisager. Elle le dévisagea à son tour. Elle était aussi fascinée par son visage que lui l'était par le sien. Si Alma ne ressemblait pas à Beatrix Whittaker, cet homme, en revanche, *si*. C'était une ressemblance des plus marquées – une copie du visage de sa mère, mais plus âgé, masculin, avec une barbe et, pour l'heure, soupçonneux. (Eh bien, à vrai dire, l'air soupçonneux ne faisait que souligner la ressemblance.)

— Qu'est devenue ma sœur ? demanda-t-il. Nous avons appris l'ascension de votre père – tout le monde l'a su dans le monde de la botanique européenne – mais nous n'avons plus jamais eu de nouvelles de Beatrix.

Pas plus qu'elle n'en a eu de vous, songea Alma, sans rien en dire. Elle n'en voulait pas vraiment à quiconque à Amsterdam de ne jamais avoir tenté de communiquer avec Beatrix depuis – quand était-ce ? – 1792. Elle savait comment étaient les Devender : butés. Cela n'aurait jamais marché. Sa mère n'aurait jamais cédé.

— Ma mère a eut une vie prospère, répondit Alma. Elle a été satisfaite. Elle a fait un jardin classique des plus remarquables, très admiré de tout Philadelphie. Elle a travaillé aux côtés de mon père dans le commerce de botanique, jusqu'à son décès.

— Qui a eu lieu quand ? demanda-t-il d'un ton qui n'aurait pas détonné chez un officier de police.

— En août 1820, répondit-elle.

Une grimace se peignit sur le visage de son oncle quand il entendit la date.

— Il y a si longtemps, dit-il. Trop jeune.

— Elle est morte subitement, mentit Alma. Elle n'a pas souffert.

Il la regarda un peu plus longtemps, puis il but une longue gorgée de café et prit une bouchée de *wentelteefje* sur l'assiette posée devant lui. Manifestement, elle avait interrompu sa petite collation du soir. Elle aurait presque tout donné pour goûter à ces *wentelteefjes*. Ils avaient l'air aussi délicieux que leur odeur. Quand avait-elle mangé la dernière fois du pain perdu à la cannelle ? Probablement la dernière fois que Hanneke lui en avait préparé. Le parfum la remplit d'une faiblesse nostalgique. Mais l'oncle Dees ne lui proposa pas de café et encore moins un peu de ses magnifiques *wentelteefjes* dorés.

— Voudriez-vous que je vous apprenne quoi que ce soit sur votre sœur ? demanda enfin Alma. Je crois que vos souvenirs d'elle datent de l'enfance. Je pourrais vous raconter quelques anecdotes, si vous le désirez.

Il ne répondit pas. Elle essaya de l'imaginer tel que Hanneke l'avait toujours décrit – un gentil garçon de dix ans – pleurant quand sa sœur aînée lui avait été enlevée pour partir en Amérique. Hanneke avait bien des fois raconté à Alma que Dees s'était agrippé aux jupes de Beatrix et qu'il avait fallu l'en arracher. Elle lui avait aussi raconté que Beatrix avait grondé son petit frère en lui disant que le monde ne devait plus jamais voir ses larmes. Alma avait du mal à se le représenter. Il paraissait affreusement âgé, désormais, et affreusement sérieux.

— J'ai grandi entourée de tulipes hollandaises, dit-elle. Les descendantes des bulbes du Hortus que ma mère avait apportées à Philadelphie. (Il ne parla pas davantage. Roger soupira, remua et se blottit encore plus contre les jambes de Dees. Au bout d'un moment, Alma changea de tactique.) Je dois aussi vous dire que Hanneke de Groot est toujours en vie. Je crois que vous l'avez connue il y a longtemps.

À présent, une nouvelle expression s'était peinte sur le visage du vieil homme : l'émerveillement.

— Hanneke de Groot ! s'extasia-t-il. Cela fait des années que je n'ai pas pensé à elle. Hanneke de Groot ? Imaginez…

— Hanneke est robuste et en bonne santé, vous serez heureux de l'apprendre, dit Alma. (C'était un peu un vœu pieux, car Alma n'avait pas vu Hanneke depuis presque trois ans.) Elle est restée la gouvernante en chef de la propriété de feu mon père.

— Hanneke était la servante de ma sœur, dit Dees. Elle était si jeune quand elle est arrivée chez nous. Elle a été une sorte de nourrice pour moi, pendant un temps.

— Oui, dit Alma. Elle a été une sorte de nourrice pour moi aussi.

— Alors nous avons tous les deux eu de la chance, dit-il.

— J'en conviens. Je considère que c'est l'un des plus grands bonheurs de ma vie d'avoir passé ma jeunesse auprès de Hanneke. Elle m'a formée, presque autant que mes propres parents.

Les regards appuyés reprirent. Cette fois, Alma laissa le silence s'installer. Elle regarda son oncle prendre une fourchette de *wentelteefje* et la tremper dans son café. Il la savoura sans se presser, sans répandre une goutte ou une miette. Il fallait qu'elle sache où elle pourrait se procurer d'aussi splendides *wentelteefjes*.

Finalement, Dees s'essuya la bouche avec une serviette et déclara :

— Votre néerlandais n'est pas affreux.

— Je vous remercie, dit-elle. Je le parlais beaucoup, étant enfant.

— Comment vont vos dents ?

— Très bien, merci, dit Alma.

Elle n'avait rien à cacher à cet homme. Il hocha la tête.

— Les van Devender ont tous de bonnes dents.

— Un heureux héritage.

— Ma sœur a-t-elle eu d'autres enfants, à part vous ?

— Elle a eu une autre fille, adoptive. C'est ma sœur Prudence, qui dirige désormais une école dans l'ancienne propriété de mon père.

— Adoptive, dit-il d'un ton neutre.

— Ma mère n'a pas eu le bonheur d'être féconde, dit Alma.

— Et vous ? demanda-t-il. Avez-vous des enfants ?

— Comme ma mère, je n'ai pas eu le bonheur d'être féconde, dit Alma.

C'était considérablement éloigné de la réalité de la situation, mais au moins, cela répondait à la question.

— Un mari ? demanda-t-il.

— Décédé, hélas.

Oncle Dees hocha la tête, mais ne présenta aucune condoléance. Cela amusa Alma. Sa mère aurait réagi de la même manière. Les faits sont les faits. La mort est la mort.

— Et vous, monsieur ? se hasarda-t-elle. Y a-t-il une Mrs van Devender ?

— Décédée.

Elle hocha la tête, exactement comme il l'avait fait. C'était un peu pervers, mais elle appréciait tout dans cette conversation franche, sans ambages et décousue. Sans savoir où tout cela allait finir, ni si sa destinée était censée croiser ou non celle de ce vieil homme, elle avait l'impression d'être en territoire familier, ici – un territoire hollandais, celui des Devender. Cela faisait des siècles qu'elle ne s'était pas sentie autant chez elle.

— Combien de temps comptez-vous rester à Amsterdam ? demanda Dees.

— Indéfiniment, répondit Alma.

Il fut pris de court.

— Si vous êtes venue en quête de charité, dit-il, nous n'avons rien à vous offrir.

Elle sourit. *Oh, Beatrix,* songea-t-elle, *comme vous m'avez manquée pendant toutes ces années.*

— Je n'ai nul besoin de charité, dit-elle. Mon père m'a laissé suffisamment de bien.

— Alors quelles sont vos intentions pour votre séjour à Amsterdam ? demanda-t-il avec une circonspection non déguisée.

— J'aimerais travailler ici, au Hortus botanicus.

Là, il eut l'air sincèrement alarmé.

— Ciel ! dit-il. Et à quelle fonction ?

— Comme botaniste, dit-elle. Plus précisément, comme bryologiste.

— *Bryologiste ?* Mais que savez-vous donc des mousses ?

Là, Alma ne put s'empêcher de rire. C'était merveilleux, de rire. Elle ne se rappelait pas la dernière fois qu'elle avait ri. Elle rit tellement qu'elle dut cacher son visage dans ses mains. Ce spectacle ne sembla que troubler encore davantage son pauvre vieil oncle. Sa conduite ne plaidait pas en sa faveur.

Pourquoi s'était-elle imaginé que sa modeste réputation l'aurait précédée ? Oh, stupide orgueil !

Une fois qu'elle se fut reprise, elle s'essuya les yeux et lui sourit.

— Je sais que je vous ai pris par surprise, oncle Dees, dit-elle en prenant naturellement un ton plus chaleureux et familier. Veuillez me pardonner. J'aimerais que vous compreniez que je suis une femme indépendante, qui n'est pas venue ici déranger votre vie en aucune façon. Cependant, il se trouve que j'ai quelques compétences – tant comme érudite que comme taxonomiste –, ce qui pourrait être utile dans une institution comme la vôtre. Je peux dire sans réserves que je tirerais le plus grand plaisir et la plus grande satisfaction de pouvoir passer le reste de ma vie à travailler ici, en donnant mon temps et mon énergie à une institution qui a tenu une place aussi éminente tant dans l'histoire de la botanique que dans celle de ma famille. (Elle prit le paquet qu'elle avait gardé sous son bras et le posa sur le bord de la table.) Je ne vous demanderai pas de me croire sur parole concernant mes compétences, mon oncle, dit-elle. Ce paquet contient une théorie que j'ai récemment formulée, fondée sur des recherches que j'ai conduites au cours des trente dernières années de ma vie. Certaines des idées vous paraîtront plutôt hardies, mais je vous demande simplement de le lire avec un esprit ouvert – et, inutile de vous le dire, de conserver ces conclusions pour vous-même. Même si vous n'êtes pas d'accord avec elles, je pense que cela vous donnera un aperçu de mon savoir. Je vous demande de traiter ce document avec respect, car c'est tout ce que je possède et tout ce que je suis. (Il ne s'engagea pas.) Vous lisez l'anglais, je suppose ? demanda-t-elle.

Il haussa un blanc sourcil, comme pour dire : *Franchement, madame... un peu de respect.*

Avant qu'Alma lui confie son petit paquet, elle prit un crayon sur son bureau et demanda :

— Vous permettez ? (Il hocha la tête et elle écrivit quelque chose sur le paquet.) Voici le nom et l'adresse de l'hôtel où je suis descendue, près du port. Prenez votre temps pour lire ce document et faites-moi savoir si vous désirez me reparler. Si je n'ai pas de vos nouvelles d'ici à une semaine, je reviendrai ici reprendre ma thèse, je vous ferai mes adieux et j'irai mon chemin. Après cela, je vous promets que je ne vous importunerai plus, ni vous ni personne de la famille.

Tout en disant cela, elle regarda son oncle embrocher un autre petit morceau de *wentelteefje* sur sa fourchette. Plutôt que de la porter à sa bouche, cependant, il s'inclina sur le côté de son fauteuil et baissa lentement une épaule afin d'offrir la nourriture à Roger le chien – tout en gardant un œil sur Alma en faisant mine de l'écouter avec la plus grande attention.

— Oh, prenez garde…

Alma se pencha par-dessus la table avec inquiétude. Elle allait prévenir son oncle que ce chien avait la terrible habitude de mordre quiconque essayait de le nourrir, mais avant qu'elle ait pu parler, Roger avait levé sa petite tête difforme et – avec la délicatesse d'une dame bien élevée – pris du bout des dents le morceau de pain perdu à la cannelle.

— Eh bien… s'émerveilla Alma en reculant. (Mais comme son oncle n'avait toujours pas mentionné ouvertement le chien, Alma n'insista pas sur la question. Elle rajusta les plis de sa robe et se ressaisit.) Cela a sincèrement été un plaisir de faire votre connaissance, dit-elle. Cette entrevue a signifié pour moi bien plus que vous ne pourriez l'imaginer. Je n'ai encore jamais eu le plaisir de rencontrer un oncle, voyez-vous. J'espère que vous apprécierez mon texte et qu'il ne vous choquera pas trop. Bonne journée. (Il répondit avec un simple hochement de tête. Alma se dirigea vers la porte.) Allons, Roger, dit-elle sans se retourner. (Elle attendit, la porte ouverte, mais le chien ne bougea pas.) Roger, dit-elle d'un ton plus ferme en se retournant pour le regarder. Allons.

Cependant, le chien ne bougea pas des pieds de l'oncle Dees.

— Allez, le chien, dit celui-ci sans grande conviction ni bouger ne fût-ce que d'un pouce.

— Roger ! ordonna Alma en se penchant pour le regarder sous la table. Viens immédiatement, ne fais pas le sot !

Jamais elle n'avait eu besoin jusqu'ici de l'appeler : il l'avait toujours simplement suivie. Mais Roger coucha les oreilles en arrière et résista. Il ne voulait pas partir.

— Jamais il ne s'est comporté ainsi jusqu'ici, s'excusa-t-elle. Je vais le prendre.

Mais son oncle leva la main.

— Peut-être que ce petit bonhomme peut rester ici avec moi un soir ou deux, proposa-t-il nonchalamment, comme si cela n'avait aucune importance pour lui, dans un sens comme dans l'autre.

Il ne croisa même pas le regard d'Alma en disant cela. Il eut l'air – juste un bref instant – d'un garçonnet qui essaie de convaincre sa mère de lui permettre de garder un chien errant.

Ah, oncle Dees, songea-t-elle. *Maintenant, je te vois.*

— Bien sûr, dit-elle. Si vous êtes certain que cela ne vous ennuie pas ?

Dees haussa les épaules avec toute la nonchalance dont il était capable, et piqua un autre morceau de *wentelteefje.*

— Nous nous débrouillerons, dit-il en donnant de nouveau à manger au chien du bout de la fourchette.

Alma repartit d'un pas vif du Hortus botanicus en direction du port. Elle ne voulait pas prendre un fiacre : elle était bien trop surexcitée pour rester assise dans un attelage. Elle se sentait les mains vides et le cœur léger, un peu ébranlée et débordante de vie. Et elle avait faim. Elle ne cessait de se retourner pour guetter Roger, par habitude, mais il ne suivait pas derrière elle. Seigneur, elle venait de laisser son chien et l'œuvre de sa vie dans le bureau de cet homme après une entrevue d'à peine quinze minutes !

Quelle rencontre ! Quel risque !

Mais c'était un risque qu'elle devait prendre, car c'était là que voulait être Alma – sinon au Hortus, du moins à Amsterdam, ou en tout cas en Europe. L'hémisphère Nord lui avait énormément manqué durant son séjour dans les mers du Sud. Le changement des saisons et la lumière dure et vivifiante de l'hiver lui avaient manqué. Tout comme les rigueurs d'un climat froid et celles de l'esprit. Elle n'était tout simplement pas faite pour les tropiques – ni de teint ni de disposition. Certains adoraient Tahiti parce que c'était pour eux comme l'Éden – comme le commencement de l'Histoire –, mais Alma ne souhaitait pas vivre au commencement de l'Histoire ; elle voulait vivre dans cette période présente de l'humanité, au summum de l'invention et du progrès. Elle ne voulait pas résider sur une terre d'esprits et de fantômes, mais dans un monde de télégraphes, de trains, de progrès, de théories et de sciences, où les choses changeaient de jour en jour. Elle brûlait d'envie de travailler de nouveau dans un environnement sérieux et productif, entourée de gens sérieux et productifs. Elle recherchait le réconfort des rayonnages d'une bibliothèque, de collections de bocaux, de papiers qui ne seraient pas gâtés par les moisissures et de microscopes qui ne disparaîtraient pas la nuit. Elle brûlait de pouvoir lire les dernières publications scientifiques. Elle brûlait de retrouver des confrères.

Et, plus que tout, elle brûlait de retrouver une famille – et le genre de famille avec qui elle avait été élevée : vive, curieuse, provocatrice, intelligente. Elle voulait se sentir à nouveau une Whittaker entourée de Whittaker. Mais comme il n'y avait plus de Whittaker au monde (hormis Prudence Whittaker Dixon qui était occupée par son école, et hormis les rares membres du consternant et inconnu clan paternel qui n'étaient pas encore morts dans les prisons anglaises), elle voulait être auprès des van Devender.

S'ils voulaient bien d'elle.

Mais dans le cas contraire ? Eh bien, c'était le pari qu'elle prenait. Les van Devender – du moins ce qu'il en restait – ne se languissaient peut-être pas de sa compagnie aussi ardemment qu'elle de la leur. Peut-être qu'ils n'accueilleraient pas les contributions qu'elle proposait au Hortus. Peut-être la verraient-ils comme une intruse et une amatrice. Alma avait joué un coup risqué en laissant son traité à son oncle Dees. Sa réaction à son travail pouvait aller de l'ennui (*les mousses de Philadelphie ?*) à l'indignation religieuse (*la création continue ?*) et à l'inquiétude scientifique (*une théorie pour* l'intégralité *du monde naturel ?*). Alma savait que son texte risquait de la faire paraître irréfléchie, arrogante, naïve, anarchiste, dégénérée, et même un petit peu française. Pourtant, son texte était aussi – plus que tout autre chose – un portrait de ses capacités, et elle désirait que ceux de sa famille connaissent ses capacités, s'ils devaient jamais la connaître.

Cependant, si les van Devender et le Hortus botanicus éconduisaient Alma, elle était résolue à accuser le coup et à continuer tout de même. Peut-être s'installerait-elle malgré tout à Amsterdam, ou bien retournerait-elle à Rotterdam, ou encore à Leiden, pour vivre près de l'université. Et hormis la Hollande, il y avait toujours la France et l'Allemagne. Elle pouvait trouver une situation ailleurs, peut-être même dans un autre jardin botanique. C'était difficile pour une femme, mais pas impossible, surtout avec le nom de son père et l'influence de Dick Yancey pour lui accorder une certaine crédibilité. Elle connaissait tous les éminents professeurs de bryologie d'Europe ; beaucoup avaient été ses correspondants pendant des années. Elle pouvait les retrouver et demander à devenir l'assistante de quelqu'un. Sinon, elle pouvait toujours enseigner – pas au niveau universitaire, mais on pouvait toujours trouver un poste de gouvernante au sein d'une famille aisée quelque part. Si ce n'était la botanique, elle pouvait enseigner les langues. Dieu sait qu'elle en avait assez dans le crâne.

Elle marcha pendant des heures dans la ville. Elle n'était pas prête à retourner à l'hôtel. Elle ne s'imaginait pas dormir. Roger lui manquait, et en même temps, elle se sentait libérée de ne pas l'avoir sur ses talons. Comme elle n'avait pas encore en tête la topographie d'Amsterdam, elle erra, perdit et retrouva son chemin dans cette ville à l'étrange forme – le long de ce grand demi-cercle avec ses cinq canaux géants incurvés. Elle traversa canal sur canal par des dizaines de ponts dont elle ignorait les noms. Elle déambula le long du Herengracht, admirant les magnifiques demeures aux doubles cheminées et aux pignons en saillie. Elle passa devant le Palais. Elle trouva la poste principale. Elle trouva un café, où elle put enfin commander une assiette de *wentelteefjes* rien que pour elle, qu'elle mangea avec plus de plaisir qu'aucun repas de toute sa vie, tout en lisant un exemplaire plus très récent du *Lloyd's Weekly Newspaper* que quelque touriste britannique avait probablement laissé.

La nuit tomba et elle continua sa marche. Elle passa devant les vieilles églises et les nouveaux théâtres. Elle vit des tavernes, des boutiques d'alcool, des passages couverts et pire encore. Elle vit de vieux puritains en capes courtes et collerettes qui semblaient surgis de l'époque de Charles Ier. Elle vit de jeunes femmes aux bras nus qui faisaient signe aux hommes dans la pénombre des porches. Elle vit – et sentit – les conserveries de harengs. Elle vit les maisons-bateaux le long des canaux, avec leurs prospères jardins en pots et leurs chats errants. Elle traversa le quartier juif et vit les ateliers des tailleurs de diamants. Elle vit des hospices et des orphelinats, des imprimeries, des banques et des agences, et l'extraordinaire marché aux fleurs, fermé pour la nuit. Tout autour d'elle – même à cette heure tardive – elle sentait le bourdonnement du commerce.

Amsterdam – bâtie sur des pilotis dans la vase, protégée et entretenue par des pompes, des écluses, des valves, des dragues et des digues – parut moins à Alma une ville qu'un *moteur*, un triomphe du génie humain. Elle était l'endroit le plus artificiel qui se pût imaginer. Elle était la somme de l'intelligence humaine. Elle était parfaite. Alma ne voulait plus la quitter.

C'est longtemps après minuit qu'elle retourna finalement à l'hôtel. Ses souliers neufs lui avaient donné des ampoules. La tenancière répondit sans aménité aux coups qu'elle frappa si tard à la porte.

— Où est votre chien ? interrogea la femme.

— Je l'ai laissé à un ami.

— Humpf, fit la femme.

Elle n'aurait pas eu l'air plus réprobateur si Alma avait dit : « Je l'ai vendu à un gitan. » Elle lui tendit sa clé.

— Pas d'homme dans votre chambre cette nuit, n'oubliez pas.

Ni cette nuit ni aucune autre nuit, ma chère, songea Alma. *Mais merci à vous de l'avoir ne fût-ce qu'imaginé.*

Le lendemain matin, Alma fut réveillée quand on tambourina à sa porte. C'était sa vieille amie, la tenancière revêche de l'hôtel.

— Il y a une voiture qui vous attend, madame ! beugla la femme d'une voix pure comme le goudron.

Alma gagna lourdement la porte.

— Je n'attends aucune voiture, dit-elle.

— Eh bien, elle, elle vous attend, brailla la femme. Habillez-vous. Le bonhomme dit qu'il ne partira pas sans vous. Prenez vos bagages, qu'il a dit. Il a déjà payé pour votre chambre. Je ne sais pas pourquoi ces gens se sont mis en tête que je suis là pour faire leurs commissions.

Alma, l'esprit un peu brumeux, s'habilla et fit ses deux petits sacs. Elle prit le temps de faire son lit – soit par acquit de conscience, soit parce qu'elle traînait les pieds. *Quelle voiture ?* Venait-on l'arrêter ? L'expulser ? Était-ce quelque tour que l'on jouait aux touristes ? Mais elle n'était pas une touriste.

Elle descendit et trouva un cocher en livrée qui l'attendait à côté d'un modeste attelage privé.

— Bonjour, Miss Whittaker, dit-il en touchant son chapeau.

Il jeta ses sacs devant, à côté de son siège. Elle eut l'affreux pressentiment qu'on allait la jeter dans un train.

— Pardonnez-moi, dit-elle. Il ne me semble pas avoir demandé une voiture.

— C'est le Dr van Devender qui m'envoie, dit-il en ouvrant la portière. Montez, maintenant. Il vous attend, il a hâte de vous voir.

Il fallut presque une heure pour traverser la ville et retourner aux jardins botaniques. Alma estima qu'il aurait été bien plus rapide d'y aller à pied. Et plus apaisant. Elle aurait été moins agitée, si elle avait pu marcher. Le cocher la déposa enfin devant une belle maison de briques juste derrière le Hortus, sur Plantage Parklaan.

— Allez, dit-il par-dessus son épaule en s'occupant de ses bagages. Entrez, la porte est ouverte. Il vous attend, vous ai-je dit.

Ce fut quelque peu troublant pour Alma d'entrer dans une maison sans être annoncée, mais elle fit ce qu'on lui demandait. D'un autre côté, cette maison n'était pas entièrement étrangère non plus. Si elle ne se trompait pas, sa mère y était née.

Elle vit une porte ouverte sur le côté du hall d'entrée et jeta un coup d'œil à l'intérieur. Son oncle était assis sur le divan et l'attendait.

La première chose qu'elle remarqua, ce fut Roger le chien qui était – incroyable – pelotonné sur ses genoux.

La deuxième, ce fut qu'oncle Dees tenait son traité dans sa main droite, posée légèrement sur le dos de Roger, comme si le chien était une écritoire portable.

La troisième, ce fut que le visage de son oncle était mouillé de larmes. Son col était également trempé. Sa barbe semblait l'être tout autant. Son menton tremblait et il avait les yeux d'un rouge inquiétant. On aurait dit qu'il pleurait depuis des heures.

— Oncle Dees ! s'exclama-t-elle en se précipitant. Que se passe-t-il donc ?

Le vieil homme déglutit et lui prit la main. La sienne était chaude et humide. Pendant un moment, il fut incapable de parler. Il serrait ses doigts de toutes ses forces. Il ne voulait plus la lâcher.

Puis enfin, de l'autre main, il brandit son traité.

— Oh, Alma, dit-il sans prendre la peine de retenir ses larmes. Dieu vous bénisse, mon enfant. Vous avez l'esprit de votre mère.

29

Quatre années passèrent.

Elles furent heureuses pour Alma Whittaker, et pourquoi ne l'auraient-elles pas été ? Elle avait un logis (son oncle l'avait installée immédiatement dans la maison des van Devender) ; une famille (les quatre fils de son oncle, leurs charmantes épouses, et leurs nombreux enfants) ; elle pouvait communiquer régulièrement par courrier avec Prudence et Hanneke à Philadelphie ; et elle occupait un poste d'une grande responsabilité au Hortus botanicus. Son titre officiel était *Curator van mossen* – conservatrice des mousses. Elle avait son propre bureau, au deuxième étage d'un agréable bâtiment, à seulement deux numéros de la résidence des van Devender.

Elle fit récupérer ses anciens livres et notes dans les écuries de White Acre, ainsi que son herbier. La semaine où sa cargaison arriva fut comme un jour de fête pour elle, plein de nostalgie. Tous ces livres lui avaient manqué, jusqu'à la moindre page. C'est avec un rougissement amusé qu'elle découvrit, enfouies tout au fond des malles de livres, ses anciennes lectures licencieuses. Elle décida de tout conserver – mais elle veilla à ce que ce fût bien caché. D'une part, elle ne savait pas comment se débarrasser d'une manière respectable de textes aussi dangereux. Et d'autre part, ces livres scandaleux avaient encore le pouvoir de l'exciter. Même à son âge avancé, un tiraillement obstiné de désir éhonté demeurait encore en elle et exigeait son attention certaines nuits, quand, sous les draps, elle rendait de nouveau visite à son con familier, se rappelant une fois de plus la saveur de Demain Matin, l'odeur d'Ambrose, l'urgence des désirs les plus inlassables. Elle ne tentait même plus de les combattre ; désormais, il était évident qu'ils faisaient partie d'elle.

Alma gagnait un salaire respectable – le premier de sa vie – au Hortus, et elle partageait un assistant et un employé avec le directeur de la mycologie et le superviseur des fougères (qui devinrent, avec le temps, des amis chers – les premiers amis savants qu'elle eût jamais eus). Et, avec le temps, elle se fit une réputation non seulement de brillante taxonomiste mais aussi de gentille cousine. Alma ne fut pas peu heureuse et fut surprise de s'accoutumer aussi confortablement à l'agitation et au tumulte de la vie familiale, étant donné qu'elle avait toujours vécu une existence si solitaire. Elle raffolait des fines reparties des enfants et des petits-enfants de son oncle, à la table du dîner, et était fière de leurs nombreux accomplissements et talents. Elle était honorée quand les filles venaient solliciter son conseil ou son réconfort lorsqu'elles connaissaient des moments romantiques difficiles ou grisants. Elle voyait un peu de Retta dans leurs moments d'excitation, un peu de Prudence dans leurs moments de réserve, et un peu d'elle-même dans leurs moments de doute.

Avec le temps, Alma finit par être considérée par tous les van Devender comme un atout autant pour le Hortus que pour la famille – qui étaient deux entités absolument impossibles à distinguer. L'oncle d'Alma lui offrit un petit coin ombragé de la serre des palmes et l'invita à y installer une exposition permanente intitulée *La Grotte des mousses*. Ce fut une mission à la fois compliquée et gratifiante. Les mousses n'aiment pas pousser là où elles ne sont pas nées, et Alma eut du mal à réunir les conditions nécessaires exactes (l'humidité correcte, la combinaison adéquate de lumière et d'ombre, les pierres, le gravier et le bois désirés comme substrat) pour encourager les colonies de mousses à prospérer dans cet environnement artificiel. Elle réalisa cet exploit avec succès, cependant, et remplit bientôt la grotte de spécimens de mousses venus du monde entier. Ce serait le projet de toute une vie que d'entretenir cette exposition qui nécessitait une brumisation continue (obtenue grâce à une machine à vapeur), une température fraîche rendue possible grâce à des murs isolants, et aucune exposition directe à la lumière du soleil. Les mousses envahissantes et à croissance rapide devaient être contenues, de façon à ce que des espèces plus petites et plus rares puissent prospérer. Alma avait lu que des moines japonais entretenaient leurs jardins de mousses en les désherbant avec de minuscules pincettes, et elle adopta elle aussi cette pratique. On la voyait tous les matins dans la grotte des mousses arracher un brin invasif après l'autre, à la lueur d'une lanterne de mineur, avec une paire de brucelles en acier. Elle voulait que l'endroit soit parfait, qu'il scintille d'un feu d'émeraude tout comme l'extraordinaire grotte de mousses avait scintillé pour Demain Matin et elles, des années auparavant, à Tahiti.

La grotte des mousses devint une exposition appréciée du Hortus, mais seulement d'un certain type de personnes : celles qui aiment l'obscurité fraîche, le silence et la rêverie. (Le genre de personne, en d'autres termes, qui s'intéresse très peu aux fleurs voyantes, aux immenses nénuphars et aux familles bruyantes.) Alma aimait se poster dans un coin de la grotte et observer ce genre de personne pénétrer dans l'univers qu'elle avait créé. Elle les voyait caresser les fourrures de mousse, leurs visages se détendre et leur posture se relâcher. Elle se sentait des affinités avec eux – avec ces gens discrets.

Durant ces années, Alma passa aussi un temps considérable à travailler sur sa théorie de la modification compétitive. L'oncle Dees l'avait poussée à publier le texte qu'il avait lu à son arrivée en 1854, mais Alma avait résisté à l'époque, et elle continuait. En outre, elle refusait de le laisser discuter de sa théorie avec quiconque. Ce refus n'apporta que de la frustration à son bon oncle, qui estimait que la théorie d'Alma était à la fois importante et très probablement juste. Il l'accusa d'être exagérément timide et réservée. Plus précisément, il l'accusa de craindre la condamnation religieuse, si elle rendait publiques ses théories de création continue et de transformation des espèces.

— Vous n'avez tout simplement pas le courage d'être une tueuse de dieu, déclara ce bon protestant hollandais, qui allait fort dévotement à l'église tous les sabbats de sa vie. Allons, Alma, de quoi avez-vous peur ? Montrez un peu de l'audace de votre père, mon enfant ! Allez et soyez la terreur du monde ! Réveillez tout le bruyant chenil de la controverse, s'il le faut. Le Hortus vous protégera ! Nous pourrions le publier nous-mêmes ! Nous pourrions même le publier sous mon nom, si vous craignez la censure !

Mais Alma hésitait, non par crainte de l'Église, mais parce qu'elle était profondément convaincue que sa théorie n'était pas encore tout à fait impossible à contredire scientifiquement. Un petit trou existait dans sa logique, estimait-elle, et elle ne savait comment le boucher. Alma était une perfectionniste et plus qu'un peu tatillonne, et il n'était pas question qu'elle publie une théorie qui comportait une lacune, aussi petite soit-elle. Elle n'avait pas peur d'offenser la religion, comme elle l'affirma fréquemment à son oncle, elle redoutait d'offenser quelque chose qui était bien plus sacré pour elle : *la raison*.

Car il y avait une lacune dans la théorie d'Alma : elle ne pouvait, malgré tous ses efforts, comprendre les avantages de l'altruisme et du sacrifice de soi du point de vue de l'évolution. Si le monde naturel était effectivement le théâtre d'une lutte amorale et incessante pour la survie qu'il y paraissait, et si terrasser ses rivaux était la clé de la domination, de l'adaptation et de l'endurance – dans ce cas, que faisait-on, par exemple, de quelqu'un comme sa sœur Prudence ?

Chaque fois qu'Alma mentionnait le nom de sa sœur dans le cadre de la théorie de la modification compétitive, son oncle gémissait :

— Encore ! disait-il en se tirant sur la barbe. Personne n'a entendu parler de Prudence, Alma ! Personne ne s'en soucie !

Mais Alma s'en souciait et le « problème Prudence », comme elle l'appelait, troublait considérablement son esprit, car il menaçait de faire s'écrouler toute sa théorie. Il la troublait parce qu'il était totalement personnel. Alma avait été après tout la bénéficiaire d'un geste d'une grande générosité et d'un grand sacrifice de Prudence presque quarante ans plus tôt, et elle ne l'avait jamais oublié. Sans rien dire, Prudence avait renoncé à son unique véritable amour – dans l'espoir que George Hawkes épouserait Alma, et qu'Alma *tirerait bénéfice de ce mariage*. Le fait que le sacrifice de Prudence ait été totalement inutile n'en diminuait aucunement la sincérité.

Pourquoi un individu agirait-il ainsi ?

Alma pouvait répondre à cette question d'un point de vue moral (*parce que Prudence est bonne et désintéressée*), mais elle ne pouvait y répondre d'un point de vue biologique (*pourquoi la bonté et le désintéressement existent-ils ?*). Alma comprenait parfaitement pourquoi son oncle s'arrachait la barbe dès qu'elle prononçait le prénom « Prudence ». Elle reconnaissait que – dans le vaste ensemble de l'histoire naturelle et humaine – ce tragique petit triangle entre Prudence, George et elle-même était si infime et insignifiant qu'il était presque ridicule ne fût-ce que de soulever le sujet (et au sein d'une discussion scientifique, qui plus est). Mais malgré tout, la question refusait de disparaître.

Pourquoi un individu agirait-il ainsi ?

Chaque fois qu'Alma songeait à Prudence, elle était forcée de se poser cette question de nouveau, puis de voir, impuissante, sa théorie de la modification compétitive s'écrouler sous ses yeux. Car, après tout, Prudence Whittaker Dixon n'était pas un exemple unique. Pourquoi n'importe qui avait jamais pu agir en dehors de son vil intérêt personnel ? Alma pouvait développer un argument relativement convaincant qui explique pourquoi les mères, par exemple, font des sacrifices pour leurs enfants (parce qu'il y a un avantage à perpétuer la lignée familiale), mais elle ne pouvait expliquer pourquoi un soldat irait courir au-devant de baïonnettes afin de protéger un camarade blessé. Comment cette action renforçait-elle le brave soldat ou sa famille et quels bénéfices en étaient tirés ? En aucune manière : à travers son sacrifice, le soldat désormais défunt avait totalement anéanti non seulement son propre avenir, mais celui de sa descendance également.

Alma ne pouvait pas davantage expliquer pourquoi un prisonnier mourant de faim pouvait donner à manger à son compagnon de cellule.

Pas plus qu'elle ne pouvait expliquer pourquoi une femme sauterait dans un canal pour sauver le bébé d'une autre, et y trouver la mort – un événement tragique qui venait de se produire, peu de temps auparavant, juste au bout de la rue du Hortus.

Alma ne pouvait dire si, dans une situation de cet ordre, elle-même se comporterait d'une manière aussi noble, mais d'autres en étaient sans conteste capables – et assez fréquemment, toutes choses considérées. Alma ne doutait pas que sa sœur ou le révérend Welles (autre exemple d'une extraordinaire bonté) auraient sans hésitation renoncé à manger pour qu'un autre puisse vivre, et auraient sans hésiter davantage, risqué blessure ou mort afin de sauver le bébé d'un inconnu, voire le chat d'un inconnu.

En outre, il n'y avait rien d'analogue à ces exemples aussi extrêmes de sacrifice humain dans le reste du monde naturel – d'après ce qu'elle constatait. Oui, dans un essaim d'abeilles, ou une meute de loups, un vol d'oiseaux ou même une colonie de mousses, il arrivait que des individus meurent pour le bien général du groupe. Mais on n'avait jamais vu un loup sauver la vie d'une abeille. On n'avait jamais vu un brin de mousse décider de mourir en offrant sa précieuse provision d'eau à une fourmi, par simple générosité !

C'était le genre d'arguments qui exaspéraient son oncle, quand Alma et Dees veillaient ensemble tard le soir, année après année, et débattaient de la question. À présent, nous étions au début du printemps de 1858, et ils la débattaient toujours.

— Ne soyez pas une sophiste aussi pénible ! dit Dees. Publiez le texte tel qu'il est.

— Je ne puis m'empêcher de l'être, mon oncle, répondit Alma en souriant. N'oubliez pas que j'ai l'esprit de ma mère.

— Vous mettez ma patience à l'épreuve, ma nièce, dit-il. Publiez le texte, laissez le monde débattre de la question et reposons-nous de ces épuisants pinaillages.

Mais elle refusait de céder.

— Si je puis voir cette lacune dans ma théorie, mon oncle, d'autres la verront certainement, et mon travail ne sera pas pris au sérieux. Si la théorie de la modification compétitive se révèle effectivement juste, elle doit être juste pour l'intégralité du monde naturel, humanité y compris.

— Faites une exception pour les humains, proposa son oncle en haussant les épaules. Aristote l'a bien fait.

— Je ne parle pas de la grande chaîne des êtres, mon oncle. Je ne m'intéresse pas aux arguments éthiques ou philosophiques ; je m'intéresse à une théorie biologique universelle. Les lois de la nature ne peuvent souffrir des exceptions, sinon elles ne peuvent se poser en lois. Prudence n'est pas épargnée par la loi de la gravitation universelle ; en conséquence, elle ne peut l'être de la théorie de la modification compétitive, si cette théorie est réellement exacte. Si elle est épargnée par cette théorie, en revanche, c'est que la théorie ne peut être juste.

— La gravitation ? répéta-t-il en levant les yeux au ciel. Bonté divine, mon enfant, écoutez-vous ! Voilà que vous voudriez être Newton !

— Je voudrais être exacte, corrigea Alma.

Dans ses moments les moins graves, Alma trouvait le problème Prudence presque comique. Durant toute sa jeunesse, Prudence avait été un problème pour Alma, et à présent – alors même qu'Alma avait appris à aimer, à apprécier et à respecter considérablement sa sœur – Prudence était *encore* un problème.

— Parfois, je me dis que je préférerais ne plus jamais entendre prononcer ce prénom dans cette maison, dit l'oncle Dees. J'en ai soupé en long, en large et en travers, de Prudence.

— Alors expliquez-moi, insista Alma. Pourquoi adopte-t-elle les enfants d'esclaves noirs ? Pourquoi donne-t-elle tout ce qu'elle possède aux pauvres ? En quoi cela l'avantage-t-il ? En quoi cela avantage-t-il sa progéniture ? Expliquez-le-moi !

— Cela l'avantage, Alma, parce que c'est une martyre chrétienne et qu'elle raffole d'une petite crucifixion de temps à autre. Je connais ce genre de personne, ma chère. Ce sont des gens, comme vous devez l'avoir compris désormais, qui prennent absolument autant de plaisir dans l'affliction et le sacrifice de soi que d'autres en prennent dans le pillage et le meurtre. Ces gens pénibles sont rares, mais ils existent.

— Mais nous touchons là de nouveau au cœur du problème ! rétorqua Alma. Si ma théorie est juste, ces gens ne devraient pas du tout exister. N'oubliez pas, mon oncle, que ma thèse ne s'intitule pas « Théorie des plaisirs du sacrifice de soi ».

— Publiez-la, Alma, dit-il avec lassitude. C'est une belle réflexion, de bout en bout. Publiez-la telle qu'elle est, et laissez le monde discuter de la question.

— Je ne peux pas la publier, persista Alma, tant que la question est *discutable*.

Et c'est ainsi que la conversation tournait en rond comme toujours, bloquée dans le même coin frustrant. Oncle Dees baissa les yeux vers Roger, roulé en boule sur ses genoux, et lui demanda :

— Tu me sauverais si je me noyais dans un canal, n'est-ce pas, mon ami ?

En réponse, Roger frétilla de l'intéressant appendice qui lui servait de queue.

Alma fut forcée de l'admettre : Roger *sauverait* probablement l'oncle Dees s'il se noyait dans un canal, s'il était pris au piège dans un incendie, mourant de faim en prison ou coincé sous un bâtiment effondré – et Dees en ferait autant pour lui. L'amour entre oncle Dees et Roger était en tout point aussi constant qu'il avait été immédiat. Nul ne les vit jamais autrement qu'ensemble, l'homme et le chien, dès l'instant où ils furent présentés l'un à l'autre. Très peu de temps après leur arrivée à Amsterdam quatre ans plus tôt, Roger avait fait comprendre à Alma qu'il n'était plus son chien – qu'en fait, il n'avait jamais été son chien, ni même celui d'Ambrose, mais le chien d'oncle Dees de toute éternité, par la pure et simple force du destin. Le fait que Roger était né dans la lointaine Tahiti, alors que Dees van Devender résidait en Hollande avait été le résultat, semblait croire Roger, d'une malheureuse erreur administrative qui avait été fort heureusement rectifiée.

Quant au rôle d'Alma dans la vie de Roger, elle avait été tout au plus une coursière, chargée de transporter le petit animal orange angoissé à l'autre bout du monde, de manière à unir chien et homme dans l'amour éternel et dévoué qui était leur dû.

Un amour éternel et dévoué.

Pourquoi ?

Roger était un autre personnage qu'Alma ne pouvait élucider.

Roger et Prudence, cela faisait deux.

L'été 1858 arriva et avec lui une brusque saison de décès. Les chagrins commencèrent au dernier jour de juin, quand Alma reçut une lettre de sa sœur annonçant un affreux ensemble de tristes nouvelles.

« J'ai trois décès à rapporter, l'avertissait Prudence dès la première ligne. Peut-être ferez-vous mieux, ma sœur, de vous asseoir avant de poursuivre votre lecture. »

Alma ne s'assit pas. Elle resta sur le seuil de la demeure van Devender sur Plantage Parklaan pour lire ces pitoyables nouvelles de la lointaine Philadelphie, pendant que ses mains tremblaient de détresse.

D'abord, rapportait Prudence, Hanneke de Groot était décédée à l'âge de quatre-vingt-sept ans. La vieille gouvernante avait rendu le dernier soupir dans sa chambre du sous-sol de White Acre, abritée derrière les barreaux de sa crypte personnelle. Elle semblait être morte dans son sommeil, sans souffrir.

« Nous ne pouvons imaginer comment nous pourrons continuer sans elle, écrivait Prudence. Je n'ai nul besoin de vous rappeler combien elle était bonne et précieuse. Elle fut une mère pour moi, ainsi qu'elle l'avait été pour vous. »

Mais à peine la dépouille de Hanneke avait-elle été découverte, racontait Prudence, qu'un garçon était arrivé de White Acre avec un message de George Hawkes annonçant que Retta, « transformée pendant toutes ces années par la folie, au point d'en devenir méconnaissable », avait expiré dans sa chambre de l'hôpital psychiatrique Griffon. Prudence écrivait :

« Il est ardu de savoir ce que l'on devrait regretter le plus : le décès de Retta, ou les tristes circonstances de sa vie. J'ai peine à me rappeler la Retta d'autrefois, si gaie et insouciante. C'est tout juste si je peux revoir cette fille en imagination, avant que son esprit ne soit si affreusement embrumé… Car c'était il y a si longtemps, comme je l'ai dit, alors que nous étions toutes si jeunes. »

Puis venait la nouvelle la plus bouleversante. Deux jours après le décès de Retta, racontait Prudence, George Hawkes lui-même était mort. Il revenait à peine de Griffon où il avait réglé les obsèques de son épouse et s'était effondré dans la rue devant son imprimerie. Il avait soixante-sept ans.

> *Je suis navrée qu'il m'ait fallu plus d'une semaine pour vous écrire cette malheureuse missive, mais mon esprit est assiégé par tant de pensées et de détresse qu'il m'a été difficile de poursuivre. Cela ébranle l'esprit. Nous sommes tous douloureusement bouleversés ici. Peut-être ai-je repoussé si longtemps le moment d'écrire cette lettre parce que je ne pouvais m'empêcher de penser : chaque jour que je n'annonce pas à ma pauvre sœur ces nouvelles, elle n'aura pas à les subir. Je cherche dans mon cœur un grain de réconfort à vous offrir, mais je m'aperçois qu'ils sont bien rares. J'en trouve à peine pour moi-même. Que le Seigneur les accueille et les garde tous. Je suis bien en peine de dire autre chose, veuillez m'en pardonner. L'école se porte bien. Les élèves prospèrent. Mr Dixon et les enfants vous envoient leur durable affection.*
>
> *Bien sincèrement,*
> *Prudence*

Cette fois, Alma s'assit et posa la lettre à côté d'elle.

Hanneke, Retta et George – tous disparus, balayés d'un geste.

— Pauvre Prudence, murmura Alma à haute voix.

Pauvre Prudence, en effet, qui avait perdu George Hawkes à jamais. Bien sûr, Prudence avait perdu George depuis longtemps, mais à présent, elle l'avait perdu de nouveau, et cette fois pour toujours. Prudence n'avait jamais cessé d'aimer George, ni lui de l'aimer – du moins était-ce ce que Hanneke avait dit à Alma. Mais George avait suivi la pauvre Retta dans la tombe, éternellement lié au destin de la tragique petite épouse qu'il n'avait jamais aimée. Toutes les possibilités de leur jeunesse, songea Alma, toutes avaient été gâchées. Pour la première fois, elle songea que sa sœur et elle avaient eu des destins bien semblables – toutes les deux condamnées à aimer des hommes qu'elles ne pouvaient posséder, et toutes les deux résolues à continuer bravement malgré cela. On faisait de son mieux, bien sûr, et il y avait de la dignité à trouver dans le stoïcisme, mais en vérité, il y avait des moments où la tristesse du monde était bien difficile à endurer, et la violence de l'amour, songeait Alma, était parfois la plus impitoyable de toutes.

Son premier instinct fut de rentrer chez elle au plus vite. Mais White Acre n'était plus chez elle et en imaginant simplement entrer dans la vieille demeure sans voir le visage de Hanneke de Groot, Alma se sentit mal et perdue. Elle rentra dans son bureau et écrivit une lettre en réponse, cherchant dans son propre cœur quelques grains de réconfort et s'apercevant qu'ils étaient bien rares. Alors que ce n'était pas son genre, elle se tourna vers la Bible, vers les psaumes. Elle écrivit à sa sœur : « L'Éternel est près de ceux qui ont le cœur déchiré. » Elle passa toute la journée dans son bureau avec la porte close, pliée en deux par un chagrin silencieux. Elle n'accabla pas son oncle avec aucune de ces tristes nouvelles. Il avait été si heureux de savoir que sa chère nourrice Hanneke de Groot était encore en vie ; elle ne pouvait supporter de lui annoncer sa mort ou celle d'autres. Elle ne voulait aucunement troubler son esprit qui n'était que bonté et bonne humeur.

Une quinzaine de jours plus tard seulement, elle fut heureuse de cette décision, quand son oncle Dees contracta une fièvre, s'alita et mourut dans l'espace d'une journée. C'était l'une de ces fièvres périodiques qui déferlaient sur Amsterdam durant l'été, quand les canaux n'étaient plus remplis que d'une eau stagnante et fétide. Un matin, Dees, Alma et Roger partageaient leur petit déjeuner, et au petit déjeuner suivant, Dees n'était plus. Il avait soixante-seize ans. Alma fut si brisée par ce décès – survenu si vite après les autres – qu'elle ne sut comment se contenir. Elle se retrouva à faire les cent pas dans sa chambre la nuit, une main pressée sur la poitrine, de peur que ses côtes ne se fendent et que son cœur tombe sur le sol. Alma avait l'impression de n'avoir connu son oncle que pendant un temps si bref qu'il avait à peine duré. *Pourquoi n'y avait-il jamais assez de temps ?* Un matin, il était là et le suivant, appelé ailleurs. Tous avaient été appelés ailleurs.

Il sembla que la moitié d'Amsterdam s'était réunie pour les funérailles du Dr Dees van Devender. Ses quatre fils et ses deux petits-fils aînés portèrent le cercueil depuis la maison de Plantage Parklaan jusqu'à l'église voisine. Un groupe de brus et de petits-enfants pleuraient, cramponnés les uns aux autres ; ils attirèrent Alma à eux, et elle trouva du réconfort dans cette presse familiale. Dees avait été tant adoré. Tous étaient accablés de chagrin. Qui plus est, le pasteur de la famille révéla que le Dr van Devender avait été un discret parangon de charité durant toute sa vie ; il y avait dans cette foule endeuillée bien des personnes dont il avait sauvé ou soutenu l'existence au cours des années.

L'ironie de cette révélation – étant donné les interminables débats nocturnes d'Alma et Dees – donna envie à Alma de pleurer et de rire en même temps. Alors que cette existence de générosité anonyme le plaçait certainement très haut sur les huit degrés de charité de Maïmonide, songea-t-elle, *il aurait pu le lui mentionner à un moment ou un autre !* Comment avait-il pu ainsi, année après année, balayer la pertinence scientifique de l'altruisme, alors qu'il en faisait inlassablement preuve au quotidien ? Alma s'émerveilla de cet homme. Il ne lui manquait que plus encore. Elle aurait voulu lui poser la question et le taquiner – mais il n'était plus là.

Après les obsèques, l'aîné de Dees, Elbert, qui allait désormais prendre la direction du Hortus, eut la bonne grâce de venir trouver Alma et lui assurer que sa position dans la famille comme au Hortus n'était nullement remise en cause.

— Vous n'avez pas besoin de vous inquiéter pour l'avenir, dit-il. Nous voulons tous que vous restiez.

— Merci, Elbert, parvint-elle à dire.

Les deux cousins s'étreignirent.

— Cela me réconforte de savoir que vous l'aimiez comme nous tous, dit Elbert.

Mais personne n'avait aimé Dees plus que Roger le chien. Dès le premier instant de la maladie de Dees, le petit bâtard orange avait refusé de quitter le lit de son maître ; il n'avait pas davantage voulu le quitter une fois que le cadavre en avait été enlevé. Il était campé sur les draps glacés et refusait de bouger. Il refusait de manger – même les *wentelteefjes* qu'Alma se prépara et qu'elle tenta, en larmes, de lui donner à manger à la main. Il tourna la tête vers le mur et ferma les yeux. Elle lui toucha la tête, lui parla en tahitien et lui rappela sa noble lignée, mais il ne réagit absolument pas. Et en quelques jours, Roger aussi s'en alla.

N'eût été ce noir nuage de mort qui avait déferlé sur le paysage cet été 1858, Alma aurait certainement appris ce qui se passait à la Société linnéenne de Londres le 1er juillet de cette année-là. Elle se faisait généralement un devoir de lire les notes de tous les plus importants cercles scientifiques d'Europe et d'Amérique. Mais son esprit était – on l'en pardonnera – fort distrait cet été-là. Les publications qu'elle ne lisait pas tant elle avait du chagrin s'entassaient sur son bureau. Les soins à apporter à la grotte des mousses absorbaient le peu d'énergie qu'elle pouvait trouver. Beaucoup de choses furent délaissées.

C'est ainsi qu'elle passa à côté.

D'ailleurs, elle n'en sut rien jusqu'à la fin du mois de décembre de la même année, quand un matin, elle ouvrit son exemplaire du *Times* et lut une critique d'un nouveau livre de Mr Charles Darwin, intitulé *De l'origine des espèces au moyen de la sélection naturelle, ou la préservation des races favorisées dans la lutte pour la vie.*

30

Bien sûr, Alma connaissait Charles Darwin ; tout le monde le connaissait. En 1839, il avait publié un livre de voyage très apprécié sur son expédition aux îles Galápagos. Le livre – un charmant récit – l'avait rendu relativement célèbre à l'époque. Darwin écrivait avec légèreté et parvenait à communiquer son amour du monde naturel sur un ton aisé et amical qui avait plu à des lecteurs de toutes origines. Alma se rappela avoir admiré le talent de Darwin, car elle-même était incapable de parvenir à écrire une prose aussi divertissante et démocratique.

Maintenant qu'elle y repensait, ce dont Alma se rappelait le plus clairement du *Voyage d'un naturaliste*, c'était une description de pingouins nageant la nuit dans des eaux phosphorescentes et laissant un « sillon de feu » dans l'obscurité. Un *sillon de feu !* Alma avait apprécié cette description, et elle s'en souvenait encore vingt ans plus tard. Elle se l'était même rappelée lors de son voyage à Tahiti, cette merveilleuse nuit sur l'*Elliot*, quand elle avait été elle-même témoin de ces phosphorescences. Mais elle ne se rappelait rien d'autre de ce livre, et Darwin ne s'était pas distingué d'une manière particulière depuis. Il avait abandonné les voyages pour une vie de recherches plus scientifiques – une belle et rigoureuse étude sur les balanes, si Alma se souvenait bien. Elle ne l'avait en tout cas jamais considéré comme un des grands naturalistes de sa génération.

Mais là, en lisant la critique de son nouveau et saisissant livre, Alma découvrit que Charles Darwin – ce spécialiste discret de la balane, ce gentil amoureux des pingouins – avait bien caché son jeu. Pour le coup, il avait quelque chose de tout à fait retentissant à proposer au monde.

Alma posa le journal et se prit la tête dans les mains. Un sillon de feu, parfaitement.

Il lui fallut presque une semaine pour obtenir un exemplaire du livre depuis l'Angleterre, et Alma traversa ces quelques jours en vacillant, comme en transe. Elle sentait qu'elle ne serait pas capable d'avoir la réaction voulue à ce tour des événements tant qu'elle n'aurait pas lu – mot pour mot – ce que Darwin lui-même avait à dire, plutôt que ce que l'on disait de lui.

Le 5 janvier, à son cinquante-neuvième anniversaire, le livre arriva. Alma se retira dans son bureau avec assez à manger et à boire pour tenir aussi longtemps qu'il faudrait, et elle s'enferma. Puis elle ouvrit *L'Origine des espèces* à la première page, commença à lire la charmante prose darwinienne, et de là, tomba dans une profonde caverne qui résonnait de toute part de ses propres idées.

Il n'avait pas volé sa théorie, inutile de le dire. À aucun moment cette pensée absurde ne traversa son esprit – car Charles Darwin n'avait jamais entendu parler d'Alma Whittaker, il n'avait aucune raison de la connaître. Mais comme deux explorateurs cherchant le même trésor depuis deux directions différentes, Darwin et elle étaient tombés tous les deux sur le même coffre rempli d'or. Ce qu'elle avait déduit avec les mousses, il l'avait déduit des pinsons. Ce qu'elle avait observé sur l'affleurement rocheux de White Acre, il l'avait vu répété dans l'archipel des Galápagos. L'affleurement rocheux d'Alma n'était rien d'autre qu'un archipel en miniature. Une île est une île, après tout – qu'elle mesure trois pouces de large ou trois miles –, et tous les événements les plus dramatiques du monde naturel se produisent sur les minuscules champs de bataille sauvages et compétitifs que sont les îles.

C'était un beau livre. Elle hésita, en le lisant, entre le chagrin et le pardon, entre le regret et l'admiration.

Darwin écrivait : « Il naît plus d'individus qu'il n'en peut survivre. Un atome dans la balance peut décider des individus qui doivent vivre et de ceux qui doivent mourir. »

Il écrivait : « En un mot, nous pouvons remarquer d'admirables adaptations partout et dans toutes les parties du monde organisé. »

Elle sentit monter en elle une vague d'émotions complexes si puissante et si dense qu'elle crut qu'elle allait s'évanouir. Cela la frappa comme le vent brûlant d'une fournaise : elle avait vu juste.

Elle avait vu juste !

Elle pensa à l'oncle Dees alors qu'elle continuait sa lecture. C'étaient des pensées à la fois incessantes et contradictoires : *Si seulement il avait vécu pour voir cela ! Dieu merci, il n'avait pas vécu pour voir cela !* Comme il aurait été à la fois fier et furieux ! Jamais elle n'en aurait vu la fin : « Vous voyez, quand je vous disais de publier ! » Cependant, il aurait tout autant acclamé cette grandiose confirmation du travail de sa nièce. Elle ne savait comment digérer ces circonstances sans lui. Il lui manquait horriblement. Elle aurait été heureuse de supporter ses récriminations ne fût-ce que pour entendre un peu de son réconfort. Elle regretta inévitablement que son père n'ait pas vécu pour voir cela. Que sa mère n'ait pu le voir. Et Ambrose, aussi. Elle regretta de ne pas avoir publié. Elle ne savait que penser.

Pourquoi n'avait-elle pas publié ?

La question la tarauda – pourtant, alors qu'elle lisait le chef-d'œuvre de Darwin (et c'était, de toute évidence, un chef-d'œuvre), elle savait que cette théorie lui appartenait à lui, et qu'il fallait que ce soit à lui qu'elle appartînt. Même si elle l'avait formulée la première, jamais elle n'aurait su mieux l'exprimer. Peut-être même que personne ne l'aurait écoutée si elle avait publié sa théorie – pas parce qu'elle était une femme ou qu'elle était méconnue (bien que ces facteurs n'aient pas aidé), mais tout au plus parce qu'elle n'aurait pas su convaincre le monde avec autant d'éloquence que Darwin. Son savoir était parfait, mais son écriture ne l'était pas. La thèse d'Alma faisait quarante pages, et *L'Origine des espèces* plus de cinq cents, mais elle savait sans l'ombre d'un doute que l'œuvre de Darwin était de loin la plus lisible. Le livre de Darwin était ingénieux. Il était intime. Il était amusant. Il se lisait comme un roman.

Il baptisait sa théorie « sélection naturelle ». C'était un terme lumineux et précis, plus simple et meilleur que la fastidieuse « théorie de l'avantage compétitif » d'Alma. Quand il présentait ses arguments en faveur de la sélection naturelle, Darwin n'était jamais criard ni sur la défensive. Il donnait l'impression d'être un aimable voisin. Son livre parlait du même monde sombre et violent que percevait Alma – un monde où l'on tuait et mourait sans fin – mais sa langue ne contenait aucune trace de violence. Alma n'aurait jamais osé écrire d'une main aussi douce : elle n'aurait pas su s'y prendre. Sa prose était un marteau ; celle de Darwin un psaume. Il venait non en brandissant une épée, mais en levant une chandelle. En outre, partout dans ses pages, il suggérait un esprit de divinité, sans jamais évoquer le Créateur. Il évoquait une idée de miracle par des rhapsodies sur la puissance du temps lui-même. Il écrivait : « L'esprit ne peut concevoir toute la signification de ce terme : un million d'années, il ne saurait davantage ni additionner ni percevoir les effets complets de beaucoup de variations légères ; accumulées pendant un nombre presque infini de générations. » Il s'émerveillait des « magnifiques ramifications » du changement. Il faisait délicieusement observer que les merveilles de l'adaptation faisaient passer chaque créature terrestre – même le plus humble scarabée – pour précieuse, étonnante et « anoblie ». Il demandait : « Quelle limite pourrait-on fixer à cette cause agissant continuellement pendant des siècles ? »

Il écrivait : « Nous contemplons la nature brillante de beauté et de bonheur… »

Il concluait : « N'y a-t-il pas une véritable grandeur dans cette manière d'envisager la vie ? »

Elle termina le livre et s'autorisa à pleurer.

Il n'y avait rien d'autre à faire, devant un exploit aussi splendide et aussi accablant, que de pleurer.

Tout le monde lut *De l'origine des espèces* en 1860 et tout le monde en débattit, mais personne ne le lut plus attentivement qu'Alma. Elle restait coite durant tous les débats de salon sur le sujet de la sélection naturelle – même quand sa propre famille s'en mêlait – mais elle suivait chaque mot. Elle assista à toutes les conférences sur le sujet et lut toutes les chroniques, attaques et critiques. Qui plus est, elle relut plusieurs fois le livre, dans un esprit qui tenait autant de l'inquisition que de l'admiration. Elle était une scientifique et elle voulait observer la théorie de Darwin au microscope. Elle voulait mettre sa propre théorie à l'épreuve de celle de Darwin.

Bien sûr, la question prédominante était de savoir comment Darwin avait réussi à résoudre le problème Prudence.

La réponse apparut rapidement : il ne l'avait pas résolu.

Il ne l'avait pas résolu parce que – fort astucieusement – Darwin évitait entièrement le sujet de l'être humain dans son livre. *De l'origine des espèces* traitait de la nature, mais il ne parlait pas ouvertement de l'Homme. Darwin avait habilement joué à cet égard. Il parlait de l'évolution des pinsons, des pigeons, des lévriers italiens, des chevaux de course et des balanes – mais jamais il ne mentionnait les êtres humains. Il écrivait : « Ce sont les êtres vigoureux, sains et heureux qui survivent et se multiplient », mais jamais il n'ajoutait : « Nous aussi, nous faisons partie de ce système. » Les lecteurs à l'esprit scientifique arriveraient à cette conclusion par eux-mêmes – et Darwin le savait fort bien. Les lecteurs à l'esprit religieux arriveraient à cette conclusion aussi, et s'offusqueraient du blasphème – mais Darwin *ne l'avait pas véritablement dit.* En conséquence, il se protégeait. Il pouvait rester dans sa tranquille maison du Kent, innocent devant l'indignation publique : *Quel mal peut-il y avoir dans une simple dissertation sur les pinsons et les balanes ?*

Pour Alma, cette stratégie constituait l'unique grandiose trait de génie de Darwin : il n'avait pas traité la question *entière*. Peut-être s'en occuperait-il plus tard, mais il ne l'avait pas fait cette fois, ici, dans ce prudent discours initial sur l'évolution. Alma fut éblouie en s'en rendant compte, et elle se frappa presque le front de stupéfaction et d'émerveillement ; jamais il ne lui serait venu à l'esprit qu'un bon scientifique n'ait pas besoin de traiter la question *entière* immédiatement – sur n'importe quel sujet ! Dans l'essence, Darwin avait fait ce que l'oncle Dees avait tenté pendant des années de convaincre Alma de faire : il avait publié une magnifique théorie de l'évolution, mais uniquement dans le domaine de la botanique et de la zoologie, laissant aux humains le soin de débattre de leurs propres origines.

Elle brûlait d'envie de parler à Darwin. Elle aurait voulu pouvoir traverser d'un trait la Manche jusqu'en Angleterre, prendre un train jusqu'au Kent, frapper à la porte de Darwin et lui demander : « Comment expliquez-vous ma sœur Prudence et la notion de sacrifice de soi, face aux preuves accablantes de lutte biologique constante ? » Mais tout le monde voulait parler à Darwin, ces derniers temps, et Alma ne possédait pas le genre d'influence nécessaire pour organiser une entrevue avec le scientifique le plus couru de l'époque.

À mesure que le temps passait, elle se fit une idée plus claire de ce Charles Darwin, et il devint évident que le gentleman n'était pas un débatteur. Il n'aurait probablement pas accueilli avec bienveillance la possibilité de discuter avec cette obscure bryologiste américaine, de toute façon. Il lui aurait probablement aimablement souri et dit : « Mais que vous imaginez-vous, madame ? » avant de lui claquer la porte au nez.

En effet, pendant que tous les érudits du monde tentaient de se faire une opinion sur Darwin, l'homme lui-même restait incroyablement silencieux. Quand Charles Hodge, lors d'un séminaire théologique à Princeton, accusa Darwin d'athéisme, Darwin ne se défendit pas. Quand Lord Kelvin refusa d'accepter sa théorie (ce qu'Alma trouva malheureux, car Kelvin aurait été un soutien crédible), Darwin ne protesta pas. Il n'entra pas non plus en contact avec ses soutiens. Quand George Searle – un éminent astronome catholique – écrivit que la théorie de la sélection naturelle lui semblait tout à fait logique et ne représentait pas une menace pour l'Église catholique, Darwin ne répondit pas. Quand le pasteur et romancier anglais Charles Kingsley annonça que lui aussi s'accommodait d'un dieu qui « créait des formes primitives capables de se développer », Darwin ne prononça pas un mot d'assentiment. Quand le théologien Henry Drummond essaya de constituer une défense biblique de l'évolution, Darwin évita entièrement la discussion.

Sous les yeux d'Alma, des pasteurs libres-penseurs se réfugièrent dans la métaphore (prétendant que les sept jours de la création, tels que mentionnés dans la Bible, étaient en réalité sept *ères géologiques*) tandis que des paléontologues conservateurs comme Louis Agassiz, flamboyants de fureur, accusaient Darwin et ses soutiens d'une ignoble apostasie. D'autres se firent les champions de Darwin – le puissant Thomas Huxley en Angleterre, l'éloquent Asa Gray en Amérique. Mais Darwin lui-même, en gentleman anglais, gardait ses distances avec tout ce débat.

En revanche, Alma prenait chaque attaque sur la sélection naturelle personnellement, tout comme elle se sentait secrètement réconfortée par chaque soutien – car ce n'était pas simplement l'idée de *Darwin* dont on débattait : c'était la *sienne*. Il lui arrivait de penser qu'elle était plus personnellement accablée et excitée par ce débat que Darwin lui-même (une autre raison, peut-être, qui faisait de lui un meilleur ambassadeur de la théorie qu'elle aurait jamais pu l'être). Mais elle était également frustrée par la réserve de Darwin. Parfois, elle avait envie de le secouer et de le forcer à se battre. À sa place, elle aurait surgi en moulinant des poings comme Henry Whittaker. Elle aurait pris des coups en cours de route, certes, mais elle en aurait donné quelques-uns aussi. Elle se serait battue jusqu'au bout pour défendre leur théorie (elle ne pouvait s'empêcher de la considérer comme « leur » théorie…) si elle avait publié quoi que ce fût, évidemment. Ce qu'elle n'avait bien sûr pas fait. Dès lors, elle n'avait aucune légitimité à se battre. En conséquence, elle se tut.

Tout cela était tout à fait agaçant, préoccupant, troublant.

Qui plus est – Alma ne put s'empêcher de le remarquer – personne n'avait encore résolu le problème Prudence à sa satisfaction.

D'après ce qu'elle constatait, il y avait toujours une lacune dans la théorie.

Elle était toujours incomplète.

Mais il ne fallut guère longtemps pour qu'Alma soit distraite, puis de plus en plus captivée, par autre chose.

Faiblement, sur les pourtours de tout le débat sur Darwin, elle commença à discerner une autre silhouette. Tout comme Alma – quand elle était jeune – surprenait parfois quelque chose qui bougeait dans un coin de la lame sous son microscope et s'efforçait de se concentrer dessus (soupçonnant que ce pourrait être important, avant de savoir de quoi il s'agissait), là aussi, elle apercevait quelque chose d'étrange et de significatif qui rôdait dans le coin. Quelque chose n'était pas à sa place. Il y avait quelque chose dans l'histoire de Charles Darwin et de la sélection naturelle qui n'aurait pas dû y être. Elle tourna les molettes, actionna les leviers et fixa toute son attention sur le mystère, et c'est ainsi qu'elle apprit l'existence d'un homme du nom d'Alfred Russel Wallace.

Alma vit pour la première fois le nom de Wallace quand, par curiosité, elle retourna explorer la première mention officielle de la sélection naturelle – qui avait été faite le 1er juillet 1858 lors d'une réunion de la Société linnéenne de Londres. Alma avait manqué les notes de cette réunion à leur publication, à cause de sa période de deuil, mais là, elle revint en arrière et les étudia tout à fait attentivement. Immédiatement, elle remarqua quelque chose de particulier : un autre exposé avait été fait ce jour-là, juste après la présentation de la thèse de Darwin. Cet essai était intitulé *De la tendance des variétés à s'écarter indéfiniment du type original* et avait été rédigé par un certain A. R. Wallace.

Alma retrouva l'essai et le lut. Il disait exactement la même chose que Darwin, dans sa théorie de la sélection naturelle. En fait, il disait exactement la même chose qu'Alma dans sa théorie de la modification compétitive. Mr Wallace avançait que la vie était une lutte incessante pour l'existence : qu'il n'y avait pas assez de ressources pour tous ; que la population était régulée par les prédateurs, les maladies et les pénuries ; et que le plus faible serait toujours le premier à mourir. L'essai de Wallace disait que toute variation dans une espèce qui avait affecté sa survie pouvait au final modifier pour toujours cette espèce. Que les variations qui réussissaient le mieux proliféreraient, alors que celles qui prospéraient le moins s'éteignaient. C'était ainsi que les espèces apparaissaient, se transformaient, prospéraient et disparaissaient avec le temps.

L'essai était bref, simple et – de l'avis d'Alma – extrêmement familier.

Qui était cette personne ?

Alma n'avait encore jamais entendu parler de lui. C'était improbable en soi, car elle s'efforçait de connaître tout le monde dans le monde scientifique. Elle écrivit quelques lettres à certains confrères anglais et demanda : « Qui est Alfred Russel Wallace ? Que dit-on de lui ? Que s'est-il passé à Londres en juillet 1858 ? »

Ce qu'elle apprit ne fit que l'intriguer encore plus. Elle découvrit que Wallace était né dans le Monmouthshire, près du pays de Galles, dans une famille de classe moyenne qui avait connu par la suite de grandes difficultés financières. Elle apprit qu'il était plus ou moins autodidacte, arpenteur de son métier. Aventureux dans sa jeunesse, il avait voyagé dans diverses jungles au cours des années et était devenu un infatigable collectionneur de spécimens d'insectes et d'oiseaux. En 1853, Wallace avait publié un livre intitulé *Les Palmiers de l'Amazone et leur utilisation*, qu'Alma avait manqué, puisqu'elle était en route entre Tahiti et la Hollande à l'époque. Depuis 1854, il était dans l'Insulinde où il étudiait les grenouilles arboricoles.

Là-bas, dans les lointaines forêts des Célèbes, Wallace avait contracté la malaria et failli mourir. Dans les tréfonds de sa fièvre, obsédé par la mort, il avait eu un éclair d'inspiration : une théorie de l'évolution reposant sur la lutte pour la vie. En quelques heures, il écrivit sa théorie. Puis il envoya par courrier cette thèse hâtivement rédigée dans les Célèbes jusqu'en Angleterre, à un gentleman du nom de Charles Darwin, qu'il avait rencontré en une occasion et qu'il admirait beaucoup. Wallace, avec la plus grande déférence, demandait à Mr Darwin si cette théorie de l'évolution pouvait avoir quelque valeur. C'était une question innocente : Wallace n'était pas en mesure de savoir que Darwin lui-même travaillait précisément sur cette idée depuis approximativement 1840. Darwin, d'ailleurs, avait déjà écrit presque deux mille pages de ce qui allait devenir *De l'origine des espèces*, mais il n'avait montré son travail à personne, hormis à son cher ami Joseph Hooker, des jardins botaniques royaux de Kew. Depuis des années, Hooker encourageait Darwin à publier, mais celui-ci – une décision qu'Alma était tout à fait en mesure d'apprécier – refusait, par manque de confiance ou de certitude.

Et là, dans l'une des grandioses coïncidences de l'histoire scientifique, il apparaissait que la magnifique idée originale de Darwin – qu'il cultivait dans le secret depuis presque vingt ans – venait d'avoir été exprimée, presque mot pour mot, par un naturaliste autodidacte de trente-cinq ans pratiquement inconnu et souffrant de malaria de l'autre côté de la planète.

Les correspondants londoniens d'Alma racontèrent que Darwin s'était senti contraint par la lettre de Wallace d'annoncer sa théorie, de peur de perdre la paternité de toute l'idée si Wallace la publiait en premier. Ironie du sort, songea Alma, apparemment, Darwin craignait d'être battu dans cette course à la théorie du combat pour la survie ! Avec une courtoisie de gentleman, Darwin avait décidé que la lettre de Wallace devrait être présentée à la Société linnéenne le 1er juillet 1858 – parallèlement à ses propres recherches sur la sélection naturelle – tout en donnant les preuves qu'il avait été le premier à formuler l'hypothèse. La publication de *L'Origine des espèces* avait rapidement suivi, moins d'un an et demi seulement plus tard. À présent, Alma trouvait que cette précipitation indiquait que Darwin avait paniqué – et il y avait de quoi ! Wallace se rapprochait ! Comme le font bien des animaux et végétaux quand ils sont menacés d'anéantissement, Charles Darwin avait été forcé à bouger, à agir et à s'adapter. Alma se rappela ce qu'elle avait écrit dans sa propre version de la théorie : « Plus grande est la crise, plus rapide est, semble-t-il, l'évolution. »

En examinant cette extraordinaire histoire, Alma n'eut plus le moindre doute : la sélection naturelle avait été d'abord l'idée de Darwin. Mais Darwin n'avait pas été *le seul* à l'avoir. Il y avait Alma, oui, mais il y avait eu aussi quelqu'un d'autre. Alma était totalement effarée d'apprendre cela. Cela semblait de la dernière impossibilité intellectuelle. Mais cela apportait aussi un étrange réconfort, de savoir qu'Alfred Russel Wallace existait. Cela lui réchauffait le cœur de savoir qu'elle n'était pas toute seule dans l'affaire. Elle avait un semblable. Ils étaient Whittaker et Wallace : compagnons d'obscurité – même si Wallace, bien sûr, ignorait absolument qu'ils étaient compagnons d'obscurité, tellement elle était *bien plus dans l'obscurité que lui*. Mais Alma le savait. Elle sentait qu'il était là – son étrange et miraculeux jeune frère spirituel. Si elle avait été plus pieuse, elle aurait peut-être remercié Dieu pour Alfred Russel Wallace, car c'était ce sentiment ténu de parenté qui l'avait aidée à traverser avec grâce et sans encombre – sans être affaiblie par la rancune, le désespoir ou la honte – le tumulte qui entourait Mr Charles Darwin et sa colossale théorie qui allait transfigurer le monde.

Darwin allait appartenir à l'Histoire, oui, mais Alma avait Wallace.

Et cela, du moins pour l'instant, suffisait à la réconforter.

Les années 1860 passèrent. La Hollande était calme, tandis que les États-Unis étaient déchirés par une guerre inimaginable. Le discours scientifique compta moins pour Alma durant ces terribles années, alors qu'elle recevait les nouvelles de ces consternants et interminables massacres. Prudence perdit son fils aîné, un officier, à Antietam. Deux de ses plus jeunes petits-fils moururent de maladie dans leurs campements avant même d'avoir vu un champ de bataille. Toute sa vie, Prudence s'était battue pour mettre un terme à l'esclavage, et maintenant c'était fini, mais trois des siens avaient perdu la vie dans la bataille. « Je me réjouis, puis je pleure, écrivit-elle à Alma. Et après cela, je pleure encore. » Alma se demanda une fois de plus si elle devait rentrer – et le proposa même – mais Prudence l'encouragea à rester en Hollande. « Notre nation est pour l'heure trop tragique pour des visiteurs, écrivit-elle. Restez là où le monde est plus calme, et bénissez cette quiétude. »

Prudence réussit à garder son école ouverte durant toute la guerre. Non seulement elle persista, mais elle prit d'autres enfants durant le conflit. La guerre se termina. Le président fut assassiné. L'union tint bon. Le chemin de fer transcontinental fut achevé. Alma se dit que c'était ce qui faisait l'unité des États-Unis, à présent – les rudes sutures d'acier des puissantes voies ferrées. À présent, l'Amérique, vue à bonne distance par les yeux d'Alma, semblait devenue un lieu où sévissait une croissance féroce et incontrôlable. Elle était heureuse de ne pas être là-bas. Elle ne pensait pas qu'elle pourrait reconnaître le pays, ni que le pays la reconnaîtrait. Elle appréciait sa vie de Hollandaise, d'érudite et de van Devender. Elle lisait toutes les publications scientifiques et publiait dans bon nombre d'entre elles. Elle avait des discussions animées avec ses collègues, en prenant le café et des pâtisseries. Chaque été, le Hortus lui permettait d'aller collecter des mousses dans tout le continent pendant un mois. Elle finit par bien connaître les Alpes, et les adorer, à force de traverser leurs immensités majestueuses avec sa canne et sa trousse d'herboriste. Elle finit par bien connaître les forêts humides de fougères d'Allemagne. Elle était devenue une vieille dame comblée.

Les années 1870 arrivèrent. Dans la paisible Amsterdam, Alma entra dans la huitième décennie de sa vie, mais restait très attachée à son travail. Elle avait du mal à partir en expédition, mais elle s'occupait encore de sa grotte des mousses et donnait de temps en temps au Hortus des conférences de bryologie. Sa vue commençait à baisser et elle craignit de ne plus être en mesure d'identifier les mousses. En attendant ce triste et inévitable moment, elle s'entraîna à apprendre à identifier les mousses au toucher dans le noir. Elle y devint fort habile. (Elle n'avait pas besoin de *voir* les mousses éternellement, mais elle avait toujours envie de les *connaître.*) Heureusement, elle avait une excellente assistance auprès d'elle. Sa petite cousine préférée, Margaret – affectueusement surnommée Mimi –, faisait montre d'une fascination innée pour les mousses et devint rapidement la protégée d'Alma. Quand la jeune fille termina ses études, elle vint travailler à temps plein avec Alma au Hortus. Avec l'aide de Mimi, Alma rédigea l'ouvrage exhaustif en deux tomes, *Les Mousses d'Europe du Nord*, qui fut bien accueilli. Les volumes étaient joliment illustrés, même si l'artiste n'était pas Ambrose Pike.

Mais personne n'était Ambrose Pike. Personne ne le serait jamais.

Alma vit Charles Darwin devenir de plus en plus l'exemple du grand homme de science. Elle ne lui en voulait pas de son succès ; il méritait les louanges et se comportait avec dignité. Il continuait ses travaux sur l'évolution, qu'elle était heureuse de voir, avec son mélange bien à lui d'élégance et de discrétion. En 1871, il publia l'exhaustif *La Filiation de l'homme* – appliquant enfin les principes de la sélection naturelle aux êtres humains. Il avait été sage d'avoir attendu aussi longtemps, songea Alma. La conclusion du livre (*Oui, nous sommes des singes*) n'était pour ainsi dire plus une surprise désormais. Dans la douzaine d'années qui avaient suivi la publication de *L'Origine*, le monde avait attendu et débattu « la question du singe ». Des partis s'étaient créés, des articles avaient été écrits et d'interminables réfutations et argumentations avaient été formulées. C'était comme si Darwin avait attendu que le monde soit prêt à accueillir la notion troublante que Dieu n'avait peut-être pas créé l'humanité à partir de poussière, avant de prononcer calmement son verdict bien structuré et soigneusement argumenté sur la question. Alma, une fois de plus, lut le livre avec autant d'attention que tout un chacun, et l'admira beaucoup.

Cependant, elle ne voyait toujours pas de solution au problème Prudence.

Elle ne parla jamais de sa propre théorie de l'évolution et de son lien ténu avec Darwin. Elle s'intéressait encore bien davantage à son frère de l'ombre, Alfred Russel Wallace. Elle avait suivi avec attention sa carrière au cours des années, se réjouissant par procuration de ses succès et souffrant de ses échecs. Au début, il avait semblé que Wallace serait pour toujours éclipsé par Darwin – voire serait son laquais, car il passa une bonne partie des années 1860 à écrire des articles défendant la sélection naturelle. Mais c'est alors que Wallace prit un virage inattendu. Au milieu de cette décennie, il découvrit le spiritualisme, l'hypnotisme et le mesmérisme et commença à explorer ce que les gens respectables appellent « l'occulte ». Alma entendait presque depuis l'autre côté de la Manche

Charles Darwin gémir devant ce tour des événements – car les noms des deux hommes étaient voués à rester éternellement liés et Wallace était parti en goguette dans un domaine vraiment tout à fait discutable et fort peu scientifique. Le fait que Wallace assistât à des séances de spiritisme et de chiromancie, et jurât qu'il avait parlé aux morts, était peut-être pardonnable, mais le fait qu'il ait publié des articles portant des titres comme « L'Aspect scientifique du surnaturel » ne l'était pas.

Mais Alma ne put s'empêcher d'adorer encore plus Wallace pour ses croyances peu orthodoxes et pour ses argumentaires intrépides et passionnés. Sa propre existence devenait de plus en plus calme et limitée, mais elle prenait un immense plaisir à voir Wallace – le penseur déchaîné et indomptable – déclencher des polémiques dans tous les sens. Il n'avait rien de l'aristocratique retenue de Darwin ; il déversait des idées à peine réfléchies qui lui passaient par la tête. Sans compter qu'il ne s'y attardait pas longtemps avant de sauter sur son prochain caprice.

Dans ses plus transcendantes fascinations, Wallace rappelait inévitablement Ambrose à Alma, et cela le lui rendit encore plus cher. Comme Ambrose, Wallace était un rêveur. Il prenait fait et cause pour les miracles. Il arguait que rien n'était plus important que l'étude de ce qui apparaissait défier les lois de la nature, car qui étions-nous pour prétendre que nous comprenions les lois de la nature ? Tout était un miracle jusqu'à ce que nous l'élucidions. Wallace écrivait que le premier homme ayant vu un poisson volant avait probablement dû penser qu'il assistait à un miracle – et que le premier homme ayant *décrit* un poisson volant avait sans nul doute dû être qualifié de menteur. Alma l'adorait pour ces arguments aussi obstinés qu'amusants. Il aurait été brillant dans les dîners de White Acre, se disait-elle souvent.

Cependant, Wallace ne négligeait pas totalement ses explorations scientifiques plus légitimes. En 1876, il publia son propre chef-d'œuvre : *La Distribution géographique des animaux,* qui fut immédiatement couvert de louages comme le texte de zoogéographie le plus définitif jamais produit. C'était un ouvrage stupéfiant. Mimi, la petite cousine d'Alma, lui en lut la plus grande partie, car Alma n'y voyait plus grand-chose désormais. Alma appréciait tellement les idées de Wallace que, à certains passages du livre, elle poussait des cris de triomphe. Mimi levait alors les yeux de sa page et disait :

— Vous aimez beaucoup cet Alfred Russel Wallace, n'est-ce pas, ma tante ?

— C'est un prince de la science ! dit Alma en souriant.

Cependant, Wallace sapa bientôt la réputation qu'il venait de sauver, en se radicalisant de plus en plus en politique, réclamant à cor et à cri une réforme agraire, le droit de vote des femmes, les droits des pauvres et des démunis. Il ne pouvait tout bonnement pas s'empêcher de se mêler de tout. Des amis et admirateurs haut placés tentèrent de lui trouver des fonctions stables dans des institutions réputées, mais Wallace avait acquis une telle réputation d'extrémiste que très peu étaient prêtes à l'engager. Alma craignit pour ses finances. Elle sentait qu'il n'était pas prudent côté argent. À tous égards, Wallace refusait simplement de jouer le rôle du bon gentleman anglais – probablement parce qu'il n'était pas, d'ailleurs, un bon gentleman anglais, mais plutôt un brandon de discorde de la classe ouvrière, qui ne réfléchissait pas avant de parler ni de publier. Ses passions provoquaient un certain chaos, et la controverse lui collait aux basques, mais Alma ne voulait pas qu'il batte en retraite. Elle aimait le voir jouer la mouche du coche.

— Dis-leur en face, mon garçon, murmurait Alma chaque fois qu'elle entendait parler de son dernier scandale. Dis-leur en face !

Darwin ne parla jamais en mal de Wallace en public, et réciproquement, mais Alma se demandait toujours ce que les deux hommes – si brillants et pourtant d'un tempérament et d'un style si contrastés – pensaient vraiment l'un de l'autre. Sa question eut sa réponse en avril 1882, quand Charles Darwin mourut et qu'Alfred Russel Wallace, selon les volontés du défunt, tint les cordons du poêle à ses obsèques.

Ils s'adoraient, se rendit-elle compte. *Ils s'adoraient, parce qu'ils se connaissaient.*

Et avec cette pensée, Alma se sentit profondément seule, pour la première fois depuis des dizaines d'années.

Le décès de Darwin alarma Alma, qui avait à présent quatre-vingt-deux ans et était de plus en plus fragile. Il n'avait que soixante-treize ans ! Jamais elle n'aurait pensé lui survivre. Cette inquiétude la poursuivit pendant des mois après la mort de Darwin. C'était comme si un morceau de sa propre histoire était mort avec lui et que personne ne le saurait jamais. Certes, personne ne l'avait jamais su, évidemment, mais un maillon était indubitablement perdu – un maillon qui signifiait beaucoup pour elle. Bientôt Alma mourrait, et il ne resterait plus qu'un maillon – le jeune Wallace, qui approchait désormais soixante ans, et qui n'était peut-être plus si jeune, finalement. Si les choses continuaient telles qu'elles avaient toujours été, elle mourrait sans jamais avoir connu Wallace, tout comme elle n'avait jamais connu Darwin. Qu'il en soit ainsi lui parut très soudainement d'une insupportable tristesse. Elle ne pouvait laisser cela se produire.

Alma réfléchit à la question. Elle y réfléchit pendant plusieurs mois. Finalement, elle décida d'agir. Elle demanda à Mimi d'écrire une aimable lettre sur papier à en-tête du Hortus, demandant à Alfred Russel Wallace d'avoir l'amabilité d'accepter une invitation à donner une conférence sur le sujet de la sélection naturelle, au Hortus botanicus d'Amsterdam au printemps 1883. Neuf cents livres lui seraient remises pour sa peine et son temps, et tous les frais de déplacement seraient naturellement assumés par le Hortus. Mimi s'inquiéta devant la somme – cela représentait plusieurs années de salaire pour certaines personnes ! – mais Alma répondit calmement : « Je paierai pour tout moi-même, et qui plus est, Mr Wallace a besoin de cet argent. »

La lettre assurait Mr Wallace qu'il était bienvenu pour séjourner à la confortable résidence familiale des van Devender, qui était commodément située juste à côté des jardins, dans le plus joli quartier d'Amsterdam. Il y aurait là quantité de jeunes botanistes qui seraient heureux de présenter au célèbre biologiste toutes les merveilles du Hortus et de la ville. Ce serait un honneur pour les jardins de recevoir un hôte aussi distingué. Alma signa la lettre : « Très sincèrement vôtre, Miss Alma Whittaker – conservatrice des mousses. »

La réponse arriva rapidement de la plume de l'épouse de Wallace, Annie (dont le père, Alma avait été enchantée de l'apprendre, était le grand William Mitten, un pharmacologue et bryologiste de premier plan). Mrs Wallace écrivait que son époux serait ravi de venir à Amsterdam. Il arriverait le 19 mars 1883 et demeurerait une quinzaine. Les Wallace étaient très reconnaissants de l'invitation et trouvaient la somme fort généreuse. La proposition, laissait entendre la lettre, était arrivée à point nommé – tout comme l'argent.

31

Il était si grand !

Alma ne s'y attendait pas. Alfred Russel Wallace était aussi grand et dégingandé qu'Ambrose. Il n'avait pas loin de l'âge qu'aurait eu Ambrose, d'ailleurs, si celui-ci avait vécu – soixante ans, et en parfaite santé, bien qu'un peu voûté. (C'était un homme qui avait de toute évidence passé trop d'années penché sur des microscopes à étudier des spécimens.) Il avait les cheveux gris, une grosse barbe, et Alma dut résister à l'envie de toucher son visage du bout des doigts. Elle ne voyait plus très bien et voulait mieux connaître ses traits. Mais comme cela aurait été grossier et choquant, elle se retint. Cependant, à peine l'eut-elle rencontré qu'elle eut l'impression d'accueillir son plus ancien ami.

Toutefois, au début de sa visite, il y eut un tel tumulte d'activité qu'Alma fut un peu perdue dans la foule. C'était une femme de grande taille, certes, mais elle était vieille, et les vieilles femmes ont tendance à être mises de côté dans les réunions – même quand ce sont elles qui ont payé la réception. Il y avait beaucoup de monde qui voulait faire la connaissance du grand biologiste évolutionniste, et les petits cousins d'Alma, tous des étudiants passionnés en sciences, l'entouraient comme autant de soupirants. Wallace était si poli et aimable – surtout avec les jeunes gens. Il les laissa se vanter de leurs propres projets et lui demander conseil. Naturellement, ils voulaient aussi le promener dans tout Amsterdam, et plusieurs jours furent consacrés à ces sottises touristiques et cette petite vanité.

Puis il y eut la conférence dans la Palmeraie, suivie des pesantes questions des universitaires, journalistes et dignitaires, puis de l'obligatoire et morne dîner officiel en tenue de soirée. Wallace parla avec éloquence, autant durant la conférence qu'au dîner. Il parvint à éviter la controverse, répondant avec la plus grande patience à toutes les questions profanes et ennuyeuses sur la sélection naturelle. Son épouse avait dû lui enseigner à bien se conduire, songea Alma. *Bravo, Annie.*

Alma attendit. Elle n'était pas du genre à redouter l'attente.

Avec le temps, la nouveauté de la visite de Wallace décrut et les foules bruyantes diminuèrent. Les jeunes s'intéressèrent à d'autres passions, et Alma put s'asseoir auprès de son invité pendant plusieurs petits déjeuners de suite. Elle le connaissait mieux que personne, bien sûr, et elle savait qu'il ne voulait pas parler éternellement de la sélection naturelle. Elle préféra lancer la conversation sur des sujets qu'elle savait chers à son cœur – mimétisme chez les papillons, variations chez les scarabées, lecture de pensée, végétarisme, les dangers d'hériter une fortune, son projet d'abolition de la Bourse, celui de mettre un terme à toute guerre, sa défense de l'autonomie de l'Inde et de l'Irlande, son idée d'obliger les autorités anglaises à demander pardon au monde pour toutes les atrocités commises par l'Empire, son désir de construire une maquette de la terre de cent vingt-deux mètres de diamètre dont les visiteurs pourraient faire le tour en ballon dans un but éducatif… ce genre de choses.

En d'autres termes, il se détendit avec Alma et vice versa. C'était un délicieux partenaire de conversation quand on lui donnait libre cours, comme elle avait toujours imaginé qu'il serait – disposé à bavarder de toutes sortes de sujets et de passions divers. Cela faisait des années qu'elle n'avait pas pris autant de plaisir. Comme il était fort aimable et fort liant, il s'enquit de sa vie à son tour, et ne se contenta pas de ne parler que de lui. C'est ainsi qu'Alma se trouva à parler à Wallace de son enfance à White Acre, des spécimens botaniques qu'elle collectait à cinq ans sur son poney drapé de soie, de ses parents excentriques et des conversations intellectuelles du dîner, des récits de sirènes et du capitaine Cook que lui faisait son père, de l'extraordinaire bibliothèque de la propriété, de son éducation classique presque comiquement désuète, de ses années d'études des mousses de Philadelphie, de sa sœur, la courageuse abolitionniste, et de ses aventures à Tahiti. Fait incroyable – alors qu'elle n'avait parlé à personne d'Ambrose depuis des dizaines d'années –, elle lui parla même de son remarquable époux, qui avait peint de sublimes orchidées comme personne et qui était mort dans les mers du Sud.

— Quelle existence vous avez eue ! dit Wallace.

Alma dut détourner le regard quand il lui déclara cela. C'était la première personne à le lui dire. Elle se sentit vaincue par la timidité, et aussi par le besoin, une fois de plus, de porter les mains à son visage et de palper ses traits – tout comme elle le faisait avec les mousses désormais, mémorisant du bout des doigts ce qu'elle ne pouvait plus adorer de ses yeux.

Elle n'avait pas prévu de le lui dire, ni ce qu'elle comptait lui dire, exactement. Elle n'avait même pas prévu qu'elle *voudrait* le lui dire. Au cours des derniers jours de sa visite, elle vint à penser qu'elle ne lui en parlerait probablement pas du tout. Honnêtement, elle se disait que c'était bien suffisant d'avoir fait la connaissance de cet homme et enjambé le fossé qui les avait séparés pendant toutes ces années.

Mais seulement, lors de son dernier après-midi à Amsterdam, Wallace demanda si Alma lui montrerait personnellement la grotte des mousses, et elle l'y emmena. Il eut la patience de supporter de traverser les jardins à petits pas comme elle.

— Je suis désolée d'être aussi lente, dit Alma. Mon père disait toujours que j'étais un dromadaire, mais désormais, je suis épuisée au bout de dix pas.

— Eh bien, nous nous reposerons tous les dix pas, dit-il en lui prenant le bras pour la soutenir.

C'était un jeudi après-midi et comme il bruinait, le Hortus était presque désert. Alma et Wallace eurent la grotte aux mousses à eux seuls. Elle l'emmena de rocher en rocher pour lui montrer les mousses de tous les continents et lui expliquer comment elle les avait réunies toutes ensemble dans cet unique endroit. Il s'en émerveilla – comme l'aurait fait quiconque aimait le monde.

— Mon beau-père serait fasciné de voir cela, dit-il.

— Je sais, répondit Alma. J'ai toujours voulu amener Mr Mitten ici. Peut-être qu'un jour il viendra en visite.

— Quant à moi, dit-il en s'asseyant sur le banc au milieu de la salle, je crois que je viendrais ici tous les jours si je le pouvais.

— J'y suis tous les jours, dit Alma en le rejoignant. Souvent à genoux, et avec mes brucelles à la main.

— Quel héritage vous avez laissé là, dit-il.

— C'est une aimable louange, Mr Wallace, venant de quelqu'un qui laisse derrière lui un tel héritage.

— Oh, fit-il en balayant le compliment d'un geste.

Ils restèrent assis dans un agréable silence pendant un moment. Alma pensa à la première fois qu'elle s'était trouvée seule avec Demain Matin à Tahiti. Elle pensa à ce qu'elle lui avait dit : « Vous et moi sommes, je crois, plus étroitement liés dans nos destinées que l'on pourrait penser. » Elle mourait d'envie de dire la même chose à présent à Alfred Russel Wallace, mais elle n'était pas certaine que ce soit correct. Elle ne voulait pas qu'il pense qu'elle se vantait de sa propre théorie de l'évolution. Ou, pire, qu'elle mentait. Ou, pire que tout, qu'elle lançait un défi à son héritage ou à celui de Darwin. Il valait probablement mieux ne rien dire du tout.

Mais il parla.

— Miss Whittaker, dit-il, je dois vous dire que j'ai pleinement apprécié ces quelques derniers jours en votre compagnie.

— Je vous remercie, dit-elle. Et je vous ai apprécié. Plus que vous ne pourriez le savoir.

— Vous êtes si généreuse, vous avez écouté mes idées sur tout et n'importe quoi, dit-il. Il y a peu de gens comme vous. J'ai découvert que lorsque je parle de biologie, on me compare à Newton. Mais que quand je parle du monde spirituel, on ne voit en moi qu'un imbécile puéril.

— N'écoutez pas les gens, dit Alma en lui tapotant la main dans un geste protecteur. Je n'ai jamais aimé qu'ils vous insultent.

Il resta silencieux un moment, puis :

— Puis-je vous poser une question, Miss Whittaker ? (Elle acquiesça.) Puis-je vous demander comment il se fait que vous en sachiez autant sur moi ? Je ne veux pas que vous vous imaginiez que j'en suis offensé – au contraire, je suis flatté –, mais je ne parviens tout bonnement pas à comprendre. La bryologie est votre domaine, voyez-vous, et pas le mien. Vous n'êtes pas non plus une spiritualiste ou une hypnotiste. Cependant, vous êtes si familière de mes écrits dans tous les domaines possibles et vous connaissez aussi mes critiques. Vous savez même qui est le père de mon épouse. Comment se fait-il ? Je ne parviens pas à réunir…

Il n'acheva pas, craignant, apparemment, d'avoir été impoli. Elle ne voulait pas qu'il pense qu'il avait été discourtois avec une vieille dame. Elle ne voulait pas non plus qu'il pense qu'elle était une vieille chouette dérangée qui faisait une fixation sur lui. Puisque tel était le cas, que pouvait-elle faire d'autre ?

Elle lui raconta tout.

Quand elle eut enfin terminé de parler, il resta silencieux un long moment, puis il demanda :

— Avez-vous toujours l'article ?

— Certainement, dit-elle.

— Puis-je le lire ?

Lentement, sans poursuivre la conversation, ils retournèrent par l'arrière du Hortus jusqu'au bureau d'Alma. Arrivée à l'étage, elle ouvrit la porte, haletante, et invita Mr Wallace à s'installer confortablement à son bureau. Elle sortit de sous le divan un petit sac de voyage en cuir poussiéreux – usé comme s'il avait fait le tour du monde plusieurs fois, ce qui était véritablement le cas – et l'ouvrit. À l'intérieur se trouvait un seul objet : un document manuscrit de quarante pages, délicatement enveloppé dans une étoffe comme un nourrisson.

Alma le porta à Wallace, puis s'installa confortablement dans le divan pendant qu'il lisait. Cela lui prit un peu de temps. Elle dut s'assoupir – comme cela lui arrivait souvent ces temps-ci, et dans les moments les plus saugrenus – car elle sursauta en entendant sa voix un peu plus tard.

— Quand dites-vous que vous avez écrit cela, Miss Whittaker ? demanda-t-il.

Elle se frotta les yeux.

— La date est au dos, dit-elle. J'ai procédé à des rajouts par la suite, de nouvelles idées, etc., qui sont rangées quelque part dans ce bureau. Mais ce que vous tenez entre les mains est l'original, que j'ai écrit en 1854.

Il réfléchit à la question.

— Alors Darwin est toujours le premier, dit-il enfin.

— Oh, oui, absolument, dit Alma. Mr Darwin était le premier de loin, et le plus complet. Jamais cela n'a été remis en question. Comprenez bien, Mr Wallace, que je ne prétends pas avoir un droit…

— Mais vous êtes parvenue à cette idée avant moi, dit Wallace. Darwin nous a coiffés au poteau tous les deux, c'est certain, mais vous avez abouti à cette idée quatre ans avant moi.

— Eh bien… hésita Alma. Ce n'est certainement pas ce que je désirais dire.

— Mais Miss Whittaker, dit-il en s'animant à mesure qu'il comprenait. Cela veut dire que nous étions trois !

L'espace d'un instant, Alma ne put respirer.

En un clin d'œil, Alma fut transportée en arrière à White Acre, à une belle journée de l'automne 1819 – le jour où Prudence et elles avaient fait la connaissance de Retta Snow. Elles étaient si jeunes et le ciel était bleu, la vie n'avait encore cruellement blessé aucune d'elles. Retta avait dit en levant vers Alma ses yeux brillants et animés : « Nous voici donc trois désormais ! Quelle chance ! »

Quelle était cette chanson que Retta avait concoctée pour elles ?

Nous sommes viole, fourchette et cuiller
Sous la lune nous dansons
Si vous voulez nous voler un baiser
Il va falloir vous hâter !

Comme Alma ne répondait pas immédiatement, Wallace vint s'asseoir auprès d'elle.

— Miss Whittaker, répéta-t-il à mi-voix. Vous comprenez ? Nous étions trois.

— Oui, Mr Wallace. C'est bien ce qu'il semble.

— C'est une simultanéité tout à fait extraordinaire.

— Je l'ai toujours pensé, dit-elle.

Il fixa un moment le mur, et resta longtemps silencieux. Puis il demanda finalement :

— Qui d'autre le sait ? Qui peut se porter garant pour vous ?

— Seulement mon oncle Dees.

— Et où se trouve votre oncle Dees ?

— Il est mort, vous savez, dit Alma.

Elle ne put s'empêcher de rire. C'était ainsi que Dees aurait voulu qu'elle le dise. Oh, comme ce vieil Hollandais trapu lui manquait. Oh, comme il aurait aimé ce moment.

— Pourquoi ne l'avez-vous jamais publié ? demanda Wallace.

— Parce qu'il n'était pas assez bon.

— Sottises. Tout est là. Toute la théorie y est. C'est certainement plus développé que la lettre absurde et fébrile que j'ai écrite à Darwin en 1858. Nous devrions le publier maintenant.

— Non, dit Alma. Il n'y a nulle nécessité de le publier. Vraiment, je n'en éprouve pas le besoin. C'est suffisant, ce que vous avez dit, que nous étions trois. Cela me suffit. Vous avez rendu une vieille dame heureuse.

— Mais nous pourrions le publier, insista-t-il. Je pourrais le présenter pour vous…

Elle posa la main sur la sienne.

— Non, dit-elle d'un ton ferme. Je vous demande de me faire confiance. Ce n'est pas nécessaire.

Ils restèrent un moment en silence.

— Puis-je au moins vous demander pourquoi vous avez estimé qu'il n'était pas digne d'être publié en 1854 ? demanda finalement Wallace.

— Je ne l'ai pas publié parce que j'estimais qu'il y avait une lacune dans ma théorie. Et je vais vous confier quelque chose, Mr Wallace : je crois *toujours* qu'il y a une lacune dans ma théorie.

— Et de quoi s'agit-il au juste ?

— Il manque une explication convaincante sur l'altruisme et le sacrifice de soi des êtres humains, dit-elle.

Elle se demanda si elle devait préciser. Elle ne savait pas si elle avait l'énergie pour plonger à nouveau dans cette gigantesque question – lui parler de Prudence et des orphelins, des femmes qui sortaient les nourrissons des canaux, des prisonniers affamés qui partageaient leurs dernières miettes de nourriture avec d'autres prisonniers affamés et des missionnaires qui pardonnaient aux fornicateurs, des infirmières qui s'occupaient des aliénés et des gens qui aimaient des chiens que personne d'autre ne pouvait aimer, et de tout le reste encore.

Mais il ne fut pas nécessaire d'entrer dans les détails. Il comprit immédiatement.

— Je me suis posé les mêmes questions aussi, vous savez, dit-il.

— Je sais que vous vous les êtes posées, dit-elle. Je me suis toujours demandé… Darwin se les est-il posées ?

— Oui, dit Wallace. (Puis il marqua une pause, pensif.) Bien que je n'ai jamais vraiment su ce qu'il en avait conclu, en toute honnêteté. Il prenait tellement garde, vous savez, à ne jamais faire de déclarations avant d'être absolument certain. Contrairement à moi.

— Contrairement à vous, opina Alma. Mais pas à moi.

— Non, pas à vous.

— Aviez-vous de l'affection pour Mr Darwin ? demanda Alma. Je me le suis toujours demandé.

— Oh, oui, dit Wallace. Tout à fait. C'était un excellent homme. Je crois que ce fut l'homme le plus éminent de notre époque, voire de tous les temps. À qui pourrais-je le comparer ? Il y a eu Aristote. Il y a eu Copernic. Galilée. Newton. Puis il y a eu Darwin.

— Alors vous ne lui en avez jamais voulu ? demanda-t-elle.

— Dieu du ciel, non, Miss Whittaker. Dans la science, tout le mérite doit revenir au premier découvreur, et en conséquence, la théorie de la sélection naturelle a toujours été la sienne. Qui plus est, lui seul avait la grandeur nécessaire. Je le tiens pour le Virgile de notre génération, nous emmenant visiter le paradis, l'enfer et le purgatoire. Il a été notre guide divin.

— Je l'ai toujours pensé aussi.

— Je vais vous dire, Miss Whittaker, je ne suis pas du tout désemparé d'apprendre que vous m'avez devancé pour la théorie de la sélection naturelle, mais j'aurais été affreusement abattu d'apprendre que vous aviez devancé Darwin. Je l'admire tant, vous savez. J'aimerais le voir conserver son trône.

— Son trône n'est pas en danger à cause de moi, jeune homme, dit gentiment Alma. Nul besoin de s'inquiéter.

— Cela me plaît, Miss Whittaker, que vous m'appeliez jeune homme, dit Wallace en riant. Pour quelqu'un qui va vers ses soixante-dix ans, c'est un véritable compliment.

— Dans la bouche d'une dame qui en aura bientôt quatre-vingt-dix, monsieur, c'est simplement la vérité.

Il lui semblait en effet jeune. C'était intéressant : les meilleurs moments de sa vie, se disait-elle, avaient toujours été passés en compagnie de vieux messieurs. Il y avait eu ces dîners stimulants de son enfance, assise en compagnie d'un interminable défilé d'esprits brillants et âgés. Les années à White Acre avec son père à discuter botanique et commerce jusque tard dans la nuit. Le temps passé à Tahiti avec le bon et modeste révérend Francis Welles. Les quatre heureuses années à Amsterdam avec oncle Dees avant sa mort. Mais à présent, elle-même était âgée et il n'y avait plus de vieux messieurs ! À présent, elle était avec un homme voûté à la barbe grisonnante – un enfant de soixante-dix ans – et c'était elle la vieille tortue.

— Savez-vous ce que je pense, Miss Whittaker ? Concernant votre question sur les origines de la compassion et du sacrifice de soi chez les humains ? Je crois que l'évolution explique *presque* tout sur nous, et je suis convaincu qu'elle explique absolument tout sur le reste du monde naturel. Mais je ne crois pas que l'évolution à elle seule puisse expliquer notre conscience humaine qui est sans pareille. Il n'est pas nécessaire au point de vue de l'évolution, voyez-vous, que nous ayons une sensibilité si aiguë de l'intellect et de l'émotion. Il n'y a aucune nécessité pratique aux esprits que nous possédons. Nous n'avons pas besoin d'un esprit qui peut jouer aux échecs, Miss Whittaker. Nous n'avons pas besoin d'un esprit qui peut inventer des religions ou débattre de nos origines. Nous n'avons nul besoin d'un esprit qui nous amène à pleurer à l'opéra. Nous n'avons pas besoin d'opéra, d'ailleurs – ni de science, ni d'art. Nous n'avons aucun besoin d'éthique, de morale, de dignité ou de sacrifice. Nous n'avons nul besoin d'affection ou d'amour – certainement pas au point où nous les éprouvons. Tout au plus, ces sensibilités peuvent être un handicap, car elles sont susceptibles de nous plonger dans un affreux désarroi. Je ne crois donc pas que le processus de la sélection naturelle nous a donné cet esprit – même si je crois qu'il nous a donné ce corps, et la plupart de nos facultés. Savez-vous pourquoi je pense que nous possédons cet esprit si extraordinaire ?

— Je le sais, Mr Wallace, dit tranquillement Alma. J'ai lu beaucoup de vos écrits, n'oubliez pas.

— Je vais vous dire pourquoi nous possédons cet esprit et cette âme extraordinaires, Miss Whittaker, continua-t-il, comme s'il n'avait rien entendu. Nous les avons parce qu'il y a une intelligence suprême dans l'univers qui désire être en communion avec nous. Cette suprême intelligence brûle d'être connue. Elle nous appelle. Elle nous attire vers son mystère et nous accorde cet esprit remarquable, afin que nous essayions de l'atteindre. Elle désire que nous la trouvions. Elle désire s'unir à nous, plus que tout.

— Je sais que c'est ce que vous pensez, dit Alma en lui tapotant de nouveau la main. Et je trouve que c'est une idée tout à fait ingénieuse, Mr Wallace.

— Pensez-vous qu'elle est juste ?

— Je ne saurais le dire, répondit Alma, mais c'est une très belle théorie. Elle répond à ma question bien plus que tout ce que j'ai entendu jusqu'ici. Cependant, vous répondez à un mystère avec un autre mystère et je ne peux dire si je qualifierais cela de science – même si je pourrais appeler cela de la poésie. Malheureusement, comme votre ami Mr Darwin, je cherche toujours les réponses plus solides de la science empirique. C'est ma nature, hélas. Mais Mr Lyell aurait été d'accord avec vous. Il disait qu'il ne fallait rien moins qu'un être divin pour créer l'esprit humain. Mon époux aurait adoré votre idée. Ambrose croyait à ces choses. Il désirait l'union dont vous parlez, avec l'intelligence suprême. Il est mort dans la quête de cette union. (Ils se turent à nouveau. Au bout d'un moment, Alma sourit.) Je me suis toujours demandé ce que Mr Darwin pensait de votre idée – du fait que nos esprits soient exclus des lois de l'évolution et de l'existence d'une intelligence suprême qui guide l'univers.

— Il ne l'approuvait pas, sourit Wallace.

— Je l'aurais parié !

— Oh, il ne l'aimait pas du tout, Miss Whittaker. Il était consterné chaque fois que je la soulevais. Il ne comprenait pas comment, après tous nos débats, je pouvais ramener Dieu dans nos conversations.

— Et que disiez-vous ?

— J'essayais de lui expliquer que je n'avais jamais prononcé le mot « Dieu ». Que c'était lui qui l'utilisait. La seule chose que je disais, c'est qu'une intelligence suprême existe dans l'univers et qu'elle désire s'unir à nous. Je crois au monde des esprits, Miss Whittaker, mais jamais je ne prononcerais le mot « Dieu » dans une discussion scientifique. Après tout, je suis strictement athée.

— Mais bien sûr, mon cher, dit-elle en lui tapotant de nouveau la main.

Elle adorait lui tapoter la main. Elle savourait chaque seconde de ce moment.

— Vous pensez que je suis un naïf, dit Wallace.

— Je pense que vous êtes merveilleux, corrigea Alma. Je pense que vous êtes la personne la plus merveilleuse que j'aie jamais rencontrée et qui soit encore en vie. Grâce à vous, je suis heureuse d'être encore ici, pour rencontrer quelqu'un comme vous.

— Eh bien, vous n'êtes pas seule sur terre, Miss Whittaker, même si vous avez survécu à tout le monde. Je suis convaincu que nous sommes entourés d'une foule d'amis et d'êtres chers invisibles, désormais disparus, qui exercent une influence d'amour sur notre vie et qui ne nous abandonneront jamais.

— C'est une jolie idée, dit Alma en lui tapotant la main de plus belle.

— Avez-vous déjà assisté à une séance de spiritisme, Miss Whittaker ? Je pourrais vous y emmener. Vous pourriez parler à votre époux, par-dessus l'abîme.

Alma réfléchit à la proposition. Elle se rappela la nuit dans le cabinet de reliure avec Ambrose, quand ils s'étaient parlé par la paume de leurs mains : son unique expérience avec le mystique et l'ineffable. Elle ne savait toujours pas ce qui s'était passé, en réalité. Elle n'était toujours pas entièrement certaine de ne pas avoir tout imaginé, dans un accès d'amour et de désir. D'un autre côté, elle se demandait parfois si Ambrose n'avait pas été véritablement une créature magique – peut-être quelque mutation évolutionnaire à lui seul, simplement né dans les mauvaises circonstances, ou à un mauvais moment de l'Histoire. Peut-être qu'il n'y en aurait jamais d'autre comme lui. Peut-être avait-il été une expérience manquée. Quoi qu'il ait été, cependant, cela ne s'était pas bien terminé.

— Je dois dire, Mr Wallace, répondit-elle, que vous êtes fort aimable de m'inviter à une séance de spiritisme, mais je pense que je ne devrais pas. J'ai eu une petite expérience en matière de communication silencieuse, et je sais que ce n'est pas parce que des individus peuvent *s'entendre* de part et d'autre de l'abîme qu'ils *se comprennent* nécessairement.

Il éclata de rire.

— Eh bien, si vous deviez changer d'avis, faites-le-moi savoir.

— Soyez assuré que je le ferai. Mais il est plus probable, Mr Wallace, que c'est vous qui me contacterez, *moi*, après ma mort, durant l'une de vos réunions de spirites ! Vous n'aurez pas à attendre bien longtemps pour cette occasion, car j'aurai bientôt disparu.

— Jamais vous ne disparaîtrez. L'esprit se contente de vivre dans le corps, Miss Whittaker. La mort ne fait que séparer cette dualité.

— Merci, Mr Wallace. Ce que vous dites est charmant. Mais vous n'avez pas besoin de me réconforter. Je suis trop âgée pour craindre les grands changements de la vie.

— Vous savez, Miss Whittaker, je suis là à vous exposer toutes mes théories, mais je n'ai pas pris le temps de vous demander à vous, une femme pleine de sagesse, ce que vous croyez.

— Ce que je crois n'est pas, peut-être, aussi passionnant que vous l'imaginez.

— Cependant, j'aimerais l'entendre.

Alma soupira. C'était une vraie question. Que croyait-elle ?

— Je crois que nous sommes tous de passage, commença-t-elle. (Elle réfléchit un peu et ajouta :) Je crois que nous sommes tous à demi aveugles et remplis d'erreurs. Je crois que nous comprenons très peu de choses et que ce que nous comprenons est pour l'essentiel faux. Je crois que l'on ne peut survivre à la vie – *cela,* c'est évident ! – mais que si l'on a de la chance, on peut supporter la vie pendant longtemps. Si l'on est à la fois chanceux et obstiné, la vie peut parfois même être savourée.

— Croyez-vous à l'au-delà ? demanda Wallace.

Elle lui tapota encore la main.

— Oh, Mr Wallace, j'essaie vraiment de ne pas dire des choses vexantes.

Il éclata de nouveau de rire.

— Je ne suis pas aussi délicat que vous le pensez, Miss Whittaker. Vous pouvez me dire ce que vous croyez.

— Eh bien, si vous voulez le savoir, je crois que la plupart des gens sont fort fragiles. Je crois que cela a dû être un coup dur porté à l'opinion que l'homme avait de lui-même, quand Galilée annonça que nous ne sommes pas au centre de l'univers – tout comme ce fut un coup porté au monde quand Darwin a annoncé que nous n'avions pas été spécialement créés par Dieu lors d'un unique moment miraculeux. Je crois que ces choses sont difficiles à entendre pour la plupart des gens. Je crois que cela leur donne l'impression d'être insignifiants. En disant cela, je me demande vraiment, Mr Wallace, si votre désir d'un monde des esprits et d'un au-delà n'est pas juste un symptôme de l'inlassable désir de l'homme d'être… important ? Pardonnez-moi, je ne veux pas vous insulter. L'homme que j'aimais tendrement avait le même besoin que vous, ce même désir de communier avec quelque mystérieuse divinité, de transcender son corps et ce monde et de demeurer important dans un domaine supérieur. J'ai trouvé que c'était un être solitaire, Mr Wallace. Beau, mais solitaire. Je ne sais pas si vous êtes solitaire, mais je me pose la question.

Il ne répondit pas à cela.

Au bout d'un moment, il se contenta de demander :

— Et n'avez-vous pas ce besoin, Miss Whittaker ? De vous sentir importante ?

— Je vais vous dire quelque chose, Mr Wallace. Je pense que j'ai été la femme la plus fortunée qui ait jamais vécu. Mon cœur a été brisé, certainement, et la plupart de mes souhaits n'ont pas été exaucés. Je me suis déçue par ma propre conduite, et d'autres m'ont déçue. J'ai survécu à presque tous ceux qui m'étaient chers. Il ne me reste en ce monde qu'une sœur, que je n'ai pas vue depuis plus de trente ans, et avec qui j'ai été fort peu intime pendant la majeure partie de ma vie. Je n'ai pas eu une carrière illustre. J'ai eu une idée originale dans ma vie – et il s'est trouvé que c'était une idée importante, de celles qui m'auraient peut-être permis d'être connue – mais j'ai hésité à la rendre publique et j'ai donc laissé passer l'occasion. Je n'ai pas d'époux. Je n'ai pas d'héritiers. J'ai eu une fortune, mais je l'ai donnée. Mes yeux me trahissent et mes poumons et mes jambes me causent bien du souci. Je ne pense pas voir un autre printemps. Je mourrai à l'opposé du lieu de ma naissance, de l'autre côté de l'océan, et je serai ensevelie ici, loin de mes parents et de ma sœur. Vous vous demandez sûrement à présent pourquoi cette femme qui a connu tant de malheureuses infortunes se dit fortunée ? (Il ne répondit pas. Il était trop bon pour répondre à une telle question.) Ne vous inquiétez pas, Mr Wallace. Ce n'est pas une facétie. Je crois sincèrement que je suis fortunée. Je le suis parce que j'ai pu consacrer ma vie à l'étude du monde. Comme telle, je ne me suis jamais sentie insignifiante. Cette vie est un mystère, oui, et c'est souvent une épreuve, mais si l'on peut y trouver quelques faits, on doit toujours le croire – car la connaissance est le plus précieux de tous les biens. (Comme il ne répondait toujours pas, Alma continua :) Vous voyez, je n'ai jamais éprouvé le besoin d'inventer un monde au-delà de celui-ci, car ce monde m'a toujours paru suffisamment vaste et beau. Je me suis demandé pourquoi il ne l'est pas assez pour d'autres – pourquoi ils doivent rêver de nouvelles et merveilleuses sphères, ou brûler de vivre ailleurs, au-delà de cette terre… mais ce n'est pas mon affaire. Nous sommes tous différents, je suppose. Tout ce que j'ai jamais désiré, c'était de connaître *ce* monde. Je peux dire à présent, alors que j'arrive à ma fin, que j'en sais bien plus que lorsque je suis arrivée. En outre, mon petit lot de savoir a été ajouté à tout le savoir accumulé de l'Histoire – ajouté à la vaste bibliothèque, pour ainsi dire. Ce n'est pas un mince exploit, monsieur. Quiconque peut dire cela a vécu une vie fortunée.

À présent, c'était lui qui lui tapotait la main.

— Voilà qui est fort bien dit, Miss Whittaker, dit-il.

— En vérité, Mr Wallace, répondit-elle.

Après cela, il sembla que la conversation était terminée. Ils étaient tous les deux pensifs et fatigués. Alma rangea le manuscrit dans le sac de voyage d'Ambrose, glissa le sac sous le divan et referma la porte du bureau. Jamais elle ne le montrerait à quelqu'un d'autre. Wallace l'aida à descendre l'escalier. Dehors, il faisait nuit et il y avait du brouillard. Ils retournèrent lentement ensemble jusqu'à la maison des Devender, deux numéros plus loin. Elle le fit entrer et ils prirent congé dans le hall. Wallace allait partir le lendemain matin et ils ne se reverraient plus.

— Je suis tellement heureuse que vous soyez venu, lui dit-elle.

— Je suis tellement heureux que vous m'ayez fait venir, dit-il.

Elle leva la main et lui toucha le visage. Il la laissa faire. Elle explora la chaleur de ses traits. Il avait un visage doux – elle le sentait.

Ensuite, il monta dans sa chambre, mais Alma attendit dans le hall. Elle ne désirait pas aller dormir. Quand elle entendit sa porte se refermer, elle reprit sa canne et son châle et retourna dehors. Il faisait nuit, mais cela n'avait plus d'importance pour Alma ; elle y voyait à peine en plein jour et elle connaissait parfaitement les environs au toucher. Elle trouva la porte derrière le Hortus – la porte privée que les Devender utilisaient à présent depuis trois siècles – et elle entra dans les jardins.

Son intention était de retourner à la grotte des mousses et d'y réfléchir un moment, mais elle fut rapidement hors d'haleine et elle se reposa un peu, appuyée contre l'arbre le plus proche. Bonté divine, comme elle était vieille ! Comme c'était arrivé vite ! Elle était reconnaissante qu'il y ait cet arbre derrière elle. Qu'il y ait ces jardins, dans leur obscure beauté. Elle était reconnaissante pour cet endroit calme où se reposer. Elle se rappela ce que cette pauvre petite folle de Retta Snow disait : « Dieu merci, nous avons une terre, sans quoi, où nous assiérions-nous ? » Alma se sentait un peu étourdie. Quelle nuit cela avait-il été !

Nous étions trois, avait-il dit.

Et en effet, ils avaient été trois, et maintenant ils n'étaient plus que deux. Bientôt, il n'y en aurait plus qu'un seul. Puis Wallace disparaîtrait à son tour. Mais pour le moment, au moins, il avait conscience de son existence. Elle était *connue*. Alma appuya le visage contre l'arbre et s'émerveilla de tout – de la rapidité des choses, des stupéfiantes confluences.

Mais on ne peut rester éternellement frappé de stupeur émerveillée et, au bout d'un moment, Alma se surprit à se demander quel arbre c'était exactement. Elle était familière de tous les arbres du Hortus, mais elle avait oublié où elle se trouvait et, du coup, elle ne se souvenait plus. Il avait une odeur familière. Elle caressa l'écorce, et elle sut aussitôt : bien sûr, c'était le caryer, le seul de son espèce dans tout Amsterdam. *Juglandacées*. La famille des noyers. Ce spécimen particulier était venu d'Amérique bien plus d'un siècle auparavant, probablement de l'ouest de la Pennsylvanie. Difficile à transplanter, à cause de sa longue racine pivotante. Il avait dû arriver sous la forme d'une minuscule pousse. C'était un amateur de sol alluvial, qui aimait la vase et la terre grasse, un ami de la caille et du renard, résistant au gel, sensible à la moisissure. Il était vieux. Elle était vieille.

Les lignes de l'évidence convergeaient vers Alma – de toutes les directions – la conduisant vers sa formidable conclusion finale : bientôt, bien trop tôt, son heure viendrait. Elle savait que c'était vrai. Peut-être pas cette nuit, mais une prochaine nuit. Elle n'avait pas peur de la mort, en théorie. En tout cas, elle n'avait que respect et révérence pour le génie de la Mort, qui avait façonné ce monde plus que toute autre force. Cela dit, elle ne désirait pas mourir tout à fait tout de suite. Elle voulait encore voir ce qui viendrait, plus que jamais. Le tout était de résister à la submersion le plus longtemps possible. Elle s'agrippa au grand arbre comme si c'était un cheval. Elle appuya sa joue contre son flanc vivant et muet.

— Toi et moi sommes très loin de chez nous, n'est-ce pas ? dit-elle.

Dans l'obscurité des jardins, au milieu de la silencieuse nuit de la ville, l'arbre ne répondit pas.

Mais il la soutint juste encore un peu plus longtemps.

Pour leur aide et leur inspiration, l'auteur aimerait remercier : les jardins botaniques royaux de Kew ; le jardin botanique de New York ; l'Hortus botanicus d'Amsterdam ; Bartram's Garden ; the Woodlands ; le Liberty Hall Museum ; et Esalen ; ainsi que Margaret Cordi, Anne Connell, Shea Hembrey, Rayya Elias, Mary Bly, Linda Shankara Barrera, Tony Freund, Barbara Paca, Joel Fry, Marie Long, Stephen Sinon, Mia D'Avanza, Courtney Allen, Adam Skolnick, Celeste Brash, Roy Withers, Linda Tumarae, Cree LeFavour, Jonny Miles, Ernie Sesskin, Brian Foster, Sheryl Moller, Deborah Luepnitz, Ann Patchett, Eileen Marolla, Karen Lessig, Michael and Sandra Flood, Tom et Deann Higgins, Jeannette Tynan, Jim Novak, Jim et Dave Cahill, Bill Burdin, Ernie Marshall, Sarah Chalfant, Charles Buchan, Paul Slovak, Lindsay Prevette, Miriam Feuerle, Alexandra Pringle, Katie Bond, Terry et Deborah Olson, Catherine Gilbert Murdock, John et Carole Gilbert, José Nunes, feu Stanley Gilbert, et feu Sheldon Potter. L'auteur est tout particulièrement reconnaissante au Dr Robin Wall-Kimmerer (collectionneur original des mousses) et, par ailleurs, à toutes les scientifiques de l'Histoire.

> Sois assurée, chère amie, que bien des grands et remarquables arts et sciences ont été découverts grâce à la subtilité et à l'intelligence des femmes en matière de spéculation ainsi que démontré par leurs écrits dans les arts et manifesté dans les ouvrages de travaux manuels. Je t'en donnerai abondance d'exemples.
>
> Christine de Pizan,
> *La Cité des dames*, 1405

L'éditeur et le traducteur tiennent à remercier Tikirimai Nordman et Tonina Tehaai pour leur aide précieuse relative à la traduction et à la transcription du tahitien.

Elizabeth Gilbert
dans Le Livre de Poche

Le Dernier Américain n° 33509

À dix-sept ans, Eustace Conway a décidé de renoncer à une existence confortable pour élire domicile dans les bois. Rejetant le matérialisme, le progrès, il vit donc depuis plus d'une trentaine d'années dans un tipi. Ce qui ne l'a pas empêché de sillonner les États-Unis, ou de descendre le Mississippi en canoë. Tout ce dont il a besoin, il le construit, le fait pousser ou le chasse. Il n'a pas pour autant coupé les ponts avec la société, et rêve de voir ses concitoyens se convertir à son utopie. Charismatique et visiblement heureux, mais aussi bourré de contradictions, il ne laisse personne indifférent. Elizabeth Gilbert est tombée sous le charme de cet aventurier écolo. Avec le talent qui a fait de *Mange, prie, aime* un best-seller international, elle livre un portrait tendre et sans complaisance de ce seigneur des temps modernes et de son besoin irrépressible de toujours repousser les limites, quelles qu'en soient les conséquences.

Désirs de pèlerinages n° 33217

Entre ranchs perdus au fin fond des montagnes, villes, plaines ou lacs isolés, du Minnesota au Texas en passant par le Wyoming, voici douze nouvelles qui nous entraînent aux quatre coins de l'Amérique. Elizabeth Gilbert y campe des personnages chahutés dans des situations cocasses ou étranges, toujours singulières. Une dure à cuire de la côte Est met au défi un cow-boy de s'enfuir avec elle dans les Rocheuses ; une famille de magiciens, immigrés hongrois, cherche la paix à Pittsburg ; un jeune homme trouve l'amour dans un cabaret de New York… Et des voisins envahissants se mettent à imiter le cri du wapiti… Lorsque ce recueil a paru en 1997, il annonçait l'immense talent de conteuse de l'auteur de *Mange, prie, aime.* On y trouve déjà son humour et son écriture sensible et revigorante, qui ravissent les admirateurs de son œuvre.

Mange, prie, aime n° 31355

À trente et un ans, Elizabeth possède tout ce qu'une femme peut souhaiter : un mari dévoué, une belle maison, une carrière prometteuse. Pourtant, elle est rongée par l'angoisse et le doute. Un divorce, une dépression et une liaison désastreuse la laissent encore plus désemparée. Elle décide alors de tout plaquer pour partir seule sillonner le monde ! En Italie, elle goûte aux délices de la *dolce vita* et prend les « douze kilos les plus heureux de sa vie » ; en Inde, ashram et rigueur ascétique l'aident à discipliner son esprit et, en Indonésie, elle cherche à réconcilier son corps et son âme pour trouver cet équilibre qu'on appelle le bonheur… Qui n'a jamais rêvé de changer de vie ?

Mes alliances n° 32526

À la fin de son périple autour du monde, qu'elle a relaté dans *Mange, prie, aime*, Elizabeth Gilbert s'éprenait de Felipe, un citoyen australien né au Brésil. Ils se jurent fidélité, mais, échaudés par des séparations douloureuses, se promettent de ne jamais convoler en justes noces. L'immigration américaine en décide autrement : le couple doit se marier pour que Felipe obtienne un visa. « Condamnée » au mariage, Elizabeth Gilbert décide de juguler sa peur de l'institution en s'y intéressant de plus près, tout en parcourant l'Asie du Sud-Est avec son compagnon. Écrit avec l'intelligence et la sensibilité qui ont fait sa renommée, Elizabeth Gilbert s'attache à envisager le mariage sous tous les angles, dans toutes les cultures, sans éluder les sujets qui fâchent : le désir, la fidélité, les traditions familiales, le risque de divorce…

La Tentation du homard n° 33034

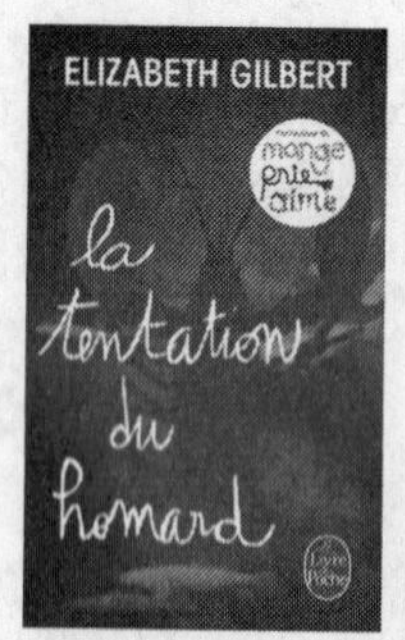

Sur deux îles voisines le long des côtes du Maine, des pêcheurs de homards se livrent depuis des générations une lutte sans merci pour s'approprier les ressources de l'océan. Ruth Thomas, âgée de dix-huit ans, revient parmi les siens après des années passées en pension sur le continent, résolue à intégrer pleinement cette communauté de durs à cuire. Plus la lutte qui oppose Fort Niles à Port Courne s'envenime, plus la détermination de Ruth s'affermit : sa place est parmi ces drôles d'insulaires, la truculente Mme Pommeroy et sa ribambelle de garçons, Simon le Sénateur et son rêve de musée, Angus le teigneux, Webster et sa chasse au trésor… Mais l'intrépide Ruth succombera bien vite au charme d'Owney Wishnell, un jeune et beau pêcheur issu du clan adverse… Ce premier roman d'Elizabeth Gilbert brosse le portrait d'une inoubliable héroïne promise à un destin hors du commun.

Du même auteur
aux éditions Calmann-Lévy :

Mange, prie, aime, 2008

Le Dernier Américain, 2009

Mes alliances, 2010

La Tentation du homard, 2011

Désirs de pèlerinages, 2012

Le Livre de Poche s'engage pour l'environnement en réduisant l'empreinte carbone de ses livres. Celle de cet exemplaire est de :
700 g éq. CO_2
Rendez-vous sur www.livredepoche-durable.fr

Composition réalisée par NORD COMPO

Achevé d'imprimer en novembre 2014 en France par
CPI BRODARD ET TAUPIN
La Flèche (Sarthe)
N° d'impression : 3008026
Dépôt légal 1re publication : janvier 2015
LIBRAIRIE GÉNÉRALE FRANÇAISE
31, rue de Fleurus – 75278 Paris Cedex 06

31/9434/7